O Teste do Tempo

Garry Kasparov

Tradução de Francisco de Assis Garcez Leme
Revisão de Giovanni
1ª edição

SOLIS
www.editorasolis.com.br

Primeira edição em português: abril de 2006

Editora: Jussara Chaves Garcez Leme
Revisão técnica: Giovanni Portilho Vescovi
Revisão: Joara Chaves
Projeto gráfico de capa: Studio Camera Tre
Editado no Brasil

Dados Internacionais de Catalogação na Publicação (CIP)
(Câmara Brasileira do Livro, SP, Brasil)

Kasparov, Garry
O teste do tempo / Garry Kasparov ; tradução de Francisco de Assis Garcez Leme ; revisão técnica de Giovanni Portilho Vescovi. --
Santana de Parnaíba, SP : Editora Solis, 2006.

Título original: Ispytanie vremenem
ISBN 9788598628069

1. Kasparov, Garry 2. Xadrez - Coleção de partidas 3. Xadrez - Estudo e ensino I. Título

06-3085 CDD-794.107

Índices para catálogo sistemático:

1. Xadrez : Estudo e ensino 794.107

ISBN: 9788598628069

As fotografias e ilustrações incluídas neste livro procedem dos arquivos pessoais do autor e dos arquivos da Editora Solis.

EDITORA SOLIS
www.editorasolis.com.br
contatos: comercial@editorasolis.com.br

Apresentação da edição brasileira

Raras vezes o título de um livro esteve tão de acordo com o seu conteúdo quanto O Teste do Tempo. Mais do que a intenção inicial do seu autor, o lendário Garry Kasparov, de relatar sua ascensão ao topo do xadrez mundial, o livro tornou-se um diário inequívoco de uma era que já não existe mais. Uma era marcada pela guerra fria, pela soberania enxadrística da União Soviética e, no terreno do jogo de xadrez, sem computadores poderosos para checar as longas horas de trabalho dedicadas às análises. Seguiu-se a era da informática. O mundo mudou, o xadrez mudou, mas Kasparov foi o Campeão durante essas duas eras.

Aliás, ele foi um dos primeiros a vislumbrar que em breve chegaria a era da informática. Muito antes de seus adversários notarem a importância do uso do computador, Garry já vencia partidas com análises caseiras feitas com a "máquina". Mas, e isso já muitos se esquecem, o caminho rumo à maestria se faz com muito trabalho duro, análises próprias, checadas ou não por computadores. Este livro dá uma idéia do imenso trabalho realizado por Kasparov durante sua evolução.

As inúmeras páginas de brilhantes análises contidas neste livro me ajudaram no desenvolvimento de candidato a Mestre até o título de Grande Mestre. Pude compreender que o xadrez é muito mais do que preparar armadilhas para o adversário ou calcular superficialmente algumas variantes. As análises contidas nesta obra são incrivelmente densas, afinal Kasparov é um representante do xadrez científico, tentando sempre descobrir a "verdade", isto é, qual o melhor lance em dada posição. Também me ajudou porque entendi a quantidade de estudo necessária para sequer ter a pretensão de descobrir uma parte desta "verdade".

Este livro também pode ajudar você. Mas aqui vai um conselho: a leitura passiva dificilmente ajuda a melhorar seu jogo. Você deve "quebrar a cabeça", pensar nos momentos críticos, comparar suas análises. Estudando da forma certa, você vai sentir uma grande melhora no seu jogo após este trabalho. Uma sugestão adicional: se você tiver um programa de análise, por que não submeter as análises do Kasparov, feitas sem ajuda de computadores, a uma crítica implacável? Isto irá lhe proporcionar grandes horas de diversão e você perceberá que as análises deste livro estão em uma classe superior.

A era pode ter mudado, mas os dois principais elementos para o crescimento de um enxadrista continuam os mesmos: bom material e muito trabalho. O leitor tem diante de si o primeiro destes elementos. Uma obra que definitivamente sobreviveu ao teste do tempo.

Rafael Duailibe Leitão

Dentro do espaço de poucos anos

No inverno de 1978 não havia argumentos suficientes para se convidar o candidato a Mestre Garry Kasparov, de 14 anos, para o Torneio Memorial Sokolsky. Afinal de contas, supostamente ali jogariam somente os Mestres! Uma exceção foi feita, ele foi convidado, e o jovem jogador de fato venceu o torneio, superando em 3½ pontos a norma para Mestre.

Este livro é uma coletânea de partidas do período entre 1978-1984, comentadas por Kasparov após os eventos. É claro, na época ele escolheu as partidas e os finais mais interessantes, mas o xadrez avançou, e agora ele está escrevendo comentários para os seus comentários.

Garry Kasparov está no caminho certo: as análises das partidas devem ser publicadas pelo jogador não somente para oferecer prazer aos leitores, mas também para, através da colocação dos resultados do trabalho diante deles para o seu estrito julgamento, ser capaz de usar as críticas desses leitores para avaliar a objetividade de suas pesquisas. Esse é um passo fundamental a todos que desejem vir a ser um pesquisador no xadrez. Dessa maneira sucessos criativos e competitivos podem surgir, e seu talento pode ser "espremido" ao máximo – desde que exista o talento! Com respeito ao presente autor, sobre isso não há dúvida...

Este livro traz 86 partidas e 14 finais. Nesse período de seis anos Kasparov jogou muito mais – a seleção foi estrita. Os anos passarão, os sucessos criativos se multiplicarão, e então em novas coletâneas é possível que nem todas as partidas apresentadas aqui sobrevivam...

De tempos em tempos a tendência para a pesquisa da Escola Soviética de Xadrez tem sido objeto de críticas. Dessa forma, em 1950, Levenfish acreditou que a preparação de um jogador poderia reduzir a importância da improvisação e do elemento de criação geral do xadrez. Hoje em dia, algumas vezes se afirma que essa tendência está se tornando obsoleta, e que ela se aplica somente à "era das diligências". Mas a prática é o critério da verdade, e permanece o fato de que a preparação do jogador e seu trabalho de pesquisa conduzem ao surgimento de seus resultados práticos competitivos.

Assim é como Garry Kasparov trabalha. Nós lhe desejamos sucesso, e esperamos que outros jovens Mestres o sigam!

Mikhail Moiseevich Botvinnik

Nota do Autor

Uma coletânea de partidas comentadas expressa a crença criativa de um jogador. São claramente vistos nos comentários seus conceitos de jogo e a sua abordagem de grande quantidade de problemas associados com o xadrez. Este livro também não é uma exceção, mas uma certa novidade na colocação do material torna necessária uma explicação preliminar, fornecendo a estrutura da série de partidas e a maneira pela qual foram compiladas.

A minha filosofia enxadrística foi grandemente desenvolvida sob a influência do ex-Campeão Mundial Mikhail Moiseevich Botvinnik. Eu estou seguro de que os cinco anos que passei na escola de Botvinnik (1973-1978) desempenharam um papel decisivo na minha formação como jogador de xadrez e determinaram o caminho para o meu posterior aprimoramento. Especialmente importante, na minha opinião, foi a assimilação do principal "axioma" de Mikhail Moiseevich, relativo à necessidade de constante trabalho de análise de algumas de suas próprias partidas. Ao observar estritamente essa regra, com os anos percebi que isso distintamente fornece o fundamento para o contínuo desenvolvimento da maestria enxadrística. No entanto, isso não significa que todos compartilhem essa opinião. Assim, recentemente, devido ao contínuo crescimento da informação e dos eventos de xadrez, mais e mais se tem falado sobre a "falta de necessidade" de decidido trabalho de pesquisa. Mas poderá o desenvolvimento posterior do xadrez realmente envolver a rejeição desse estudo científico?!

O primeiro ano de minha carreira adulta no xadrez (1978) pode ser considerado como o início da minha experiência como comentarista, embora restrito às minhas próprias partidas. Mas após o início em Baku do periódico *Shakhmaty*, meu trabalho jornalístico se tornou mais regular (durante o período 1981-1984 todos os torneios nos quais participei foram cobertos).

É óbvio que uma grande quantidade de trabalho no comentário de partidas está no limite de resultar em alguns erros de análise. Adicionalmente, o rápido desenvolvimento da teoria de aberturas introduz suas correções. Então, após algum intervalo de tempo, praticamente todos os comentários necessitam ser, se não reescritos, ao menos complementados e corrigidos. Foi sobre esse princípio que este livro foi construído. O comentário básico, isto é, o que foi escrito imediatamente após o evento, resulta em geral imutável (sem contar alterações "cosméticas" de estilo e pequenas correções nas variantes). Mas nos pontos em que foram necessárias revisões, novos comentários foram adicionados em tipo de letra diferente (*itálico*). Então, o resultado da análise atual dessas partidas foi essencialmente incluído.

Dessa forma, esse incomum duplo comentário dá a clara impressão dos erros cometidos, das reavaliações que ocorreram, e as mudanças na avaliação do próprio autor durante a passagem desse período. Eu acho que, graças a essa construção, o livro possa ser efetivamente usado com propósitos de instrução (para jogadores de alto padrão).

Concluindo, eu quero agradecer a todos aqueles que ajudaram na compilação e rápida publicação deste livro.

Garry Kasparov

P.S.: O autor não imagina que o trabalho esteja completo e não mais sujeito a revisões. Qualquer comentário enxadrístico, ou mesmo todo o livro, só merece consideração se passarem pelo *Teste do Tempo*. Assim, se o leitor se encorajar a encontrar mais erros, a revelação deles será uma importante contribuição na busca da verdade enxadrística.

Meu Primeiro Encontro com um Grande Mestre

Kasparov e Botvinnik, 1976

Sem dúvida, na biografia de qualquer jogador de xadrez são encontrados torneios e partidas que ele considera memoráveis. Na época desse torneio, o número de eventos nos quais eu havia tomado parte podia quase ser contado nos dedos de uma mão. Mas eu lembrarei do Torneio Memorial Sokolsky por toda a minha vida. Nele eu conquistei a norma de Mestre, e a partida da última rodada também permanecerá na minha memória – pela primeira vez eu joguei "frente a frente" com um Grande Mestre.

Partida 1
Kasparov - Lutikov
Torneio Memorial Sokolsky, Minsk 1978
Abertura Peão da Dama

1.d4 ♘f6 2.♘f3 d6

Parece-me que o mais específico 2...g6 é também uma continuação mais flexível, já que o peão de d7 mantém a sua liberdade de escolha (3.♘c3 d5!). Mas agora as brancas obtêm uma possibilidade adicional, forçando o oponente a pensar em um novo plano de abertura para o desenvolvimento de suas forças.

3.♘c3 ♗g4

Astúcia contra astúcia! Evitando tanto a Defesa Pirc (3...g6) como a Defesa Philidor (3...♘bd7 4.e4 e5), as pretas escolhem uma continuação rara.

4.e4 ♘bd7?

Posicionalmente uma continuação de alto risco. Mas seria esse um teste da "seriedade" das minhas intenções na última rodada? Para tentar refutar a idéia das pretas, eu fui obrigado a decidir pelo agudo avanço do meu peão e, em uma situação na qual eu poderia perfeitamente ficar feliz com um empate. Mas em meu primeiro encontro com um Grande Mestre eu queria muito jogar um "bom" xadrez, e fiz minha cabeça... Ao invés de 4...♘bd7, 4...e6 ou até 4...c6 é mais sólido.

5.e5 ♘g8

O cavalo tem que recuar, pois 5...d×e5 6.d×e5 ♗×f3 7.♕×f3 ♘×e5 8.♕×b7 é muito desfavorável às pretas.

6.h3 ♗×f3

Se 6...♗h5 eu continuaria 7.g4 ♗g6 8.h4, planejando e5–e6 no momento mais favorável.

7.♕×f3 c6 8.♗f4

As brancas desejam provocar ...d5, e somente então executar o sacrifício de peão obstrutivo. Mas a tentativa de abrir a posição através de 8.e×d6 e×d6 9.d5 entrou seriamente em consideração, após o que 9...c5 10.♗f4 poderia ter criado sérias dificuldades às pretas em relação à defesa de seu peão d6.

8...d5

Agora o plano das brancas está plenamente justificado. Problemas mais difíceis teriam sido criados com 8...e6 9.e×d6 ♘df6!, embora mesmo então após 10.0–0–0 ♗×d6 11.♗e5! elas tenham uma vantagem posicional óbvia.

9.e6 f×e6 10.♗d3 ♘gf6 11.♕e2

No momento o peão a mais das pretas está meramente atrasando seu desenvolvimento, e está obviamente condenado. A tentativa de trocá-lo – 11...♕b6 12.0–0–0 0–0 13.♕×e6 ♕×d4 – é refutada pelo belo porém rotineiro golpe 14.♕×c6+!

11...g6 12.♕×e6 ♗g7 13.0–0

Uma decisão discutível, à qual chegaram as brancas após a conclusão de que a defesa do adversário não poderia ser quebrada com a rude pressão sobre a coluna e, e que também seriam necessárias operações em um dos flancos. Eu já tinha em mente a idéia geral de uma ofensiva de peões na ala da dama, então decidi esconder meu rei na ala oposta. Mas agora eu acho que o roque na ala da dama teria sido uma continuação mais lógica e mais forte.

13...♘h5 14.♗g5?!

Quando joguei 13.0–0 eu havia planejado esse lance ativo de bispo (ao invés de 14.♗e3), supondo, principalmente em fundamentos gerais, que as pretas encontrariam dificuldades em decidir pela captura do peão 14...♗×d4. Após acalmar-me com a variante 15.♘×d5 c×d5 16.♗b5 ♘f6 17.♖ad1 ♕b6 18.♗×d7+ etc., decidi que as torres brancas encontrariam emprego adequado para si nas colunas centrais. Mas em análises posteriores descobriu-se que através de 16...a6 (ao invés de 16...♘f6) as pretas poderiam ter ameaçado libertar-se da cravada, o que em conexão com a ameaça de ...♘c5 ter-lhes-ia permitido estancar o ataque (17.♖ae1 a×b5 18.♗×e7 ♕b6 19.♕×d5 ♗e5!).

Obviamente, ao invés de 15.♘×d5? as brancas deveriam jogar simplesmente 15.♖fe1, por exemplo, 15...♗f6 16.♗×f6 ♘h×f6 (16...♘d×f6? 17.g4) 17.♘a4, com bom jogo pelo peão.

14...♘f8 15.♕g4 ♘f6 16.♕e2 ♕d6 17.♖ae1

Ao devolver o peão as pretas somente melhoram levemente sua posição. Suas forças ainda estão dispersas, seu desenvolvimento não está completo, e a ameaça de confusões na coluna e não desapareceu. O problema da disposição das torres foi resolvido muito facilmente pelas brancas: após o avanço f2–f4–f5 a abertura da coluna f é muito mais do que uma realidade, e então as torres estarão melhores em f1 e e1.

17...e6

As pretas previnem o avanço do peão f das brancas, mas ao mesmo tempo condenam-se a uma defesa passiva. Entretanto, 17...♔f7 18.♗h4! ♘e6 19.♗g3 parece perigoso para elas, tanto após 19...♘×d4 20.♕e3 ♕b4 21.a3 como 19...♕d7 20.♗e5 seguido por f2–f4–f5.

18.♘a4

Dessa forma as brancas abrem uma segunda frente na ala da dama, tentando também ali criar alvos de ataque.

18...♔f7 19.b4 b6

É claro que não 19...♕×b4 devido a 20.♘c5, com grande quantidade de perigosas ameaças.

20.♕d2 ♖e8 21.♗f4 ♕e7

As pretas não podem impedir a planejada ofensiva das brancas. 21...♕d7 é fortemente contestado por 22.c4 d×c4 23.♗×c4, quando 23...b5 24.♘c5 não é possível, e a posição após 23...♘d5 24.♗e5 é também bastante triste.

22.b5 ♕a3

Em e7 a dama simplesmente atrapalha o reagrupamento das peças remanescentes. Se 22...c5, eu planejava continuar com 23.d×c5 b×c5 24.c4, abrindo o jogo.

23.♘c3 c5 24.♘b1!

O retorno ao lar do cavalo é talvez o lance mais forte de sua carreira. Fica claro que a saída da dama a a3 não impediu a abertura do centro.

24...♕a4

Não há escolha. 24...♕b4 pode ser simplesmente contestado por 25.♕×b4 c×b4 26.♗d6, ao passo que após 24...♕×a2 25.♘c3 a dama caiu na armadilha.

25.d×c5 b×c5 26.c4 ♘8d7

Evidentemente 26...d×c4 não é possível devido a 27.♘c3, enquanto após 26...d4 a dama preta está novamente aprisionada.

27.♘c3 ♕a5 28.♕c2 ♕d8

Agora não há nada para a dama fazer em sua ala. 28...e5 é fortemente rechaçado por 29.♗d2! d4 30.♘e4 ♕b6 31.♘g5+.

29.♗g5 ♘b6 30.a4

A ameaça do avanço posterior do peão a não dá às pretas tempo para se reagruparem. Por exemplo, 30...♕c7 31.c×d5 e×d5 32.a5 ♘bd7 33.♘×d5 ♘×d5 34.♗c4.

30...d×c4 31.♗e4 ♖e7 32.a5

A opção para dar seqüência ao ataque era 32.♗c6 e então ♖d1.

32...♘bd7 33.♗c6 ♘b8 34.♖d1 ♕×a5 35.♘e4 ♖f8!

Finalmente essa torre entra em jogo, abrindo o caminho para o rei ir para g8. Aparentemente há uma possibilidade real de as pretas consolidarem a sua posição, enquanto as brancas estão restaurando o equilíbrio material. Mas aqui eu notei um defeito no posicionamento das torres pretas.

36.♗f4!

Como um pêndulo, este bispo oscila em toda a partida entre f4 e g5, cada vez desmoronando mais e mais as defesas do adversário. Esta última oscilação deixa as pretas em situação crítica. Já que 36...e5 não é possível, elas são forçadas a permitir a invasão das peças brancas.

36...♘×c6 37.b×c6 ♘e8

37...♘×e4 38.♕×e4 ♗d4 era um pouco mais tenaz.

38.♖d7! ♖×d7 39.c×d7 ♘f6 40.♘d6+ ♔e7 41.♘×c4

Outra continuação altamente promissora era 41.♘b7.

41...♕a6 42.♗d6+ ♔×d7 43.♗×f8 ♗×f8

A despeito da aproximada igualdade material, a posição das pretas permanece difícil. É impossível para elas defender seu rei e manter todos os seus peões fracos intactos.

44.♕d3+ ♔e7

Após 44...♔c7 45.♖e1, o peão de e6 logo estaria perdido.

45.♖d1 ♘d5 46.♕e4 ♔f7

46...♘c3 é ruim devido a 47.♕h4+ etc.

47.♘e5+ ♔g8 48.♘d7 c4 49.♖b1 ♕d6

As pretas estancam a ameaça de ♖b8, e de passagem armam uma "armadilha" – 50.♘×f8 ♘c3, na qual as brancas perfeitamente poderiam ter caído – 51.♕a8 ♘×b1 52.♘×e6+ ♔f7 53.♘g5+ ♔e7 54.♕b7+ seguido de ♕×b1, ganhando. Mas uma vez que, no calor da batalha, nós já havíamos ultrapassado o controle de tempo, e nenhum de nós estava tomando a iniciativa para o adiamento da partida, eu segui outro caminho, planejado de antemão, onde foi a atividade da torre que todavia decidiu o assunto.

50.♖b7 c3 51.♘×f8 ♔×f8 52.♖×h7 ♕f4

Através da ameaça de xeque perpétuo as pretas trocam as damas e salvam-se do ataque de mate. Mas o final resultante não lhes deixa esperanças: seus peões passados estão condenados.

53.♕×f4+ ♘×f4 54.♔f1 a5 55.♖a7 ♘d5 56.♖×a5 ♔f7

Com a última cilada: 57.♔e2 ♘f4+ 58.♔f3? c2 59.♖c5 ♘d3 60.♖×c2 ♘e1+ e então são as pretas que vencem. Mas...

57.g3

As pretas abandonaram.

	1	2	3	4	5	6	7	8	9	10	11	12	13	14	15	16	17	18	Pontos	Lugar
1 - Kasparov	Ж	½	1	1	½	0	0	1	1	½	1	1	½	1	1	1	1	1	13	1º
2 - Kupreichik	½	Ж	1	½	½	½	½	1	½	1	1	1	1	1	½	½	½	½	12½	2º
3 - Sheresshev	0	0	Ж	½	½	½	½	1	½	1	½	½	½	1	1	1	1	1	11	3º
4 - Kapengut	0	½	½	Ж	½	½	1	0	½	1	½	1	1	0	½	1	1	1	10½	4º- 6º
5 - Klovan	½	½	½	½	Ж	1	½	½	½	0	½	½	1	½	1	½	1	1	10½	4º- 6º
6 - Mochalov	1	½	½	½	0	Ж	1	0	½	½	1	½	½	1	1	½	½	1	10½	4º- 6º
7 - Didishko	1	½	½	0	½	0	Ж	½	0	1	0	1	1	0	½	1	1	1	9½	7º- 8º
8 - Lutikov	0	0	0	1	½	1	½	Ж	1	½	½	½	½	0	1	1	1	½	9½	7º- 8º
9 - Yuferov	0	½	½	½	½	½	1	0	Ж	½	½	0	1	½	0	1	1	1	9	9
10-Zakharov	½	0	0	0	1	½	0	½	½	Ж	½	½	½	1	1	½	½	1	8½	10º- 11º
11-Roizman	0	0	½	½	½	0	1	½	½	½	Ж	½	1	0	0	1	1	1	8½	10º- 11º
12-Begun	0	0	½	0	½	½	0	½	1	½	½	Ж	½	1	½	1	0	1	8	12º- 13º
13-Smirnov	½	0	½	0	0	½	0	½	0	½	0	½	Ж	1	1	1	1	1	8	12º- 13º
14-Litvinov	0	0	0	1	½	0	1	1	½	0	1	1	½	Ж	0	0	1	1	7	14º- 15º
15-Maryasin	0	½	0	½	0	0	½	0	1	0	1	½	0	1	Ж	1	½	½	7	14º- 15º
16-Kagan	0	½	0	0	½	½	0	0	0	½	0	0	0	1	0	Ж	½	½	4	16º
17-Veremeichil	0	½	0	0	0	½	0	0	0	½	0	1	0	0	½	½	Ж	0	3½	17º
18-Lyuboshits	0	0	0	0	0	0	0	½	0	0	0	0	0	0	½	½	1	Ж	2½	18º

Daugavpils, 1978

Torneio Classificatório para o Campeonato da URSS

Partida 2
Kasparov - Ivanov
Daugavpils 1978
Defesa Siciliana

1.e4 c5 2.♘f3 ♘c6 3.d4 c×d4 4.♘×d4 g6 5.c4 ♗g7 6.♗e3 d6 7.♘c3 ♘h6 8.♗e2 0–0 9.♕d2

Na minha opinião, outro plano promissor de desenvolvimento é 9.0–0 f5 10.♕d2 ♘g4 11.♗×g4 f×g4.

9...♘g4 10.♗×g4 ♗×g4 11.0–0 ♕a5 12.♖ac1 ♖fc8 13.b3 a6 14.♘×c6 ♖×c6

14...bxc6 é desfavorável por causa de 15.c5!

15.♗h6 ♖ac8

Mas não 15...♗h8? 16.♘d5 ♕d8 17.♕g5!, ou 15...b5? 16.♗×g7 ♔×g7 17.♕g5!

16.♗×g7 ♔×g7 17.f4?!

A despeito das trocas, a posição não perdeu sua agudeza. Após 17.♕b2! f6 18.♘d5 as brancas evidentemente estão um pouco melhor, mas eu fui muito apressado e a avaliação mudou imediatamente.

17...f6!

Agora o ganho resultante do avanço do peão f não é claro, enquanto a ameaça de ...b5 é desagradável. As brancas decidem complicar a partida ao custo de seu peão c.

18.♔h1 b5 19.f5 g5

A incauta captura 19...b×c4 perderia uma peça – 20.b4! ♕×b4 21.h3.

20.♕f2

Se 20.♕b2 b×c4 21.b4, então 21...♕e5!

20...b×c4 21.♘d5 c×b3 22.♖×c6 ♖×c6 23.♕a7!

As brancas planejaram esse ataque antes de realizar seu 18° lance. Agora o cavalo no centro e a dama causando alvoroço na retaguarda do inimigo compensam, pela sua atividade, a perda material.

23...♕d8 24.a×b3 ♗e2! 25.♖e1 ♗b5 26.h4

É claro que 26.♕×e7 teria favorecido as pretas, mas agora eu considerei que 26...h6 com a possível seqüência 27.♖d1 ♔f8 28.♔h2 ♖c2 29.e5! ♕d7! (29...d×e5? 30.♘f4!) 30.♕×d7 ♗×d7 31.e×f6 era mais sólido, e daria chances iguais. Não desejando por à prova o destino com um adversário que havia vencido seis partidas em seguida, eu ofereci o empate, mas não foi aceito.

26...g×h4?!

Essa resposta enfraquece a posição do rei e dá à torre branca um objetivo claro.

27.♕f2 ♔h8 28.♕×h4 ♖c2

As pretas conseguiram livrar-se das ameaças ao seu peão de e7 e ativaram a sua torre, mas estão pior em vista do iminente perigo ao seu rei.

29.♖e3?

Uma manobra natural, mas ao mesmo tempo um erro, com o qual as brancas perdem a sua vantagem. Após 29.♘f4! as pretas teriam sido incapazes de transferir a dama para f8 e o bispo para f7, e evidentemente teriam perdido, por exemplo, 29...♗e8 30.♘e6 ♕a5 31.♕g3, ou 29.♕e8 30.♖e3 ♕f7 31.♖g3.

29...♕f8! 30.♖h3 ♕g7 31.♖g3 ♕f8 32.♘f4 ♗e8!

Agora a defesa das pretas se sustenta. Após 33.♘g6+ ♗×g6 34.f×g6 ♕g7 tudo está em ordem.

33.♘e6 ♕f7 34.♔g1

Se tivessem capturado a dama através de 34.♖g7, as brancas se arriscariam a perder. Percebendo que minha vantagem havia desaparecido, eu armei uma última cilada.

34...♕h5!

Após 34...♗d7 35.♘d8 ♕f8 a partida teria sido imediatamente decidida por 36.♕h6!, mas as pretas permaneceram com firmeza no caminho correto.

35.♕×h5 ♗×h5 36.♖g7 ♖e2!

O empate agora se torna óbvio, enquanto após 36...♖c7? 37.g4! as brancas inesperadamente teriam aprisionado o bispo.

37.♖×e7

As brancas também precisam ficar em alerta: 37.g4? ♖×e4! 38.g×h5 ♖×e6 39.h6 ♖e5 40.♖f7 ♔g8 41.♖g7+ ♔f8 42.♖×h7 ♖×f5 43.♖h8+ ♔f7 44.h7 ♖h5, e as pretas ganham.

37...♖×e4 38.♖a7 h6 39.♖a8+ ♔h7 40.♖a7+

Empate.

Vencedor do Prêmio Informador

A partida seguinte foi considerada uma das melhores no 26° Volume do *Sahovski Informator.*

Partida 3

Kasparov - Palatnik

Daugavpils 1978

Defesa Alekhine

1.e4 ♘f6 2.e5 ♘d5 3.d4 d6 4.♘f3 g6 5.♗c4 ♘b6 6.♗b3 a5

Esse sistema de jogo é freqüentemente empregado por jogadores vindos de Odessa. Embora após 7.e6 ♗×e6 8.♗×e6 f×e6 9.♘g5 ♘c6 10.♘×e6 ♕d7 11.♕e2 a teoria prometa uma sólida vantagem às brancas, meu adversário obtivera sucesso anteriormente ao demonstrar a viabilidade da posição das pretas. Dessa forma decidi escolher outra continuação, uma que em minha opinião não é de toda má.

7.a4 ♗g7 8.♘g5

Agora 8...d5 conduz a uma posição bem conhecida com a inclusão dos lances a2–a4 e ...a5. Na variante principal, na qual as brancas jogam 9.f4 e subseqüentemente exploram sua vantagem de espaço, a fraqueza da casa b4 (após a possível troca dos peões c) pode dar às pretas contrajogo. Mas eu pretendia continuar diferentemente: 9.0–0 0–0 10.♖e1 ♘c6 11.c3 f6 12.e×f6 e×f6 13.♘e6, mantendo leve vantagem.

8...e6!?

Esse lance, que nunca havia sido jogado previamente, foi feito por Palatnik sem muita reflexão, o que de certa maneira me incomodou. Após convencer-me de que a refutação direta do plano das pretas não era possível (9.♕f3 ♕e7 10.♘e4 d×e5 11.♗g5 ♕b4+! – a inclusão dos lances a2–a4 e ...a5 retirava das brancas a possibilidade de 12.c3 – *parece que 12.♘bd2 e×d4 13.c3 ou 12...♕×d4 13.0–0–0, no entanto, daria às brancas uma iniciativa perigosa*), comecei a procurar um plano de ação sensato. Não havia muita escolha, e assim seguiu:

9.f4 d×e5 10.f×e5 c5 11.0–0?! 0–0?!

O que pode ser mais natural do que rocar? Mas, de fato, as brancas cometeram uma imprecisão e as pretas falharam em não explorá-la. Após 11...♕×d4+! 12.♕×d4 c×d4 13.♖×f7 (13.♘×f7 0–0 14.♘d6 ♖×f1+ 15.♔×f1 ♗d7 16.♘×b7 ♘a6!) 13...♗×e5 14.♖f1 ♘c6 as pretas teriam escapado de todas as suas dificuldades. De sua parte, as brancas poderiam ter evitado tudo isso através do simples 11.c3 c×d4 12.0–0! etc.

12.c3 ♘c6?

Um erro grosseiro, após o qual a iniciativa das brancas torna-se ameaçadora. Era essencial jogar 12...c×d4 13.c×d4 e somente agora 13...♘c6. As brancas poderiam seguir com 14.♘f3 f6 15.♘c3!? f×e5 15.♗g5, com boa compensação pelo peão após a possível seqüência 16...♕e8 17.d×e5 ♘×e5 18.♘×e5 ♖×f1+ 19.♕×f1 ♗×e5 20.♖e1 ♗d4+ 21.♔h1.

13.♘e4! ♘d7

É pena! A captura em d4 perde rapidamente: 13...c×d4 14.♗g5 ♕d7 (14...♕c7 15.c×d4) 15.♘f6+ ♗×f6 16.♗×f6 d×c3 17.♕c1.

14.♗e3!

A tentativa de derrubar a posição das pretas com violência poderia ter terminado em fracasso: 14.♗g5 ♕b6 15.♘f6+ ♔h8 16.♖f4 c×d4 17.♖h4 ♗×f6 18.e×f6 d×c3+ 19.♔h1 c×b2 20.♖a3 ♕c5. As brancas dessa forma reforçam o centro e preparam o desenvolvimento de suas peças remanescentes. 14...♕b6 poderia ser bem respondido tanto por 15.♗f2, ou 15.♘a3 c×d4 16.♘c4.

14...♘e7

As pretas esperam superar suas dificuldades cobrindo sua enfraquecida ala do rei com seu cavalo e fianquetando seu bispo de casas brancas.

15.♗g5!

Essa resposta inesperada arruína o plano das pretas. Para expulsar o bispo elas terão que enfraquecer ainda mais a ala do rei.

15...c×d4

Resulta que o bispo não pode ser desalojado sem antes liberar a casa c3 para o cavalo branco. O ponto é que após 15...h6 16.♗h4 g5 as brancas têm o decisivo 17.♗×g5 h×g5 18.♕h5, ao passo que a troca no centro elimina esta possibilidade: 15...c×d4 16.c×d4 h6 17.♗h4 g5 18.♗×g5? h×g5 19.♕h5 ♘×e5!

16.c×d4 h6 17.♗h4 g5 18.♗f2 ♘g6 19.♘bc3 ♕e7

Tentando libertar-se por meio de ...f5. Naturalmente, as brancas previnem isso.

20.♗c2 b6 21.♗e3

Graças aos esforços desse bispo, a posição das pretas tem uma aparência sem atrativos e parece que o golpe decisivo não tardará.

21...♗a6 22.♖f2 ♘h8

As pretas fazem a última tentativa de se libertarem – novamente preparam ...f5, e dessa forma removem seu cavalo do raio opressivo do bispo de c2. Mas as brancas estão preparadas.

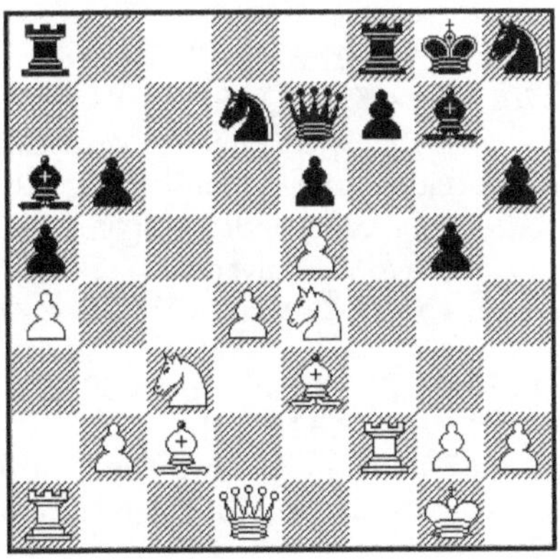

23.♗×g5! h×g5 24.♕h5 f5

Não é possível conter o assalto após 24...f6 25.♘×g5 ♖fc8 26.♗h7+ ♔f8 27.♘ce4.

25.♘×g5 ♖f7!

A defesa mais tenaz. As pretas perdem

imediatamente tanto após 25...♖fd8 26.♖×f5!, ou 25...♖fc8 26.♕h7+ ♔f8 27.♘×e6+ ♕×e6 28.♗×f5. Mas eu estava surpreso com a proposta de empate que ocorreu após 25...♖f7. É mais que óbvio como o ataque das brancas é forte.

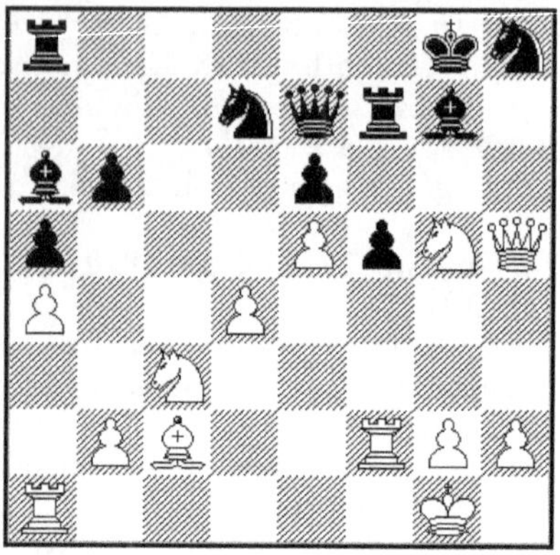

26.♗×f5!!

O centro da combinação. O sacrifício do segundo bispo conclusivamente destrói as defesas do rei preto.

26...♖×f5

Após 26...e×f5 o jogo teria sido decidido pelo avanço do peão e, apoiado por todas as peças brancas: 27.♘d5 ♕e8 28.e6 ♖f6 29.♕h7+ ♔f8 30.e7+.

27.♖×f5 e×f5 28.♘d5

As coisas inesperadamente começam a ficar apertadas para a dama preta. Resta somente uma casa onde, não por muito tempo, ela encontra salvação.

28...♕e8 29.♕h7+ ♔f8 30.♕×f5+ ♔g8

Ou 30...♘f7 31.♘e6+ ♔g8 32.♕g6.

31.♕h7+ ♔f8 32.♖a3!

32.♘c7 também venceria, mas eu quis concluir a partida com um ataque direto.

32...♖c8

Ou 32...♕g6 33.♖f3+ ♔e8 34.♕g8+ ♗f8 (34...♘f8 35.♖×f8+! ♗×f8 36.♘f6+) 35.♘c7+ ♔d8 (35...♔e7 36.♖f7+!) 36.♘ce6+ ♔e7 (36...♔c8 37.♖×f8+) 37.♕×g6 ♘×g6 38.♖f7+ ♔e8 39.♘c7+ ♔d8 40.♘ge6+ ♔c8 41.♘×a8 etc.

33.♖f3+ ♘f6

Um gesto de desespero, mas 33...♘f7 34.♖×f7+ ♕×f7 35.♘×f7 ♖c1+ 36.♔f2 ♖f1+ 37.♔g3 ♖×f7 também perde material após 38.♕h4!

34.h3!

O mais direto, embora 34.♖×f6+ ♗×f6 35.♘×f6 ♖c1+ 36.♔f2 ♕g6 37.♕×h8+ ♔e7 38.♘d5+ ♔d7 39.e6+ também fosse suficiente para ganhar.

34...♕g6 35.♖×f6+ ♗×f6 36.♘e6+ ♔e8 37.♘×f6+

Aqui Palatnik parou por um instante (ele tinha feito os últimos lances afobadamente no apuro de tempo), fez um gesto desesperado como se mostrasse que não havia mais aonde ir, e parou o relógio.

Uma vitória impressionante e esmagadora! Sob a impressão dela, por muito tempo considerei 23♗×g5! ser o caminho mais curto para o objetivo das brancas. Realmente, os eventos subseqüentes se desenvolveram à força, e em todas as variantes os sacrifícios eram corretos. Mas o pensamento que não me deixava era se eu poderia ter vencido sem jogar "brilhantemente". E então um dia eu descobri outra solução para a posição após 22...♘h8, a qual não envolve nenhum sacrifício: 23.h4 g×h4 24.♕g4! f5 (24...♘g6 25.♕h5) 25.e×f6 ♘×f6 26.♘×f6+ ♖×f6 27.♖×f6 ♕×f6 28.♕e4! ♖d8 29.♕h7+ ♔f8 30.♘b5! com ataque decisivo. Esse caminho é indubitavelmente mais simples, mas aqui não há a pirotecnia com o sacrifício dos dois bispos, e um ataque no qual todas (!) as peças tomam parte. Agora, dois anos depois, a experiência adquirida em batalhas de torneios sugere-me esse caminho (23.h4). Mas, de qualquer forma, através desse curso tempestuoso, "emocional", essa partida me deu muito prazer. E não somente a mim...

	+	-	=	Pontos
1 - Kasparov	6	1	6	9 *
2 - I.Ivanov	7	2	4	9
3 - Kupreichik	5	1	7	8½
4 - Mikhalchishin	4	0	9	8½
5 - Kapengut	4	0	9	8½
6 - Panchenko	6	2	5	8½
7 - Tseshkovsky	6	2	5	8½

64 Participantes

**** Desempate pelo Sistema Buchholz.***

Moscou, 1979

7ª Spartakiad da URSS

Em busca da verdade...

Partida 4

Veingold - Kasparov

7ª Spartakiad da URSS
Moscou 1979
Defesa Índia do Rei

1.d4 ♘f6 2.♘f3 g6 3.c4 ♗g7 4.♘c3 d6 5.e4 0–0 6.♗e2 e5 7.d5 a5

Hoje em dia esse é o plano mais popular para as pretas, atrasando a ofensiva das brancas na ala da dama.

8.♗g5 h6 9.♗h4 ♘a6 10.0–0 ♕e8 11.♘d2

11.♘e1 é mais fraco, após o que as pretas podem obter bom jogo de duas maneiras: 11...g5 12.♗g3 ♘×e4 13.♘×e4 f5 (Polugaevsky-Bukic, 1971) ou 11...♗d7 12.♘d3 ♘h7 13.f3 b6 14.♕d2 f5 (Hamann-Uhlmann, 1974).

11...♘h7 12.a3 f5?

Durante muito tempo o melhor foi considerado 12...♗d7 13.b3 h5 14.f3 ♗h6 15.♗f2 ♕e7 16.♕c2 h4 17.♖fd1 f5 18.♖ab1 ♕g5 (Petrosian-Stein, 1967). A troca dos bispos de casas pretas, como na partida Udovcic-Hort (1969), também era considerada segura para as pretas: 15.♖b1 ♗e3+ 16.♗f2 ♗c5 17.♗×c5 ♘×c5 18.b4 a×b4 19.a×b4 ♘a4, com igualdade. Na verdade, a partida Antoshin-Vasiukov (1978) colocou dúvida nessa avaliação: 17.♘b5 ♕b8 18.♕c1 c6 19.♗×c5 ♘×c5 20.♘c3 ♘f6 21.f4 ♕a7 22.♔h1, e a enfraquecida posição do rei preto começa a chamar a atenção.

Uma nova idéia foi revelada por Westerinen (pretas) em uma partida com Timman em 1977: 12...♗d7 13.b3 f5!? 14.e×f5 ♗×f5 15.♖e1 g5 16.♗g3 ♘f6 17.♘f1 ♘c5, e as pretas tomaram a iniciativa. Foi esse plano que eu quis tentar, mas... eu me esqueci de incluir os lances 12...♗d7 13.b3 antes de avançar o meu peão f.

13.e×f5 ♗×f5 14.g4!

Essa é toda a questão! O cavalo em c3 está defendido, e as pretas não podem lançar o contragolpe ...e4!. Elas são forçadas a retroceder seu bispo de uma posição ativa e entregar o controle sobre e4. Uma perda tão ridícula da batalha da abertura afetou-me, e como mostra a seqüência da partida, de certa forma impediu-me de fazer uma avaliação sóbria do que estava acontecendo.

14...♗d7 15.♘de4 a4

A única conquista das pretas nessa posição desagradável. Tivessem as brancas conseguido jogar b2–b3, sua ofensiva na ala da dama ter-se-ia desenvolvido de forma desembaraçada. Mas como deve ser avaliada a posição resultante? Durante a partida, deprimido pelo meu erro no lance 12, eu considerei a posição das pretas pobre. Veingold, como ficou claro mais tarde, avaliou a situação bastante diferentemente, achando que tudo estava relativamente em ordem para as pretas. A avaliação mais correta foi dada por Botvinnik: "as brancas por muito tempo tomam a iniciativa estratégica, e se não fizerem nada de errado serão capazes de ditar suas condições. A posição das pretas, embora passiva, é sólida, e, com uma defesa precisa, não é razoável que elas percam".

16.f3 b6 17.♗d3 ♗f6

Com seu último lance as brancas sondaram um ponto fraco na posição das pretas – seu peão g6, e impediram 17...♘c5 (18.♘×c5 b×c5 19.♕c2). Então é natural que as pretas queiram defender o peão fraco com seu rei, e ao mesmo tempo ativar seu bispo do rei.

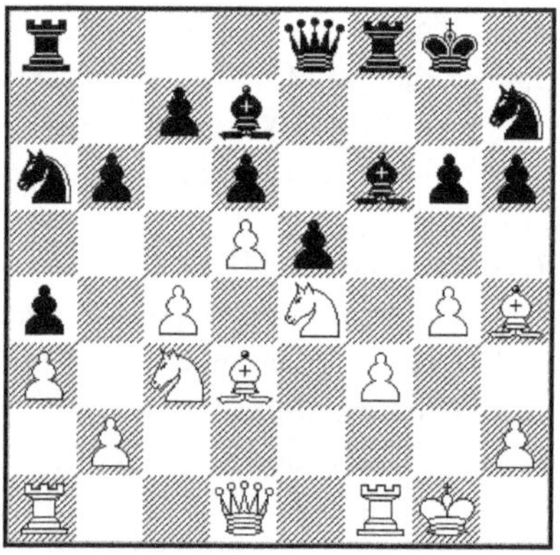

18.♘×f6+!

Quando esse lance foi reproduzido no tabuleiro mural, o Grande Mestre Gufeld – um apaixonado defensor do bispo em g7 – veio até mim e exclamou: "Criminoso!". "Quem?", eu perguntei. "Vocês dois!". Na época esse episódio apenas me fez rir...

A troca pelas brancas do seu bem colocado cavalo de e4 pelo bispo é o resultado de uma correta avaliação da posição: o bispo índio do rei estava cumprindo um papel importante na defesa de seu monarca, e após sua transferência para g5 poderia tornar-se uma força poderosa. Mas no tabuleiro eu pensei que a troca fosse favorável às pretas, e vi o perigo maior na variante 18.♗f2 ♘c5 19.♘×c5 b×c5 20.♘e4, embora considerasse ser aceitável a posição após 20...♗g5.

18...♘×f6 19.♕d2 ♘c5 20.♗c2 ♔g7?

A essa altura eu havia me convencido de que as perspectivas das pretas afinal de contas não eram assim tão tristes, e rapidamente fui ao outro extremo – comecei a superestimar minhas chances. Eu rejeitei o correto 20...g5, não desejando permitir o xeque perpétuo após 21.♗×g5 h×g5 22.♕×g5+ ♔h8 23.♕h6+ ♔g8 24.♕g5+ (mas não 24.g5 ♕h5 ou 24.f4 ♕e7). As pretas teriam tido problema maior para resolver após 21.♗f2! ♔f7! (21...♕e7 22.h4 ♕g7 23.♗e3, com grande vantagem) 22.h4 ♖g8 23.h×g5 h×g5 24.♗e3 ♔e7 25.♗×g5 ♕f7. As brancas provavelmente manteriam a vantagem, mas jogar pela vitória poderia envolver alguns riscos em vista da posição insegura de seu rei, por exemplo: 26.♘e4 ♘×e4 27.♗×e4 ♕g7 28.♗×f6+ ♕×f6 29.♖f2 ♖h8, ou 27.f×e4? ♖×g5 28.♕×g5 ♖g8.

21.♖ae1

Simples e forte. Inesperadamente (para mim) ficou claro que a ameaça de f3–f4 era muito perigosa. 21...♕f7 não ajuda: 22.f4 e×f4 23.♕×f4 g5 24.♗×g5 h×g5 25.♕×g5+ ♔h8 26.♖×f6, vencendo. Após longa reflexão, consegui encontrar uma possibilidade interessante.

21...♘b3!

Ao custo de um peão as pretas tentam eliminar o perigoso bispo de casas brancas e estancar o ataque. É perigoso aceitar o sacrifício: 22.♗×b3 a×b3 23.♕d1? g5 24.♗g3 h5 25.h3 ♕g6 26.♕×b3 h×g4 27.h×g4 ♗×g4! 28.f×g4 ♕d3 29.♗h2 ♘×g4 30.♕d1 ♕h3 31.♕e2 ♖h8, ou 29.♔g2 ♘e4! 30.♗h2 ♖×f1 31.♖×f1 ♕×f1+!

22.♕d3?

No limiar do apuro de tempo, as brancas não querem correr riscos, e oferecem a repetição da posição (22...♘c5), talvez meramente com o objetivo de tentar esclarecer as intenções do adversário. A única maneira de lançar dúvida na idéia das pretas era através do enérgico 22.♗×b3 a×b3 23.f4!, quando, para manter o controle sobre e5, as pretas teriam que recorrer a medidas extremas – 23...g5. Agora nada é alcançado por 24.f×g5 ♘×g4

25.♖xf8 ♕xf8 26.♖f1 ♕e8 27.h3 ♕h5. Correto é 24.fxe5! ♘xg4 25.♖xf8 ♕xf8 26.e6 ♘e5 (26...gxh4 27.♕g2! ♕f4 28.h3) 27.♖xe5 dxe5 28.♗g3 ♗e8 29.♗xe5+ ♔h7 30.♗xc7 ♕f5, e embora a posição aberta do rei branco dê às pretas alguma contra-chance, os formidáveis peões centrais dão às brancas uma grande vantagem, possivelmente decisiva.

22...g5 23.♗g3

Evidentemente 23.♗f2 é mais preciso.

23...♘c5 24.♕d2 ♕f7 25.h4 ♘h7 26.♗xh7 gxh4!?

As pretas poderiam ter entregue um peão: 26...♔xh7 27.hxg5 hxg5 28.♕xg5 ♕g6 com uma posição aceitável.

27.♗xe5+ dxe5 28.♗b1 ♕f4!

O único lance (28...♕f6? 29.f4! exf4 30.♕c2 ♖f7 31.♖xf4!), após o que a troca de damas é inevitável, já que 29...♕g3+ é ameaçado, e 29.♕g2 é desagradavelmente refutado por 29...h5.

29.♕xf4 ♖xf4! 30.♖xe5 ♖af8

Somente pela ativação ao máximo de suas forças poderão as pretas conseguir contra-chances suficientes. Não há tempo para se restabelecer o equilíbrio material: 30...♖xc4? 31.♖e7+ ♔f6 32.♖h7.

31.♖e7+

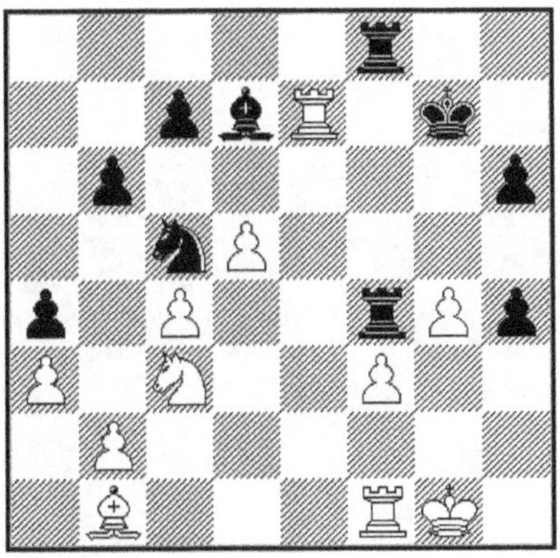

31...♖8f7?

Um erro, que reduz a zero todo o esforço das pretas. A manutenção das duas torres poderia ter impedido a derrota, por exemplo: 31...♔g8! 32.♘e4 ♗xg4 33.♘xc5 bxc5 34.♖xc7 ♗xf3 35.♖xc5 ♖g4+ 36.♔h2 ♖g2+ 37.♔h3 ♖g7, ou 34.♗e4 ♗h3 35.♖f2 ♖8f7 36.♖xf7 ♔xf7, e as pretas não têm nada a temer.

32.♖xf7+ ♔xf7 33.♘e4?

No apuro de tempo Veingold também erra. 33.♗e4! teria consolidado sua vantagem, enquanto após 33.♘e4? as pretas têm um empate claro com 33...♘xe4 34.♗xe4 (34.fxe4? ♖xf1+ 35.♔xf1 ♔f6, e as brancas é que estão em perigo de perder) 34...♔f6! e ...♔e5.

33...♘b3?

Não muito antes, ao se mover de c5 a b3, esse cavalo salvou a posição das pretas quando ela estava à beira do colapso. A repetição da jogada prova ser fatal. Até hoje eu não consigo entender o que me fez jogar um lance tão ridículo. Obviamente fui incapaz de resistir à tensão numa partida que fora difícil para mim desde o começo.

34.♔f2

Um lance preciso, que essencialmente conclui a partida. As pretas estão tanto sem o peão, como sem qualquer atividade – elas têm somente fraquezas. O final foi:

34...♗xg4 35.♔e3 ♖f5 36.♖f2 ♗h5 37.♘d6+ cxd6 38.♗xf5 ♔f6 39.♗c2 ♘c5 40.♖h2 ♔g5 41.♗d1

Aqui o apuro de tempo terminou, e eu tristemente tive que admitir que havia somente um resultado possível – 1-0. Um resultado justo! Cada um recebeu sua recompensa. As brancas tenazmente agarraram o pássaro na mão (a iniciativa), enquanto as pretas em vão caçaram dois no arbusto...

Mas talvez o Grande Mestre Gufeld estivesse certo, quando sustentou que todas as desventuras das pretas começaram com a troca de seu bispo do rei?!

Partida 5

Kasparov - Butnorius

7ª Spartakiad da URSS
Moscou 1979
Defesa Bogoíndia

1.d4 ♘f6 2.c4 e6 3.♘f3 ♗b4+ 4.♘bd2

As brancas têm duas continuações aproximadamente iguais: 4.♗d2 e 4.♘bd2, mas eu gosto da última.

Eu agora prefiro 4.♗d2, mas continuo concordando com a primeira parte da sentença.

4...0–0 5.e3 b6

A alternativa é 5...c5 6.a3 ♗×d2+ 7.♕×d2 b6 8.♗e2 d5 9.0–0 ♗a6 10.d×c5 b×c5 11.b3 com ligeira vantagem. As brancas também podem considerar o despretensioso 6.d×c5 ♗×c5 7.♗d3 ♘c6 8.a3 a5 9.b3.

6.♗d3 ♗b7 7.0–0 d5 8.a3 ♗×d2

Contra 8...♗d6 é desagradável 9.b4 c5 10.b×c5 b×c5 11.♖b1!

9.♗×d2

9.♘×d2 é tentador, com a idéia de desenvolver o bispo por b2 após 9...♘bd7 10.c×d5 e×d5 11.b4, por exemplo, 11...c5 12.d×c5 b×c5 13.♗b2 com vantagem. Mas 10...♘×d5 11.♘f3 c5 dá às pretas jogo satisfatório.

9...♘bd7 10.c×d5 ♗×d5

Após 10...e×d5 11.b4 as pretas têm uma posição nada promissora.

11.b4 c5 12.♖c1!

Também é possível 12.d×c5 b×c5 13.♗c3 ♘e4 14.♗b2, já que, após a interposição 12...♗×f3! 13.g×f3 b×c5, o par de bispos das brancas compensa o enfraquecimento da sua estrutura de peões do rei. 12.♗c3? não é convincente: 12...♘e4 13.♗b2 c4 etc.

12...c×d4

As pretas consideram que a atividade das peças menores e a fraqueza da casa c4 darão a elas boas chances, mas falham em levar em conta a força dos dois bispos com a abertura da posição, assim como a fraqueza da casa c6. No entanto, elas não tinham nada melhor. 12...♗×f3 13.♕×f3 c×d4 14.e×d4 conduz a uma posição onde um empate para as pretas é o limite de seus sonhos, e 12...♖c8 encontra o desagradável 13.♗a6!

13.♘×d4 ♘e5 14.♗a6!

Tomando definitivamente o controle da coluna c. É mais fraco 14.♗e2 ♘e4 15.♗e1 ♘d6!

14...♘e4 15.♗e1

O par de bispos deve ser mantido; após 15.f3 ♘×d2 16.♕×d2 ♕e7! 17.e4 ♗b7 18.♗×b7 ♕×b7 as chances são iguais, por exemplo: 19.f4 ♘g6 20.f5 ♘e5!

15...♕g5?!

As pretas tentam resolver suas dificuldades através de meios táticos, mas elas caem da frigideira para o fogo. No entanto, o natural 15...♘d6 também teria deixado as brancas em vantagem após 16.♕e2! ♘f5 17.♗c3.

16.f4 ♕g6 17.f×e5 ♘c5 18.♗g3 ♘×a6

18...♕e4 não funciona, pois após 19.♕e2 ♘×a6 20.♖f4! ♕×e5 21.♖g4 as brancas mantêm uma peça a mais. Mas agora parece que as pretas têm tudo em ordem.

19.♘f5!

Explorando a imunidade do seu cavalo (após 19...e×f5 20.♕×d5 a diferença de força entre o bispo remanescente e o cavalo é muito grande), as brancas deslocam-no para d6, onde restringirá severamente a mobilidade das peças pretas e assistirá o avanço e3–e4.

19...♖ae8

19...♕g5 é completamente ruim devido a 20.h4! ♕d8 21.♘d6.

20.♘d6 ♖e7 21.♖f4!

Deslocando a torre para a quarta fileira, onde será capaz de atacar o rei inimigo, e também preparando a tripla (!) pressão de peças pesadas sobre o peão de f7. Ao mesmo tempo as pretas têm que se defender contra a ameaça de 22.♖g4 ♕h6 23.♗f4 ♕h5 24.♖×g7+.

21...h5 22.e4 ♗a8 23.♗h4 ♖d7

Não 23...f6 24.e×f6 g×f6 25.♖c3, quando as brancas desenvolvem um ataque muito forte.

24.♖c3 ♕h6

No caso de 24...♘c7 as brancas tinham o seguinte plano de ataque: 25.♖g3 ♕h7 (25...♕h6 26.♗g5 ♕h7 27.♖h4 g6 28.♗f6) 26.♖g5!? g6 27.♕a4 b5 28.♕×a7, com vantagem decisiva, tanto após 28...♘d5 29.♕×d7 ♘×f4 30.♕×b5 ou 28...f5 29.e×f6 ♖×d6 (29...♘d5 30.f7+) 30.f7+ ♖×f7 31.♕b8+.

25.♕f1 ♘c7 26.♖cf3!

26.♖g3 ♘e8 27.♗g5 ♕h7 28.♘×e8 ♖×e8 29.♗f6 g6 também é forte, mas nesse caso as pretas ainda manteriam alguma esperança.

26...f5

As pretas dificilmente poderiam se dar ao luxo de dar às brancas mais dois "tempi" – 26...♕g6 27.♖g3 ♕h7 28.♗f6 g6, embora as brancas não sejam obrigadas a seguir esse caminho, e possam preferir o imediato 27.♗f6.

27.e×f6!

O cálculo dessa continuação tomou-me mais do que 30 minutos, embora fosse claro que as complicações resultantes favoreceriam as forças melhor mobilizadas. Todo esse tempo eu estava procurando o caminho mais claro para a vitória.

27...♖×d6

A alternativa 27...e5 encontra a bela resposta: 28.♕c4+ ♔h7 (é ruim 28...♗d5 29.e×d5 e×f4 30.♘f5) 29.f×g7 e×f4 30.♘f5! (30.g×f8=♕ ♕×f8 não é claro) 30...♖d1+ 31.♖f1 ♖×f1+ 32.♔×f1 ♕e6 33.g×f8=♘+! etc.

28.f7+ ♔h7 29.♗e7 e5 30.♗×f8

Após 30.♖f5 ♖×f7 31.♖×f7 ♖g6 seguido de ...♘e6 as pretas têm alguma chance de salvar a partida.

30...e×f4 31.♗×d6

É mais fraco 31.♗e7 (31.♖×f4? ♖f6!) 31...♖f6! 32.f8=♕ ♖×f8 33.♗×f8 ♘e6, enquanto após 32.♗×f6 ♕×f6 33.♖×f4 ♕d4+ 34.♔h1 ♘e6 35.f8=♕ ♘×f8 36.♖×f8 ♗×e4 as brancas têm algumas dificuldades técnicas, as quais procuro evitar mantendo o peão e4 para o final.

31...♕×d6 32.♕d3 ♕e7 33.♕c4

33.♕d7 ♕×d7 34.f8=♘+ também é forte, mas eu decidi não trocar as damas.

33...♔h6

33...b5 também é completamente sem

esperanças: 34.f8=♕ ♕×f8 35.♕×c7 ♗×e4 36.♖×f4 ♕e8 37.♖f7 ♕g8 38.♕×a7, enquanto se 33...♘e6, então 34.♕×e6.

34.♖×f4

34.f8=♕ ♕×f8 35.♕×c7 g5 36.♖d3 teria sido o caminho mais simples para a vitória.

34...♘e6 35.♕c8

Agora não é tão claro: 35.♕×e6 ♕×e6 36.f8=♕ ♗×e4.

35...♕d6 36.♕h8+ ♔g6 37.f8=♘+ ♘×f8 38.♕×f8 ♕d1+

Ou 38...♕d4+ 39.♔f1 ♕d1+ 40.♔f2, e então como na partida.

39.♔f2

Também é bom 39.♖f1 ♕d4+ 40.♕f2 ♕×e4 41.♕f7+ ♔h6 42.♕f4+ com final vencedor, mas há muito tempo eu estava determinado a não entregar meu peão e4.

39...♕d2+ 40.♔g3 ♕e1+ 41.♔h3

O peão e4 é imune: 41...♗×e4 42.♕e8+ (é por isso que o xeque em h8 foi necessário). Aqui as pretas suspenderam a partida, mas abandonaram sem reiniciá-la. (*N. do T. – Até meados da década de 1990, as partidas oficiais eram jogadas ao ritmo de 2h30 para cada jogador completar 40 lances. Após 5 horas de jogo, a partida era suspensa, para ser retomada após um período de descanso dos jogadores. Então era feito o "lance secreto", o qual era colocado em um envelope selado pelo árbitro, que reproduzia o lance no tabuleiro no reinício da partida. O adiamento das partidas caiu em desuso com a popularização dos computadores para as análises das posições das partidas adiadas e a conseqüente mudança do ritmo de jogo em torneios oficiais.*)

Minsk, 1979

47º Campeonato da URSS Liga Principal

A nova "Descoberta da América"

Partida 6
Kasparov - Yusupov
47º Camp. da URSS-Liga Principal
Minsk 1979
Abertura Ruy Lopez

1.e4 e5 2.♘f3 ♘c6

Até recentemente o repertório de Yusupov incluía a aguda Variante Chelyabinsk (*N.T. – variante Sveshnikov*) da Defesa Siciliana e a tranqüila Defesa Petroff. Mas no Campeonato da URSS (1ª Liga) Artur havia utilizado a atualmente popular Variante Aberta da Ruy Lopez.

3.♗b5 a6 4.♗a4 ♘f6 5.0–0 ♘×e4 6.d4 b5 7.♗b3 d5 8.d×e5 ♗e6 9.♗e3

As linhas principais que surgem após 9.c3 ou 9.♘bd2 ♘c5 10.c3 d4 11.♘g5!? eram indubitavelmente melhor conhecidas por Yusupov, e então eu escolhi uma continuação pouco estudada.

9...♗e7

A *Encyclopaedia of Chess Openings* (ECO) recomenda 9...♘a5, prometendo às pretas fácil igualdade, mas a partida Kupreichik-Slutsky (1979) não confirmou essa avaliação: 10.♘d4 ♕d7 11.♕e1 ♘×b3 12.a×b3 ♗e7 13.b4 c5 14.♘×e6 f×e6 15.f3, com grande vantagem.

É claro que esse comentário e o anterior estão desatualizados. Hoje 9.♘bd2 ♘c5 10.c3 d4 11.♘g5 não pode de forma alguma ser indicada como linha "principal" (o Match pelo Campeonato Mundial em Merano trouxe à linha de frente 11.♗×e6 ♘×e6 12.c×d4 ♘c×d4 13.♘e4 e 13.a4, ao passo que ao invés de 10...d4 as pretas freqüentemente têm jogado 10...♗g4). A continuação 9.♗e3 tornou-se popular, a ECO (sua segunda edição!) não mais recomenda 9...♘a5, e após 9...♗e7 o mais preciso é considerado ser 10.c3 ♘c5 (10...0–0 11.♘bd2) 11.♗c2, evitando 10.♘bd2 ♘c5 (11.c3 ♘d3!).

10.♘bd2 0–0 11.c3

11.♘×e4 não causa danos: 11...d×e4 12.♗×e6 f×e6 13.♘d2 ♕d5 14.♕g4 ♘×e5 15.♕×e4 ♖ad8. À parte disso, as pretas têm a interessante possibilidade de 12...e×f3, por exemplo, 13.♗d5 ♘×e5! ou 13.♕d5 ♘b4 14.♕×d8 ♖a×d8 15.♗b3 c5.

11...♗g4

11...♘×d2 12.♕×d2 ♕d7 é mais seguro. Como ficou claro após a partida, o lance do bispo e as variantes associadas a esse lance são analisados em detalhes consideráveis na *ECO*. Mas no tabuleiro, a partir desse ponto ambos jogadores estavam "descobrindo a América"...

12.♘×e4 d×e4 13.♕d5 e×f3

Após a partida, evidentemente sob a impressão do que havia acontecido, Artur sustentou que o final resultante após 13...♕×d5 14.♗×d5 e×f3 15.♗×c6 f×g2 16.♔×g2 ♖ad8 não é perigoso para as pretas. Isso, evidentemente, não é bem assim, e a ruptura 17.a4 dá às brancas uma clara vantagem.

14.♕×c6 f×g2 15.♕×g2 ♕d7 16.♗h6! g×h6 17.f3 h5?

Isso é de fato uma "novidade"! Agora as dificuldades das pretas aumentam. O melhor caminho é o indicado na *ECO*:

17...♗c5+ 18.♔h1 ♖ae8. Ao mesmo tempo a seguinte linha certamente não é boa: 17...♔h8 18.f×g4 ♖g8 19.h3 h5 20.♖×f7 h×g4 21.♕e4!

18.♖ad1 ♕f5 19.f×g4 ♕×e5

É difícil atribuir um ponto de interrogação a esse lance – a defesa após 19...♕×g4 20.♖d7 definitivamente deve ter parecido sem atrativos para Yusupov. A captura em e5 deixa as pretas com esperanças de igualar, caso as brancas cometam a menor imprecisão. Assim, 20.♖×f7 ♔h8! ou 20.♖f5 ♕e3+ 21.♔h1 ♖ad8 22.♖fd1 ♔h8 não dão em nada.

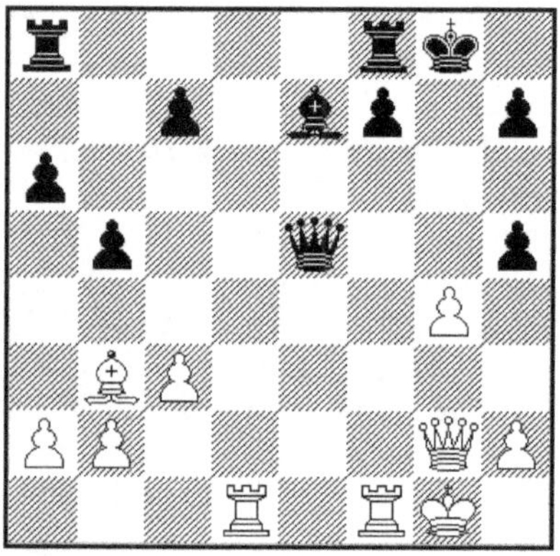

20.♖de1!

Essencialmente, o lance decisivo. A precária posição do rei preto e a falta de coordenação entre as suas peças permitem às brancas concluir a partida dentro de poucos lances.

20...♕c5+ 21.♔h1 ♖ad8?

Este perde uma peça, mas 21...♖ae8 22.♖f5 ♕d6 também falha em salvar as pretas. Agora o tentador 23.♖×f7 ♖×f7 24.g×h5+ ♔f8 25.♖g1 conduz após 25...♗h4! 26.♕g8+ ♔e7 27.♕×f7+ ♔d8 28.♖d1 ♖e1+ a um final com chances de empate para as pretas. "Mais forte" é 23.g×h5+ ♔h8 24.♖×f7 ♖×f7 25.♗×f7 ♖f8 26.♖g1 com mate inevitável. As brancas também teriam um ataque decisivo após 21...♗h4 22.♖f5 ♕d6 23.♖ef1.

22.♖f5 ♕d6 23.♖d5 ♕g6 24.♖×e7 ♖×d5 25.♗×d5 h×g4 26.♕e4 ♕×e4+ 27.♗×e4 ♖d8 28.♖×c7 h5 29.♗c2 ♖d5 30.♗b3 ♖f5 31.♔g2 a5 32.♖×f7

Após 15 minutos de reflexão decidi que essa era a maneira mais rápida de forçar a capitulação das pretas.

32...♖×f7 33.♔g3 a4 34.♗×f7+ ♔×f7 35.♔h4 ♔g6 36.b3 a3 37.c4 b×c4 38.b×c4 ♔f5 39.♔×h5 ♔e4 40.♔×g4 ♔d4 41.h4

As brancas promovem seu peão dois lances antes. As pretas abandonaram.

Partida 7

Kasparov - Georgadze

47º Camp. da URSS-Liga Principal

Minsk 1979

Defesa Philidor

1.e4 e5 2.♘f3 d6

Os lances de abertura do Grande Mestre de Tbilisi foram uma surpresa para mim. Até onde eu sei, nos anos recentes Georgadze tem sido fiel a 1...c5.

3.♗c4 ♗e7 4.d3

Decidi responder astúcia com astúcia, escolhendo um plano incomum de desenvolvimento, após o qual por longo tempo as pretas manobram sem nenhum objetivo específico, em uma situação que pode não ser familiar para um defensor da Defesa Siciliana.

4...♘f6 5.c3 0–0 6.0–0 c6 7.♗b3 ♗e6 8.♗c2

Essa retirada é a conseqüência lógica da estratégia de abertura das brancas. Elas estão jogando a Ruy Lopez. Mas o que as pretas estão jogando?

8...h6

É natural que as pretas queiram preservar seu bispo da troca. Considera-se que em tal situação elas não são obrigadas a perder tempo, já que 8...♘bd7 9.♘g5 não é perigoso em vista de 9...♗g4. Mas após 9.♖e1 ♕c7 10.d4 ♖e8 11.h3 não surge continuação mais adequada do que 11...h6.

9.♖e1 ♘bd7 10.♘bd2 ♕c7 11.d4

É claro que o avanço ...d5 não pode ser permitido. Agora as pretas poderiam ter jogado 11...♗g4 (por exemplo, 12.h3 ♗h5 13.♘f1 ♘h7), mas elas escolheram um sistema de desenvolvimento restringido, o qual no momento não as obriga a determinar seus planos.

11...♖fe8 12.h3! ♘f8 13.c4

Após primeiramente restringir as possibilidades das pretas na ala do rei, as brancas inesperadamente trocam o palco da batalha estratégica. Ao invés de jogar na ala do rei, começam as operações com o objetivo de tomar espaço no centro. Já que a troca 13...e×d4 dá às brancas excelentes chances – 14.♘×d4 ♕b6 15.♘2f3! ♗×c4 16.♘f5! – as pretas permitem o posterior avanço do peão d.

13...♘g6 14.d5 ♗d7

15.♘b1!

Prometia menos a movimentação do cavalo via f1, já que isso teria enfraquecido o potencial de luta das brancas na ala da dama. Elas agora planejam uma ofensiva com ♘c3, ♗d2, b2–b4 etc. Casualmente, entre minhas partidas memoráveis, essa foi a terceira na qual muito a respeito do final foi decidido pela movimentação do cavalo via b1. Mas enquanto, por exemplo, em meu encontro muito agudo com L.Zaid (Leningrado, 1977) eu manobrei via ♘c3–b1–d2, aqui a vantagem das brancas é consolidada pela manobra reversa.

Em minha partida com Lutikov (partida 1) o cavalo é retirado de c3 para que, após permitir o avanço do peão c (c2–c4), possa então retornar para intensificar a pressão no centro. Não há razão para se ter orgulho da manobra do cavalo no encontro com Zaid, mas essa partida em si é interessante: 1.e4 c5 2.♘f3 d6 3.d4 c×d4 4.♘×d4 ♘f6 5.♘c3 a6 6.♗g5 e6 7.f4 ♕b6 8.♕d2 ♕×b2 9.♘b3 ♕a3 10.♗×f6 g×f6 11.♗e2 ♘d7 12.0–0 h5 13.♕d4!? (com a transparente ameaça de 14.♘b1; 13.♔h1 ♗e7 14.♖ad1 ou 14.♖ab1 é melhor) 13... b5 14.♘b1?! ♕a4 15.c4 b4 16.f5 ♗e7 17.f×e6 f×e6 18.♘1d2 ♕c6 (a posição, é claro, é favorável às pretas, e somente o futuro precário do rei preto pode inspirar as brancas) 19.a3 b×a3 20.♔h1 ♖b8 21.♖×a3 ♕b6 22.♕a1 ♘e5 23.c5 d×c5 24.♘c4 ♕c7 25.♘bd2 ♘×c4 26.♘×c4 ♖b4 27.e5! (nesse instante da partida é manifesto o insucesso de Zaid – sua posição está à beira do colapso! E embora na seqüência ambos jogadores tenham cometido erros, o ataque ao rei traz a vitória às brancas) 27...f×e5 28.♕d1 ♗d7 29.♖×a6 h4 30.h3 ♖g8 31.♖×e6 ♔d8 32.♖×e5 ♖×c4 33.♕d5 ♖×g2 34.♗×c4 ♖g3 35.♕a8+ ♕c8 36.♕a5+ ♔e8 37.♗f7+ ♔f8 38.♗e6+ ♔g7 39.♕a1 ♔h6 40.♕c1+ ♗g5 41.♖×g5 ♕c6+ 42.♗d5 ♖×h3+ 43.♔g2, e as pretas abandonaram.

15...♗f8

As pretas não têm senso de perigo. Em busca de contra-chances elas deveriam ter aberto a coluna c – 15...c×d5 16.c×d5, e após 16...b5! começar o contrajogo na ala da dama, com a seguinte colocação das peças em mente: ...♖ec8, ...♕b7 e ...♗d8–b6 (a5).

16.♘c3 c5?

E isso é um erro estratégico. Mesmo após a perda de tempo elas deveriam ter se voltado ao plano com ...c×d5.

17.♗a4!

Com a dada formação de peões no centro, essa troca favorece as brancas, já que as perspectivas dos bispos remanescentes não são de forma alguma equivalentes.

17...a6 18.♗×d7 ♘×d7

Um pouco melhor é 18...♕×d7, contra o qual as brancas poderiam ter respondido com 19.a4, retirando o contrajogo das pretas. Mas 19.a3 b5 20.♗e3 atraía-me mais, permitindo às pretas abrirem a ala da dama, onde na iminente batalha as brancas teriam concentração maior de peças.

19.g3 ♗e7 20.h4 ♘f6 21.♘h2 ♕d7 22.a4 ♕h3 23.♕f3 ♕d7

A saída fútil da dama a h3 é explicada por uma demonstração de atividade anterior à oferta de empate no lance 22 e uma avaliação sóbria da situação após a recusa das brancas. Uma resistência mais tenaz poderia ter sido oferecida por 22...♗b8, embora 23.a5 b5 24.a×b6 ♗×b6 conduza também a uma óbvia vantagem das brancas. Mas no apuro de tempo não é fácil tomar uma decisão tão comprometedora, e Georgadze, abandonando qualquer idéia de contrajogo, decide se defender passivamente, contando com a força da sua cadeia de peões.

24.a5 ♘f8 25.♗d2 ♖ec8 26.♘f1

A tragédia das pretas é que, sob condição de espaço de manobra extremamente restrito, elas têm que estancar as ameaças do muito mais móvel exército branco. Agora 27.♘e3 é ameaçado.

26...♘g4

A dama preta está agora amarrada à casa d7 e torna-se impossível mover o cavalo desde f8 em direção à ala da dama. Isso é explorado pelas brancas, que imediatamente abrem a posição nessa parte do tabuleiro.

27.♘a4 ♗d8 28.♖ec1 ♖ab8

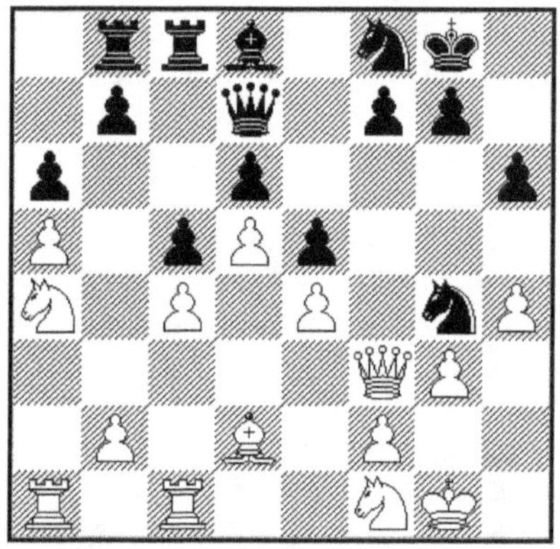

29.b4

O início da ofensiva decisiva.

29...c×b4 30.♗×b4 h5

Talvez as pretas devessem ter tentado suas chances em uma batalha aberta: 30...b5 31.a×b6 ♗×b6 32.c5 d×c5 (32...♗a7 33.c6!) 33.♗×c5 ♗×c5 34.♘×c5 ♖×c5. É verdade que após 35.♖×c5 ♖b2 36.♘e3! ♘×f2 37.♖c2! a batalha é concluída, mas após 30...h5 ela essencialmente nem começou.

31.♘b6

A continuação mais segura com o adversário em apuro de tempo. 31.♕d3 também é bom o suficiente, por exemplo, 31...b5 32.a×b6 ♗×b6 33.♘×b6 (33.c5 ♗a7!) 33...♖×b6 34.♗a3 ♕b7 35.c5 ♖b3 36.c6, mas eu não queria dar às pretas nem mesmo um pingo de contrajogo.

31...♗×b6 32.a×b6

Agora os eventos principais desenvolvem-se na coluna c, e se ela se abrir o peão b6 fornecerá às brancas um posto avançado em c7.

32...♕e7 33.♕a3 ♖d8

Quando a sua seta está caindo é difícil decidir por um lance como 35...♖c5!, mas esta era a última esperança de defesa – 34.♗×c5 d×c5 35.♘e3 ♘×e3 36.♕×e3 ♘d7. Eu acho que após 37.d6! as brancas estão próximas de vencer.

34.f3 ♘h6

34...♘f6 é fortemente rebatido por 35.♘e3.

35.c5 d×c5 36.♗×c5 ♕f6 37.♔g2 ♖e8 38.♗e3 ♘d7 39.♖ab1 ♕e7

Este lance perde material, mas também era muito difícil agüentar após 39...♖bc8 40.♖c7 ♖×c7 41.b×c7 b5 42.d6.

40.♕×e7 ♖×e7

Aqui a seta do relógio das pretas caiu, e os controladores abreviaram a partida. Entretanto, o óbvio 41.♖c7 teria levado ao colapso imediato a posição das pretas.

Partida 8

Tseshkovsky - Kasparov

47° Camp. da URSS-Liga Principal
Minsk 1979
Defesa Siciliana

1.e4 c5 2.♘f3 e6 3.d4 c×d4 4.♘×d4 ♘c6 5.♘b5 d6 6.c4 ♘f6 7.♘1c3 a6 8.♘a3 ♗e7 9.♗e2 0–0 10.0–0 b6 11.♗e3

Uma posição bem conhecida, favorável às brancas. Assim, na partida Georgadze-Polugaevsky no Campeonato do ano anterior (Tbilisi, 1978), as pretas encontraram grandes dificuldades após 11...♗b7 12.♕b3 ♘d7 13.♖ac1 ♖e8 14.♖fd1 ♘c5 15.♕c2 ♗f6 16.♘ab1! Também convém lembrar uma partida antecessora, Karpov-Olafsson (Amsterdã, 1976). Parece-me que as dificuldades das pretas têm raízes na pobre posição do seu cavalo da dama, cujo lugar é d7. Por isso...

11...♘e5!?

Para aqueles que estão preocupados com a perda de tempo envolvida nessa manobra, convém apontar para o cavalo em a3! A idéia de ...♘c6–e5–d7 já havia sido tentada (após o preparatório 11...♗b7 12.♖c1) na partida Tseshkovsky-Ribli (Riga, 1979). Tudo correu bem para Ribli, e por isso na nossa partida Tseshkovsky age mais agressivamente.

12.f4 ♘ed7 13.♗f3 ♗b7 14.♕e2

14...♕c7?! 15.♖ac1

O plano das brancas inclui g2–g4, contra o qual as pretas gostariam de responder ...d5. Mas 14...♕c7 atrapalha esse contragolpe, já que a oposição da dama preta e da torre branca na coluna c pode dar o que falar. Mais preciso era 14...♖e8, e se 15.♖ad1, somente então 15...♕c7. Todavia, após 40 minutos de reflexão eu cheguei à conclusão de que, a despeito dessa imprecisão, as pretas têm contrajogo bastante bom.

15...♖ac8 16.g4 ♘c5 17.♕g2 d5!

Talvez 17...g5!? 18.f×g5 ♘fd7 19.♗e2 ♘e5 seja também aceitável.

Esse sacrifício de peão agora parece-me duvidoso.

18.e5!

Dos três caminhos, esse é o único correto. Tanto para a esquerda (18.e×d5), quanto para a direita (18.c×d5), as brancas poderiam ter ganho material, mas:

(1) 18.e×d5 ♘d3 19.g5! (19.♖cd1 ♘×f4 20.♗×f4 ♗c5+! 21.♔h1 ♕×f4) 19...♗c5! 20.♗×c5 ♕×c5+ 21.♔h1 ♘×d5! 22.c×d5 ♘×c1 23.♖×c1 b5 com a iniciativa.

(2) 18.c×d5 ♘d3 19.d6! ♗×d6 20.♘d5 ♘×d5! 21.♖×c7 ♘×e3 22.♕e2 ♘×f4 23.♕×e3 ♖×c7 com suficiente compensação pela dama.

18...♘fe4 19.c×d5 e×d5 20.b4

Dificilmente as coisas teriam se alterado com 20.♖fd1 ♖fd8 21.b4 ♘×c3 22.♖×c3 d4!

20...♘×c3 21.♖×c3 d4

Um sacrifício de peão preparado há muito tempo, levando a uma posição na qual as brancas terão certas dificuldades: (des)coordenação das peças e peões avançados, os quais poderão se mostrar vulneráveis. No geral, as pretas têm todas as razões para contar com a manutenção do equilíbrio.

22.♗×d4 ♕d7 23.♘c2!

Indubitavelmente mais forte do que 23.♗e3 ♗×f3 24.♕×f3 ♘a4 25.♖×c8 ♖×c8.

23...♗×f3 24.♖c×f3 ♘e6 25.♗e3 f5

No tabuleiro pareceu-me que esse lance, quebrando a falange de peões brancos, era o mais forte. Mas agora eu acho que 25....♖c4 teria sido pelo menos tão bom quanto. Por exemplo, 26.f5 ♘g5 27.♖f4 ♖fc8 28.♘d4 ♖c3.

26.e×f6 ♗×f6 27.♔h1

Essa profilaxia é necessária. Nada se consegue nem com 27.f5 ♘g5, ou com 27.g5 ♗e7 (27...♗×g5? 28.f×g5 ♖×f3 29.♕×f3 ♖×c2 30.♗×b6), quando os peões brancos são parados (28.f5? ♘×g5).

27...♕d5

Centralização. 27...♕c7 também era satisfatório.

28.a3 ♕c4

Não há tempo para 28...b5: 29.♗g1!, e o cavalo em c2 adquire maravilhosas perspectivas.

29.f5

Após 29.♘e1 ♘d4 as pretas têm uma posição bastante boa, e então as brancas oferecem a passagem para um final igual.

29...♕×c2 30.♕×c2 ♖×c2 31.f×e6 ♖c6 32.a4

Empate.

	1	2	3	4	5	6	7	8	9	10	11	12	13	14	15	16	17	18	Pontos	Lugar
1 - Geller	Ж	½	½	½	½	½	½	½	1	1	1	½	1	½	½	½	1	1	11½	1º
2 - Yusupov	½	Ж	½	0	1	1	½	1	½	½	½	½	1	½	1	1	½	0	10½	2º
3 - Balashov	½	½	Ж	½	½	½	½	½	½	½	½	½	1	½	½	½	1	1	10	3º - 4º
4 - Kasparov	½	1	½	Ж	1	1	½	1	0	0	½	½	½	1	½	1	0	½	10	3º - 4º
5 - Georgadze	½	0	½	0	Ж	1	½	1	½	0	1	½	0	1	1	½	½	1	9½	5º- 7º
6 - Kupreichik	½	0	½	0	0	Ж	0	1	1	½	1	1	1	½	½	0	1	1	9½	5º- 7º
7 - Makarichev	½	½	½	½	½	1	Ж	0	1	0	½	½	½	1	½	½	½	1	9½	5º- 7º
8 - Vaganian	½	0	½	0	0	0	1	Ж	1	½	0	½	1	½	1	1	1	½	9	8º
9 - Lerner	0	½	½	1	½	0	0	0	Ж	1	½	½	½	1	½	1	½	½	8½	9º
10-Beliavsky	0	½	½	1	1	½	1	½	0	Ж	½	0	0	0	0	1	1	½	8	10º- 13º
11-Razuvaiev	0	½	½	½	0	0	½	1	½	½	Ж	½	½	1	½	½	½	½	8	10º- 13º
12-Rashkolsky	½	½	½	½	½	0	½	½	½	1	½	Ж	½	0	½	½	½	½	8	10º- 13º
13-Romanishin	0	0	0	½	1	0	½	0	½	1	½	½	Ж	1	1	½	0	1	8	10º- 13º
14-Dolmatov	½	½	½	0	0	½	0	½	0	1	0	1	0	Ж	½	1	1	½	7½	14º- 15º
15-Tal	½	0	½	½	0	½	½	0	½	1	½	½	0	½	Ж	0	1	1	7½	14º- 15º
16-Sveshnikov	½	0	½	0	½	1	½	0	0	0	½	½	½	0	1	Ж	1	½	7	16º
17-Anikayev	0	½	0	1	½	0	½	0	½	0	½	½	1	0	0	0	Ж	½	5½	17º- 18º
18-Tseshkovsky	0	1	0	½	0	0	0	½	½	½	½	½	0	½	0	½	½	Ж	5½	17º- 18º

Skara, 1980

Campeonato Europeu por Equipes

Partida 9
Kasparov - Pribyl
Campeonato Europeu por Equipes
Skara 1980
Defesa Grünfeld

1.d4 ♘f6 2.c4 g6 3.♘c3 d5 4.c×d5 ♘×d5 5.e4 ♘×c3 6.b×c3 ♗g7 7.♘f3 b6

Normalmente se joga 7...c5. O avanço do peão a b6 ocorreu após 7...0–0 8.♗e3, mas nessa situação, pelo que me consta, é a primeira vez em que é jogado.

8.♗b5+ c6 9.♗c4 0–0 10.0–0

Possivelmente 10.♕e2 deveria ter sido considerado, impedindo a troca dos bispos de casas brancas, mas eu pensei que mesmo sem essas peças as brancas teriam boas perspectivas.

10...♗a6 11.♗×a6 ♘×a6 12.♕a4

Uma imprecisão. O simples 12.♗g5 ♕d7 13.♕d2 era mais forte – o centro sólido das brancas e a pobre posição do cavalo em a6 asseguram a elas uma vantagem estável.

12...♕c8 13.♗g5 ♕b7 14.♖fe1 e6

No tabuleiro não é fácil decidir qual é o melhor: 14...e6 ou 14...♖fe8. Os dois lances provavelmente são equivalentes.

15.♖ab1 c5

Praticamente forçado – a ameaça era 16.c4. O preliminar 15...h6 teria encontrado a desagradável réplica 16.♗e3, prevenindo ...c5.

16.d5!

Se as brancas fazem o lance preparatório adicional 16.♖ed1, podem facilmente perder a iniciativa após ...f5.

16...♗×c3 17.♖ed1 e×d5 18.e×d5

A vantagem posicional das brancas compensa completamente seu déficit material. Elas têm um forte peão passado, e as peças do adversário estão mal colocadas, especialmente o cavalo em a6.

18...♗g7

Se as pretas primeiro socorrem o seu cavalo, então 18...♘c7 pode ser respondido com 19.♗e7 ♖fe8 20.♕d7, ao passo que após 18...♘b8 as brancas têm uma escolha: elas podem tanto recuperar o seu peão (19.♕c4 ♗g7 20.♕×c5) quanto continuar o ataque – 19.♕h4.

19.d6 f6

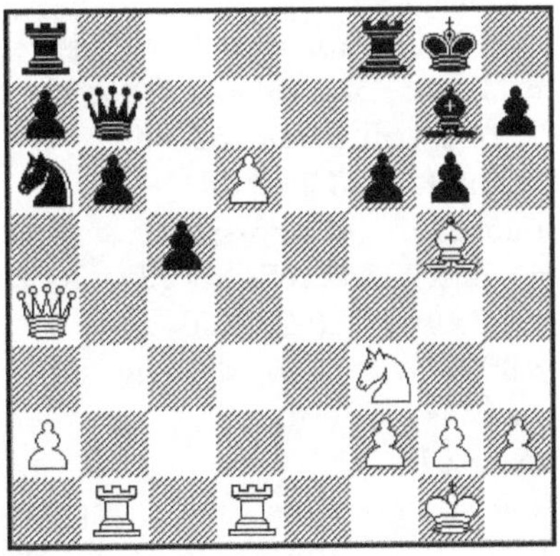

20.d7!

Após 20.♗f4 as brancas sem dúvida têm compensação suficiente pelo peão. O sacrifício de peça que elas oferecem pode ser considerado discutível, mas mesmo agora, após uma análise séria e tranqüila, parece-me correto. E quão mais difícil deve ter sido para as pretas resolver os problemas no tabuleiro.

20...f×g5

A continuação crítica. Além dessa, eu considerei as seguintes possibilidades:

(1) 20...♘b4 21.♕b3+ ♔h8 22.♘e5 f×e5 23.d8=♕ ♖a×d8 24.♖×d8 ♖×d8 25.♗×d8, e a vantagem das brancas é óbvia.

(2) 20...♖ad8 21.♕c4+ ♔h8 22.♘e5! f×e5 23.♗×d8 ♖×d8 24.♕e6! ♕b8 (não é melhor 24...♘c7 25.♕e7 ♕b8 26.♖b3 e4 27.♖d6 ♗f8 28.♕f6+ ♗g7 29.♕f7) 25.♖b3 c4 26.♖h3 ♘c5 27.♕×g6 h6 28.♖g3.

(3) 20...♔h8, quando as brancas têm o tranqüilo 21.♗f4, mas também podem responder 21.♕c4, e as pretas não têm nada melhor do que 21...f×g5, transpondo para os eventos da partida.

21.♕c4+ ♔h8 22.♘×g5 ♗f6

O único lance. 20...♗d4 teria perdido imediatamente por 21.♖×d4 c×d4 22.♕×d4+ ♔g8 23.♘e6.

23.♘e6 ♘c7

Novamente forçado. 21...♘b4 é ruim: 22.♕f4 ♘c6 (22...♘d5 23.♕d6) 23.♘×f8 ♖×f8 24.d8=♕ ♘×d8 25.♖×d8.

24.♘×f8 ♖×f8 25.♖d6

Também havia a possibilidade de entrar num final: 25.♕×c5 ♕×g2+ 26.♔×g2 b×c5 27.♖b7 ♘e6 28.♖d6 ♘f4+ 29.♔f1 ♗d8 30.♖×a7 com óbvia vantagem. Mas eu queria conseguir mais.

25...♗e7

Isso permite um espetacular desenvolvimento do ataque. De qualquer forma, o jogo das pretas era muito difícil, por exemplo, 25...♗d8 (ou 25...♕b8 26.♖bd1 ♕d8 27.♖c6 ♗g7 28.h4, e elas estão em *zugzwang*) 26.h4 ♕a6 27.♕c3+ ♔g8 28.♕c2 (não permitindo a saída da dama). A natureza calamitosa da posição das pretas é ilustrada pela variante 28...♗×h4 29.♖×g6+

26.d8=♕!

Paradoxalmente, as brancas entregam o orgulho da sua posição – seu peão passado. Nos lances forçados subseqüentes as peças pretas provam estar descoordenadas.

26...♗×d8

26...♖×d8 perde por 27.♖×d8+ ♗×d8 28.♕f7 ♕d5 (a única defesa contra o mate) 29.♕×d5 ♘×d5 30.♖d1.

27.♕c3+ ♔g8 28.♖d7 ♗f6 29.♕c4+ ♔h8 30.♕f4

O jogo concreto "tempo a tempo" chegou ao fim, e as brancas recuperam a sua peça. O melhor para as pretas agora era 30...♗g7 31.♕×c7 ♕×c7 32.♖×c7 ♗d4 33.♖f1, embora esse final seja quase certamente perdido.

30...♕a6? 31.♕h6

As pretas abandonam. Não há defesa contra o mate.

Partida 10

Kasparov - Vukic

Campeonato Europeu por Equipes
Skara 1980

Defesa Caro-Kan

1.e4 c6

Como se observa, o repertório de aberturas dos dois jogadores tem muito em comum. Contra 1.d4 o Grande Mestre iugoslavo regularmente fianqueta o seu bispo de casas pretas (em Banja Luka 1979 eu fui obrigado a jogar contra a Defesa Índia do Rei), e contra 1.e4, a par da Defesa Alekhine, Vukic também emprega a Caro-Kan com 4...♗f5.

2.d4 d5 3.♘d2 d×e4 4.♘×e4 ♗f5 5.♘g3 ♗g6 6.h4 h6 7.♘f3 ♘d7 8.h5 ♗h7 9.♗d3 ♗×d3 10.♕×d3 e6 11.♗d2 ♕c7 12.0–0–0 ♘gf6 13.♘e4 0–0–0 14.g3

Estes dois últimos lances foram introduzidos por Efim Geller. Esse plano é o mais desagradável para as pretas, como eu próprio experimentei em nossa partida no 46º Campeonato da URSS.

14...♘×e4 15.♕×e4 ♗e7

Recomendado pela *Encyclopaedia of Chess Openings*. Acredito que a busca por caminhos de igualdade deveria ser feita em variantes como 15...c5 16.♗f4 ♗d6, ou 15...♘f6 16.♕e2 ♗d6 17.c4 c5.

Parece que o caminho para a igualdade é mais estreito do que eu pensei na época – 15...c5?! é fortemente respondido por 16.d×c5! ♘×c5 17.♕c4!, com a ameaça de ♗f4.

16.♔b1 ♖he8 17.♕e2!

Nada se consegue com 17.c4 c5 18.♗f4 ♗d6 19.♘e5 ♖e7!

17...♗d6 18.♖he1 ♖e7

Contra Geller eu joguei 18...♘f6 19.♘e5 c5 20.d×c5 ♗×e5 21.♕×e5 ♕×e5 22.♖×e5 ♖d4, e nesse final, que é sem dúvida inferior para as pretas, eu consegui empatar. Acho que 20.♗c1 promete até mais para as brancas. Com o lance da partida, Vukic prepara ...e5 (o imediato 18...e5 pode ser respondido por 19.c4 e4 20.♘h4 ♘f6 21.♘f5 ♗f8 22.♗c3 com óbvia vantagem).

19.c4 c5 20.♗c3 ♘f6

Se 20...c×d4 as brancas têm o desagradável 21.♗×d4! ♗b4 22.♖h1 e5 23.♗e3.

21.♘e5 c×d4 22.♖×d4

Uma imprecisão, a qual passou despercebida. As brancas têm clara vantagem após 22.♗×d4 ♗×e5 23.♗×e5 ♖×d1+ 24.♖×d1 ♕c6 25.g4 ♖d7 26.♖e1!

22...♗×e5 23.♖×d8+ ♕×d8 24.♗×e5 ♖d7?

Um lance de rotina. As pretas tomam a coluna d, da qual não necessitam. Correto era 24...♕a5!, amarrando as peças do adversário. Mas agora as brancas previnem essa possibilidade e posicionam a cadeia de peões f3–g4–h5.

25.♗c3 ♕b6 26.g4 ♕d6

As pretas jogam sem qualquer plano definido, e ainda permitem o golpe tático 27.g5 h×g5 28.h6. Mas essa variante não me parecia totalmente convincente (28...♕f4 29.h×g7 ♖d8), e decidi não me desviar do meu plano.

27.f3 a6 28.a4 ♕d3+?

É claro que somente com a manutenção das damas as pretas teriam alguma chance de contrajogo, considerando a posição aberta do rei branco.

29.♔c1 ♔c7

É pouco provável que 29...♘e8 30.♕×d3 ♖×d3 31.♖f1 f6 32.♔c2 ♖d7 33.♖e1 ♘c7 34.f4 fosse mudar muita coisa, mas ainda era possível a volta da dama a d6.

30.♕×d3 ♖×d3 31.♖f1 ♔c6 32.♔c2 ♖d7

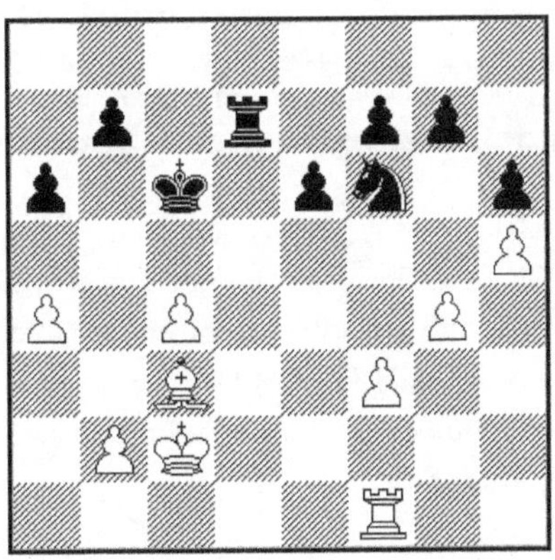

33.a5!

33.b4 parece tentador, e se 33...b5?

34.♗×f6 g×f6 35.♖d1! com posição ganhadora: 35...♖e7 36.a×b5 a×b5 37.c5, ou 35...b×a4 36.b5+ a×b5 37.c×b5+ ♔c7 38.b6+ ♔c6 39.♖×d7 ♔×d7 40.f4. Mas 33...a5! teria dado às pretas contra-chances. Após 33.a5! o final, em minha opinião, é perdido para as pretas – elas estão claramente travadas, e o balanço de forças remanescentes no tabuleiro é o ideal para as brancas.

33...♘e8 34.♖e1 ♖d6 35.f4 ♘f6?

Dá para entender que Vukic tinha o objetivo de impedir g4–g5, após o que o sacrifício em g7 se torna uma possibilidade em várias linhas, por exemplo, 35...♔d7 36.g5 ♖c6 37.♖d1+ ♔c8 38.♗×g7!. Mas, absorvido nas dificuldades da defesa, o Grande Mestre iugoslavo esqueceu-se por um instante dos defeitos de sua estrutura de peões e da desafortunada posição de sua torre em d6. O castigo seguiu imediatamente.

36.♗×f6 g×f6 37.♖d1!

As pretas abandonam, já que no final de peões as brancas criam peões passados em ambos os flancos.

Partida 11

Spiridonov - Kasparov

Campeonato Europeu por Equipes
Skara 1980
Abertura Peão da Dama

1.♘f3

De novo! Pela terceira vez nesse torneio fui obrigado a resolver o mesmo problema: Como, após 1.♘f3, obter uma posição interessante com uma luta complicada, sem simplificações?

1...g6 2.d4 ♘f6 3.♗g5 ♗g7 4.♘bd2

Sólido e bom! Para arrastar as brancas para fora de suas trincheiras, está claro que é necessária uma isca – a ilusão de uma "vantagem".

4...c5 5.♗×f6

E as brancas começam a luta por uma vantagem, embora, em minha opinião, 5.e3 esteja mais no espírito da posição. Eu planejava responder 5...b6.

5...♗×f6 6.♘e4 ♗×d4

Objetivamente mais forte é 6...♕b6, mas após 7.♘×f6+ ♕×f6 8.e3 há pouca perspectiva de complicar a partida. 6...♕a5+ 7.c3 ♗×d4 não funciona devido a 8.b4.

7.♘×d4 c×d4 8.♕×d4 0–0 9.c4

9.e3 é passivo: 9...♘c6 10.♕d2 d5 11.♘c3 e6 com um excelente jogo, enquanto 9.0–0–0 teria sido agudo demais...

Embora na prática seja 9.0–0–0 que tenha causado mais problemas às pretas.

9...♘c6 10.♕d2 d6 11.♘c3

As brancas planejam e2–e4. Para evitar entrar em um final com um aperto posicional, as pretas são obrigadas a se apressar.

11...♗e6 12.e4 ♕b6!

12...f5 é muito mais fraco em vista de 13.e×f5 ♖×f5 14.♗e2 ♘e5 15.b3. O lance da dama cria a ameaça de ...♕d4, transpondo a um final favorável. Mesmo assim esse caminho (13.♗e2 ♕d4 14.♖d1 ♕×d2+ 15.♖×d2) era melhor para as brancas. 13.♘d5 ♗×d5 14.e×d5 ♘d4 15.♖d1 parece bom para elas, mas as pretas têm uma interessante possibilidade tática: 15...e5! 16.d×e6 ♖fe8 17.♕×d4 ♖×e6+ 18.♗e2 ♖ae8 19.0–0 ♕×d4 20.♖×d4 ♖×e2 com vantagem.

Esse comentário precisa ser corrigido: 13.♗e2 é dificilmente o melhor, pela razão de que 13.♘d5 ♗×d5 14.e×d5 ♘d4 15.0–0–0! (mas não 15.♖d1?) 15...e5 16.d×e6 ♘×e6 17.♗d3 daria às brancas uma posição bastante atrativa.

13.♖d1?

Agora, explorando sua vantagem no

desenvolvimento, as pretas tomam a iniciativa.

13...♘e5 14.b3 f5!

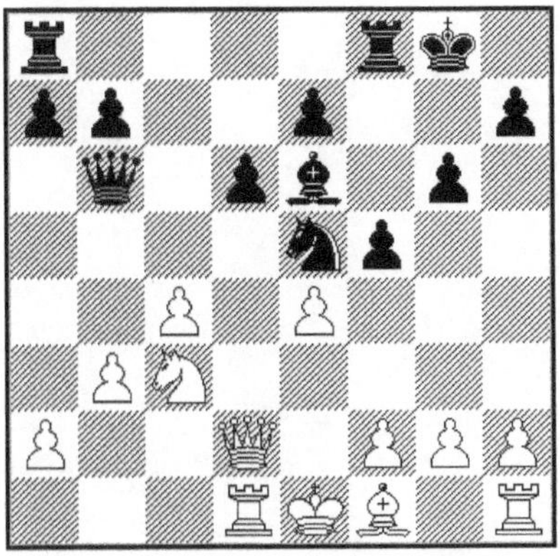

Aqui Spiridonov pensou por muito tempo. Realmente, variantes como 15.e×f5 ♖×f5 16.f4 ♖af8, ou 15.♘d5 ♗×d5 16.♕×d5+ ♔g7, ou 15.f4 ♘g4 16.h3 ♕e3+ 17.♕×e3 ♘×e3 18.♖d3 ♘c2+ 19.♔d2 f×e4 20.♘×e4 ♗f5! não são muito confortáveis para as brancas. Sua melhor opção era 15.e×f5 ♖×f5 16.♕d4, embora após 16...♕×d4 17.♖×d4 ♖af8 18.♖d2 ♖f4 as brancas ainda tenham dificuldades com o desenvolvimento das suas peças. Esperando posteriormente minar a posição das pretas no centro, Spiridonov decide permitir ...f4.

15.♗e2 f4 16.♘d5 ♗×d5 17.♕×d5+ ♔g7 18.0–0

As brancas completaram o seu desenvolvimento, mas a que preço! O poderoso cavalo em e5 contra o bispo em e2! A única esperança das brancas é a ruptura c4–c5, por exemplo: 18...a5 19.c5 ♕×c5 20.♕×c5 d×c5 21.♖d5 ♔f6 22.♖×c5. As pretas deveriam ter jogado 18...♔f6!, e após o forçado 19.b4 ♕×b4 20.♖b1 ♕a3 21.♖×b7 ♖ab8! sua vantagem é óbvia.

18...♖ac8? 19.b4! ♕×b4 20.♖b1 ♕a3 21.♖×b7 ♔f6

Agora isso não é assim tão forte, com as brancas dominando a coluna b.

22.h4 h6

A ameaça era 23.♗g4! Agora após 23.♕d2 g5 24.♖b3 ♕c5 25.♖b5 as brancas poderiam ter removido a dama preta de sua forte posição, obtendo razoáveis contra-chances. No dia seguinte Spiridonov sugeriu que as brancas poderiam ter tomado a iniciativa com 23.♕d2 g5 24.g3, quando 24...f3 não é possível devido a 25.♖b3. Eu só posso lamentar que ele não tenha encontrado essa possibilidade durante a partida: 24.g3? f3! 25.♖b3 ♕a4 26.♗×f3 ♕×b3!

23.♖d1?

Uma bela armadilha (23...♕×a2? 24.♕×d6+!), mas agora o jogo das brancas vai por ladeira abaixo.

23...♖b8!

Erros devem ser corrigidos!

24.♖c7 ♖fc8 25.♖×c8 ♖×c8 26.♕b7 ♕c5 27.♕b2?

As brancas poderiam ainda oferecer resistência após 27.♖b1.

27...♕b6! 28.♕c1 g5 29.♖d5 e6 30.h×g5+

Teria sido melhor não abrir a coluna h, mas, com pouco tempo, Spiridonov tenta reduzir o número de lances que faltam para o controle.

30...h×g5 31.♖d1 ♔e7! 32.♕c2 ♖b8 33.♕a4 g4 34.♕a3 ♕c5 35.♕c3 (o final é obviamente sem esperanças para as brancas) **35...g3 36.♖f1**

Aqui, só para garantir, eu gastei dez minutos trabalhando na variante vencedora mais direta, pois já tinha tido experiências tristes em jogar posições decididas no apuro de tempo de meu adversário.

36...g×f2+ 37.♖×f2 ♖b1+ 38.♗f1 ♕e3 39.♕×e3 f×e3 40.♖c2 ♘×c4

As brancas abandonam.

Baku, 1980

Torneio Internacional do Clube de Xadrez Central URSS

Partida 12
Kasparov - Zaitsev
Internacional Clube de Xadrez Central
Baku 1980
Gambito da Dama

1.d4 d5 2.c4 e6 3.♘c3 ♘f6 4.♗g5 ♗e7 5.e3 0–0 6.♘f3 h6 7.♗h4 b6

No tabuleiro temos um dos sistemas de abertura mais populares da atualidade, imaginado por Tartakower, e mais tarde desenvolvido por Bondarevsky e Makogonov. As buscas por uma vantagem de abertura para as brancas estão agora associadas principalmente com 8.♕b3 *(a julgar pelas partidas de torneios de anos recentes, a escolha entre 8.♕b3, 8.♕c2, 8.♖c1, 8.♗e2 e 8.♗d3 tem sido exclusivamente uma questão de gosto).* Nessa partida eu decidi tentar um plano agudo com roque em lados opostos.

8.♕c2 ♗b7 9.♗×f6 ♗×f6 10.c×d5 e×d5 11.0–0–0 c5 12.d×c5 ♘d7!

Até recentemente a teoria considerava a posição resultante após 12...b×c5 13.♘×d5 ♗×d5 14.♗c4 ♘d7 15.♖×d5 ♖b8 16.b3 promissora para as pretas, mas duas partidas, Lapenis-A.Petrosian (1979) e Gavrikov-Lputian (1980), refutaram essa avaliação. Na primeira, após 16...♕e7 17.h4! ♘b6 18.♖e5! ♕c7 19.♖e4 as brancas mantiveram seu peão extra e o bloqueio em c4. Na segunda, as pretas continuaram 16...♕c7 17.♔d1 ♖fc8, e após 18.♔e2? ♘b6 19.♖d2 ♘×c4 20.♕×c4 ♖b4 21.♕a6 c4 22.b×c4 ♗c3 23.♖c2 ♖b6 24.♕a4 ♖b4, a partida terminou em empate, ao passo que o óbvio 18.♘d2! (o bloqueio em c4!) teria dado às brancas uma clara vantagem.

As pretas naturalmente começaram a basear suas esperanças em 12...♘d7. Como foi visto na partida Lapenis-Klovan (1979), sua iniciativa após 13.c×b6 ♕×b6 pelo menos compensa a mínima vantagem material das brancas. Pouco é prometido também pelo jogo contra o peão isolado (13.c6). É verdade que na partida Nikitin-Kirpichnikov (1980) as brancas obtiveram vantagem: 13.c6 ♗×c6 14.♘d4 ♗b7 15.♗e2 ♖c8 16.♔b1 ♘c5 17.♗g4 ♖a8 18.♗f3, mas o jogo das pretas pode ser melhorado (por exemplo, 15...a6 seguido de ...b5 é interessante) – *muito recentemente a discussão em torno da variante 13.c6 novamente se ampliou em conexão com 15.g4!? (ao invés de 15.♗e2). Mas não por muito – sucessos para as brancas deram caminho para fracassos (conforme, por exemplo, Ubilava-Kharitonov, Campeonato da URSS, 1ª Liga, 1983). Não satisfeitas com as provas em relação à solidez da posição após 15.g4, as pretas também tentaram 14...♖c8!?, o que funcionou muito bem! (conforme Sturua-Markov, 1983).* Quando analisando de antemão a posição após 12...♘d7, eu cheguei à conclusão de que as brancas podem lutar por vantagem através de 13.♘×d5.

13.♘×d5 ♘×c5

As brancas também tinham que calcular 13...♖c8, quando os lances seguintes são praticamente forçados: 14.♘×f6+ ♕×f6 15.♖×d7 ♗×f3 16.g×f3 ♖×c5 17.♗c4. Se agora as pretas são tentadas pelo peão, as ameaças das brancas se tornam imponentes: 17...♕×f3 18.♖g1 ♕c6 19.♖d4 b5 20.♕c3! g6 (20...b×c4 21.♖×g7+!; 20...g5 21.h4) 21.♖×g6!! ♕×g6 22.♗×f7+ ♖×f7 23.♖d8+ etc. É mais forte 17...♖fc8, oferecendo às brancas a escolha entre um final de damas com peão a mais, mas praticamente sem qualquer chance de vitória (18.♖hd1 ♖×c4 19.♖d8+ ♖×d8 20.♖×d8+ ♕×d8 21.♕×c4 ♕g5!), e uma posição muito aguda de difícil avaliação (18.b3 b5 19.♖hd1 b×c4 20.b4). Eu estava planejando tomar o segundo caminho, o qual é claro envolve algum risco, mas também promete às brancas chances de sucesso.

14.♗c4

O tentador 14.♕f5 encontra uma réplica forte: 14...♕c8! 15.♘×f6+ g×f6 16.♕×c8 ♖a×c8 17.♔b1 ♘e4 com melhor jogo.

14...b5 15.♘×f6+

15.♗×b5 ♗×d5 16.♗c4 encontra uma bela refutação envolvendo um sacrifício de dama – 16....♗e4! 17.♖×d8 ♖f×d8 18.♕e2 ♖ac8, e o ataque das pretas é irresistível. E após 15.♗b3 ♖c8 (15...a5 também é bom) 16.♔b1 ♘×b3 17.♕×b3 ♖c5, ao desalojar o cavalo de d5 de sua posição dominante, as pretas obtêm um excelente jogo (18.e4 ♖e8 19.♖he1 ♖×e4).

15...♕×f6 16.♗d5 ♖ac8 17.♔b1 ♘a4 18.♕e2 ♗×d5 19.♖×d5

A posição ameaçadora do cavalo em a4, em conjunto com a posição não totalmente segura do rei branco, promete às pretas contrajogo, com o qual, no entanto, têm que se apressar, pois em um ou dois lances as brancas manobrarão para consolidar a posição. Em minhas análises, eu avaliara a situação resultante como sendo a meu favor, com base nas variantes: 19...♕g6+ 20.e4 ♕×g2 21.♖g1 ♕h3 22.♖g3 ♕e6 23.♘d4 ♕f6 24.♘f5, ou 20...♖fe8 21.♖e1 ♕×g2 22.♖×b5.

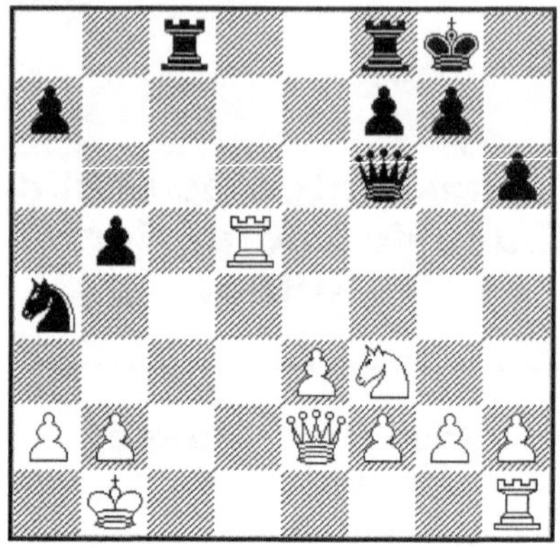

19...♖c4!

Um lance brilhante, o qual muda imediatamente o quadro. Enquanto fortalecem a ameaça de ...♕g6+, as pretas também criam mais duas - ...♖fc8 e, em particular ...♖b4. A captura do peão b com 20.♖×b5 dá a elas um terrível ataque após 20...♖fc8, por exemplo, 21.♘e5 ♕a6! 22.♘×c4 ♕×b5 23.♖c1 ♖×c4! 24.♖×c4 ♘c3+, ganhando a dama. 20.♘d4 também é fraco devido a 20...♕g6+ e 21...♕×g2. A resposta das brancas é forçada.

20.♖d4 ♖fc8

Agora está completamente claro que as pretas têm compensação total pelo peão sacrificado. Mas a despeito do fracasso de minha abertura, eu estava longe de desanimado – a batalha estava apenas começando, e Zaitsev tinha pouco mais de 20 minutos restantes em seu relógio.

21.♖hd1

21.♕d3 (21...♖c2 22.♖d8+) aparentemente estanca o ataque e deixa as brancas com vantagem material, mas o inesperado 21...♘c5! cria ameaças irresistíveis: 22.♖×c4 ♘×d3 23.♖×c8+ ♔h7 24.♖c2 ♕g6, ou 22.♕e2 ♕g6+ 23.♔a1 ♖c1+! 24.♖×c1 ♘b3+ 25.a×b3 ♖×c1+ 26.♔a2 ♕b1+ 27.♔a3 a5 28.♖d8+ ♔h7 29.♘g5+

(29.♕d3+ ♕×d3 30.♖×d3 ♖a1 mate) 29...♔g6 30.♖d6+ f6. Também é difícil defender após 21.♖×c4 b×c4.

Com 21.♖hd1 as brancas concordam em entregar a dama por duas torres. À primeira vista, a posição após 21...♖c2 22.♕×c2 ♖×c2 23.♔×c2 favorece as pretas: elas estão ameaçando destruir a ala do rei do adversário – 23...♕g6+ *(23...♕e6!? é mais astuto, e possivelmente mais forte)* 24.e4 ♕×g2 25.♘e5 ♕×f2+ 26.♖1d2 ♕e3. Mas o plano das brancas não é tão ruim assim, e com 24.♔d2! ♘×b2 25.♖c1 ♕×g2 26.♔e2 elas mantêm o equilíbrio.

Não vendo qualquer ganho real após 21...♖c2, meu adversário, que até aqui havia jogado esplendidamente, cometeu um grave erro – ele superestimou suas chances. Com os dois próximos lances, as pretas restauram o equilíbrio material, mas...

21...♕g6+? 22.♕d3 ♕×g2 23.♕f5!

Inesperadamente as brancas reagruparam as suas forças, e as coisas começam a ficar desconfortáveis para o rei preto, mesmo atrás da defesa dos peões. Para enfraquecer a força do contra-ataque, as pretas deveriam ter trocado as damas (23...♕g6), concordando com um final desagradável, no qual as suas chances de empate ou de derrota são aproximadamente iguais. Zaitsev não quis defender esse final, e decidiu tentar sua sorte com as damas em jogo, preparando algumas espertas armadilhas no processo.

23...♖f8? 24.♖d8!

24.♖g1 parecia muito tentador, na esperança de 24...♕×f2 25.♖d2 ♕×e3 26.♖×g7+!, com ataque de mate. Mas era nesse caso que a primeira "bomba" das pretas teria explodido: 24...♖c5! 25.♕e4 ♖fc8! 26.a3 ♕h3, e elas estão fora de todos os perigos.

24...♖c7 25.♖×f8+ ♔×f8 26.♘d4!

Nada decisivo seria conseguido tanto por 26.♘e5 ♕g5, quanto por 26.♕×b5 ♖c8 27.♘e5 ♘b6, quando as pretas trazem suas reservas.

26...♖e7 27.♘×b5

Esse lance também teria sido decisivo após 26...♔g8. Ao tomar esse peão com o cavalo, as brancas evitam uma última cilada armada pelo adversário, que a esta altura estava em sério apuro de tempo: 27.♕×b5? ♘c3+!

27...♖×e3

27...g6 é respondido pelo simples 28.♕f4, quando o cavalo e o peão de h6 estão ambos atacados.

28.♘d6 ♖f3

Após 28...♔g8 29.♕c8+ ♔h7 30.♕c2+ as pretas perdem sua venturosa torre.

29.♕c8+ ♔e7 30.♕e8+ ♔f6

As pretas abandonam, sem esperar pelo óbvio 31.♕×f7+ com rápido mate. O outrora ameaçador cavalo em a4 é para elas uma mera lembrança de uma bela música, a qual teve a rima cortada pela tentação do peão em g2.

Partida 13

Kasparov - Csom

Internacional Clube de Xadrez Central
Baku 1980

Defesa Nimzoíndia

1.d4 ♘f6 2.c4 e6 3.♘c3 ♗b4 4.e3 c5 5.♘ge2 c×d4 6.e×d4 0–0

Duas surpresas logo no começo! O Grande Mestre húngaro muito raramente emprega a Defesa Nimzoíndia, e agora ao invés do usual 6...d5 ele joga um lance com reputação duvidosa.

7.a3 ♗e7 8.d5

Prometia menos 8.g3 d5 9.c5, e além

disso, durante a partida eu não gostei do aspecto de 8...♕c7!?

8...e×d5 9.c×d5 ♖e8 10.g3 ♗c5 11.♗g2

Aqui meu adversário, que até então vinha jogando rapidamente, mergulhou em pensamentos. Por estranho que pareça, esse lance natural do bispo é uma novidade! A *Encyclopaedia of Chess Openings* cita a partida Polugaevsky-Kholmov (1961), na qual após 11.♘a4 ♗f8 12.♗g2 d6 13.0–0 ♘bd7 14.♗e3 ♘e5 15.♗d4 as brancas obtiveram a melhor posição. Tudo isso está correto, mas após 11...b6! como jogam as brancas? Elas dificilmente podem se satisfazer com 12.♘×c5 b×c5 13.♗g2 ♗a6 14.♗e3 ♘g4. Eu imagino que essa era a idéia que o Grande Mestre húngaro tinha em mente.

11...d6

Após convencer-se de que o ataque direto a f2 não leva a nada, Csom continua seu desenvolvimento. De fato, a variante 11...♘g4 12.0–0 ♕f6 13.♘f4 ♘×f2 14.♖×f2 ♗×f2+ 15.♔×f2 g5 16.♘e4 ♕b6+ 17.♗e3 ♕×b2+ 18.♔g1 é bastante desanimadora para as pretas, enquanto após 12...♕b6 as brancas podem escolher entre um tentador sacrifício de peão – 13.♘e4 ♖×e4 14.♗×e4 ♘×f2 15.♖×f2 ♗×f2+ 16.♔g2 com um belo jogo (16...d6 17.♗×h7+), ou uma defesa simples – 13.♕e1.

12.h3!

Não se pode permitir a troca do bispo de c8 pelo cavalo de e2 (12.0–0 ♗g4). O cavalo tem um futuro mais promissor do que pode parecer à primeira vista.

12...♗f5 13.0–0 ♘bd7

É difícil atribuir "?" ou mesmo "?!" a esse lance natural, mas de fato ele é a causa inicial das subseqüentes dificuldades das pretas. Pode-se afirmar com segurança que 13.♘e4 era mais forte. As pretas não queriam se desfazer de seu ♗c5, mas na verdade 13...♘e4 14.♘a4 ♘d7 teria resultado em um jogo mais satisfatório para elas.

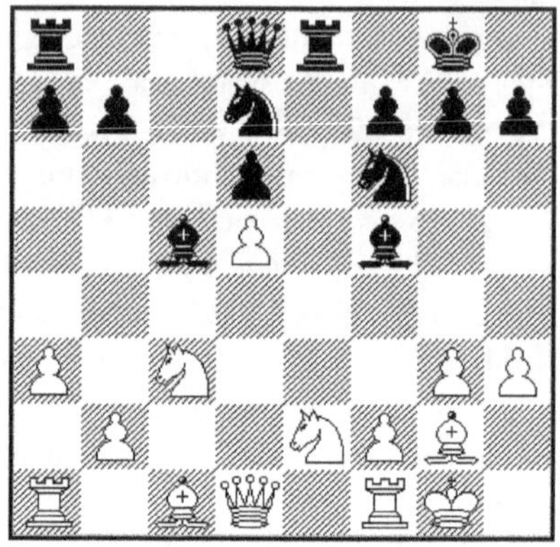

14.g4!

O avanço dos peões da ala do rei está perfeitamente justificado – limita severamente os cavalos pretos (que passam a ver reduzida sua capacidade de manobra). Além disso, o bispo de c5 será incapaz de qualquer ação na batalha à frente. A partir desse ponto, Csom passa a gastar mais e mais tempo em seus lances. O plano de ataque das brancas foi uma surpresa tão grande, que ele não encontra forma de reagir.

14...♗e4

É pouco provável que 14...♗g6 15.♘g3 ♘e5 16.g5 ♘fd7 17.♘ce4 seja algo melhor – a eficiência das peças pretas está próxima de zero, e as brancas ameaçam avançar seu peão h.

15.♘g3 ♗×g2 16.♔×g2 ♘f8 17.g5 ♘6d7 18.h4 ♘e5

Parece que a última chance de obter contrajogo era o plano envolvendo 18...♖c8, 19...♗b6 e 20...♘c5, não cedendo a casa e4 sem luta.

19.h5!

As peças pretas estão restritas ao máximo, e agora as ameaças das brancas começam a tomar forma. A par do direto ♘ce4 e h5–h6, a idéia de ♘ce4, b2–b3 e f2–f4 também parece forte. Após meia hora de reflexão Csom se deu conta de que a passividade levaria a uma derrota rápida, e então decidiu minar os peões brancos. A situação começou a ficar aguda, mas... não por muito tempo.

19...f6 20.♘ce4! f×g5 21.♗×g5 ♕b6 22.h6

As brancas têm uma superioridade de forças esmagadora na parte decisiva do campo de batalha. A parte da partida após 19...f6 não necessita de nenhum comentário em particular. As pretas estão o tempo todo escolhendo o mal menor. Observe que 20...♘fd7 é fortemente respondido por 21.f4 ♘f7 (ou 21...♘c4 22.♕d3 b5 23.b3) 22.g6, enquanto após 20...♕d7 segue h5–h6 com efeito até maior.

22...♘f7 23.h×g7 ♘d7

As pretas defendem-se somente contra as ameaças imediatas, mas são impotentes contra a transferência do exército branco para a ala do rei.

24.♘f6+ ♘×f6 25.♗×f6

Ameaçando, entre outras coisas, 26.b4, ganhando o desafortunado bispo.

25...♕b5 26.♖h1 ♗b6 27.♕f3!

As brancas simplesmente preparam dobrar as torres na coluna h.

27...♘e5

Isso permite um final espetacular, mas 27...♗d8 não era melhor: 28.♗c3 ♘e5 29.♕f5 ♕×d5+ 30.♘e4 com mate inevitável.

28.♘f5!

O cavalo de e2 também se manifesta, criando uma ameaça particularmente incomum (para partidas práticas) de mate. Evidentemente, 28.♕f5 também ganharia.

28...♘f7 29.♖×h7!

As pretas abandonam. Como o leitor poderá notar, nem uma simples marca (interrogação ou exclamação) foi colocada em qualquer lance das pretas, e apenas opiniões puramente subjetivas foram dadas sobre alguns deles. Parece-me que a imprecisão aparentemente inofensiva 13...♘bd7 foi já o início da catástrofe das pretas. Ou talvez seja preciso "escavar" mais profundamente e concordar com a *ECO* que 6...0–0 não é suficiente para igualar? De qualquer forma, o modo de alguém relatar os lances das pretas é uma questão de gosto, e é bem sabido que "o alimento de um homem é veneno para outro".

Essa conclusão agora parece-me provocativa, mas na época estava bem alinhada com o plano lógico que fora construído. Desde então muito mudou (inclusive o "alimento" e o "veneno"...).

Primeiramente, na partida Chandler-Andersson (1980) as pretas encontraram uma disposição bem-sucedida para as suas peças: 12...a6! 13.0–0 ♘bd7 14.♘d4 ♘e5 e ...♗d7 com bom jogo. Assim, a imprecisão das pretas (um erro?) deve ser considerado 12...♗f5, o qual dá às brancas tempo para desenvolver sua ofensiva na ala do rei.

As tentativas das brancas de demonstrar a natureza dúbia de 6...0–0 têm sido associadas com 10.♗e3 e 10.d6. No primeiro caso a partida se desenvolve a seu favor após 10...d6 ou 10...♘g4 11.♗d4 d6 (ou 11...♗f6), mas a idéia de Adorjan 11...♘h6!! (com a ameaça de ...♘f5) praticamente força as brancas a tomarem medidas extremas: 12.g4 d6 13.h3 f5, com vantagem das pretas (Groszpeter-Adorjan, 1983) ou 12.♘g3 ♗×a3+ 13.♗e2 ♗×b2 14.♘b5, com jogo indefinido (Ree-Ligterink, 1984).

Em certas partidas, por outro lado, a linha de gambito 10.d6 ♗f8 11.g3 ♖e6 12.♗g2 ♖×d6 13.♕c2 tem dado às brancas uma posição com ótimas chances. Outra situação problemática pode surgir por iniciativa das pretas caso joguem 9...♗c5 (ao invés de 9...♖e8).

Hoje, quatro anos depois, em geral não se questiona sobre 6...0–0 ter uma "reputação duvidosa". Um pensamento interessante é: o que terá acontecido com esse lance dentro de outros quatro anos?

Atravessando a Barricada de Peões

Uma posição curiosa surgiu na partida seguinte:

Partida 14

Kasparov - Torre

Internacional Clube de Xadrez Central
Baku 1980

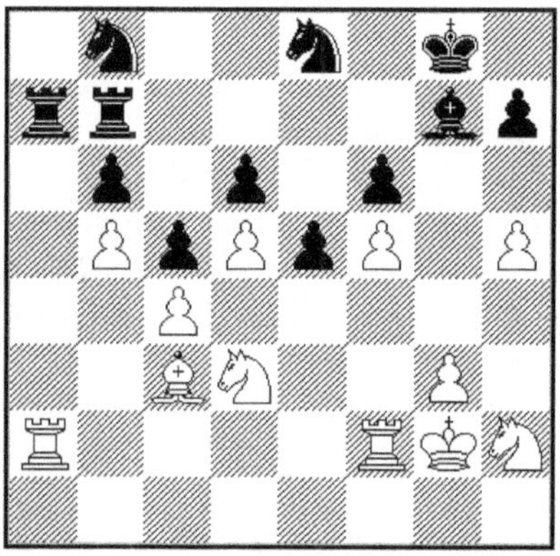

Quase sem pensar, Torre jogou **41...♗h6**, e depois de **42.♘g4** a partida foi suspensa. A análise dessa posição (com meus treinadores A.Nikitin e A.Shakarov) provou ser muito interessante. É óbvio que as pretas não podem impedir que o peão alcance h6, após o que o cavalo de e8 estará aleijado. De início, o plano vencedor parecia simples, por exemplo, 42...♔g7 43.♘xh6 ♔xh6 44.♗d2+ ♔g7 (é claro que não 44...♔xh5 45.♔h3, seguido de mate) 45.h6+ ♔f7 46.♗c1 (ou 46.♗c3), então o cavalo é transferido para e4, e depois de ♔f3 e ♖g2 o avanço do peão g é decisivo. Também não há dificuldades na variante 42...♗g5 43.h6 e4 44.♘f4 ♗xf4 45.gxf4 ♘d7 46.♖fe2, quando as brancas tomam o peão de e4, transferem seu rei a d3, cavalo a h5, e a torre de a2 para e2, e então vencem tanto através de ♘h5–g7, como dobrando as torres na coluna e.

Mas posteriormente descobriu-se que após 42...♔g7 43.♘xh6 ♔xh6 44.♗d2+ ♔g7 45.h6+ ♔f7 46.♗c1 as pretas podem obter contrajogo através de 46...♘d7 47.♖fe2 e4 e então ...♘e5. Mais preciso é 46.♗c3 – embora a troca do bispo pelo cavalo de e5 seja indesejável (o cavalo de e8 retorna à vida), mesmo assim o perigoso cavalo deve ser mantido sob fogo.

Torna-se óbvio que as pretas não podem retardar o avanço de seu peão e: 46.♗c3 ♘d7 47.♖fe2 e4 48.♘f2 ♘e5 49.♗xe5 fxe5 50.♘xe4 ♔e7 51.♖a6! ♖xa6 52.bxa6 ♖a7 53.♖a2 ♘c7 54.g4 ♖xa6 55.♖xa6 ♘xa6 56.g5 com uma vitória direta. O caminho para as brancas é muito mais tortuoso após 46...e4! 47.♘f4 ♘d7 48.♘e6 ♔e7. Agora nada se consegue por meio de 49.♖fe2 ♘e5 50.♖xa7 ♖xa7 51.♖xe4 ♖a3 52.♗xe5 dxe5 53.♖g4 ♖a2+ 54.♔h3 ♖a1. As brancas consolidam sua vantagem através do surpreendente 49.♖ae2!, concedendo a coluna a, mas mantendo ambas as torres, quando estas são algumas variantes características:

49...♖a3 50.♖xe4! ♖xc3 51.♘xc5+ ♘e5 52.♘xb7 ♖a3 53.c5! dxc5 (53...bxc5 54.b6) 54.d6+ ♘xd6 55.♖xe5+ fxe5 56.f6+, ou 50...♘e5 51.♗xe5 dxe5 52.♖g4 ♖ba7 53.♖g8 ♖c3 54.♖h8 (54.♔h2 ♖aa3 55.♖g2, com grande vantagem) 54...♖aa3 55.♖xh7+ ♔d6 56.♘f8! ♖xg3+ 57.♔h2 ♖h3+ 58.♔g1 ♖hg3+ 59.♖g2. Se 52...♔d6 (ao invés de 52...♖ba7), então 53.♖g8 ♖e7 54.♘g7! ♔d7 55.♘xe8 ♖xe8 56.♖g7+ ♖e7 57.d6! ♖xg7 58.hxg7 ♖a8 59.♔f3 ♖g8 60.♖a2 ♔xd6 61.♖a7 h5 62.♖f7! (mas não 62.♔e4 h4 63.gxh4 devido a 63...♖xg7!).

Após 49...♖a4 50.♖xe4 ♘e5 o avanço do peão g é decisivo – 51.g4! ♖xc4 52.♖xc4 ♘xc4 53.g5 ♘e3+ 54.♔g1 ♘xd5 55.g6 ♖b8 56.gxh7 ♘ec7 57.♖g2

♘xe6 58.♖g8. O pequeno estratagema seguinte também não ajuda as pretas: 49...♖a4 50.♖xe4 ♘e5 51.g4 ♖a3.

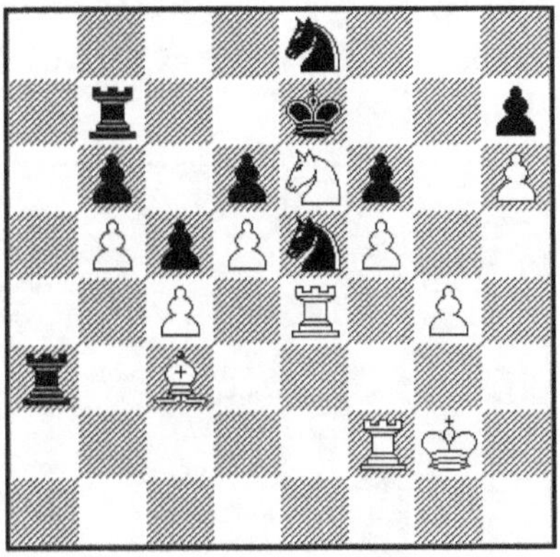

Agora após 52.♗xe5 dxe5 o caminho da torre branca para g8 está bloqueado. Mas 52.g5! atravessa a defesa das pretas: 52...♖xc3 53.g6 ♖b8 (53...♘c7 54.♘d8!) 54.♖a2, quando a despeito de sua peça de vantagem elas não têm esperanças. 52...fxg5 também é ruim por causa de 53.♖xe5! ♖xc3 (53...dxe5 54.♗xe5 ♖aa7 55.f6+ ♔f7 56.♘xg5+ ♔g6 57.f7) 54.f6+! ♘xf6 55.♖xg5 ♘e8 56.♖g7.

Neste momento tudo que parecia ser necessário era o polimento de algumas variantes secundárias, e eu poderia ir para a continuação com um ponto certo. Entretanto, a continuação dessa partida foi postergada: Torre, que havia chegado tarde para o torneio, tinha algumas partidas suspensas para jogar. "Retomando" mentalmente a partida, eu subitamente pensei: "Mas o que fazer se as pretas demolirem a coordenação das peças brancas após 46...e4 47.♘f4, avançando seu peão condenado – 47...e3?".

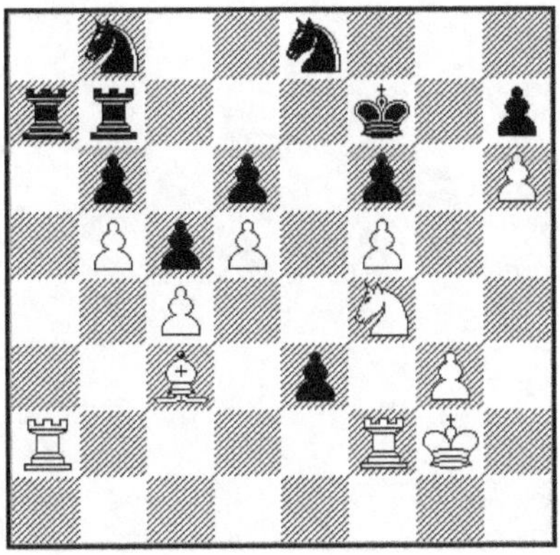

Após 48.♖fe2 ♘d7 49.♘e6 ♔e7 as brancas estão privadas do seu reagrupamento favorável, enquanto as pretas executam seu plano. Nós prontamente voltamos ao trabalho, mas... em cada variante uma defesa era encontrada para as pretas. Nós estávamos a ponto de retornar a 46.♗c1, quando após 46...♘d7 47.♖fc2 (defendendo o peão de c4) pareceu que 47...e4 48.♘f2 e3 49.♘g4 (49...♘e5 50.♘xe3) prometia sucesso, mas aqui também o golpe desesperado 49...e2! causa confusão nas fileiras brancas: 50.♖xe2 ♘e5 51.♘e3 ♘d3. Após novamente ponderar a variante 46.♗c3 e4 47.♘f4 e3! 48.♖fe2 ♘d7 49.♘e6 ♔e7 50.♖a6 ♖xa6 51.bxa6 ♖a7 52.♖xe3 ♘e5 53.♗xe5 dxe5 54.♖a3 ♘d6 eu concluí que a posição adiada era provavelmente empate. Só restava a esperança de que Torre não houvesse selado o lance 42...♗g5, ou que ele não tivesse encontrado 47...e3!

Torcer não faz mal, mas eu ainda tinha a idéia de que o jogo das brancas poderia de alguma forma ser melhorado (tendo em vista que ainda havia tempo suficiente para as análises). Ocorre que nessa última variante, após 54...♘d6 55.♖a4 ♘xf5 as brancas têm um lance excelente – 56.♘c7!

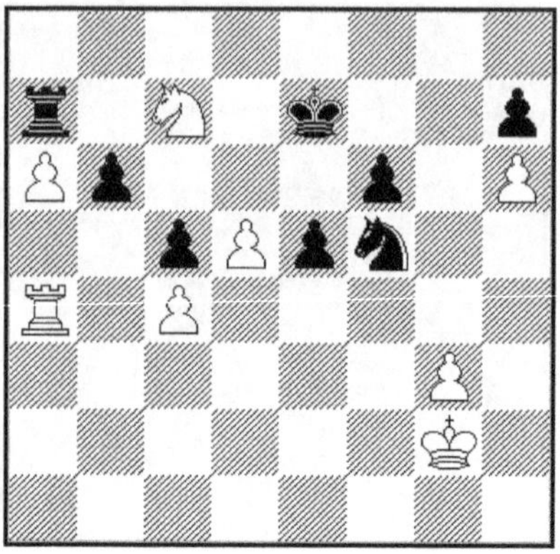

Sentamos novamente ao tabuleiro, não imaginando aonde esse caminho poderia nos levar. As pretas têm três respostas razoáveis – 56...♘d6, 56...♘d4 e 56...♔d7 – e cada uma requer um exame completo. Muitas horas de análise, durante as quais tivemos que desbravar o caminho através de labirintos de intrincadas variantes, deram os seguintes resultados:

(1) 56...♘d6 57.♘b5 ♖a8 (57...♘xb5 58.cxb5 f5 59.g4!) 58.♘xd6 ♔xd6 59.♔f3 (59.g4 e4!) 59...f5 60.g4 e4+ 61.♔f4 fxg4 62.♔xg4 (62.♔xe4? ♔c7 63.♔f4 b5!) 62...♔c7 (62...♔e5 63.a7! ♔d4 64.d6 e3 65.d7? e2 66.♖a1 ♔xc4 67.♔f3 ♔d3 68.♖a3+ ♔d2 69.♖a2+ ♔d3, com igualdade; 65.♔f3! ♔d3 66.♖a3+ ♔d2 67.♖xe3 ♖f8+ 68.♔e4 ♖e8+ 69.♔d5 ♔xe3 70.d7) 63.a7! b5 64.cxb5 ♔b6 65.d6 ♔xb5 (65...e3 66.d7 e2 67.♖e4) 66.♖xe4 ♖xa7 67.♖e7 ♖a6 (67...♖a1 68.♖xh7 ♔c6 69.♖h8) 68.d7 ♖d6 69.♖xh7 c4 70.♖e7 c3 71.h7 c2 72.h8=♕ c1=♕ 73.♕b8+.

Essa é a variante mais longa. Devo acrescentar que as pretas não se salvam nem por meio de 66...♔c6 67.♖e7 c4 (67...♔xd6 68.♖xh7 c4 69.♔f3 c3 70.♔e2!) 68.♖xh7 c3 69.♖c7+ ♔xd6 70.♖xc3 ♖xa7 71.♖h3, nem antes com 59...♔c7 60.♔e4 b5 61.cxb5 ♔b6 62.♔f5 ♔xb5 63.♖a1 c4 64.d6.

(2) 56...♔d7 57.♘b5 ♖a8 58.a7 ♘d4 (58...♘d6 59.♘xd6 ♔xd6 60.♔f3 ♔c7 61.♔e4 ♔b7 62.♔f5 ♖xa7 63.♖xa7+ ♔xa7 64.d6 ♔b7 65.♔xf6) 59.♖a6! ♘xb5 60.cxb5 f5 61.♔f3 c4 62.♔e3 ♔c7 63.d6+ ♔b7 64.♖a4!

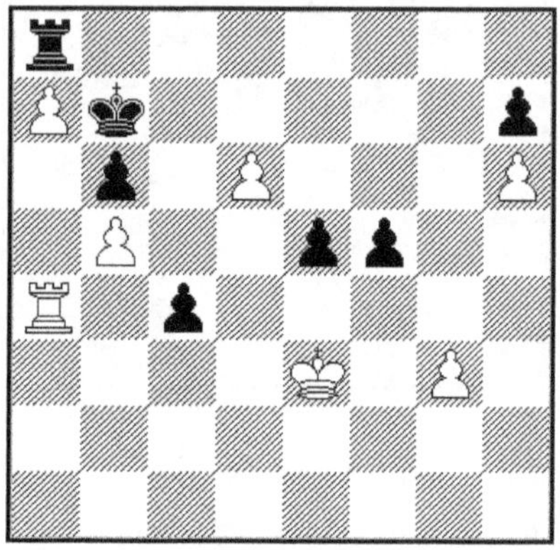

Zugzwang!

(3) 56...♘d4 57.♘b5 ♖a8 58.d6+ ♔d7 59.♘c7 ♖a7 60.♘d5 ♔xd6 61.♘xb6 ♔c6 62.♘c8 ♖a8 63.♘e7+ ♔d6 64.♘d5 ♖a7 (65.♘b6 era ameaçado) 65.♘xf6 ♘f5 66.♘xh7 ♘xh6 67.♘f6 ♘f5 68.♘e4+ ♔c6 69.♖a5. As piruetas acrobáticas do cavalo branco causam uma forte impressão. Não é melhor para as pretas 60...b5 61.cxb5 ♘xb5 62.♘b6 ♔d8 63.d7 ♘d4 (63...♔c7 64.♖a5) 64.♘c8! ♖a8 65.a7 ♘c6 66.♖g4 ♔c7 67.♖g7 c4 68.♖xh7 c3 69.d8=♕! ♔xd8 70.♖g7.

Eu fui para a continuação agora confiante na vitória, e ansioso para que as pretas tivessem selado o lance secreto 42...♔g7, para que eu pudesse mostrar a beleza de nossas análises profundas. Mas que pena...

42...♗g5 43.h6 ♖e7 44.♖fe2 ♔f7 45.♘df2 ♗c1 46.♘e4 ♖ed7

Agora a troca das torres conduz à vitória: 47.♖xa7 ♖xa7 48.♖e1 ♖a2 49.♔f3 ♗g5 (49...♖c2 50.♖e2) 50.♖a1 ♖xa1

51.♗×a1 ♗c1 52.♔e2 ♘d7 53.♔d1 ♗a3 (53...♗g5 54.♗b2 seguido de ♔e2–f3 e no momento conveniente ♘×g5) 54.♗c3 ♗b4 55.♗b2 – o bispo preto é colocado para fora do jogo, e as brancas podem tranqüilamente preparar a ruptura g3–g4–g5 (o cavalo de g4 vai a h5, o rei a f3 e o bispo a c1, etc.). Mas eu decidi remover meu rei de um possível xeque em a2, e ao mesmo tempo armar uma bela cilada, a qual eu havia percebido durante o adiamento.

47.♔f3 ♔e7

47...♗a3 é mais tenaz, após o que as brancas vencem como segue: 48.♖a1 ♗b4 49.♖ea2 ♖a5 50.♖×a5 b×a5 51.♗×b4 a×b4 52.b6! ♔e7 53.♖a7 b3 (53...♔d8 54.♔e2 e o rei atravessa para a ala da dama) 54.♘gf2 b2 55.♘c3 ♔d8 56.♘fe4 ♔c8 57.♖a2 ♖b7 58.♖×b2 ♘d7 59.♘b5 ♖×b6 60.♖a2 ♔d8 61.♖a7 seguido por ♔g4–h5, g4–g5, e as pretas não têm esperanças.

48.♖×a7 ♖×a7 49.♖e1 ♗g5 50.♘×g5 f×g5

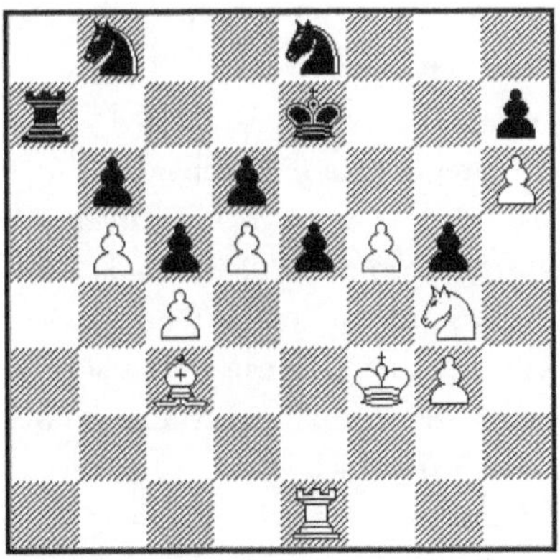

51.♘×e5! d×e5

Ou 51...♖a3 52.♘g6+ ♔d8 53.♖e3.

52.♗×e5 ♘d6

Contra a ameaça do xeque descoberto não há boa defesa (52...♖a3+ 53.♔g4 ♘d7 54.♗b2+), mas agora é a vez dos peões brancos.

53.f6+ ♔d7 54.♗×d6 ♔×d6 55.♖e6+ ♔c7 56.f7 ♖a1 57.♔e2

As pretas abandonam.

Mas as pretas não poderiam ter criado uma fortaleza com 41...h6? A barreira de peões parece impenetrável, mas as brancas executam o seguinte plano (omitirei os lances das pretas - eles não alteram a posição): ♘g4, ♖fb2, ♗d2 (aqui o rei preto vai para h7), ♔f3–e4, ♘d3–e1–f3–h4–g6, o rei vai a b3 e todas as torres são trocadas, então o rei retorna ao centro e após ♘g6–e7–c6 (o cavalo preto vai a d7), ♘g4–h2, g3–g4, ♘h2–f3–h4–g6 as brancas colocam seus cavalos em c8 e e6 e o seu rei em d3, após o que o sacrifício em b6 é decisivo (♘×b6 ♘×b6, ♗a5 ♘d7, b5–b6–b7, ♘e6–d8–c6 e ♔d3–a7). Aparentemente não há como as pretas se oporem a esse longo plano.

Como se deve jogar na última rodada?

Partida 15

Kasparov - Martinovic

Internacional Clube de Xadrez Central

Baku 1980

Abertura Peão da Dama

Antes da última rodada, na qual essa partida foi jogada, eu liderava meio ponto à frente de Beliavsky. Eu tinha sérias dúvidas sobre o resultado da partida Beliavsky-Garcia (e realmente, com duas horas após o início da rodada, essa partida estava essencialmente decidida). Minha preparação era fácil: contra 1.e4 Martinovic joga a Defesa Siciliana, e contra 1.d4 – a Defesa

Índia do Rei. Era uma grande tentação entrar numa luta de adagas na Variante Najdorf (a única na qual Martinovic se enveredava), mas então optei por um sistema que conduz a uma complicada batalha posicional. Nesse caso levei em conta o fato de que Martinovic regularmente entra em apuro de tempo, e na Variante Najdorf ele poderia ser capaz de fazer os primeiros 15-20 lances em poucos minutos.

1.d4 ♘f6 2.♘f3 g6 3.♗g5

Essa variante tem a reputação de inofensiva, mas uma vitória convincente para as brancas na partida Balashov-Sax (1979), e também Georgadze-Van der Wiel (1979), que a repetiu quase lance por lance, mostrou que as coisas não são tão simples.

3...♗g7 4.♘bd2 d6

É claro, aqui a escolha do lance é uma questão de gosto. Martinovic fez o lance mais "Índia do Rei", mas 4...c5 me parece mais lógico (conforme partida Spiridonov-Kasparov).

5.e4 0–0 6.c3 ♘bd7 7.♗e2 e5 8.d×e5

As brancas entregam o seu centro de peões para retirar todas as perspectivas do bispo em g7. 8.0–0 ♖e8 9.♕c2 é também perfeitamente possível (Balashov-Vukic, Bugojno, 1978).

8...d×e5

Após 8...♘×e5 9.♘×e5 d×e5 a característica da posição não muda essencialmente.

Apesar disso, após a troca de um par de peças seria mais fácil para as pretas manobrar.

9.0–0 b6

Interiormente comecei a tremer: será que essa partida estava destinada a entrar para a caixa de curiosidades, pois Martinovic, acalmado pelas manobras aparentemente despretensiosas das peças brancas, após Sax e Van der Viel, se tornaria a terceira vítima? Mas a escolha das pretas é facilmente explicável – o plano com o duplo fianqueto é o mais natural.

10.♖e1 ♗b7 11.♕c2 h6 12.♗h4 ♕e7 13.♗f1 ♖fe8

Que pena! Eu não poderia vencer por "meios familiares". O modesto lance de torre melhora significativamente o jogo das pretas. Nas partidas anteriormente mencionadas o rotineiro 13...♖fd8 conduziu a grandes dificuldades após 14.♘c4 ♕e6 15.♘fd2 ♕g4 16.♗×f6! ♗×f6 17.♘e3 ♕e6 18.♗c4 ♕d6 19.♖ad1 c6 20.♘f3 ♕e7 21.♘g4 ♗g7 22.♕d2 ♔h7 23.♕d6! (a divergência nos últimos estágios dessas partidas não se refletiu nos resultados). 13...♖fe8 retira das brancas tais possibilidades – o peão de e5 está defendido, e as pretas simplesmente jogam 16...♘×f6. As brancas também não conseguem nada com 16.♗g3 (ao invés de 16.♗×f6) 16...♘h5 17.f3 ♕g5 18.♗f2 ♘f4 19.♔h1 h5.

14.b4

As pretas estão restringidas em suas ações, enquanto as brancas têm perspectivas no centro e na ala da dama, as quais nesse momento, entretanto, são algo obscuras. Aqui alvos reais para ataque ainda precisam ser criados, e o avanço do peão b persegue esse objetivo.

14...a6

Pensei que 14...a5 15.a3 ♖a7 fosse mais provável, quando eu planejava 16.♗d3 ♖ea8 17.♕b2 – as torres pretas estão presas na ala da dama. O lance jogado deixa ...a5 como uma possibilidade (por exemplo, no caso de a2–a4) e prepara o outro lance de ruptura ...c5.

15.♘c4 ♖ac8?

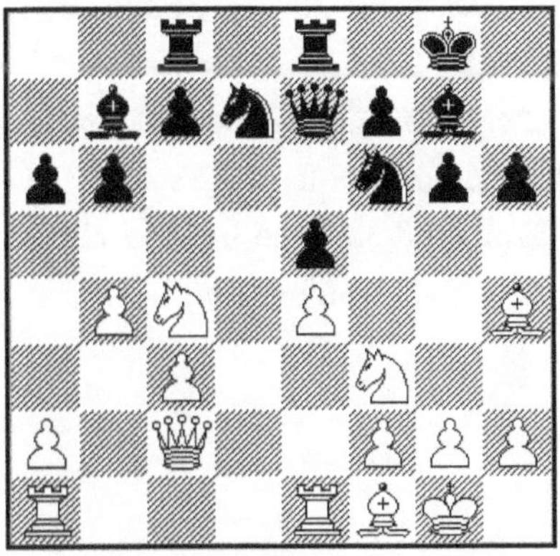

Martinovic, que gastara uma hora e meia em seus primeiros 14 lances (a escolha da estratégia da abertura foi correta!), jogou esse último lance quase sem pensar, e... fez seu primeiro (e provavelmente único) erro sério. Correto era 15...♕e6 16.♘fd2 c5 (mas não imediatamente 15...c5 em vista de 16.♖ad1 c×b4 17.♘d6) – agora as brancas não podem explorar a fraqueza da casa d6. Após 17.♘e3 c×b4 18.c×b4 ♖ac8 19.♕b1 ou 17.a3 ♖ac8 18.f3 as posições alcançadas são bastante aceitáveis para as pretas, mas, em minha opinião, elas mesmo assim deixam as brancas com melhores chances de tomar a iniciativa. O erro das pretas permite que as brancas lacem um nó na ala da dama.

16.a4! ♕e6 17.♘fd2 ♘h5

As pretas tentam iniciar um contrajogo na ala do rei, mas ao fazer isso removem suas peças da defesa de algumas casas importantes.

18.f3!

18.♘e3 ♗f6 19.♗c4 ♕e7 20.♗d5! c6 21.♗×f6 ♘h×f6 22.♗b3 era tentador, quando as fraquezas das pretas em d6 e na ala da dama são apreciáveis. Mas 19...♕d6! permite a elas defenderem-se com sucesso.

18...♗f6?!

Consistente, mas mesmo assim o bispo deveria ter assumido uma posição mais modesta em f8, de onde guardaria a ala da dama sob fogo.

19.♗f2 ♗g5 20.♘e3 ♘df6 21.c4!

Com esse lance as brancas revelam todos os defeitos da posição das pretas. Um número de ameaças posicionais inesperadamente apareceu: ♘d5, a4–a5 e c4–c5.

21...c6 22.♘b3 ♘d7

Com pouco tempo, Martinovic faz os lances naturais, e aparentemente cobre todos os pontos ameaçados. Mas, como freqüentemente ocorre em tais situações, a tática vem em auxílio da estratégia.

23.c5 b5 24.♖ed1 ♗e7 25.♘c4!

O cavalo rompe através de d6 com efeito decisivo. 25.♘f5! era ainda mais enérgico. Eu imaginei que houvesse algo não muito claro na variante 25...g×f5 26.e×f5 ♕f6 27.♖×d7 ♖b8 28.♖dd1 ♗c8, mas as ilusões da última rodada são rapidamente dissipadas em casa: a avaliação da posição após 29.♗d3 ♘f4 30.♗e4 ♕g5 31.♗e1 não deixa dúvida.

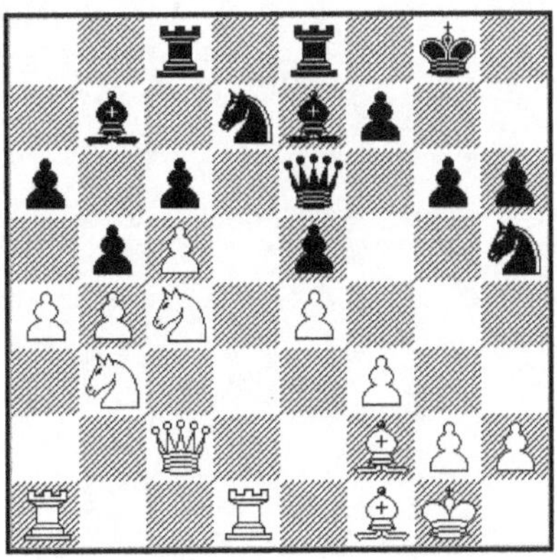

25...♖c7 26.♘d6 ♖b8 27.a×b5 c×b5

Após 27...a×b5 28.♖a7 não há defesa contra ♘a5, mas agora a ruína das pretas é a fraqueza do seu peão a6.

28.♘×b7 ♖b×b7 29.♕a2!

Preparando a vantajosa troca das damas. É preciso dizer que as pretas já estavam no apuro de tempo...

29...♘b8 30.♘a5 ♕×a2 31.♖×a2 ♖a7

Ou 31...♖d7 32.♖d5 etc.

32.c6 ♖a8 33.♖c2! ♗×b4 34.♖d8+ ♔g7 35.♗b6 ♗×a5 36.♗×a5 ♖×c6 37.♖×b8

É claro, 37.♖×c6 ♘×c6 38.♖×a8 ♘×a5 39.♖×a6 também teria ganho.

37...♖×b8 38.♖×c6 b4 39.♗c7

As pretas abandonaram.

	1	2	3	4	5	6	7	8	9	10	11	12	13	14	15	16	Pontos	Lugar
1 - Kasparov	Ж	½	1	½	½	1	1	1	½	½	½	1	1	½	1	1	11½	1º
2 - Beliavsky	½	Ж	1	½	½	½	½	½	1	1	1	½	½	1	1	1	11	2º
3 - K.Grigorian	0	0	Ж	½	½	1	½	½	½	1	½	½	½	½	1	1	8½	3º - 5º
4 - Gufeld	½	½	½	Ж	½	1	½	½	½	½	½	½	½	1	½	½	8½	3º - 5º
5 - Mikhalchishin	½	½	½	½	Ж	½	½	½	1	½	½	½	½	0	1	1	8½	3º - 5º
6 - Torre	0	½	0	0	½	Ж	1	1	0	½	½	1	1	1	0	1	8	6º- 8º
7 - Chiburdanidze	0	½	½	½	½	0	Ж	0	1	½	½	1	½	½	1	1	8	6º- 8º
8 - Csom	0	½	½	½	½	0	1	Ж	½	1	½	½	1	½	½	½	8	6º- 8º
9 - Lechtynsky	½	0	½	½	0	1	0	½	Ж	½	½	½	½	½	1	1	7½	9º- 10º
10-Magerramov	½	0	0	½	½	½	½	0	½	Ж	½	½	1	½	1	1	7½	9º- 10º
11-Padevsky	½	0	½	½	½	½	½	½	½	½	Ж	0	½	1	½	½	7	11º
12-Antoshin	0	½	½	½	½	0	0	½	½	½	1	Ж	½	½	1	0	6½	12º
13-Zaitsev	0	½	½	½	½	0	½	0	½	0	½	½	Ж	½	1	½	6	13º- 14º
14-Vogt	½	0	½	0	1	0	½	½	½	½	0	½	½	Ж	½	½	6	13º- 14º
15-Martinovic	0	0	0	½	0	1	0	½	0	0	½	0	0	½	Ж	1	4	15º
16-S.Garcia	0	0	0	½	0	0	0	½	0	0	½	1	½	½	0	Ж	3½	16º

Dortmund, 1980

Campeonato Mundial Juvenil

O Preço do Ataque

Partida 16
Kasparov - Akesson
Campeonato Mundial Juvenil
Dortmund 1980
Defesa Índia da Dama

1.d4 ♘f6 2.c4 e6 3.♘f3 b6 4.a3

Uma continuação que deixa às pretas uma larga escolha de possibilidades: 4...♗a6, 4...c5, 4...d5 ou 4...♗b7.

4...♗b7 5.♘c3 d5 6.c×d5 ♘×d5

Uma das respostas mais populares a 4.a3. Eu acho que o forte centro de peões das brancas dá a elas as melhores chances, e que o usual 6...e×d5 é mais sólido.

É claro que 6...e×d5 é mais sólido, e após 6...♘×d5 as brancas têm um centro móvel, mas para uma avaliação objetiva das chances outros fatores precisam ser levados em conta. Eu remeto o leitor para a primeira partida do meu match com Kortchnoi (página 207).

7.e3 ♗e7 8.♗b5+ c6 9.♗d3 0–0 10.e4 ♘×c3 11.b×c3 c5 12.0–0 c×d4?!

12...0–0 é mais preciso, mantendo a tensão no centro até que as brancas determinem a posição de seu bispo de casas pretas.

13.c×d4 ♘d7 14.♕e2 ♖c8 15.♗b2

Todas as peças brancas estão idealmente colocadas, enquanto as pretas ainda procuram um posto conveniente para a sua dama.

15...♕c7 16.♕e3 ♘f6 17.♘e5 b5 *[as pretas não deveriam ter se conformado com o cavalo em e5 tão facilmente. Era possível 17...♘d7!? (ou um lance antes 16...♕b8 ou 16...♗d6) 18.f4 (18.♖ac1 ♕d6) 18...♘×e5 19.f×e5 ♕d7, e aqui não há um caminho claro para as brancas desenvolverem a sua iniciativa.]* **18.f4 ♕b6**

As pretas conseguiram encontrar um posto para a sua dama, mas ao custo de consideráveis concessões no centro. Percebendo que dentro de poucos lances o ataque das brancas na ala do rei pode se tornar ameaçador, as pretas tentam reduzir o potencial de ataque com a troca de um par de bispos. É contra isso que os próximos lances das brancas são direcionados.

19.♔h1 b4 20.a×b4 ♗×b4 21.♖ab1!

Prevenindo 21...♗c3 e criando a ameaça de ♗a3.

21...a5 22.♕e2!

Não menos importante papel no ataque será desenvolvido pelo bispo de casas brancas (22.f5 ♗a6!).

22...♕a7 *[Era mais consistente continuar jogando pela troca de bispos – 22...♖a8!? 23.f5 ♗a6 24.f×e6 f×e6, ou 23.♖bc1 ♖ac8!]* **23.f5 ♕a8**

As pretas colocam pressão no centro, mas as suas peças (em particular sua dama) estão muito longe da ala do rei, um fator que eu pensei que pudesse ser explorado vantajosamente.

24.d5?!

24.f×e6 f×e6 25.d5 e×d5 26.♘g4 era mais forte. A posição das brancas também aparenta ser bastante ameaçadora após 24.f×e6 f×e6 25.♖f4. O lance apressado da partida permite às pretas rechaçarem a primeira onda do ataque.

Eu agora definitivamente prefiro 24.f×e6 f×e6 25.♖f4!, pois as conseqüências de 25.d5 e×d5 26.♘g4 ♘×g4 27.♕×g4 ♖c7! não são claras (embora após 28.e5 as brancas tenham compensação pelo peão).

24...e×d5 25.♘g4 ♘×g4 26.♕×g4 f6

Agora o temático 27.e5 encontra o simples 27...♗c3. Para manter o seu ataque as brancas têm que tomar medidas extremas, e então após 45 minutos de reflexão seguiu:

27.♗×f6!

Comentando essa partida no 30° volume do Informador, *eu coloquei um sinal de "!?" em 27.♗×f6, e sugeri 27.e5 ♗c3 28.e6 "com compensação..." Essa avaliação posterior está correta, mas a colocação do sinal "!?" é apenas uma aproximação da verdade. "?!" estaria mais próximo disso...*

Através do sacrifício do bispo, as brancas abrem caminho para os seus peões, os quais adquirem força extraordinária. Ademais 27.♗×f6 muda drasticamente o caráter da partida, que, em vista do restrito tempo disponível, com freqüência prova ser desagradável para o adversário. Eu mesmo só consegui calcular até um empate – esse era o preço do apressado 24.d5.

27...♖×f6 28.e5 ♖h6?

As pretas prontamente cometem um erro, movendo sua torre para a casa errada. A melhor defesa era 28...♖f7 29.f6 ♖cf8!

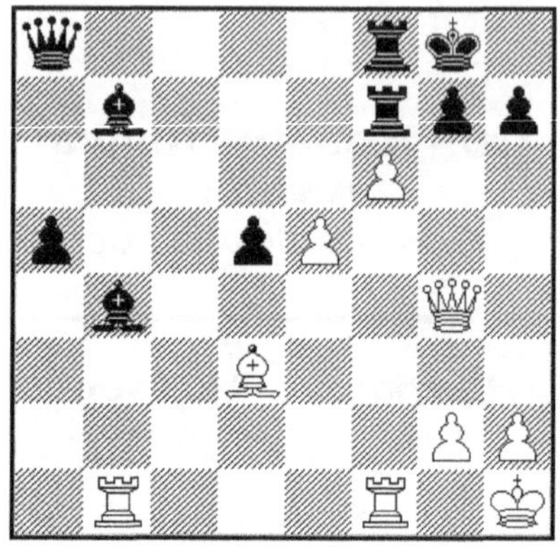

As brancas não obtêm sucesso, por exemplo, com o ataque direto 30.♗×h7+? ♔×h7 31.♖f5 ♗d2!, quando as pretas se defendem. Mais forte é 30.♖f3!, e as pretas têm a escolha entre:

(1) 30...♔h8 31.♖h3 g×f6 32.♗×h7! ♖×h7 33.♖×h7+ ♔×h7 34.♖b3!

(2) 30...♕c8 31.♗f5 ♕c4 32.♖f4 ♕a2 33.♖bf1, e aqui não há defesa.

(3) 30...♗d2 31.♖h3.

(4) 30...d4 31.♖g3! e as ameaças de e5–e6 e ♕h5 são irresistíveis.

(5) 30...♗c8! (a continuação mais forte) 31.♕g5! ♔h8 (31...♗e6 32.♖g3 g6 33.♕h6 ♔h8 34.♗×g6) 32.♖×b4! g×f6! 33.♕h6 a×b4 34.♗×h7 ♗g4!! 35.♗b1+ ♔g8 36.e×f6 ♗×f3 37.♕g5+ com empate.

Evidentemente essa última variante não é fácil de ser calculada, e o lance 28...♖h6? é facilmente explicado.

Nessa última variante as coisas são ainda mais complicadas – ela não é forçada. Ao invés de 31...♔h8 as pretas podem jogar 31...♕a7 32.♖bf1 g6 (prevenindo a combinação de empate que funcionaria no caso de 32...♗e2 ou 32...♕d4: 33.f×g7 ♖×g7 34.♖×f8+ ♗×f8 35.♖×f8+ etc.) 33.♕h6 ♗e6 (ou 33...♔h8 34.♗×g6 ♖g8 35.♗×f7 ♕×f7 36.♖c1 d4

37.♖g3 com chances indefinidas) 34.♖g3 ♔h8 35.♗×g6 ♖c7 (não 35...♖g8? 36.♗×f7 ♕×f7 37.♖g7!) 36.♗d3! (ameaçando 37.♖g7) 36...♗c8 (36...♖g8? 37.f7!) 37.h3 ♖g8 (37...a4 38.♖f4) 38.e6!? ♗×e6 (38...♖×g3? 39.f7) 39.f7 ♖×f7 40.♖×g8+ ♔×g8 41.♕×e6 com um provável empate. Mas essa variante também não é forçada, e dessa forma é difícil uma avaliação precisa do sacrifício do bispo.

29.f6 ♖c7 30.e6

A outra continuação tentadora, 30.♖bc1 ♕d8 31.♕e6+ ♖f7 32.♗b5!, é menos clara em vista de 32...g×f6! 33.♗e8 ♕e7 34.♗×f7+ ♕×f7 35.♕×f7+ ♔×f7 36.♖c7+ ♔e6.

30...♕d8!

As pretas decidem entregar sua torre pelos dois perigosos peões, e assim com sucesso evitam o desastre espetacular que seria possível após 30...♕f8 31.f7+ ♔h8 32.♖×b4! a×b4 33.♕×b4! ♖c8 34.♕×f8+ ♖×f8 35.e7, ou 30...♕b8 31.h3 ♗c8 32.♖×b4! ♕×b4 (32...a×b4 33.f7+ ♔f8 34.♕×g7+!) 33.e7! ♗×g4 34.f7+. As pretas também falhariam em salvar a partida após 30...♔h8 31.♕g3! ♕c8 32.♖bc1 ♗d6 33.♖×c7 ♕×c7 34.f7.

31.e7 ♖×e7 32.f×e7 ♕×e7 33.♖bc1 ♕d8?

No apuro de tempo as pretas não encontram a melhor resposta 33...♕e6!, a qual forçosamente levaria a um final favorável às brancas: 34.♕×e6+! (34.♗f5? ♕e5!) 34...♖×e6 35.♖c7 ♖e7 36.♖×e7 ♗×e7 37.♗×h7+! ♔×h7 38.♖f7 ♗b4 39.♖×b7 d4 40.♖d7 ♗c3 41.♔g1! Agora as coisas se resolvem antes mesmo de um final.

34.♕f5 ♕b8

É pena que Akesson não tenha permitido uma conclusão espetacular para a partida após 34...♗d6 35.♕f7+ ♔h8 36.h3 ♗c8 37.♖c7!

35.♕f7+ ♔h8 36.♖c7

As pretas abandonam.

Partida 17

Tempone - Kasparov

Campeonato Mundial Juvenil
Dortmund, 1980
Abertura Inglesa

1.♘f3 ♘f6 2.g3 g6 3.b3 ♗g7 4.♗b2

Em eventos juvenis eu muito freqüentemente encontrava esse perigoso sistema. Embora a teoria prometa igualdade às pretas após 4...d6, e então em momento conveniente ...e5, a prática mostra que isso não é assim tão simples. Dessa maneira, eu comecei empregando um outro sistema de desenvolvimento, o qual provou ser uma resposta bastante boa ao "duplo fianqueto".

4...c5 5.c4 d6 6.♗g2 e5

Essa parte da partida requer alguma explicação. 4...c5 foi jogado com a intenção de criar um centro forte, após 5...d5. As brancas preveniram isso através de 5.c4. Mas a tentativa de prevenir 6...e5, que restringe o bispo em b2, é duvidosa. No caso de 6.d4 as pretas têm o desagradável 6...♘e4!

7.0–0 ♘c6 8.♘c3 0–0

Essa posição também ocorreu em outras duas partidas minhas: Kharitonov-Kasparov (Moscou, 1977) e Webb-Kasparov (Skara, 1980). O jogador inglês decidiu avançar d2–d4 imediatamente, mas após 9.e3 ♗f5 10.d4 (10.d3 é melhor) 10...e4! 11.♘g5 ♖e8 12.d×c5 d×c5 13.♘b5 ♖e7! as pretas obtiveram uma posição promissora. Kharitonov jogou com mais sucesso: 9.d3 ♘e8!? 10.♕d2 ♘c7 11.♘e1 ♗e6 12.♘d5 ♕d7 13.e3, mas eu acho que mesmo nesse caso as pretas têm tudo em ordem.

9.d3 ♘e8

Uma parte importante do plano das pretas. Em c7 o cavalo está melhor colocado do que em f6: abre o caminho para o peão f, enquanto não perde o controle sobre d5.

10.♘d2 ♘c7 11.e3?! ♗e6 12.♖c1

Como resultado de sua imprecisão no lance 11, as brancas tiveram que recorrer a uma forma artificial de prevenir ...d5. 12.♘d5? não é possível devido a 12...♗×d5 13.c×d5 ♘b4, ganhando um peão. Por isso, 11.a3 ♗e6 12.♘d5 era preferível.

12...♕d7 13.♖e1?!

As brancas avaliam seu bispo de g2 exageradamente. Elas deveriam estar pensando em 13.♘de4 h6 14.f4 ou até o imediato 13.f4.

13...♖ad8 14.♘de4

As brancas já estão com algumas dificuldades. A posição após 14.a3 d5 15.c×d5 ♘×d5 16.♘×d5 ♗×d5 17.♘e4 b6 obviamente não pode satisfazê-las.

14...h6 15.f4 f5 16.♘f2 e×f4 17.g×f4

Uma das posições críticas da partida. Agora 17...d5 não funciona devido a 18.c×d5 ♘×d5 19.♘×d5 ♗×b2 20.♖×c5 ♗a3 21.b4! ♘×b4 22.♖a5! ♗×d5 23.♗×d5+ ♘×d5 24.♖×a3. Mas o simples 17...b6 daria às pretas um jogo esplêndido, por exemplo, 18.♕d2 d5 19.c×d5 (ou 19.♘e2 ♗×b2 20.♕×b2 d4! 21.e4 ♘e8) 19...♘×d5 20.♘×d5 ♗×d5 21.♗×g7 ♕×g7 22.♗×d5+ ♖×d5 23.♕c3 ♕×c3 24.♖×c3 g5! Subestimando as possibilidades de meu adversário, fiz uma sucessão de lances rotineiros, ou mais precisamente, fracos, após o que a situação mudou radicalmente.

17...♕f7?!

Iniciando a preparação de ...g5, mas em todo caso melhor seria ter feito esse lance imediatamente: 17...g5 18.f×g5 h×g5 19.♘h3 ♗f6 ou 19.♕h5 g4 é dificilmente perigoso para as pretas.

18.♕d2 g5?! 19.♘e2!

Dominando a casa f4 e trocando os bispos de casas pretas. Agora a abertura do jogo na ala do rei ameaça ricochetear nas pretas: o seu rei está menos protegido.

19...d5?

Sem se dar conta do perigo, as pretas seguem uma rota suicida.

20.♗×g7 ♕×g7 21.♔h1

Logicamente evitando as complicações que surgem após 21.c×d5 ♗×d5 22.♖×c5 ♗×g2 23.♔×g2 ♘d5! Mas ao invés de 21.♔h1, era mais enérgico 21.♘g3!, por exemplo, 21...g×f4 22.♘h5 f×e3 23.♖×e3 com um ataque formidável.

Aqui finalmente examinei a posição criticamente, e cheguei a algumas conclusões desfavoráveis. As peças pretas mal situadas e a vulnerabilidade de seu centro forçam a avaliação de sua posição como difícil. Após prolongada reflexão decidi que o curso dos acontecimentos só poderia ser modificado com uma melhoria radical na colocação das peças menores, em particular a cavalaria preta. Para colocar em andamento esse plano eu tinha que enfraquecer minha ala da dama e conceder o centro, mas considerei que a criação de chances na ala do rei era a questão mais importante.

21...d×c4! 22.b×c4 ♘e8!

Desde f6 o cavalo controlará as casas centrais e impedirá a desagradável manobra

♘g3–h5.

23.♕c3! ♘f6 24.d4

As brancas também não ficam paradas, e medidas enérgicas são requeridas das pretas para criar contrajogo.

24...♗c8?!

A idéia correta, mas incorretamente executada. 24...♘e7! deveria ter sido jogado, após o que 25.♗×b7? ♘ed5! 26.♗×d5 ♘×d5 27.c×d5 ♗×d5+ 28.e4 f×e4 é desfavorável às brancas, enquanto na variante 25.d5 ♗c8 26.♕a3 ♘g6 27.♕×c5 ♘h4 28.♖g1 b6 29.♕d4 b5! ou 29.♕b4 ♖de8 as pretas obtêm contra-chances claras. Agora, entretanto, 25.d×c5! teria dado às brancas uma vantagem óbvia, por exemplo, 25...♘e7 26.♖cd1 ♘g6 27.♖d6! ♘h7 28.♗d5+ etc. Mas, não desejando se desfazer de seu belo centro, Tempone jogou

25.♖cd1?!

e inesperadamente ofereceu empate. O lance jogado retira das brancas a maior parte da sua vantagem, mas não corrompe a sua posição a ponto de dar às pretas qualquer fundamento real para jogar para ganhar. Mas, apesar disso, eu decidi arriscar continuar jogando.

25...c×d4 26.e×d4?

Era com esse lance natural que as pretas contavam quando declinaram da oferta de empate. 26.♘×d4 teria deixado as brancas com melhores chances. Tempone presumiu que seu peão avançaria a d5, limitando as pretas, seu cavalo iria a d4, e o contrajogo das pretas não daria o ar da graça... Mas aqui os agradáveis pensamentos de meu adversário foram interrompidos por

26...♘e7!

o que dramaticamente muda a avaliação da posição. É óbvio que a manobra de cavalo ...♘g6–h4 pode causar sérios problemas às brancas. Em h4 o cavalo estará atacando o bispo em g2 – uma das peças mais importantes das brancas. Agora era hora de pensar em medidas defensivas, mas Tempone não demonstrou o menor sinal de preocupação.

27.d5 ♘g6 28.♘d3

As brancas limitam-se a lances naturais, ainda sob a impressão do antigo poderio de sua posição. Mas já havia alguma dificuldade na sua escolha de continuação. Assim, elas não poderiam ficar felizes com 28.f×g5 h×g5 29.♘h3?! ♕h6! 30.♕g3 ♘g4 com um forte ataque, ou 28.f×g5 h×g5 29.♘d4 ♘f4! com vantagem para as pretas (por exemplo, 30.♖g1 ♖de8 31.♘d3 ♘g4!). É claro, tivessem as brancas previsto os acontecimentos subseqüentes, elas sem dúvida teriam jogado 28.a4.

28...♘h4 29.♖g1

Durante os últimos seis lances, a posição mudou radicalmente, e os cavalos das pretas se posicionaram não longe da residência do rei branco. Mas para lançar o golpe decisivo as pretas ainda têm que trazer para o jogo sua última reserva – o bispo de c8.

29...b5!

O triunfo do plano das pretas! O centro das brancas entra em colapso, e as peças menores das pretas, que anteriormente estavam aconchegadas em e6, c6 e c7, adquirem força terrível.

30.♘e5 b×c4 31.♕×c4 ♗b7 32.d6+

♔h7!

32...♔h8 33.♗xb7 ♕xb7+ 34.♕c6 ♘e4 era tentador, mas após 35.♖ge1! a posição se torna indefinida.

33.♗xb7 ♕xb7+ 34.♕c6 ♕xc6+ 35.♘xc6 ♘e4!

Ao criar uma ameaça de mate de construção rara, as pretas eliminam o perigoso peão de d6.

36.♖gf1

36.♖ge1!? justifica-se após 36...♘f2+ 37.♔g1 ♘xd1 38.♖xd1, mas as pretas não têm necessidade de trocar seu poderoso cavalo pela passiva torre branca. Elas mantêm uma vantagem óbvia após 36...♖xd6 37.♖xd6 ♘xd6 38.fxg5 hxg5 39.♘ed4 ♘e4, ou, até mesmo mais forte, 36...♖c8! 37.d7 ♖xc6 38.d8=♕ ♖xd8 39.♖xd8 ♖c2! com ataque decisivo, por exemplo, 40.♘d4 ♖g2! (40...♘f2+ 41.♔g1 ♘h3+ 42.♔h1 ♖g2 43.♖d7+ ♔g6 44.♖d6+ ♔h5 45.♖xh6+! ♔xh6 46.♘xf5+ é menos claro) 41.♖xe4 fxe4.

31...♖xd6

Aqui 36...♖c8 não tem a mesma força, em vista de 37.♘ed4!, quando 37...♘xd6 não é possível devido a 38.♘e6!

37.♖xd6 ♘xd6 38.fxg5 hxg5 39.♖d1 ♖e8!

A retirada do cavalo poderia ter dado algumas chances às brancas, mas as pretas nem pensam em movê-lo e continuam o seu ataque.

40.♘ed4 ♖e3! 41.♔g1 ♘e4

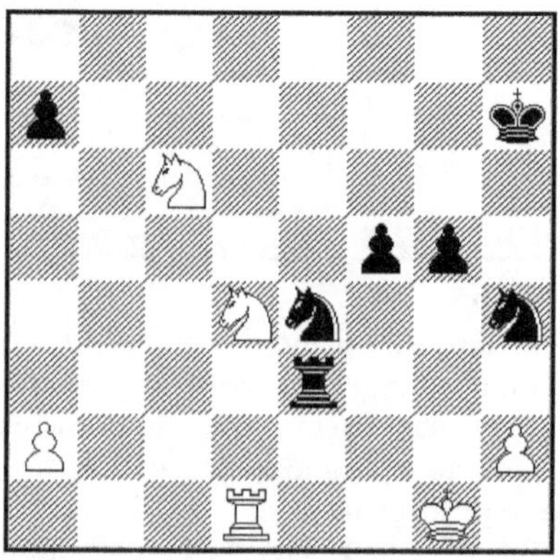

As peças pretas (especialmente os cavalos!) tomaram postos de dominação, e criaram uma espécie incomum de gaiola para o rei branco. Agora a vitória é atingida tanto pela transferência da torre para a segunda fileira, como pelo avanço dos peões f e g.

42.♖b1 ♖d3 43.a4 ♖d2

As brancas abandonaram.

	Pontos	
1 - Kasparov	10½	(+8 -0 =5)
2 - Short	9	
3 - Marovic	8½*	
4 - Negelescu	8½	
5 - Bischoff	8½	

58 Participantes

*Desempate pelo Sistema Buchholz

Malta, 1980

24ª Olimpíada

Partida 18
Kasparov - Marjanovic
24ª Olimpíada Mundial
Malta 1980
Defesa Índia da Dama

1.d4 ♘f6 2.c4 e6 3.♘f3 b6 4.g3 ♗b7 5.♗g2 ♗e7 6.0–0 0–0 7.d5!?

Um sacrifício de peão que entrou na moda após a vitória de Polugaevsky na 12ª partida de seu *match* pelo Torneio de Candidatos com Kortchnoi. O normal 7.♘c3 ♘e4 promete pouco para as brancas.

7...e×d5 8.♘h4!

Essa é a novidade de Polugaevsky.

8...c6 9.c×d5 ♘×d5 10.♘f5 ♘c7

Na partida anteriormente mencionada as pretas falharam em adivinhar as intenções de seu oponente e rapidamente acabaram em uma posição difícil: 10...♗c5 11.e4 ♘e7 12.♘×g7! ♔×g7 13.b4. Marjanovic escolheu uma continuação mais lógica.

11.♘c3 d5

As brancas também conseguiram vantagem após 11...d6 12.♗f4 ♘e8 13.♕d2 ♘a6 14.♖ad1 em Sveshnikov-Platonov, Tashkent, 1980.

Durante sua curta existência esse gambito foi submetido a sérios testes práticos, e as pretas encontraram formas de igualar. Aqui está um exemplo recente: 11...♘e8 12.♗f4 ♘a6 13.♕d2 d5 14.e4 ♘ac7 15.♖ad1 ♗f6 16.e×d5 ♘×d5 17.♘×d5 c×d5 18.♘e3 ♘c7 19.♗×c7 ♕×c7, empate (Timman-Karpov, 1983).

12.e4 ♗f6

As brancas também mantêm forte pressão após 12...d×e4 13.♘×e4. Mas agora temos uma transposição para uma posição da partida Razuvaev-Makarichev (Tbilisi, 1978), na qual as brancas jogaram 13.♕g4 e não conseguiram nada.

Na partida Kishnev-Kholmov (1981) as pretas devolveram imediatamente o peão – 12...♘d7 13.e×d5 ♘×d5 14.♘×d5 c×d5 15.♗×d5 ♗×d5 16. ♕×d5, e depois de 16...♗f6 17.♗f4 ♘c5 18.♗d6 ♖e8 19.♖ad1 ♕d7 20.♕f3 ♕b7 a tensão deixou a posição.

13.e×d5!

A prosaica retomada do peão com 13.♗f4 d4 14.♘×d4 ♗×d4 15.♗×c7 ♕×c7 16.♕×d4 c5! dá apenas chances iguais, enquanto o tentador 14.e5 d×c3 15.e×f6 ♕×f6 16.♘×g7 ♕×g7 17.♗×c7 c×b2 18.♖b1 é suficiente apenas para compensar a perda material.

13...c×d5

Após 13...♘×d5 as brancas poderiam ter recuperado seu peão mantendo superioridade posicional (14.♘×d5 c×d5 15.♘e3 ♘c6 16.♘×d5). É compreensível que Marjanovic tenha preferido manter sua vantagem material, especialmente porque não há nenhum perigo aparente para as pretas.

14.♗f4 ♘ba6 15.♖e1 ♕d7

É estranho que um lance tão natural possa provar ser um grave erro. A melhor defesa era 15...♘c5, quando as brancas teriam ainda que demonstrar a correção de seu sacrifício.

Partidas subseqüentes mostraram que tanto 15...♘c5 como 15...♗c8 são aceitáveis. Mas também 15...♕d7 não é de forma alguma um "grave erro"! O erro só foi cometido por Marjanovic em seu próximo lance. Se, ao invés do plausível 16...♔h8?, ele tivesse tido o senso de mover sua dama para trás – 16...♕d8!, o final da partida permaneceria indefinido.

16.♗h3

Não 16.♕g4 ♗c8 17.♘e7+ ♕×e7.

16...♔h8

As pretas teriam dificuldades insuperáveis após 16...♕c6 17.♖c1 ♘c5 18.♗e5! Vejamos uma variante picante: 18...♖fe8 (18...d4 19.♘e4) 19.♘d4, e a dama está perdida.

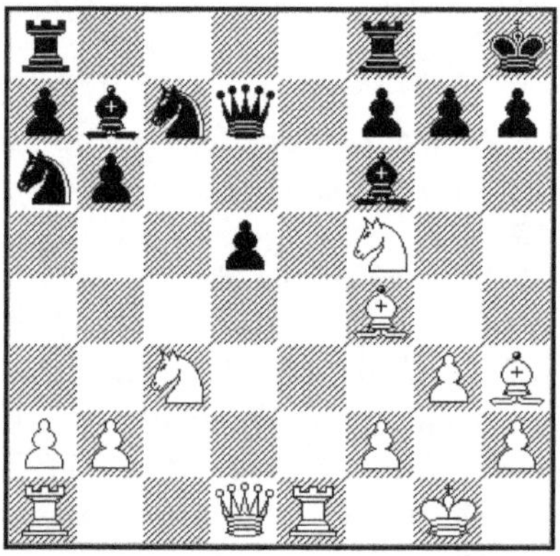

17.♘e4! ♗×b2

Agora o ataque se torna irresistível, mas havia uma defesa melhor?

18.♘g5!

A concentração das peças brancas na ala do rei excede em muito os recursos defensivos do rei preto.

18...♕c6

No caso de 18...♘e6 as brancas venceriam de forma mais simples por meio de 19.♘d6, com a ameaça adicional de 20.♕c2.

19.♘e7 ♕f6 20.♘×h7 ♕d4 21.♕h5 g6 22.♕h4

Aqui Marjanovic poderia ter abandonado, mas ele inesperadamente retirou do tabuleiro a única peça branca que estava destoando do quadro geral por não participar do jogo.

22...♗×a1 23.♘f6+

As pretas abandonam em vista de 23...♔g7 24.♕h6+ ♔×f6 25.♗g5 mate.

Partida 19

Kasparov - Ligterink

24ª Olimpíada Mundial

Malta 1980

Defesa Índia da Dama

1.d4 ♘f6 2.c4 e6 3.♘f3 b6 4.g3 ♗b7

Ligterink normalmente joga 4...♗a6. Nessa partida ele evidentemente queria repetir alguma posição da minha partida contra Marjanovic, a qual tinha ocorrido na rodada anterior. Mas as brancas escolheram um caminho diferente.

5.♗g2 ♗e7 6.♘c3 ♘e4 7.♗d2 ♗f6 8.0–0

Esse e o lance seguinte não podem ser trocados: 8.♖c1? ♗×d4!

8...0–0 9.♖c1 c5

9...d6 é jogado mais freqüentemente, e após 10.d5 ♘×d2 tanto 11...e5, ou primeiro 11...♗×c3. Em ambos os casos as brancas mantêm uma vantagem posicional mínima.

10.d5 e×d5 11.c×d5 ♘×d2 12.♘×d2 d6

As pretas aparentam ter superado com sucesso seus problemas de abertura. Elas têm o par de bispos e perspectivas bastante boas na ala da dama. Mas com seu próximo lance as brancas revelam seus trunfos – um poderoso cavalo no centro e a possibilidade de um ataque do outro lado do tabuleiro.

13.♘de4!

Após o rotineiro 13.♘c4 ♗a6 as pretas realmente têm tudo em ordem.

13...♖e8

Concordando com a troca de seu importante bispo. No caso de 13...♗e7 (o qual teria sido mais crítico) Ligterink estava possivelmente temendo o ataque 14.f4 ♘d7 15.g4 ♘f6 16.♘f2. Até mesmo 13...♘a6 era preferível (ao invés de 13...♖e8), tentando desenvolver as peças da ala da dama o mais rapidamente possível.

14.♕d2 a6

Jogado não com o objetivo de preparar ...b5, mas para defender o peão de d6 (♘b5 não é possível). Mas agora o ponto b6 está enfraquecido, e o cavalo em b8 está privado de casa conveniente. Esses defeitos são enfatizados pelo próximo lance.

15.b4!

Inesperadamente as brancas começam a jogar na parte do tabuleiro tradicional de seu adversário. Essa idéia é estimulada pela pobre coordenação das peças pretas e a possibilidade de um ataque ao peão de d6. Agora 15...c×b4 é desfavorável devido a 16.♘×f6+ ♕×f6 17.♘e4 e 18.♕×b4.

15...♗e7

Essa defesa já é muito tardia, pois durante os últimos dois lances a posição mudou enormemente em favor das brancas.

16.b×c5 b×c5 17.♕f4

O objetivo principal é não permitir que o cavalo saia de b8.

17...♕c7

As pretas não perdem a esperança de permitir a saída do cavalo. Se obtivessem sucesso nisso, seu jogo imediatamente melhoraria.

18.♘a4 ♕a5

Uma defesa pobre contra 19.♘a×c5, mas 18...♕d8 19.♖fd1 não traria nenhum alívio em particular.

19.♖b1 ♗×d5 20.♘b6 ♗×e4 21.♗×e4 ♖a7

Parece que as pretas não estão tão mal, mas o golpe posicional a seguir coloca as coisas em seus devidos lugares.

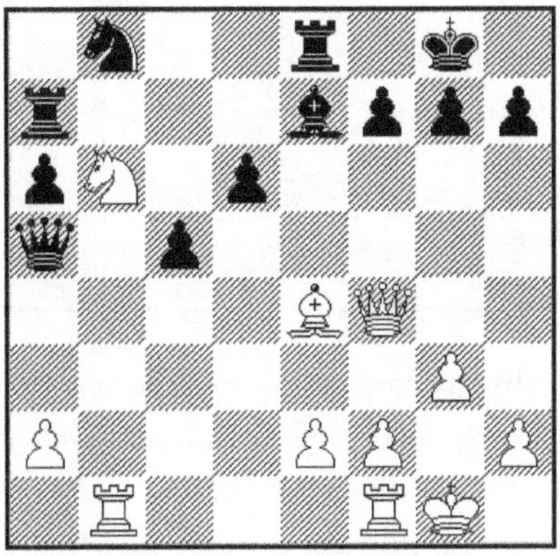

22.♘c8!

Quase todas as peças do adversário estão sob ataque. 22...♖×c8 falha, é claro, por 23.♕f5. A defesa mais tenaz era 22...♖c7 23.♖×b8 ♗f8, quando as brancas têm uma escolha agradável entre 24.♖fb1 e 24.♘×d6 ♖×b8 25.♘c4.

22...♘c6 23.♘×a7 ♘×a7 24.♗d5

As pretas abandonam. No caso de 24...♗f6 as brancas têm o decisivo 25.♖b7.

Partida 20

Kasparov - Speelman

24ª Olimpíada Mundial

Malta 1980

Defesa Índia da Dama

1.d4 ♘f6 2.c4 e6 3.♘f3 b6 4.g3 ♗a6 5.♘bd2 ♗b4 6.♕b3 ♘c6?! 7.d5 ♗×d2+ 8.♗×d2 ♘e7 9.♗c3! ♘f5 10.♘d2! ♘d6?! 11.f3! 0–0 12.e4 e×d5 13.c×d5 (cf. *Sahovski Informator*, N° 30/623)

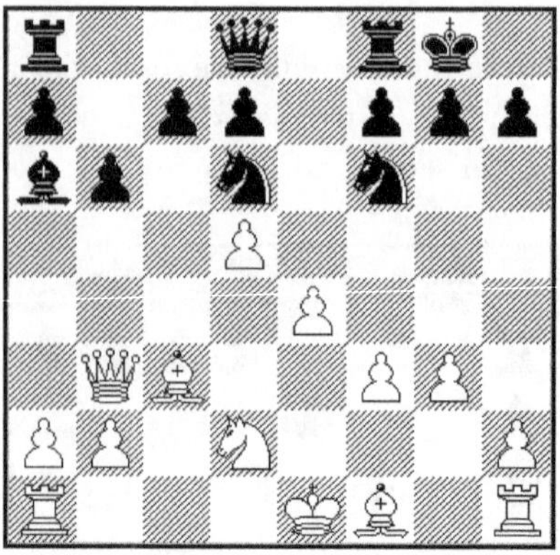

É difícil acreditar que essa posição tenha surgido de uma Defesa Índia da Dama. A saída da abertura é favorável às brancas: elas têm um poderoso centro de peões e os cavalos das pretas estão posicionados de forma insegura.

13...♗×f1 14.♖×f1

No caso de 14.♘×f1 as pretas poderiam ter obtido um bom contrajogo através do sacrifício 14...♘f×e4 15.f×e4 ♘×e4, enquanto 14.♔×f1 teria interferido com a subseqüente tempestade de peões na ala do rei. Mas agora, por exemplo, no caso de 14...♘b7, segue 15.e5 ♘c5 16.♕c4 ♘e8 17.0–0–0 com grande vantagem.

14...a5 15.e5

O desafio tem que ser aceito, pois após 15.a4 ♘b7 o roque na ala da dama já não é tão seguro.

15...a4 16.♕c2 ♕e8?

Deve-se presumir que 16...♖e8 não agradou as pretas em razão de 17.♔f2 ♘×d5 18.e×d5 ♘e3 19.♕d3 ♘×f1 20.♖×f1 com vantagem para as brancas. Mas esta teria sido a melhor decisão, pois agora surge uma oportunidade para uma combinação interessante.

17.♔f2 ♘×d5 18.♕d3!

Fica claro que as pretas perdem uma peça: 18...♘×c3 19.e×d6. Após 16...♖e8 essa idéia não teria funcionado em vista de 18...♘×c3 19.e×d6 ♖e2+ 20.♔g1 ♕g5!

18...♕e6 19.e×d6

e o bispo de vantagem das brancas assegurou-lhes a vitória.

Partida 21

Giardelli - Kasparov

24ª Olimpíada Mundial

Malta 1980

Abertura Inglesa

1.c4 c6

É raro acontecer que logo o primeiro lance requeira algum comentário, mas aqui é impossível manter silêncio sobre 1...c6. O ponto é que o meu adversário regularmente escolhia o mesmo plano com as brancas: c2–c4, g2–g3, ♗g2, ♘c3, e2–e3 e ♘ge2.

2.♘f3

Um pequeno sucesso para as pretas – agora esse cavalo não irá a e2.

2...g6 3.g3 ♗g7 4.♗g2 ♘f6 5.0–0 0–0 6.♘c3 d5

Agora 7.c×d5 c×d5 8.d4 ♘e4 conduz a uma versão satisfatória para as pretas da Defesa Grünfeld. Por isso Giardelli direciona a partida para caminhos não trilhados.

7.c×d5 c×d5 8.d3 ♘c6 9.♕b3

As brancas tentam criar pressão em d5 e b7, mas isso resulta a favor das pretas, que exploram o desenvolvimento antecipado da dama.

9...d4! 10.♘b5

10.♘a4 é respondido por 10...b6, após o que o cavalo não tem futuro e as pretas podem eliminar a pressão na grande diagonal através da manobra ...♗e6–d5.

10...a6 11.♘a3

11.♕a4 é fortemente rebatido por 11...♘d7!, forçando a retirada do ♘b5.

11...b5

O cavalo branco, contudo, encontra-se

fora de jogo, e a fraqueza da grande diagonal não pode ser explorada (12.♕c2 ♗b7! 13.♘e5 ♘b4), e assim a abertura foi definitivamente favorável às pretas.

12.♗f4 ♗e6 13.♕c2 ♖c8 14.♕d2 ♗d5 15.♖fc1 ♘d7

Os preparativos para a batalha estão completos. Agora as brancas têm que se apressar: se as pretas conseguirem jogar ...e5, ...♕e7 e ...♘b6, sua posição será estrategicamente vencedora.

16.♘c2 e5

A tentativa direta de prevenir a ida do cavalo branco a b4 através de 16...a5 não obtém sucesso: 17.♘a3 ♕b6 18.♘e5!

17.♗h6

17.♗g5 é mais fraco: 17...f6 18.♗h6 ♗xh6 19.♕xh6 ♘b6! e a vantagem das pretas é óbvia, por exemplo, 20.e3 dxe3 21.♘xe3 ♗xf3 22.♗xf3 ♘d4.

17...♕e7 18.♗xg7 ♔xg7 19.e3

Já que ♘b4 não é possível, as brancas trazem seu cavalo ao jogo de outra forma.

19...dxe3

19...♕f6 poderia ter sido respondido por 20.e4! ♗e6 21.♘b4, quando as fraquezas da ala da dama das pretas podem vir a ser perceptíveis.

20.♘xe3 ♗xf3 21.♗xf3 ♘d4 22.♗g2

À primeira vista o peão atrasado em d3 e a poderosa posição do cavalo em d4 parecem dar às pretas clara vantagem, mas as brancas também têm seus trunfos: um bispo forte, a fraqueza da ala da dama das pretas, e a possibilidade de trocar os cavalos (23.♘c2) ou iniciar a batalha pela coluna c (23.♖c3).

22...♘c5!

Agora 23.♘c2 é estancado por 23...♘ce6, e 23.♖c3 por 23...♘a4. Mas as pretas enfraqueceram a defesa de seu peão e, o que é prontamente explorado pelo adversário.

23.♖e1 h5

A ameaça de ♘g4 precisa ser excluída.

24.♖ac1?!

Esse lance natural, que também contém uma cilada (24...♘cb3? 25.axb3 ♘xb3 26.♘d5!), no entanto não é o melhor. Era preferível 24.♘d5 ♕d6 25.♖ac1.

24...♖fd8!

Com a ameaça de 25...♘xd3 26.♖xc8 ♘xe1. Não ajuda 25.♔h1, pois agora 25...♘cb3! funciona: 26.axb3 ♘xb3 27.♘d5 ♖xd5 28.♖xc8 ♘xd2 29.♗xd5 ♕d7 30.♖c5 e4! 31.♗xe4 (31.dxe4? ♘f3 32.♖e3 ♕h3) 31...♘xe4 32.dxe4 ♕d2 etc. Pode-se acrescentar que 25.♘d5 não é bom em vista de 25...♕e6, e começa a ficar claro que as brancas têm poucas escolhas.

25.♖c3 ♕f6

Não caindo na provocação: 25...b4? 26.♖c4 ♘xd3? 27.♕xd3 ♘f3+ 28.♗xf3 ♖xd3 29.♖xc8, quando as três peças sem dúvida são mais fortes do que a dama.

26.♘c2

Um longo cálculo foi exigido de mim em uma continuação alternativa – 26.♖ec1 ♘xd3!! Em todas as variantes a seguir os dois cavalos pretos demonstram milagres de assistência mútua: 27.♖xc8 ♘xc1 28.♖xd8 ♕xd8! (28...♘ce2+? 29.♔f1 ♕xd8 30.♗f3!) 29.♔f1 ♘xa2 30.♗d5 (30.b3 ♕c7!) 30...♘f5! 31.♘xf5+ gxf5 32.♔e2 ♘b4, ou 27.♘d5 ♘xc1! 28.♖xc8 ♖xd5! (28...♖xc8 é mais fraco: 29.♘xf6 ♘ce2+ 30.♔f1 ♖c1+ 31.♕xc1 ♘xc1

32.♘e8+ ♔f8 33.♘c7, com chances de empate) 29.♗×d5 ♕d6!, ganhando material – essa posição merece um diagrama.

Diagrama de análise

26.b4 se justifica somente após 26...♘a4 27.♖×c8 ♖×c8 28.♘d5, mas o simples 26...♘ce6 mantém a vantagem das pretas, por exemplo, 27.♘d5 ♘f3+ 28.♗×f3 ♕×f3 29.♖×e5 ♘d4 com um ataque perigoso (30.♘e7 ♕f6!). Embora comparativamente melhor, 26.♘c2 não coloca as brancas fora de dificuldades.

26...b4! 27.♘×b4?

O erro decisivo. As brancas deveriam ter jogado 27.♖c4, quando após 27...♘×c2 28.♖×c2 (28.♕×c2 ♘×d3 29.♖×c8 ♘×e1) 28...b3! (28...♖×d3 29.♕e2) 29.a×b3 ♘×b3 30.♕d1 ♘d4 as pretas têm uma grande vantagem, mas ainda uma longa batalha à frente.

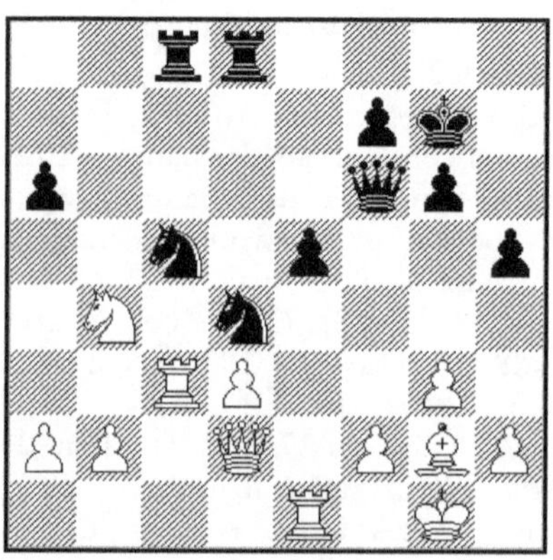

27...e4!

O triunfo da dominação! As peças pretas controlam todas as casas-chave. Contra o ataque combinado da dama, torres e cavalos, as brancas não têm defesa.

28.♕e3

As brancas falham em salvar a partida tanto com 28.♕f4 ♕×f4 29.g×f4 e×d3, ou 28.♖ec1 e×d3! 29.♖×c5 (29.♘×d3 ♘×d3 30.♕×d3 ♘b5) 29...♘e2+ 30.♔f1 ♘×c1 31.♖×c1 ♖×c1+ 32.♕×c1 d2 33.♕d1 ♕×b2 34.♘d5 ♖×d5! 35.♗×d5 ♕b5+, com final vencedor.

28...a5! 29.♘c2

Não é melhor 29.♖ec1 ♕b6! (30.♖c4 ♘f5, ou 30.♘c2 ♘f5).

29...♘×d3 30.♖×c8 ♖×c8

O mais simples. Em todas as variantes as pretas capturam a peça mais "sênior".

31.♕×d4

Ou 31.♘×d4 ♘×e1 32.♗×e4 ♖c4 33.♕×e1 ♕×d4 34.♗g2 ♖c2.

31...♕×d4 32.♘×d4 ♘×e1

As brancas abandonam. Aqui também o peão e4 é imune: 33.♗×e4 ♖c4.

Momentos Memoráveis em Fevereiro

Um *match*-torneio das equipes da URSS, dedicado ao 26º Congresso do Partido Comunista da URSS, foi realizado em Moscou de 21 a 28 de fevereiro de 1981 em dois turnos. Os resultados, em minha opinião, não mostraram nenhuma surpresa em particular. A 1ª Equipe da URSS foi a confortável vencedora (28½ pontos). O segundo lugar da Equipe Jovem (23½), logo à frente da Equipe Sênior (23) e da 2ª Equipe da URSS (21), deve ser considerado um sucesso, e uma indicação de melhoria no nível da geração mais jovem. Apesar da natureza amistosa do torneio, ocorreram batalhas acirradas e comprometidas. Especialmente interessante foi o mini-torneio no primeiro tabuleiro, entre o então Campeão Mundial Anatoly Karpov, o ex-Campeão Mundial Vasily Smyslov, e os Grandes Mestres Oleg Romanishin e Garry Kasparov. Para alguma surpresa, consegui vencer essa disputa com quatro pontos em seis, à frente de Karpov (3½), Smyslov (2½) e Romanishin (2). Nesses comentários gostaria de descrever os acontecimentos mais interessantes nas seis partidas jogadas por mim.

Partida 22
Kasparov - Romanishin
Match-Torneio por Equipes da URSS
Moscou, 1981
Defesa Grünfeld

1ª Rodada
Uma batalha sobre o abismo

1.d4 ♘f6 2.c4 g6 3.♘c3 d5 4.c×d5 ♘×d5 5.e4 ♘×c3 6.b×c3 ♗g7 7.♘f3 c5 8.♗e3

Hoje em dia o sistema com desenvolvimento do cavalo em f3 suplantou quase totalmente outras continuações. O plano que envolve o reforço de d4 e o esvaziamento da diagonal a1–h8, reduzindo ao mínimo a pressão desagradável do bispo em g7, parece altamente atrativo, e por muito tempo as pretas não foram capazes de encontrar um antídoto efetivo. Mas agora, graças aos esforços de Smejkal e de outros apoiadores da Defesa Grünfeld, um método de obtenção de um jogo ativo foi encontrado. As partidas mais recentes têm aparentemente confirmado a efetividade desse plano, o qual Romanishin segue agora.

8...♕a5 9.♕d2 ♘c6

9...0–0 10.♖c1 c×d4 11.c×d4 ♕×d2+ é bem respondido por 12.♘×d2. Uma ilustração esplêndida das possibilidades das brancas nessa posição é dada na partida Karpov-Hübner (Tilburg, 1980).

10.♖c1 c×d4 11.c×d4 ♕×d2+ 12.♔×d2 0–0

Com o objetivo de preservar esse belo par de peões, o rei branco ficou preso ao centro. Obviamente os próximos lances mostrarão o que pesa mais nessa decisão – as vantagens ou desvantagens. Aqui as brancas geralmente têm continuado com 13.♗b5, mas após 13...f5! as pretas têm excelente jogo, como por exemplo na partida Chekhov-Romanishin (Primeira Liga, 48º Campeonato da URSS). Tentei melhorar o jogo das brancas.

13.d5 ♖d8

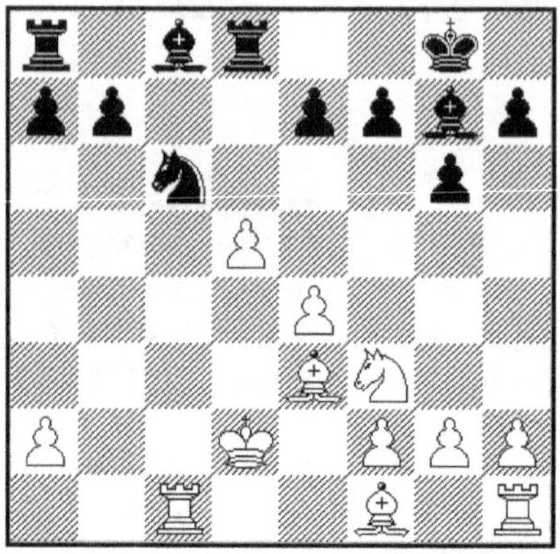

14.♔e1

O cerne do plano das brancas, o qual, casualmente, ficou guardado em meu "estoque" de aberturas por cerca de um ano! O cavalo preto é desalojado de c6, e a pequena desarmonia na colocação das peças brancas, como me pareceu, era somente um fenômeno temporário.

14...♘a5!

Após longa reflexão Romanishin encontra uma possibilidade interessante, e talvez a melhor. *[Sob o ponto de vista de hoje em dia o advérbio "talvez" nessa frase é supérfluo].* Em a5 o cavalo sem dúvida está mal posicionado, mas por outro lado controla c4, onde o bispo de f1 está ávido para ir. Além disso, após outros lances o jogo das brancas teria sido muito mais fácil, por exemplo, 14...♘e5 15.♘×e5 ♗×e5 16.f4 ♗g7 17.♔f2, e aqui não há dúvida sobre a vantagem das brancas, ou 14.♘b4 15.♗d2, e o cavalo é forçado a ficar em uma posição sem atrativos em a6 (15...♘a6 16.♗c4, com vantagem). Em minhas análises preparatórias eu havia rejeitado 14...♘a5 "em linhas gerais", mas no tabuleiro ficou claro que as coisas não eram tão simples. Os lances de ruptura ...e6 e ...f5 estão no ar, por exemplo, 15.♗b5 f5! ou 15.♖c7 e6 16.♗g5 ♖d7.

15.♗g5! ♗f6 *[Foi descoberto posteriormente que por meio de 15...♗d7! 16.♗d3 ♖dc8 17.♔e2 e6 18.♗d2 e×d5! 19.e×d5 ♖e8+ as pretas conseguem um jogo esplêndido (Agzamov-Veingold, 1981 e Anikayev-Agzamov, 1982). A procura por uma vantagem começou a ser feita em outras direções: 10.♖b1!?, 8.♖b1!?]* **16.♗d2 b6**

As brancas ganharam um breve descanso. Atraindo o bispo para f6 elas dificultaram o avanço do peão f e atrasaram ...e6, mas após o desenvolvimento do bispo por b7 ou g4 esse lance de ruptura se tornará uma realidade. Assim, para a consolidação as brancas têm um tempo disponível. Isso é bastante suficiente se elas agirem energicamente!

17.♖c7!

À primeira vista as brancas mostram uma frívola ausência de preocupação por seus problemas de desenvolvimento. Mas na luta pela iniciativa elas já entraram em um caminho escorregadio, onde não são as regras que devem ser consideradas, mas as exceções delas. Aqui as pretas provavelmente deveriam ter demonstrado cautela e jogado 17...♖d7, mas a tentação de castigar o adversário foi muito grande.

17...♗g4 18.♗a6 e6!

A retaliação parece iminente, mas a partir desse ponto as peças brancas, embora em minoria (sem a torre de h1), demonstram recursos surpreendentes.

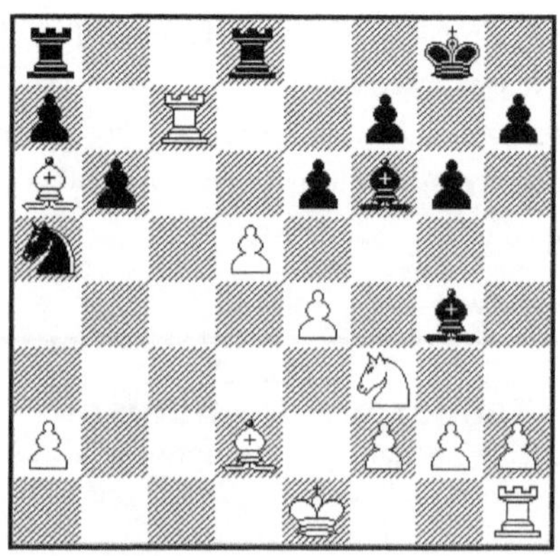

19.♘g5! ♗e5!

Após 19...e×d5 20.♘×f7 ♖d7 21.♘h6+ ♔g7 22.♖c8! as pretas perdem material.

20.♖×f7!

O "castelo de cartas" das brancas inesperadamente prova ser feito de material altamente durável...

20...e×d5

20...h6 21.♘f3 ♗×f3 22.♖×f3 e×d5 23.e×d5 ♖×d5 24.♗×h6 conduz a uma posição onde o peão a mais das brancas e o par de bispos são fatores mais fortes do que a vantagem das pretas no desenvolvimento.

21.f4!

Esse peão está destinado a desempenhar um papel importante na destruição da fortaleza do rei preto.

21...♗g7!

21...♗d4 é mais fraco devido a 22.♖×h7, quando a tentativa 22...♘c4 23.e5 ♖e8 com a ameaça de ...♗×e5 é estancada pelo inesperado 24.h3!, e a torre em h1 junta-se à batalha sem sequer mover-se de seu posto. Por exemplo: 24...♗×e5 25.f×e5 ♖×e5+ 26.♔f2 ♖f8+ 27.♔g3 ♘×d2 28.h×g4! ♖×g5 29.♖h8+ ♔f7 30.♖1h7+ ♔e8 31.♗b5+, com mate.

22.f5!

As brancas deveriam ter jogado 22.h3! h6! 23.h×g4 h×g5 24.♖c7, por exemplo, 24...♖e8 (24...d×e4? 25.♗×a5 b×a5 26.♗c4+) 25.♔f2! ♖×e4 26.♗d3 ♖a4 (26...♖d4? 27.♖×g7+ ♔×g7 28.♗c3 ♘c6 29.♗b5) 27.♗×g6 ♖×a2 28.♗f7+ ♔f8 29.♔e1! ♘c6 (29...♖a1+ 30.♔e2 – ameaçando mate em b4!) 30.♖h7 com a iniciativa, ou 24...g×f4 25.e×d5 ♗e5 (25...♖×d5? 26.♗×a5) 26.♖e7 ♖e8 27.♖×e8+ ♖×e8 28.♔f2 ♖d8 29.♗×a5 b×a5 30.♖e1 com pequena vantagem no final.

As brancas continuam a intensificar a pressão, e Romanishin, com pouco tempo, comete o erro fatal.

22...d×e4?

Após o melhor 22...g×f5! eu pretendia continuar 23.h3! ♗h5 24.♖×g7+ ♔×g7 25.♘e6+ ♔f6 26.e×f5! (26.♘×d8 é mais fraco: 26...♖×d8 27.e×f5 ♘c4! 28.g4 ♖e8+! 29.♔d1 ♗f7), após o que a atividade das peças brancas mais que compensa a vantagem material das pretas, por exemplo, 26...♖e8 27.g4 ♗f7 28.♗c3+ ♔e7 29.♘c7.

Como foi corretamente apontado por um leitor da revista Shakhmaty v SSSR, *27...♖×e6+ 28.f×e6 ♗g6 poderia ter colocado as pretas fora de suas dificuldades.*

23.♗×a5 b×a5

O desesperado 23...e3 encontra uma refutação direta: 24.♖×g7+! ♔×g7 25.♗c3+ ♔h6 26.♘f7+ ♔h5 27.♘×d8 ♖×d8 28.♗e2 etc.

24.♗c4

Agora tanto 24...♖ac8 25.♖c7+ como 24...♖d4 25.♖×a7+ ♖×c4 26.♖×a8+ ♗f8 27.♘e6 são ruins para as pretas, mas no apuro de tempo Romanishin encontra um recurso surpreendente.

24...♗c3+! 25.♔f2 e3+! 26.♔g3

Não 26.♔×e3 devido a 26...♗d2+.

26...♗e5+ 27.♔×g4

O bispo de c4 não pode ser preservado: 27.♔h4? conduz somente ao empate após 27...♖d4 28.♖×a7+ ♖×c4 29.♖×a8+ ♔g7 30.♖a7+ ♔g8!

27...♖d4+ 28.♔h3 ♖×c4

As pretas aparentemente rechaçaram o ataque, mas o peão f ainda não se pronunciou.

29.f6

Agora as ameaças de mate das brancas só podem ser eliminadas à custa do bispo, pois 29...♖c7 30.♖×c7 ♗×c7 31.f7+ ♔h8 32.♘e6 ♗d6 33.♖e1 é completamente sem esperanças para as pretas.

29...♗×f6 30.♖×f6 ♖e8 31.♖e1

Aqui já se poderia anunciar o resultado, mas... os milagres ainda não haviam terminado!

31...e2 32.♔g3

32.♖e6 é mais simples.

32...♖a4 33.♔f2 ♖×a2 34.♘e6 a4 35.♖b1?

As brancas ainda não esfriaram após a batalha, e continuam obcecadas com ataques de mate. Havia uma vitória direta com 35.♘d4, capturando imediatamente o peão de e2, por exemplo, 35...a3 36.♖×e2 ♖a×e2 37.♘×e2 a2 38.♖a5, ou 35...♔g7 36.♖f3 etc.

35...a3 36.♖b7 e1=♕+

36...♖b2 é mais preciso. A ilusão de ataques de mate das brancas evapora no ar, enquanto que os peões a e e constituem uma força real. No momento as brancas tinham o empate – 37.♖g7+ ♔h8 38.♖e7 ♖bb8 39.♖×a7 ♖a8 40.♖×a8 ♖×a8 41.♘d4 a2 42.♘b3 ♖b8 43.♖a6.

37.♔×e1 ♖×g2 38.♖g7+ ♔h8 39.♖gf7 h5?

Com a seta caindo as pretas abrem caminho para o seu rei, não tendo tempo para perceber a desgraça que se abateria sobre as casas g5 e h6. 39...h6 era mais simples.

40.♔f1 ♖×h2?

Subitamente todas as ameaças de mate se transformam em realidade. E somente um lance separava as pretas de sua salvação – 40...a2! Após 41.♖×a7 elas poderiam ter decidido calmamente que 41...♖b2? perderia: 42.♘g5! ♖e7 43.♖f8+ ♔g7 44.♘e6+ ♔h6 45.♖h8+, ou 42...♖b1 43.♔f2 a1=♕ 44.♖h7+ ♔g8 45.♖×g6+ ♔f8 46.♖f7 mate, enquanto 41...♖×h2 42.♖×g6 a1=♕+ 43.♖×a1 ♖h1+ 44.♖g1 conduz a um empate. Embora aqui a palavra "calmamente" talvez possa ser inapropriada...

41.♖×g6!

Resta às pretas se convencerem das trágicas conseqüências dos últimos lances do apuro de tempo. 41...a2 falha em salvar a partida após 42.♖h6+. Romanishin entrega a torre, mas isso meramente retarda um par de lances o final inevitável.

41...♖×e6 42.♖×e6 ♔g8 43.♖×a7

As pretas abandonam.

Uma vitória obtida em uma batalha como essa sem dúvida me inspirou.

2ª Rodada
O efeito da surpresa

Partida 23
Smyslov - Kasparov
Match-Torneio por Equipes da URSS
Moscou, 1981
Abertura Inglesa

1.♘f3 c5 2.c4 ♘f6 3.g3 b6 4.♗g2 ♗b7 5.0–0 e6 6.♘c3 ♗e7 7.b3 0–0 8.♗b2 d6 9.e3 ♘bd7 10.d4 a6 11.♕e2 ♘e4 12.♖fd1

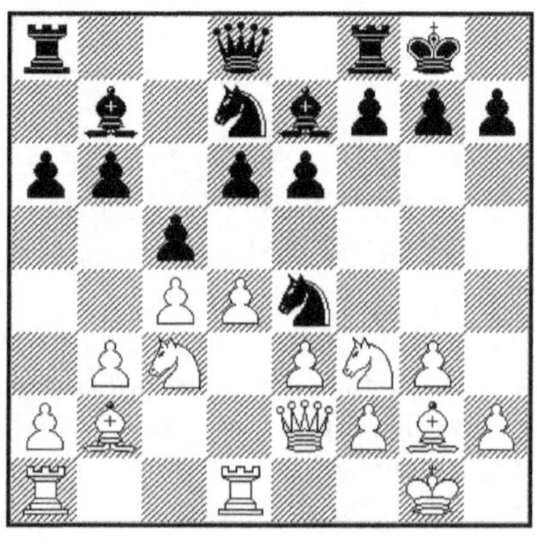

A posição do diagrama promete uma luta prolongada. Isso só torna mais surpreendente a metamorfose que ocorreu no tabuleiro em curto espaço de tempo.

12...♕b8!?

O simples 12...♕c7 seguido de ...♘df6, mantendo o controle sobre e4 e d5, daria às pretas um bom jogo. Ao invés disso permitiram às brancas realizarem uma combinação que conduz ao ganho de qualidade.

13.♘×e4 ♗×e4 14.♘e5! ♗×g2 15.♘×d7 ♕b7 16.♘×f8 ♗f3 17.♕d3 ♖×f8 18.♖d2

As brancas provavelmente devem ter considerado 18.d5, mas para que devolver a qualidade quando não há perigo aparente? Entretanto, um lance mais tarde elas recorrem a essa idéia, mas já não surtirá seu efeito.

18...f5!

Uma posição crítica e importante para avaliar o sacrifício da qualidade. Objetivamente a situação favorece as brancas, mas para demonstrar isso é necessário um jogo muito enérgico por parte delas. Ao chegar nessa posição em meus cálculos preliminares, pensei que não seria fácil para Smyslov passar de manobras sem pressa para um jogo específico, "calculado".

Aqui as brancas deveriam ter aberto uma "segunda frente" – 19.a3! seguido por d×c5 e b3–b4. Nesse caso, as pretas seriam incapazes de transferir todas as suas peças tão rapidamente para o ataque ao rei.

19.♖e1?!

18...f5 abriu para a dama preta a brilhante perspectiva de transferência via e8 para h5. À primeira vista, 19.♖e1 impede seriamente essa manobra. Por exemplo, 19...♕a8 é rebatido desagradavelmente por 20.d×c5 b×c5 21.b4! c×b4 22.c5!, quando as brancas abrem a posição com vantagem. No caso de 19...♕c8 as brancas estavam planejando 20.e4 f×e4 21.♖×e4 ♗×e4 22.♕×e4, devolvendo a qualidade e conquistando assim uma sólida vantagem. Mas mesmo assim...

19...♕c8!

Fica claro que depois de 20.e4 f×e4 21.♖×e4 a dama preta tem um caminho mais curto em direção à residência do rei branco, ou seja, 21...♗g5! *[Ou 21...e5! 22.♖e3 e4 23.♖×e4! ♕h3 24.♕×f3 ♖×f3 25.♖×e7 e as brancas não se arriscam a perder, mas isso é tudo – 25...♖f7 26.♖e8+ ♖f8 27.♖e7]* 22.♖de2 e5! com a ameaça de ...♕h3. Desanimado com essa mudança dos acontecimentos, Smyslov faz sucessivamente dois lances fracos, após os quais o ataque das pretas se torna irresistível.

Após 20.e4 f×e4 21.♖×e4 ♗g5 há um provável empate por meio de 22.♖e3! ♗×e3 23.f×e3 e 24.♖f2.

20.♕c3? ♖f6 21.a3? *[Não há tempo para isso aqui. Ainda havia chances de defesa após 21.d×c5 b×c5 22.♕d3 e5 23.b4!, ou até 21.♕d3, admitindo o erro mas forçando as pretas a contar com e3–e4]* **21...♕e8!**

Agora as ameaças das pretas são claramente visíveis, e se torna evidente que as peças brancas estão mal colocadas para estancá-las. A inadequada colocação das torres brancas priva o rei da sua única esperança de fuga da casa em chamas. Enquanto que a eficiência da bateria da dama e do bispo brancos (e na verdade de todo seu exército) está próxima do zero, em poucos lances, através de ação concentrada, as peças pretas esmagarão o abrigo do rei branco.

22.d×c5 ♕h5

Com a rude ameaça de ...♕×h2+.

23.h4 ♕g4 24.♔h2 b×c5

As pretas não têm pressa.

25.♖h1 ♖g6 26.♔g1 ♗×h4 27.♕a5

Após 27.♖×d6 ♗×g3 as brancas não têm nada mais do que alguns poucos xeques inofensivos.

27...h6

O mais simples. As brancas abandonam.

3ª Rodada
Um encontro longamente aguardado

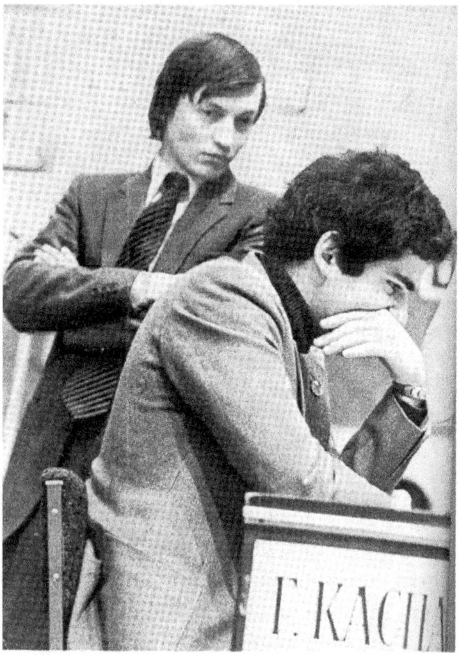

E então, um encontro com o jogador número 1 do mundo. Para qualquer jogador de xadrez, em minha opinião, uma partida com o Campeão Mundial é uma oportunidade real para testar a si mesmo e à sua força. Dessa forma eu cheguei para a partida em estado de extrema concentração, pronto para uma batalha difícil.

Partida 24
Kasparov - Karpov
Match-Torneio por Equipes da URSS
Moscou, 1981
Defesa Petroff

1.e4

Em tempos recentes eu raramente tenho empregado esse lance, e em minhas preparações pensei que uma pequena surpresa em meu primeiro encontro com o Campeão Mundial não seria nada mal. Mas também havia uma surpresa me aguardando...

1...e5 2.♘f3 ♘f6

Hoje em dia a Defesa Petroff inesperadamente se tornou muito popular. Nessa abertura as pretas se propõem a uma tarefa limitada: através de simplificação da posição, preparar-se para conter a atividade de seu adversário.

3.♘×e5 d6 4.♘f3 ♘×e4 5.d4 ♗e7 6.♗d3 d5 7.0–0 ♘c6 8.♖e1 ♗f5

Não há muito tempo atrás, 8...♗g4 era considerado obrigatório, quando após 9.c4 ♘f6 10.c×d5 ♘×d5 11.♘c3 a posição surge com melhores chances para as brancas. A idéia do lance na partida, que foi empregado com sucesso por Hübner em seu *match* contra Adorjan (1980), é provocar o máximo grau de simplificação, explorando o fato de que o direto 9.c4 ♘b4 10.c×d5? não funciona devido a 10...♘×f2!

9.♘bd2

Após prolongada reflexão eu decidi seguir o caminho trilhado por Adorjan. 9.♘c3 ou 9.a3 prometem pouco às brancas.

Partidas jogadas em 1982-1983 (incluindo três entre Karpov e Portisch) mostraram que após 9.c4 ♘b4 10.♗f1! as brancas tomam a iniciativa.

9...♘×d2 10.♕×d2 ♗×d3 11.♕×d3

0–0 12.c3 ♕d7 13.♗f4

As brancas conquistaram uma mínima vantagem graças ao posicionamento mais ativo de suas peças. Conseguirão extrair algo significativo desta posição ou as pretas igualarão totalmente? – essa é a questão a ser respondida nos próximos lances. De qualquer forma, após 13...♖fe8 14.h3 a6 15.♖e3 ♗d6 16.♘g5 g6 17.♗×d6 ♖×e3 18.♕×e3 ♕×d6 19.♖e1 Hübner falhou em obter clara igualdade, embora no final a partida tenha terminado empatada. O Campeão Mundial melhora o jogo das pretas.

13...a6 14.♖e3 ♖ae8 15.♖ae1 ♗d8!

Defendendo o peão c, as pretas planejam iniciar as operações de trocas na coluna e.

16.h3 ♖×e3 17.♖×e3

17.♕×e3 não consegue nada devido a 17...♕f5!

17...f6

O direto 17...♖e8 não resolve todos os problemas das pretas em vista de 18.♕f5! ♖e6 19.h4, e então, por exemplo, 19...g6 20.♕h3 ♕e8 21.♖×e6 ♕×e6 22.♕×e6 f×e6 23.♘g5! com vantagem para as brancas.

18.♖e2 ♖f7

Possivelmente 18...♘e7 é mais preciso. Eu planejava continuar 19.b3 c6 (19...♕f5 20.♕×f5 ♘×f5 21.g4!) 20.c4 ♕f5 21.♕e3!, mantendo a tensão.

19.♘d2!

Prevenindo a troca de torres, pois o final após 19...♖e7 20.♘b3 ♖×e2 21.♕×e2 ♗e7 22.♕g4! ♕×g4 23.h×g4 ♗d6 24.♗×d6 c×d6 dificilmente pode satisfazer as pretas, embora suas chances de empate sejam consideráveis.

19...♗e7 20.♘f1

As pretas cobriram c5, e então o cavalo muda de rumo. De e3 poderá atacar o peão de d5.

20...♗f8 21.♕f3 ♖e7?

Agora a vantagem das brancas assume proporções reais. O correto 21...♘d8 22.♘e3 c6 teria mantido o *status quo* de sua posição: o jogo está quase nivelado, mas as brancas têm mais possibilidades ativas. Por exemplo: 23.♗g3 ♘e6 24.h4 ♖e7 25.♖d2, ou 23...♖e7 24.♖d2 ♖e4?! 25.c4! ♘f7 (25...♘e6 26.c×d5 c×d5 27.♕f5) 26.c×d5 c×d5 27.♕h5!

22.♘e3 ♘d8

Forçado. Não há outra defesa contra a ameaça de 23.♔f1 ganhando um peão.

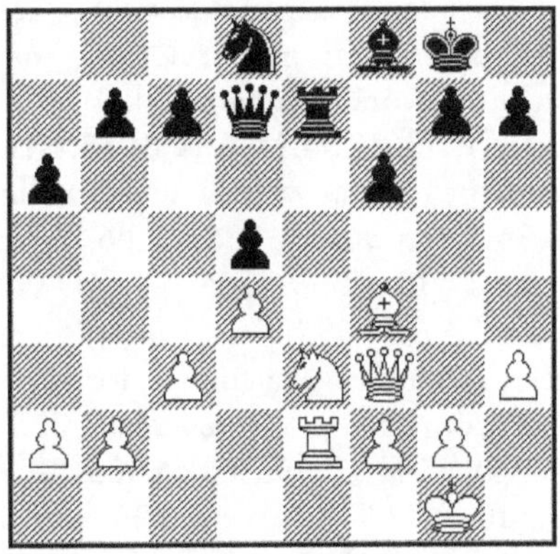

23.♗×c7! ♕×c7 24.♘×d5 ♕d6

As pretas estão condenadas a uma defesa extenuante após 24...♖×e2 25.♘×c7 ♖e1+ 26♔h2 ♗d6+ 27.g3 ♗×c7 28.♕f5!

25.♘×e7+ ♗×e7

Com uma combinação simples as brancas conquistaram uma vantagem apreciável, graças principalmente ao pobre posicionamento das peças pretas. Essa vantagem deveria ter sido consolidada por um plano enérgico, que não desse às pretas tempo para se reagruparem. Ao invés disso escolhi um caminho tentador, mas incorreto, a partir do qual a partida gradualmente se tornou nivelada.

26.♕e4 ♗f8 27.♕e8?!

27.c4! era correto, colocando em andamento a principal ameaça das brancas – seus peões c e d. Nesse caso a defesa das pretas encontraria dificuldades consideráveis, por exemplo, 27...b6 (27...♘c6 28.♕e6+ ♕×e6 29.♖×e6 ♘×d4 30.♖b6) 28.g3 ♘f7 29.♔g2 g6 30.♖c2! f5 31.♕f4 ♕c6+ 32.♕f3 etc.

27...g6 28.a4 ♔g7 29.b4?! ♕c7 30.♖e3 ♘f7 31.♕e6 ♕d8

Privando a dama branca de um excelente posto em d5.

32.a5 h5!

Após estancar os peões brancos, Karpov metodicamente começa a melhorar a colocação de suas peças. Como eu estava com um pequeno apuro de tempo, repeti lances para tentar ganhar tempo, mas o momento favorável já havia sido perdido.

33.♕e4 ♕d7 34.♕e6 ♕d8 35.♔f1

A última tentativa para uma vantagem era 35.♖e1, quando 35...♘h6 é ruim devido a 36.♕b6! ♕d5 37.c4! ♕×c4 38.♕×b7+ ♘f7 39.b5! Mas após 35...♗d6 parece não haver maneira de fortalecer a posição, por exemplo, 36.c4 ♗×b4 37.♖b1 ♕×a5 38.c5 ♕b5! 39.♖b3 a5 40.♖f3 ♕c6 41.♖×f6 ♕×e6 42.♖×e6 com provável empate. 35...♕c7! é até mais simples.

35...♘h6 36.g4

Se alguém é forçado a fazer lances assim... Mas eu realmente não queria permitir que o cavalo preto fosse a f5. Agora, em vista da posição aberta do rei branco, as pretas praticamente estão a salvo da derrota. Entretanto, as brancas também ainda não haviam ultrapassado o limite.

36...h×g4 37.h×g4 ♘f7 38.♔e2

Será mais tranqüilo para o rei ficar no centro, atrás de sua barreira de peões, do que exposto na ala do rei.

38...♘g5 39.♕b6 ♕d7 40.♔d3 ♗d6 41.♔c2

Aqui o empate foi acordado por minha proposta. É simplesmente óbvio o quanto as pretas melhoraram a colocação de suas peças ao longo dos últimos dez lances. Mas a posição das brancas é perfeitamente sólida, e em b2 ou b3 seu rei se sentirá seguro. Seria muito arriscado para as pretas jogar 41...♗f4 42.♖e2 ♕d5?! 43.♖e7+ ♔h6 44.♕×b7, quando o rei branco consegue se esconder dos xeques, e a armada de peões brancos parece imponente.

4ª Rodada

Experiências deixam suas marcas

Em minha segunda partida com Romanishin, meu jogo foi muito afetado pelas minhas experiências no encontro com o Campeão Mundial.

Partida 25
Romanishin - Kasparov
Match-Torneio por Equipes da URSS
Moscou, 1981
Abertura Inglesa

1.♘f3 g6 2.d4 ♗g7 3.g3 ♘f6 4.♗g2 0–0 5.c4 c5 6.0–0 c×d4 7.♘×d4 ♘c6 8.♘c3 ♘×d4 9.♕×d4 d6 10.♕d3 a6 11.♗e3 ♗d7 12.♗d4 ♗c6 13.e4 ♖e8 14.♖fe1 ♖c8 15.♖ad1 ♕a5 16.a3

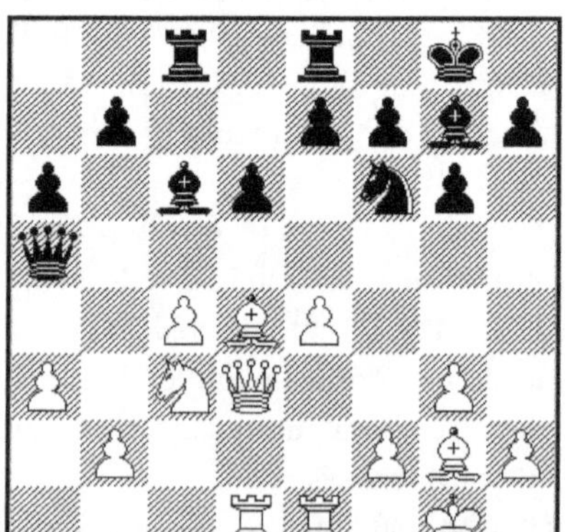

A posição das pretas é inferior, e a sua situação é agravada pelo espectro da aproximação de apuro de tempo. Eu decidi entrar numa longa variante forçada, a qual, em minha opinião, deveria ter conduzido a uma simplificação favorável.

16...b5 *[Evidentemente a decisão correta. Tivessem as brancas conseguido jogar 17.b4 (17...♕×a3? 18.♖a1), as pretas teriam sido condenadas à passividade]* **17.c×b5 a×b5 18.e5 d×e5 19.♗×c6 e×d4**

As pretas não têm compensação pelo peão após 19...♖×c6 20.♖×e5 ♖d8 21.♕×b5! (21.♖×b5? ♕a6!) 21...♕×b5 22.♘×b5.

20.♗×e8 d×c3 *[Na esperança de 21.♕×b5 ♕×b5 22.♗×b5 c×b2 23.a4 e6 e ...♘d5, ou 21.♗×b5 c×b2 22.♕b3 ♕a7! (mais forte do que 22...e6 23.♕×b2 ♘d5 24.♕b3 ♖c3 25.♕b1 ♖×a3 26.♗c4) 23.♗c4 (23.♕×b2 ♘e4 24.♕e2 ♘c3 25.♕c2 ♕b7 26.♗d7 ♖d8) 23...♘g4 24.♗×f7+ ♔f8 25.♕f3 ♕×f2+ 26.♕×f2 ♘×f2 27.♔×f2 ♔×f7, e as pretas não têm nada a temer]* **21.♗d7!**

Uma melhoria de Romanishin, que me obrigou a olhar a posição de um ponto de vista diferente. Lamentavelmente, para uma reavaliação dos valores quase não restava mais tempo...

21...♖d8?

Isso conduz à força a um final difícil, enquanto o superior 21...♖c4! permitiria às pretas ter esperanças de "sucesso" (isso é, um empate), por exemplo, 22.b×c3 ♖×c3 23.♕×b5 ♕×a3 24.♕b8+ ♗f8 25.♗h3 ♔g7.

As pretas também poderiam se segurar após 22.b3 c2! 23.b×c4 c×d1=♕ 24.♕×d1 (24.♖×d1 b×c4 25.♕×c4 ♕×a3) 24...♘×d7 25.♖×e7 ♘f6! 26.♕b3 ♗f8! 27.♖e5 ♗d6 28.♖×b5 ♕e1+ 29.♔g2 ♕e4+ 30.♕f3 ♗×a3.

22.♕×b5 ♕c7 23.b×c3 *[23.♗h3 é mais forte, quando a vantagem material das brancas deve decidir a partida: 23...♖×d1 24.♖×d1 c2 25.♖c1 ♗h6 26.f4 ♕a7+ 27.♔h1 ♕e3 28.♕f1, ou 23...♖b8 24.♖×e7! c2 25.♖c1 ♕d8 26.♕e2 ♖×b2 27.♖a7 ♘d5 28.♖d7! ♕a8 29.♖×c2 ♘c3 30.♕c4]* **23...♖×d7 24.♖×d7 ♕×d7 25.♕×d7 ♘×d7 26.♖×e7 ♘b6! 27.♖b7 ♘a4 28.♖b8+ ♗f8 29.c4 ♔g7 30.♔g2 ♗d6?**

Agora, explorando a posição pendurada das peças menores das pretas, as brancas obtêm sucesso no avanço de seus peões.

Após o correto 30...♗e7! as pretas teriam mantido chances de empate: 31.♖a8 ♘b6, ou 31.♔f3 ♔f6 32.♖a8 ♘b6 33.♖a6 ♗c5.

31.♖a8 ♘b2 *[Se 31...♘b6, então 32.♖a6 ♘×c4 33.♖c6, ou 32...♗c5 33.a4]* **32.a4 ♘×c4 33.a5 ♘e5?**

Esse erro de apuro de tempo meramente acelera a derrota das pretas. Entregando seu cavalo pelo peão a elas poderiam ter prolongado a resistência, mas teoricamente esse final é sem esperanças.

34.♖c8

Agora não há defesa contra o avanço do peão a. As pretas abandonam.

5ª Rodada
No estilo de meu adversário

Partida 26
Kasparov - Smyslov
Match-Torneio por Equipes da URSS
Moscou, 1981
Abertura Ruy Lopez

Evidentemente levando em consideração o fato de que eu estaria buscando a vitória após a minha derrota na rodada anterior, Smyslov escolheu um plano arriscado no sentido posicional, tentando provocar-me a entrar em atividade prematuramente. Mas consegui fixar as fraquezas das pretas, e pelo 20° lance conquistei uma sólida vantagem.

1.e4 e5 2.♘f3 ♘c6 3.♗b5 a6 4.♗a4 g6 5.d4 e×d4 6.c3!? ♗g7?! 7.c×d4 b5 8.♗c2 d6 9.d5 ♘e5 10.♘×e5 d×e5 11.a4 ♗d7 12.♗e3 ♘f6 13.0–0 0–0 14.♕d2 ♘e8 15.♗c5 ♘d6 16.a×b5 ♗×b5 17.♖e1 ♕d7 18.♘c3 ♖fb8 19.b4 ♗f8

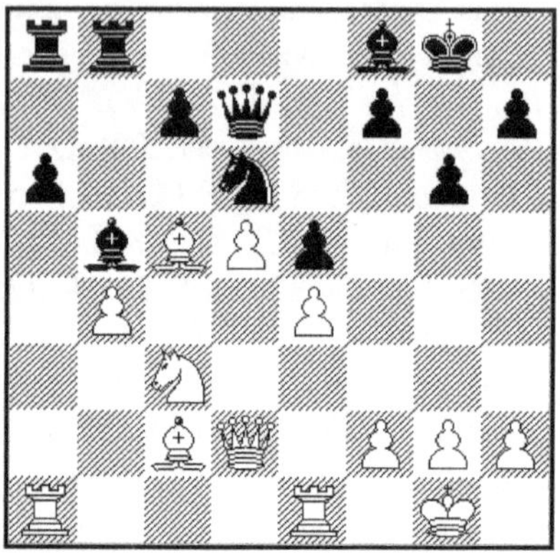

20.♕g5

As brancas não têm pressa, mas a cada lance elas melhoram levemente o posicionamento de suas peças.

20...♕e7 21.♕e3 ♕f6?!

Esse lance aparentemente ativo prova ser uma séria imprecisão. Em d7 a dama estava excelentemente colocada, e não havia motivo para movê-la de lá.

22.♗d3!

Após a troca do bispo de b5 a fraqueza em a6 começará a falar.

22...♗×d3 *[A dama deveria ter voltado para a defesa da ala da dama – 22...♕d8 e então ...♕d7 (ou ...♕e8)]* **23.♕×d3 ♘b5?**

23...♘b7 é mais tenaz.

24.♘×b5 a×b5

24...♖×b5? é obviamente ruim devido a 25.♕×b5! etc.

25.♖×a8 ♖×a8 26.♕×b5 ♕a6 27.♕×a6 ♖×a6 28.g4!

O atalho mais curto para a vitória.

28...♗d6 29.b5! ♖a8 30.♗×d6 c×d6 31.b6 ♖b8 32.♖b1

A torre atrás do peão passado freqüentemente decide o final da partida.

32...♔f8 33.♔f1 ♔e7 34.♔e2 g5 35.♔d3 ♔d7 36.♔c4 ♖c8+ 37.♔b5 ♖c2 38.♖a1!

Assegurando o lugar para o rei branco.

38...♖b2+ 39.♔a6

As pretas abandonam.

6ª Rodada

Cada jogador buscava a vitória

Partida 27

Karpov - Kasparov

Match-Torneio por Equipes da URSS

Moscou, 1981

Abertura Inglesa

1.c4 ♘f6 2.♘c3 c5 3.♘f3 e6 4.g3 b6 5.♗g2 ♗b7 6.0–0 ♗e7 7.d4 c×d4 8.♕×d4 d6 9.♗g5 a6 10.♗×f6 ♗×f6 11.♕f4 0–0 12.♖fd1 ♗e7 13.♘e4 ♗×e4 14.♕×e4 ♖a7 15.♘d4 ♕c8 16.b3 ♖e8 17.a4 ♕c5 18.♖a2 ♗f6 19.♖ad2 ♖c7 20.♕b1 ♗e7 21.b4 ♕h5 22.♖c2 ♖ec8

Após uma batalha de manobras, surgiu uma posição de equilíbrio dinâmico. Pensando que o seu peão de c4 será imune, as brancas iniciam uma combinação errônea.

23.b5? a×b5 24.a×b5 *[As brancas não jogaram 23.b5, a fim de aqui (por "ter juízo") recapturar em b5 com o cavalo. Então 24...♖d7! simplesmente daria às pretas a melhor posição (fraquezas em a4 e c4)]* **24...♖×c4!**

As pretas corajosamente capturam o peão, não temendo 25.♘c6. De fato, 25...♖×c2 26.♘×e7+ ♔h8! (26...♔f8? 27.♘×c8 ♕×e2 28.♖f1 ♖×c8 29.♕×h7) 27.♗f3! ♕e5! (27...♕c5? 28.♘×c8 ♕×c8 29.♗c6 ♖c5 30.♖×d6 ♘×c6 31.♕d3!) 28.♘×c8 ♖×c8 deixam-nas com um peão a mais e com chances de vitória.

25.♖×c4 ♖×c4 26.♕a2 ♕c5 27.♕a8! ♖×d4 28.♕×b8+ ♗f8 29.♖a1

Com meu 28° lance eu declinei da oferta de empate, mas logo no lance seguinte eu me equivoquei.

29...d5?

Agora as brancas asseguram-se do empate. As pretas poderiam vencer por meio de 29...h6!, por exemplo, 30.♖a8 ♖d1+ 31.♗f1 d5 32.♕e8 d4 33.♖a7 ♕f5 34.♔g2 d3! 35.♖a8 (35.e×d3 ♖d2) 35...♕e4+! 36.f3 (36.♔h3 ♕b4!) 36...d×e2 37.♕×f8+ ♔h7, ou 30.♗f1 ♖b4 31.♖a8 d5 32.♕e8 ♖b1 33.♖c8 (33.♖a7 ♕c1!) 33...♕b4 34.♔g2 d4! 35.♖c7 ♕e1 36.♕×f7+ ♔h7 37.♕×f8 ♕×f1+ 38.♔f3 ♖b3+ 39.♔g4 ♕×e2+ 40.♔h3 ♕e5.

É claro, as brancas podem evitar variantes forçadas: 30.♕e8 ♖c4 31.♗c6 (não 31.♖a8 ♖c1+ 32.♗f1 ♕d5! 33.♕×f8+ ♔h7 34.f3 ♕d1) 31...♖c1+ 32.♖×c1 ♕×c1+ 33.♔g2 d5 34.e3 com chance real de empate.

30.♗f1 ♖c4 31.♖a8 ♖c1 32.♕e8 d4 33.♖a7 ♕f5 34.♖a8 ♕c5

Empate? Não, o fervor da batalha agora tomou ambos os jogadores.

35.g4?

Isso parece tentador, pois priva a dama preta da casa f5 e cria a ameaça de ♖a7. Mas esse enfraquecimento da posição do seu rei poderia se provar fatal para as brancas.

35...♕d6?

No apuro de tempo as pretas cometem um erro em resposta. Elas poderiam ter vencido movendo a dama para o outro lado – 35...♕b4!, por exemplo, 36.♖a7 d3! 37.♕×f7+ ♔h8 38.♕f3 d2. Mais tenaz é 36.h3! h6! 37.♔g2, quando 37...♕e1 dá somente o empate: 38.♕×f8+ ♔h7 39.♕h8+! (39.♕×f7? ♕×f1+ 40.♔g3 ♖c3+ 41.e3 ♖×e3+) 39...♔g6 40.♖g8 ♕×f1+ 41.♔g3 ♕g1+ 42.♔f3 ♕h1+ 43.♔g3. Mas 37...♖c7! deixa as pretas com excelentes chances de vitória.

36.♖d8 ♕b4 37.♖d7 h6

Aqui 37...d3 não é muito efetivo devido a 38.♕×f7+ ♔h8 39.♖×d3 ♕×g4+ 40.♖g3 (40...♕f5 igualando).

38.♕×f7+ ♔h7 39.g5

39.♕×e6 também teria levado ao empate: 39...♕e1 40.♕e4+ ♔h8 41.♕g2 ♕×e2 42.♖d8 ♖×f1+ ou 42.♖×d4 ♗c5.

39...♕b1! 40.g6+

O mais astuto 40.♔g2 não teria conseguido nada em vista de 40...♕e4+! 41.f3 ♕f5 42.♕×f5+ e×f5 43.g×h6 ♔×h6 44.♖×d4 ♗c5 45.♖d5 f4.

40...♕×g6+ 41.♕×g6+ ♔×g6

Empate.

Sortudo ou Azarado ?

O Torneio Internacional de Grandes Mestres de Moscou (1981) foi o meu primeiro teste sério em xadrez de alto nível, e dessa forma no geral fiquei satisfeito com a minha pontuação. Meu destino durante o torneio foi variável, e eu gostaria de examinar em detalhes as partidas que tiveram influência preponderante em meu resultado final.

Partida 28

Beliavsky - Kasparov

Internacional de Grandes Mestres
Moscou 1981

Defesa Índia do Rei

1.d4 ♘f6 2.c4 g6 3.♘c3 ♗g7 4.e4 d6 5.f3 0–0 6.♗e3 ♘c6

Esses lances foram feitos em tempo rápido: Beliavsky sempre escolhe a Variante Sämisch, e por enquanto prefiro a linha com 6...♘c6. Mas nos seus próximos dois lances Beliavsky gastou mais que 40 minutos.

7.♕d2 a6 8.♘ge2 ♖e8?!

É pouco provável que essa continuação tenha qualquer vantagem sobre o normal 8...♖b8, mas eu queria tirar a partida de caminhos muito trilhados.

9.♘c1

9.h4 teria levado a um jogo mais agudo.

9...e5 10.d5 ♘d4 11.♘1e2

As brancas desejam trocar o cavalo de d4 da forma mais conveniente, mas isso dá às pretas chances adicionais. Eu teria preferido 11.♘b3, quando as pretas têm que escolher entre o dúbio sacrifício de peão 11...c5 12.d×c6 b×c6 13.♘×d4 e×d4 14.♗×d4 d5, e um jogo inferior após 11...♘×b3 12.a×b3 c5 13.g4!

11...c5 12.d×c6 ♘×c6!

Essa continuação, que não tem sentido com o cavalo em b3, é lógica aqui, já que, devido à sua falta de desenvolvimento, é difícil para as brancas explorarem rapidamente os defeitos na posição das pretas. Assim, o rotineiro 13.♖d1 permite às pretas desenvolverem-se confortavelmente – 13...♗e6 14.♘c1 ♖c8.

13.♘d5!

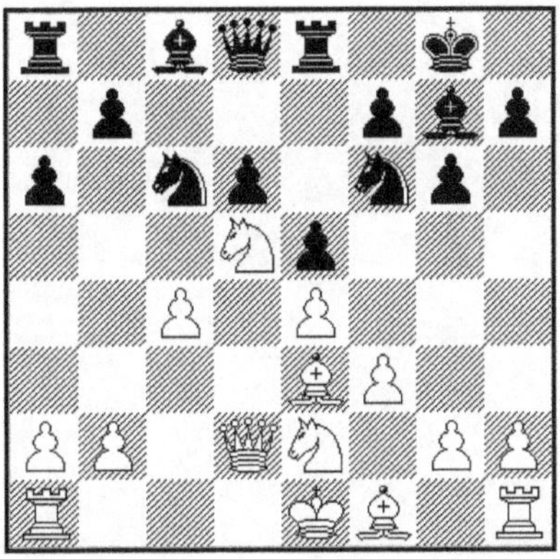

A continuação mais enérgica, que coloca às pretas uma escolha difícil: elas podem tanto defender-se contra a ameaça de ♗b6, com isso mantendo a igualdade material, como podem tentar explorar a falta de desenvolvimento das brancas, para o que precisam estar preparadas para sacrificar material. Nesse ponto eu bati meu recorde pessoal de tempo gasto em um lance – uma hora e oito minutos! Precisei desse longo tempo para convencer-me da desesperança de uma defesa passiva após 13...♘×d5

14.c×d5 ♘e7 15.♘c3 ou 13...♘d7 14.b4!, e decidir pelo sacrifício da qualidade.

13...b5! 14.♗b6

Provavelmente teria sido melhor recusar o presente de grego, e, em vista da aproximação das pretas do apuro de tempo, seguir um curso posicional. Por exemplo: 14.♘ec3 ♘d4 15.♗d3 (é perigoso 15.♘×f6+ ♗×f6 16.c×b5 a×b5 17.♘×b5? ♘b3 *[as pretas também têm boa compensação após 17.♗×b5 ♗h4+! (17...♘b3?! 18.♕d1 ♘×a1 19.♗×e8) 18.♗f2 ♗×f2+ 19.♕×f2 ♘×b5 20.♘×b5 ♗a6])*. Mas nesse caso as pretas têm um bom jogo. Não desejando concordar com a perda de sua vantagem na abertura, Beliavsky vai para o ganho de qualidade, considerando que a atividade das pretas será somente temporária.

14...♕d7 15.♘c7 ♖b8 16.♘×e8 ♕×e8

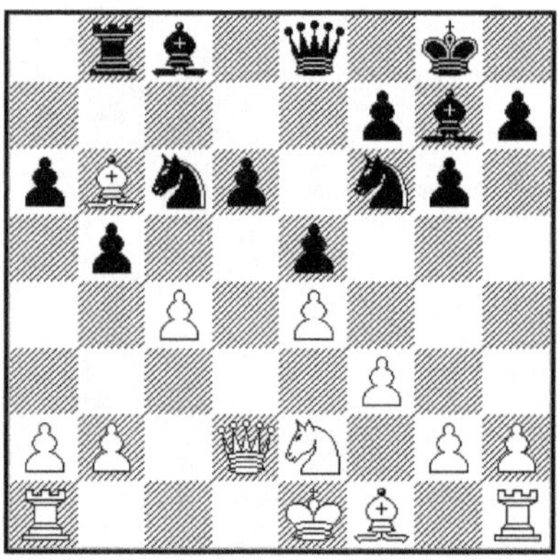

Aqui Beliavsky pensou por um longo tempo. Olhando melhor ficou claro que as coisas não são assim tão simples: as brancas têm uma ampla escolha de continuações que parecem boas, mas só à primeira vista. Um aprofundamento detalhado pelo labirinto de variantes revela os enormes recursos das pretas. Eis algumas possibilidades:

(1) 17.c5. Nesse caso, fora um segundo sacrifício de qualidade 17...♘d7 18.♗c7 d×c5 19.♗×b8 ♘d×b8, as pretas também têm o desagradável 17...♖b7! (com a ameaça de ...♗f8). Após 18.♕×d6 ♗f8 19.♕d2 (19.♕×f6? ♗e7, e cai a dama) 19...♗e6 20.♘c3 ♖d7 21.♕f2 b4 seu jogo ativo de peças afinal compensa o sacrifício de qualidade.

(2) 17.♗c7 ♖b7 18.♗×d6 b×c4 19.♗a3 (19.♘c3? ♖d7 20.♗×c4 ♕d8 21.♖d1 ♘e8) 19...♗e6 20.♘c3 ♖d7 21.♕f2 ♗h6 22.♖d1 ♘d4, com forte ataque ao rei branco, que está preso ao centro.

(3) 17.c×b5. Eu acho que essa é a continuação mais forte das brancas, embora aqui também 17...♖×b6 18.b×c6 d5! dê às pretas contra-ataque. Ademais, as pretas têm uma possibilidade interessante associada à disposição da sua dama e do rei branco na mesma coluna: 17...a×b5 18.♗e3 d5! 19.e×d5 ♘d4 20.♘c3 (ou 20.♗×d4 e×d4 21.♕×d4 ♗f5, e o bispo de casas pretas é muito mais forte do que a torre e dois peões) 20...b4 21.♘e4 ♘×d5, com jogo ativo.

Numa tentativa de evitar todos os perigos, as brancas decidem em primeira instância retirar seu rei do centro, mas durante esse tempo as pretas ganham um peão e ativam suas peças.

17.♗e3?! b×c4 18.♘c3 ♗e6 19.♗e2

O tentador 19.♘d5 teria deixado as pretas com ampla escolha, por exemplo, 19...♗×d5 20.e×d5 ♘d4 21.♗×c4 ♘f5 22.0–0 e4, ou 19...♗×d5 20.e×d5 c3!? 21.b×c3 ♘d4 22.♗c4 ♕c8, ou 19...♘×d5!? 20.e×d5 e4 21.d×e6 ♕×e6 – as pretas têm somente dois peões pela torre, mas a avalanche de peões no centro e a falta de desenvolvimento das brancas tornam a posição indefinida.

Mesmo assim as brancas deveriam ter escolhido o crítico 19.♘d5, pois 19.♗e2 deixa a iniciativa completamente nas mãos das pretas.

19...♘d4 20.0–0 d5 21.e×d5 ♘×d5 22.♘×d5 ♗×d5

A batalha claramente favoreceu as pretas, que, pela qualidade, têm um peão e peças muito mais ativas. Especialmente problemático para as brancas é o cavalo em d4, o qual não é facilmente removido de sua posição poderosa (23.f4? ♘×e2+ 24.♕×e2 e×f4 25.♖×f4 ♖×b2).

23.♖f2 h5

Nos primeiros 23 lances os dois jogadores utilizaram quase todo tempo de reflexão, e agora cada um tinha cerca de dez minutos em seu relógio. Isso explica o jogo irregular e erros subseqüentes.

24.♖c1 ♕e6 25.♗f1 h4?!

O plano envolvendo o avanço do peão h parece tentador (especialmente no apuro de tempo), mas era preferível 25...♘f5, quando as pretas mantêm todas as vantagens de sua posição.

26.♖e1 ♕c6

Aqui também 26...♘f5 deveria ter sido escolhido.

27.♗h6?

Era aqui que as brancas tinham uma boa oportunidade de expulsar o cavalo e obter chances iguais: 27.f4! ♘f5 28.f×e5 ♘×e3 (28...♗×e5 29.♖×f5 g×f5 30.♗d4 ♗×d4 31.♕×d4 ♕b6 32.♖e8+ ♔h7 33.♖h8+ ♔g6 34.♖g8+ com xeque perpétuo) 29.♖×e3 (as pretas mantêm uma vantagem óbvia após 29.♕×e3 ♗f8! 30.♔h1 ♗c5 31.♕d2 ♗×f2 32.♕×f2 h3!) 29...♗h6 30.e6! ♕c5 (30...♗×e6 31.♖×e6!) 31.e×f7+ ♗×f7 32.♖e8+ ♖×e8 (não 32...♗×e8 33.♕×h6 ♖×b2 devido a 34.♗×c4+) 33.♕×h6 ♖e4 34.♕d2 com empate. Mas certamente não é fácil calcular essas variantes com somente quatro minutos para 14 lances.

27...♗h8 28.f4?

Agora esse lance ativo conduz a uma catástrofe. 28.h3 era melhor, defendendo contra a ameaça de ...h3, embora ainda assim a vantagem das pretas seja óbvia.

28...e4 29.♖d1 ♗e6 30.f5

Após 30.♗g5 ♘f5 o peão preto avança desembaraçado para e3, tornando inútil qualquer resistência das brancas. Para conseguir alguma coordenação de suas peças, as brancas sacrificam um peão, mas isso não é capaz de mudar o rumo dos acontecimentos.

30...♘×f5 31.♕f4 ♖e8 32.♖fd2

Agora o bispo errante está perdido, mas 32.♗g5 ♕c5! não poderia satisfazer as brancas.

32...♕c5+ 33.♔h1 ♗e5 34.♕g5 ♔h7

Aqui a partida poderia ter sido concluída, mas os dois jogadores tinham ainda... um minuto, somados os dois relógios!

35.♖d8 ♖×d8 36.♖×d8 ♕f2

É claro que 36...♘×h6 é mais simples.

37.♖d1 ♘×h6

37...e3 era muito mais forte, mas o lance jogado não põe nada a perder.

38.♕×e5 e3 39.♕c3

De qualquer forma, não há defesa contra as numerosas ameaças, por exemplo, 39.h3 ♘f5 40.♔h2 ♘g3.

39...h3 40.♕e1 ♘g4

40...e2! teria sido uma conclusão mais espetacular. Agora o controle de tempo foi afinal alcançado, e as brancas abandonaram. A variante 41.♖c1 ♗d5 42.♕×f2 e×f2 seguida pelo inevitável ...♘e3 e ...h×g2 mate é bastante convincente.

Partida 29

Kasparov - Gheorghiu

Internacional de Grandes Mestres

Moscou 1981

Na posição abaixo, levando em conta o efeito neutralizante dos bispos de cores opostas, o Grande Mestre romeno ofereceu o empate. Mas na realidade os bispos de cores opostas combinados com os defeitos posicionais das pretas meramente agravam as suas dificuldades.

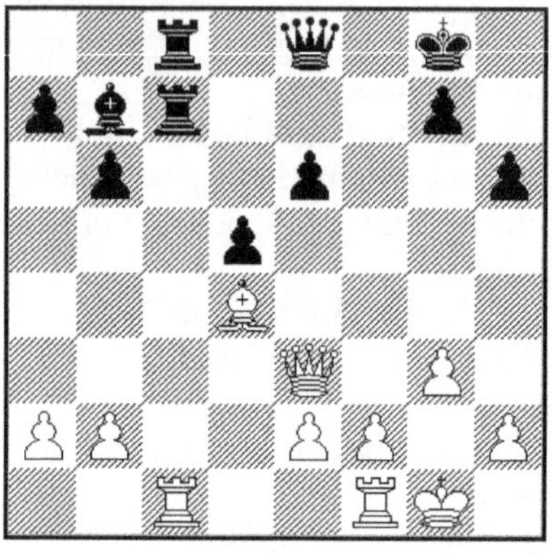

Por isso, apesar de meu pouco tempo (ao redor de sete minutos para 13 lances), decidi continuar jogando.

28.♕e5 ♖f7

Provavelmente 28...♕f7 era mais preciso, mantendo o controle da coluna c. Nesse caso as brancas tinham a escolha entre 29.♖×c7 ♖×c7 30.f4 com a ameaça de f4–f5 e o tranqüilo 29.♖c3 ♖×c3 30.b×c3, quando elas mantêm todas as vantagens de sua posição.

29.g4

Isso parece arriscado, mas de fato é perfeitamente justificado. Ao avançar seus peões na ala do rei, as brancas preparam o terreno para a passagem para o final.

29...♖c6 30.f4?!

Mas elas não deviam ter se apressado com esse avanço. Era preferível o modesto 30.f3, seguido por h2–h4–h5.

30...♕d7 31.h4 ♕c7?!

A poderosa bateria dama/bispo no centro do tabuleiro assusta tanto Gheorghiu que ele deseja a qualquer custo a troca das damas, não levando em conta as dificuldades do final resultante. Era aqui que ele deveria ter jogado ativamente com 31...♕e7, lembrando as brancas de que seu rei também ficou exposto após os últimos lances. Na variante 32.♖×c6 ♗×c6 33.g5 ♖f5 34.♕e3 h×g5 35.h×g5 ♕f7 as pretas têm contrajogo suficiente para o empate.

32.♖×c6 ♕×e5 33.♗×e5 ♗×c6 34.♖c1 ♗b7 35.h5

O final resultante é muito mais difícil para as pretas do que pode parecer à primeira vista. As peças das brancas estão muito mais ativas, e elas estão dominando a ala do rei. Imaginando que a espera passiva poderia conduzir à derrota, Gheorghiu tenta jogar ativamente antes do controle de tempo.

35...♖f8

Se as pretas conseguirem disputar a coluna c estarão bem, mas as brancas estão alertas!

36.♖c7 ♖f7 37.♖c3!

Agora 37...♖f8 é respondido por 38.♖a3, amarrando a torre preta à defesa dos peões da ala da dama. Por isso as pretas decidem minar a cunha do peão branco.

37...♔h7 38.♔f2 g6 39.h×g6+?

Esse lance natural, feito no apuro de tempo, faz as brancas perderem a maior parte de sua vantagem. Após 39.♔e3! g×h5 40.g×h5 o rei preto continuaria preso, e a sua torre e seu bispo seriam forçados a guardar as casas de invasão da torre branca. O plano vencedor é simples: as brancas colocam seus peões em a4 e b5, seu rei em d4, após o que ♖c7 transpõe para um final vencedor com bispos de cores opostas. Após 39.h×g6+? o plano estrategicamente correto de amarrar a ala do rei prova ser um sonho irrealizável.

39...♔×g6 40.♖a3 ♗c6

Nessa posição eu fiz um "lance fraco". Ao invés de adiar a partida e procurar caminhos para fortalecer a minha posição, eu ofereci empate, o qual Gheorghiu alegremente aceitou. Acho difícil explicar a minha decisão. Foi provavelmente provocada pela tensão nervosa durante a partida, especialmente no apuro de tempo. Mas durante o curso do torneio, observei como os Grandes Mestres procuram as mínimas chances em posições de "empates mortos", e constantemente lamentei esta rápida oferta de empate.

Após 41.♖c3 ♗b7 as brancas têm dois planos aproximadamente equivalentes à sua disposição:

(a) 42.♔e3 h5 43.g×h5+ ♔×h5 44.♖c1 ♔g6 45.♖g1+ ♔h7 46.♔d4 ♗a6 47.♖g2! (não permitindo ao bispo passar para a ala do rei – 47.e3 ♗e2!) seguido por e2–e3, b2–b3 e a2–a4, escolhendo o momento conveniente para invadir (♖c2–c8, ou ♗d6 e ♔e5).

(b) 42.♔g3 h5 43.g5 ♗a6 44.e3, e, explorando o fato de que o adversário está atado (ele é forçado a guardar as casas de invasão na coluna c, para prevenir a transferência decisiva da torre branca para h8 ou g8), as brancas podem continuar a melhorar a sua posição avançando os peões da ala da dama. É difícil assegurar que o avanço das brancas possa ser suficiente para a vitória, mas de qualquer forma (sem o menor risco envolvido!) elas deveriam ter continuado jogando.

Partida 30

Portisch - Kasparov

Internacional de Grandes Mestres
Moscou 1981

Depois de vigorosa batalha as brancas conseguiram ganhar um peão mantendo uma posição sólida. Mas a posição algo insegura do rei branco dá às pretas chances de contrajogo. Então o negócio é ativar e ativar!

26...♘h5! 27.♕c6

Isso parece forte, pois conduz a novo ganho de material, mas a atividade crescente das peças pretas compensa totalmente essas perdas. Após o mais cauteloso 27.♕b3, através de um jogo enérgico as pretas podem novamente afastar o perigo da derrota, por exemplo, 27.♕×b3 28.♘×b3 f5! 29.♘d2 ♖c8!

27...♖b8 28.♕×d6

Entre duas possibilidades, Portisch escolhe a mais arriscada. Agora as peças pretas movem-se para posições ameaçadoras quase que à força. Após 28.♖b1 ♕×b1+ 29.♘×b1 ♖×b1+ 30.♔g2 ♖b2+ 31.♔f1 ♗e5 as brancas não estão em perigo, é claro, mas as peças pretas são tão bem sucedidas combinando a defesa com ameaças ao rei branco, que as chances de vitória das brancas são reduzidas ao mínimo. *[Por exemplo, 32.♕e8+ ♔g7 33.♗e7 ♖b1+ 34.♔e2 ♘f4+ 35.♔d2 ♖b2+ 36.♔c1 ♘d3+ 37.♔d1 ♘f2+ 38.♔e1 ♘d3+ 39.♔f1 ♖b1+! 40.♔e2 ♘f4+ com xeque perpétuo]*. Portisch sem dúvida quer mais.

28...♗e5 29.♕d7

Pouco poderia ter sido mudado por 29.♕c6 ♕a3!, quando a ameaça de ...♖b2 (após o preliminar 30...♔g7) é bastante desagradável.

29...♕d4 30.♕g4 ♖b2

Agora 31.♘f1 é ruim em vista de 31...♕d3!, com numerosas ameaças. As brancas poderiam ter ido para um final empatado, através de sacrifício de qualidade: 31.♕×h5 ♕×g1+ 32.♔×g1 g×h5. Mas Portisch desvia o primeiro ataque, enquanto mantém sua vantagem material.

31.♖d1! ♕d3 32.♕c8+ ♔g7 33.♕c4 ♕a3 34.♕e2

As brancas conseguiram defender tudo (34...♘f4 não é possível devido a 35.♗×f4 ♗×f4 36.♘c4!), mas após 34...♕a2! 35.♗e3 ♘f4 36.♕f1 *[36.♕f2, com a ameaça de ♗d4, é estancado através do simples 36...♔g8 (37.♗d4? ♕a4)]* (36.♕c4? ♖×d2! 37.♕×a2 ♖×d1+ 38.♗g1 ♗d4) 36...♖c2! suas peças estariam completamente amarradas.

34...♕a4?! 35.♖b1! ♖a2 36.♗e3

Percebendo que a atividade de suas peças está se apagando, no apuro de tempo as pretas encontram a melhor chance – transferem sua dama para a ala do rei.

36...♕d7! 37.♕f2

A ameaça de ...♕h3, em si mesma desagradável, parece duplamente perigosa no apuro de tempo. Por isso Portisch decide trocar o bispo em e5, como a peça mais perigosa das pretas. Mas mesmo após essa troca a atividade das peças pretas protege-as contra qualquer grande dificuldade. 37.♕f1 dificilmente era mais promissor, por exemplo, 37...♕e7! 38.♕f2 (38.f4? ♗c3 39.♕d3 ♗×d2 40.♗×d2 ♖×d2!) 38...♕f6, e aqui não é visível uma forma de as brancas melhorarem a sua posição.

37...♕h3 38.f4?!

O imediato 38.♗d4 era mais preciso. Portisch temia 38...♘g3+ 39.♔g1 ♘e2+, não percebendo que tinha a simples resposta 39.♕×g3!. No caso de 38.♗d4 eu planejava continuar 38...♗×d4 39.♕×d4+ ♔h7, quando a diferença na posição do peão branco (comparada com a partida) não afetaria o resultado.

38...♗c3 39.♗d4+ ♗×d4

39...f6 é mais fraco em vista de 40.♕f3!

40.♕×d4+ ♔h7

Com seu último lance antes do controle de tempo as pretas retiram seu rei para uma casa segura. Após isso elas são obrigadas a forçar um empate, ao passo que 40...f6!? teria colocado alguns problemas para as brancas, por exemplo, 41.♕f2 ♕d3 42.♖d1 ♕c2 43.♕f3 ♘×f4! 44.d6 ♖a3! 45.♕f1 ♖d3 vencendo, ou 41.♕b4 ♘g3+ 42.♔g1 ♘e2+ 43.♔h1 ♖×d2! 44.♕e7+ ♔h6 45.♕f8+ ♔h5 46.♕h8+ ♔g4 etc. O único lance que salva as brancas é 41.♕c5! Agora 41...♘×f4 não é possível em vista de 42.♕c7+, enquanto 41...♘g3+ 42.♔g1 ♘e2+ 43.♔h1 ♖×d2 não funciona devido a 44.♖b7+ ♔h6 45.♕f8+ ♔h5 46.♖h7+. Portanto as pretas teriam que ficar satisfeitas com o xeque perpétuo.

41.♖g1!

41.♕f2 é muito mais fraco em vista de 41...♘f6! 42.♕f3 ♕h4, quando as brancas têm dificuldades.

41...♔g8!

A solução mais direta. As brancas são incapazes de impedir a combinação de empate das pretas.

42.d6 ♖×d2! 43.♕×d2 ♕f3+ 44.♕g2 ♘g3+! 45.h×g3 ♕h5+ 46.♕h2 ♕f3+ 47.♖g2 ♕d1+

Um raro mecanismo de xeque perpétuo para uma partida de torneio.

Partida 31

Kasparov - Andersson

Internacional de Grandes Mestres
Moscou 1981

Na abertura as pretas sacrificaram a qualidade, contando com seu jogo pelas casas pretas. Eu gradualmente consegui neutralizar a atividade das pretas e tomei a coluna c, após o que não restava muita dúvida sobre o resultado da partida. A única chance de salvação para as pretas residia na criação de ameaças ao rei branco com sua dama e o bispo de casas pretas.

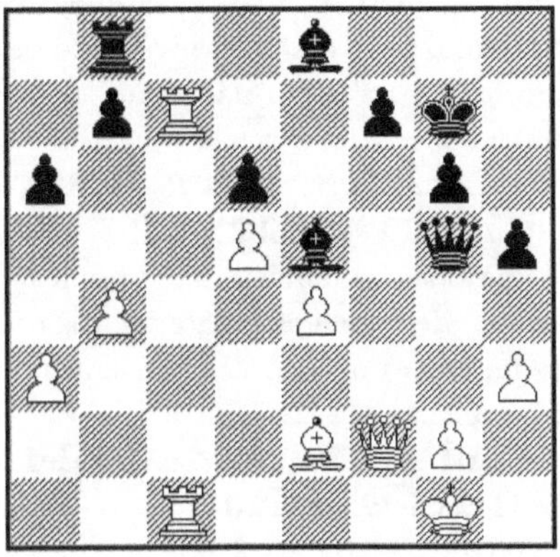

Essas ameaças teriam sido cortadas pela raiz no caso de 39.h4! ♕h6 (39...♕d2 40.♖1c2) 40.g3. Ao invés disso as brancas fizeram um lance "sólido" de apuro de tempo.

39.♖1c2 h4!

Andersson não perde sua chance, e cria um ponto forte em g3.

40.♗g4 ♔h6

Nessa posição a partida foi suspensa, e as brancas selaram seu lance. Análises mostraram que para vencer as brancas teriam que superar várias dificuldades técnicas.

41.♔h1 b6

As pretas tentam ativar sua torre, mas as brancas, é claro, não permitem isso.

42.♖a7

O tentador 42.♗d7 não dá uma vantagem decisiva. Após 42...♗×d7 43.♖×d7 f6! 44.♖cc7 ♖h8 45.♕×b6 ♕f4 46.♕g1 ♕×e4 a atividade das peças pretas dá a elas boas contra-chances.

42...♗g3 43.♕d2!

O início de uma manobra que, em minha opinião, conduz as brancas mais rapidamente a seu objetivo.

43...♗f4 44.♕d4! ♗e5 45.♕g1!

Por estranho que pareça, é nessa casa que a dama branca causa às pretas os maiores problemas. Já que a troca de damas é sem esperança para as pretas, seu bispo é forçado a permanecer em e5 antecipando a ameaça de ♕c1. Pela mesma razão ...♕f4 é ruim. No momento, então, as pretas fazem um lance útil, removendo seu peão do ataque.

45...a5 46.♕c1! ♗f4 47.♕a1 ♗e5 48.♕g1

As brancas passaram o lance ao adversário, e fica claro que, apesar das muitas possibilidades, é difícil encontrar uma que não enfraqueça a posição.

48...a×b4 *[48...♗f4 é bem respondido por 49.b5! (49...♗×b5 50.♖×f7) e a3–a4, fechando o bispo em e8]* **49.a×b4 ♗f4 50.♕a1 ♗e5 51.♕a3!**

As brancas exploram com sucesso a casa vazia a3.

51...♔g7 52.♖f2 ♗f6 53.♕d3! ♕e5 54.♗e6!

Após restringir ao máximo a mobilidade das peças pretas, as brancas iniciam a ofensiva decisiva.

54...♔g8 55.♕f3 ♔g7 56.♕f4 ♕d4 57.♖f1 b5

As pretas são forçadas a fazer esse lance, e agora seu bispo em e8 está completamente fechado.

58.♗g4!

58.♖c7 poderia ter dado às pretas a possibilidade ativa 58...♖a8! (59.♕×d6? ♗e5 60.♕c5 ♖a1!).

58...♖d8!

58...♕×a7 59.♕×f6+ ♔g8 60.♕×d6 deixa as pretas sem chances.

59.♖c7

Se agora 59...♖a8, as brancas podem tomar o peão d com confiança, explorando o fato de que seu bispo não está mais atacado. Andersson então espera.

59...♕b2 60.♖c2! ♕d4 61.♖d2 ♕e5!

Durante toda a sessão da suspensão as

brancas tinham como objetivo a troca das damas e as pretas evitaram isso. Já aqui um ponto de exclamação é atribuído ao lance das pretas, lance este que oferece a troca! O ponto é que, se elas mantêm as damas em jogo, ficam sob um ataque irresistível, por exemplo, 61...♕c3 62.♖d3! ♕b2 (62...♕×d3 63.♕×f6+ ♔g8 64.♖d1!) 63.♖df3 ♗e5 64.♕g5 ♖a8 65.♕e7 etc. Convencido de que todos os outros recursos estavam exauridos, Andersson entra no final da partida.

62.♕×e5 ♗×e5 63.♖c2 ♗d7!

As pretas tinham que estancar a ameaça de ♖c8 a todo custo. 63...♗d7 parece ser um erro, mas após 64.♖c7?! ♗×g6 65.♖f×f7+ ♔h6 66.h×g4 ♔g5 é difícil vencer.

64.♗e2?!

Após seu erro no lance 39, as brancas tiveram que penar por 25 lances, enfrentando uma resistência tenaz. E agora, quando seu objetivo está próximo, elas novamente permitem ao seu adversário cheio de recursos complicar as coisas. O simples 64.♗×d7 levaria a uma vitória direta, por exemplo, 64...♖×d7 65.♖c8 ♖b7 66.♖fc1 ♔f6 67.♖1c7 ♖b6 68.♖a8, ou 65...♖a7 66.♖b8 ♖a2 67.♖b1 ♔f6 68.♖×b5, e o peão b não pode ser parado.

64...f5! 65.♖c7 ♔h6 66.♗d3 f×e4!

Muito mais forte do que 66...f4?, após o que através de 67.♗e2! as brancas obtêm uma posição facilmente vencedora.

67.♗×e4 ♔g5 68.♗d3 ♗d4 69.♖b7?

E esse lance natural é um erro, após o qual as pretas conquistam o empate de modo surpreendente. As brancas ganham um peão, mas permitem às pretas ativarem suas peças. Era essencial retirar o rei da zona de perigo. Esse objetivo poderia ter sido atingido por meio de uma manobra complicada: 69.♖f3! ♗b6 (já que 69...♗f5 70.♗×f5 g×f5 71.♖b7 ♖a8 72.♖f1 conduz a um final perdedor, as pretas são obrigadas a esperar) 70.♖b7 ♗d4 71.♔h2!! ♗e5+ (de outra forma g2–g4) 72.♔g1! ♗d4+ 73.♔f1. Então as brancas simplesmente capturam o peão de b5. Convencido de que caminhava para a vitória, joguei de forma rotineira.

69...♗c3! 70.♗×b5 ♗f6 71.♗e2 ♖a8 72.b5 ♖a2 73.♗f3 ♖b2 74.♖b8 ♗d4!

Uma posição fantástica! As brancas têm uma grande vantagem material, mas todas suas tentativas de vitória são estancadas de forma precisa por Andersson.

75.♖d1 ♗c5 76.♔h2 ♗e3 77.♖e1 ♗f2 78.♖f1 ♗c5 79.♖e8 ♗d4!

Não 79...♖×b5 80.♗e4!

80.♖d1 ♗f2 81.♗e2

Se 81.♖e2 as pretas jogam o xeque intermediário 81...♗g3+, e depois ...♖×b5.

81...♗d7 82.♖e4 ♗f5 83.♖e8 ♗d7

Empate. Andersson conduziu brilhantemente uma difícil defesa.

A continuação dessa partida suspensa ocorreu um dia depois de meu dramático encontro com Petrosian. Isso explica bastante... Eu agora leio com um sorriso o comentário à posição após o lance 74 das pretas. "Uma posição fantástica"? "Todas as suas tentativas de vitória"? Eu realmente fiz muito durante os últimos nove lances? Obviamente eu não tinha energia nervosa suficiente para uma autêntica batalha pela vitória. De outra forma eu não teria desistido de jogar na posição final de "empate"!

Partida 32

Kasparov - Petrosian

Internacional de Grandes Mestres

Moscou 1981

Defesa Índia da Dama

1.d4 ♘f6 2.c4 e6 3.♘f3 b6 4.a3 ♗b7 5.♘c3 d5 6.c×d5 ♘×d5 7.e3 ♗e7 8.♗b5+ c6 9.♗d3 ♘×c3 10.b×c3 c5

11.0–0 0–0?!

Uma imprecisão significativa. As pretas deveriam primeiro ter desenvolvido seu cavalo com 11...♘c6, e rocado somente depois de 12.♗b2 ♖c8 13.♕e2. Agora as brancas são capazes de provocar um enfraquecimento na proteção de peões do rei preto.

12.♕c2 g6 13.e4 ♘c6

Em partida anterior com Polugaevsky, Petrosian jogou 13...♕c7, mas após 14.♕e2 ♖d8 15.h4! ♘c6 16.♗e3 ♗f6 17.e5 ♗g7 18.h5 o ataque das brancas se desenvolveu com desembaraço. Provavelmente eu também deveria ter preferido 14.♗e3.

14.♗h6 ♖e8 15.♖fd1 ♕c7

Talvez as pretas devessem ter sacrificado a qualidade, pois o final após 15...c×d4 16.c×d4 ♘×d4 17.♘×d4 ♕×d4 18.♗b5 ♕×e4 19.♕×e4 ♗×e4 20.♗×e8 ♖×e8 21.♖d7 a5 promete a elas boas chances de empate. A má vontade das pretas em simplificar permite às brancas um reagrupamento favorável.

16.♕e2 ♖ed8 17.♕e3!

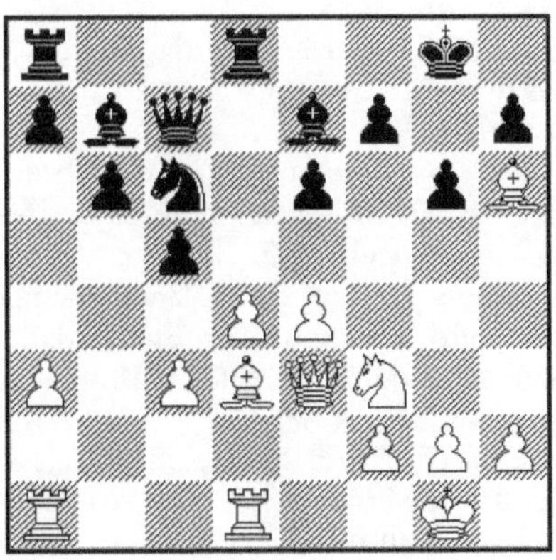

A posição das brancas parece bastante ameaçadora. Seu plano é simples: jogar e4–e5 e h2–h4–h5, iniciando um ataque direto ao rei ("soluções secundárias" também são possíveis: por exemplo, 17...♖d7 é desagradavelmente respondido por 18.♗f4! ♕d8 19.♗b5). Ao custo de concessões posicionais, Petrosian elimina o incipiente ataque das brancas.

17...e5 18.d5

Esse não é o tipo de lance que exige muito comentário, não tivessem as brancas refletido por...58 minutos! Eu queria muito explorar a recém-aberta diagonal a2–g8 jogando 18.♗c4, embora percebesse que as variantes como 18...e×d4 19.c×d4 c×d4 20.♗×f7+ ♔×f7 21.♕b3+ ♔e8 22.♖ac1 ♕d6! ou 22.e5 ♗c5 23.♘g5 ♕e7 fossem extremamente duvidosas. Em todo caso, uma hora inteira foi perdida em vão, e eu logo tive motivo para me arrepender disso.

18...♘a5 19.c4!

A transferência do cavalo para d4 não é perigosa para as brancas, enquanto o avanço ...c4 poderia ter dado contrajogo para as pretas na ala da dama.

Eu acho que 19.c4 não merece um ponto de exclamação. Após 19.♘g5 c4 20.♗e2 e então h2–h4 a iniciativa das brancas na ala do rei é mais significativa.

19...♘b3 20.♖a2 f6 21.h4 ♗c8 22.♖b1! ♘d4 23.♘×d4 c×d4 24.♕g3

A possibilidade de f2–f4 dá às brancas a iniciativa, mas, para transformar essa vantagem em alguma coisa real, elas têm que jogar com muita energia.

24...♗f8 25.♗d2 ♗d6 26.♖f1 ♕g7

As pretas estão preparadas para f2–f4: 27.f4 ♗d7 28.f×e5 ♗×e5 29.♗f4 ♖f8 30.♖af2 ♖ae8 com sólida defesa. Então as brancas abrem uma segunda frente, esperando distrair as peças pretas.

27.a4!? a5 28.♖b2 ♗c5 29.f4 ♗d7

Como foi mostrado por Petrosian, o profilático 29...h6! era mais forte (30.h5 g5).

As pretas têm tudo defendido, e elas têm o direito de esperar do adversário o modesto 30.♖a2.

30.h5! ♗×a4?

As pretas deveriam ter tomado o peão mais perigoso – 30...g×h5, embora também nesse caso as brancas mantivessem forte iniciativa após 31.♕h4 (31...♗g4 32.f×e5 f×e5 33.♗g5 ♖e8 34.♖bf2). Contando com a solidez de sua posição, Petrosian espera futuramente explorar seu peão passado a, mas o ataque das brancas se desenvolve rapidamente.

31.h6 ♕c7 32.f5!?

Uma continuação tentadora, dando às brancas um forte ataque. No entanto 32.f×e5 era melhor. Embora a posição após 32...f×e5 33.♗g5 ♖f8 34.♗f6 seja complicada, não é claro como o ataque das brancas pode ser parado. Consideremos algumas variantes.

Diagrama de Análise

34...♖ae8 35.♖bf2 ♗d7 (35...♗d6 36.♖f5 ♗d7 37.♖g5) 36.♔h2 ♕d6 37.♕g5 a4 38.♗e2! d3 39.♗h5 ♗×f2 40.♖×f2 ♖×f6 41.♖×f6 ♕e7 42.♗×g6! h×g6 43.♖×g6+ ♔h8 44.♖g8+! ♖×g8 45.♕×e7 d2 46.♕×e5+ ♔h7 47.♕d4 vencendo.

34...♗d6 35.♖bf2 ♖f7 36.c5! b×c5 (36...♕×c5 37.♗×e5 ♖×f2 38.♖×f2 ♗×e5 39.♕×e5 ♕c1+ 40.♗f1 ♕×h6 41.♕×d4 deixa as pretas sem chance de salvar a partida) 37.♗c4 ♖af8 38.♗×e5!! ♗×e5 39.♖×f7 ♖×f7 40.d6 ♗×g3 41.d×c7.

O sacrifício de qualidade também falha em salvar as pretas: 34...♖×f6 35.♖×f6 ♖f8 36.♖×f8+ ♔×f8 37.♖f2+! ♔g8 38.♖f6 ♗d6 39.c5! b×c5 (39...♕×c5 40.♖×g6+! h×g6 41.♕×g6+ ♔f8 42.♕f6+! ♔e8 43.h7) 40.♗c4.

Dessa forma, 32.f×e5 deveria ter sido preferido, mas no tabuleiro é impossível trabalhar todas as variantes. Por isso eu escolhi uma continuação mais forçada.

32...g5 33.♗×g5! f×g5?

Após esse erro, as brancas deveriam ter vencido. Somente 33...♔f7 dava chances de defesa. As brancas teriam que se contentar com uma sólida vantagem posicional após a retirada 34.♗d2.

34.♕×g5+ ♔f8

34...♔h8? perde imediatamente por 35.♕f6+ ♔g8 36.♖f3.

35.♕f6+??

Todo o jogo anterior das brancas demandava 35.f6! com a ameaça de f6–f7. Após o forçado 35...♕f7 as brancas capturam o peão e5, e a avalanche de peões varre tudo em seu caminho. Algumas variantes bastante simples, porém belas, confirmam essa conclusão:

35...♕f7 36.♕×e5 ♖e8 (36...♕g6 37.♖×b6! ♕×h6 38.♕e7+!! ♗×e7 39.f×e7 ♔×e7 40.♖×h6) 37.♕g5 ♕g6 38.♖f5! ♕×g5 (38...♗d7 39.♕×g6 h×g6 40.♖g5 a4 *[40...♔f7 41.e5 ♖×e5 42.♖×e5 ♔×f6 torna as coisas mais difíceis para as brancas, mas mesmo aqui a partida não pode ser salva: 43.♖be2 a4 (43...♗f5 44.♖e8; 43...♖h8 44.♖e6+ ♗×e6 45.♖×e6+ ♔g5 46.♖×g6+ ♔h5 47.♔h2!, ou 46...♔f4 47.♔f2! com ameaças de mate) 44.g4! ♗×g4 (44...a3 45.g5+ ♔f7 46.d6! ♗×d6 47.♖d5 a2 48.♖×a2) 45.♖e8 ♖a7 46.♖e6+! ♗×e6 47.♖×e6+ ♔g5 48.♖×g6+ ♔f4 49.♖g7 ♖a8 50.h7]* 41.e5 a3 42.h7!) 39.♖×g5 ♔f7 40.e5 ♖g8 41.♖g7+ ♖×g7 42.f×g7! ♔g8 43.♖f2 ♗d7 (43...♗e8 44.♖f8+! ♗×f8 45.♗×h7+) 44.e6 ♗a4 45.d6! ♗×d6 46.e7! ♗×e7 47.♗f5! ♔f7 48.♗×h7+ ♗f6 49.g8=♕+ ♖×g8 50.♗×g8+ ♔×g8 51.♖×f6. O leitor não deve ficar preocupado com o tamanho da variante principal – sua natureza forçada facilita significativamente seu cálculo. Ao invés disso (de novo no apuro de tempo) fiquei tentado por outra continuação.

35...♔e8 36.♖a1

O ponto do jogo das brancas. Agora, no caso da retirada do bispo, o lance 35 das brancas estaria totalmente justificado, mas... o bispo não é obrigado a se retirar!

36...♕e7!!

Petrosian fez esse lance brilhante quase sem pensar. O ataque das brancas evapora, pois suas torres estão amarradas na ala da dama. Percebendo que o final após 37.♕×e7+ ♔×e7 38.♖×a4 ♖d6 não era nada promissor, eu tentei "turvar as águas".

37.♕e6!? ♖d6!

Petrosian está de novo a postos. Após 37...♕×e6 38.f×e6 ♗d7 39.e×d7+ ♖×d7 40.♖f2 as brancas conseguiriam salvar a partida.

38.♕g8+ ♕f8 39.♕g3 ♕×h6!

Não resta nenhum vestígio do ataque das brancas, mas elas ainda poderiam ter resistido com 40.♖e2. Agora 40...♗d7 dá às brancas contra-chances bastante boas: 41.♕×e5+ ♔f7 42.♕g3 ♖g8 43.♕f3, e o seu trio de peões não pode ser subestimado. O muito mais forte 40...♗b3!, com a ameaça de ...♗×c4, teria deixado as pretas com vantagem, mas em todo caso elas ainda teriam tido que resolver numerosos problemas. Mas a partida seguiu:

40.♖×a4?? ♕c1+

Esse lance "comprido" simplesmente escapou de meu campo de visão. Aqui eu poderia ter abandonado...

41.♔f2 ♕×b2+ 42.♔f3 ♔f7

A febre do controle de tempo acabou para mim com uma ducha de água fria! As brancas abandonaram.

Kasparov x Petrosian

Ao final do torneio achei interessante ouvir a opinião de que o meu resultado (2º-4º lugares) se devia parcialmente a uma boa dose de sorte...

	1	2	3	4	5	6	7	8	9	10	11	12	13	14	Pontos	Lugar
1 - Karpov	Ж	½	½	1	½	½	1	1	½	½	½	1	½	1	9	1º
2 - Kasparov	½	Ж	½	½	½	½	½	1	½	0	½	½	1	1	7½	2º- 4º
3 - Polugaevsky	½	½	Ж	½	½	½	½	½	½	1	½	½	1	½	7½	2º- 4º
4 - Smyslov	0	½	½	Ж	½	½	½	1	½	½	½	1	1	½	7½	2º- 4º
5 - Gheorghiu	½	½	½	½	Ж	½	½	½	½	½	½	1	½	½	7	5º- 6º
6 - Portisch	½	½	½	½	½	Ж	½	0	1	½	1	0	1	½	7	5º- 6º
7 - Balashov	0	½	½	½	½	½	Ж	½	½	½	1	0	½	1	6½	7º- 8º
8 - Beliavsky	0	0	½	0	½	1	½	Ж	1	1	½	½	½	½	6½	7º- 8º
9 - Andersson	½	½	½	½	½	0	½	0	Ж	½	½	½	½	1	6	9º- 10º
10-Petrosian	½	1	0	½	½	½	½	0	½	Ж	½	½	½	½	6	9º- 10º
11-Smejkal	½	½	½	½	½	0	0	½	½	½	Ж	1	0	½	5½	11º- 13º
12-Timman	0	½	½	0	0	1	1	½	½	½	0	Ж	0	1	5½	11º- 13º
13-Torre	½	0	0	0	½	0	½	½	½	½	1	1	Ж	½	5½	11º- 13º
14-Geller	0	0	½	½	½	½	0	½	0	½	½	0	½	Ж	4	14º

Através do Prisma da Análise

Moscou, 1981

No Campeonato por Equipes da URSS a equipe do Azerbaijão jogou na segunda divisão, e por conseguinte meus adversários eram principalmente mestres, que por razões muito compreensíveis normalmente buscavam simplificações e o empate. Entretanto, todos os tipos de coisas aconteceram...

Um bom exemplo de um repentino ataque ao rei é dado pela partida seguinte.

Partida 33
Kasparov - Yurtaev
Campeonato por Equipes da URSS
Moscou 1981
Defesa Nimzoíndia

1.d4 ♘f6 2.c4 e6 3.♘c3 ♗b4 4.e3 0–0 5.♗d3 d5 6.c×d5 e×d5 7.♘ge2 ♘bd7 8.0–0 c6 9.f3 c5 10.a3 c×d4 11.e×d4 ♗e7 12.♘f4 ♘b8

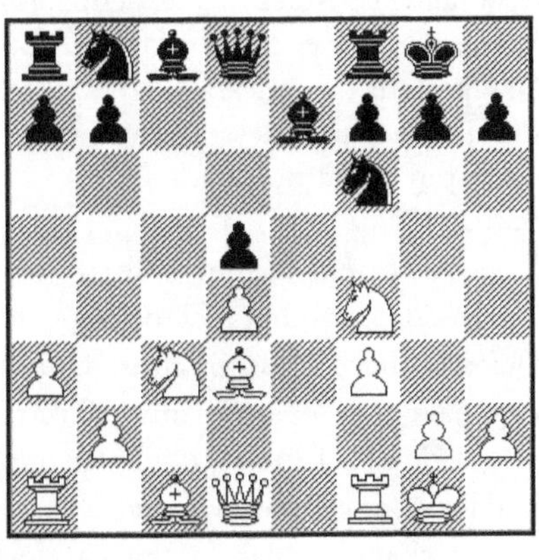

13.g4!

Esse avanço de peão ativo tem o objetivo de ganhar espaço e restringir a mobilidade das peças pretas. A melhor reação a ele teria sido 13...♘c6, atacando de imediato o peão d4. Nesse caso, eu planejava continuar 14.♗c2 e ♕d3, provocando um enfraquecimento na ala do rei das pretas, após o que as brancas simplesmente desenvolvem sua ala da dama (♗e3, ♖ae1) e mantêm uma vantagem em vista da restrição das peças pretas. Yurtaev provavelmente considerou mais ou menos o mesmo, e assim não agrega nenhum grande significado em seus dois próximos lances.

13...♗d6?! 14.♔h1 ♖e8?!

Aqui também 14...♘c6 deveria ter sido preferido. As pretas provavelmente não gostaram da variante 15.g5 ♗×f4 16.g×f6! ♗×c1 17.f×g7 ♖e8 18.♕×c1 com melhor jogo para as brancas. Por exemplo, a seguinte bonita variante é uma possibilidade: 18...♕h4 19.♘×d5 ♘×d4 20.♖g1 (20.♘c7 ♗h3!) 20...♘×f3 21.♕f4!! ♕×f4 22.♘e7+! ♖×e7 23.♗×h7+, com mate. É claro, as pretas não são obrigadas a permitir esse mate espetacular – a variante meramente ilustra as grandes possibilidades das brancas. Ao tirar a sua torre de um possível ataque (17.f×g7), as pretas pensaram que tinham se defendido satisfatoriamente contra g4–g5, pois 15.g5 ♗×f4 16.♗×f4 ♘h5 dificilmente parece apresentar qualquer grande risco para elas. No entanto...

15.g5! ♗×f4 16.♗×f4 ♘h5 17.♗×b8!

Esse lance escapou à atenção das pretas. Realmente, a troca de um bispo bom pelo cavalo que ainda se encontra na sua posição inicial parece um absurdo. Mas o peão f das brancas se torna móvel, e está destinado a cumprir um importante papel em seus planos.

17...♖×b8 18.f4 g6 19.♕f3!

Enquanto ameaçam f4–f5, as brancas ao mesmo tempo atacam o peão d5. Ao encontrar dificuldades inesperadas, Yurtaev perdeu a cabeça e falhou em encontrar a melhor defesa.

19...b6?

Esse lance fraco resolve apenas um problema parcial – a manutenção do peão d – mas não a defesa como um todo. As pretas deveriam ter prevenido f4–f5 através de 19...♘g7! Agora o imediato 20.♘×d5? falha por 20...♗g4!, mas após 20.♗b5! (20...♖f8 21.♘×d5 ♗g4 22.♕e4!) a vantagem das brancas é inquestionável.

20.f5 ♖b7 21.f6!

Banindo o cavalo errante para sempre.

21...♗e6 22.♖ae1 ♕d6 23.♖e5 ♖d8

As brancas conseguiram concentrar uma enorme quantidade de forças na vizinhança imediata do rei preto. O próximo na agenda é um ataque de mate.

24.♕e3 b5

Uma vã tentativa de distrair a atenção das brancas da ala do rei.

25.♗e2 b4 26.a×b4 ♖×b4 27.♗×h5 g×h5

As pretas aparentam ter evitado o perigo imediato (27.g6 h×g6 28.♖×h5 ♕f8!), mas...

28.g6! h×g6 29.♖×e6! f×e6

Obviamente não 29...♕×e6 30.♕h6.

30.♕h6 ♖b7

Aqui as pretas abandonaram sem esperar pela resposta das brancas. A variante 31.♕×g6+ ♔h8 (31...♔f8 32.♖g1) 32.f7 ♕f8 33.♕×h5+ ♔g7 34.♖g1+ ♔f6 35.♕h4+ é bastante convincente.

Maiores dificuldades me aguardavam na partida seguinte.

Partida 34

Vaiser - Kasparov

Campeonato por Equipes da URSS
Moscou 1981

Defesa Índia do Rei

1.d4 ♘f6 2.c4 g6 3.♘c3 ♗g7 4.e4 d6 5.f4 0–0 6.♘f3 c5 7.d5 e6 8.♗e2 e×d5

Esses lances bem conhecidos, feitos pelos dois jogadores em tempo rápido, necessitam de um pequeno comentário. O ponto é que, três anos antes, na eliminatória do Campeonato por Equipes da URSS em Daugavpils, Vaiser e eu jogamos um *match* "relâmpago". Em todas as partidas que joguei com as pretas, a posição com 9.c×d5 fora alcançada. A única coisa que permaneceu na minha memória foi o triste resultado da abertura. Os três anos não tinham sido desperdiçados, e agora eu estava plenamente preparado para enfrentar um novo ataque das brancas. Mas uma surpresa desagradável me aguardava...

9.e5!

O ponto de exclamação aqui deve ser atribuído ao campo da psicologia. Vaiser corretamente considerou que, dentre as três continuações – 9.e×d5, 9.c×d5 e 9.e5 – a última poderia ser inesperada para mim. Realmente, a partir desse ponto as pretas estavam por conta própria.

9...♘g4?!

Esse lance tem a aprovação da teoria, que o classifica como a melhor resposta ao audacioso lance 9 das brancas. Uma das razões para isso é a variante 10.h3? d4 11.♘e4 ♘×e5! 12.f×e5 d×e5, quando a massa de peões centrais das pretas dá a elas melhores chances. Mas as brancas têm à disposição uma continuação altamente promissora, a qual provavelmente forçará que a avaliação de 9...♘g4 seja reconsiderada.

10.c×d5 d×e5 11.h3 e4 12.h×g4

Essa captura não é sequer considerada pela *Encyclopaedia of Chess Opennings*, que dá somente 12.♘×e4 ♘f6 com um bom jogo para as pretas.

12...e×f3 13.g×f3

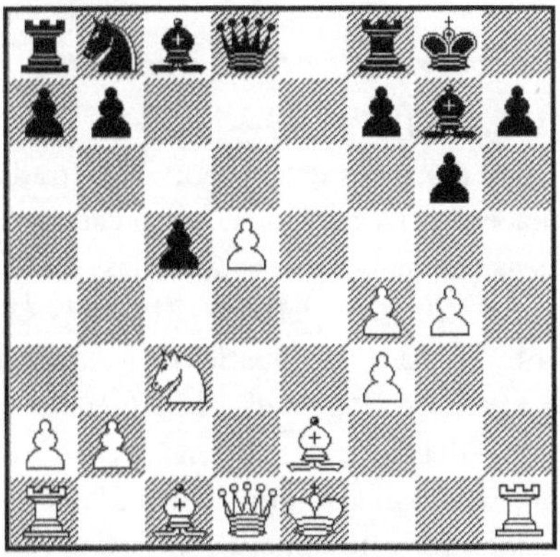

Aqui eu pensei por um longo tempo. Primeiramente, pareceu-me que as ameaças das brancas na coluna h poderiam ser facilmente estancadas, e que a posição insegura do rei branco daria às pretas boas contra-chances. Mas, em análise mais detalhada, as coisas se reveleram não tão simples: as dificuldades começavam a se acumular uma sobre a outra, criando uma verdadeira montanha de problemas, que é impossível escalar durante o tempo disponível na partida. O problema principal das pretas é a ausência de boas casas para desenvolver as peças da ala da dama. Minha avaliação pessimista talvez seja influenciada pelo meu sofrimento no tabuleiro, mas eu preferia ter as peças brancas aqui.

13...♖e8

A tentativa de prevenir f4–f5 (13...f5) teria levado a um enfraquecimento na diagonal a2–g8, o que teria custado caro às pretas em futuro não tão distante.

14.f5!

Agora o bispo se desenvolverá por h6, confrontando a única peça ativa das pretas e, o que é mais importante, a única defesa do seu rei – o bispo em g7. Variantes como 14...g×f5 15.♗h6 ♗×h6 16.♖×h6 ♕g5 17.♕d2! ♕×d2+ 18.♔×d2 f×g4 19.♘e4 ♘d7 20.♖ah1 ou 14...♘d7 15.♗h6 ♗d4 16.♕d2 e 0–0–0 dão poucos motivos para otimismo, e então decidi atacar o peão de b2, como algo para desviar a onda de ataque cada vez maior.

14...♕b6?

As pretas deveriam ter explorado a cravada na coluna e através de 14...b6!? Já que o imediato 15.♗h6? encontra 15...♗×c3+ 16.b×c3 ♗a6, e após 15.♘e4 g×f5 16.g×f5 ♗×f5 17.♗g5 ♕d7! 18.♘f6+ ♗×f6 19.♗×f6 ♕d6, apesar da perda de seu bispo índio do rei (que foi com sucesso substituído pelo bispo de casas brancas), as pretas tomam a iniciativa, o que significa que as brancas terão que se envolver em profilaxias. Por exemplo, 15.♔f1, embora aqui também 15...♗a6 dê às pretas contra-chances.

15.♗h6!

As brancas não dão atenção às "alfinetadas" de seu adversário e continuam seguindo seu plano básico.

15...♕×b2

Eu reconheci o perigo ameaçando as pretas, mas decidi ser consistente e tomar o peão pensando: talvez eu consiga me defender...

16.♗×g7 ♔×g7

A abundância de possibilidades de ataques disponíveis para as brancas aparece de imediato, mas eu me acalmei com a idéia de que isso não significava que qualquer lance pudesse vencer, e que para sentir o momento crítico e encontrar aquele lance único o adversário teria que... não perder a cabeça.

17.f6+?

E aqui ele foi muito apressado... As brancas não conseguem resistir à tentação de promover um assalto às colunas da muralha da fortaleza do rei preto. O peão não pode ser capturado: 17...♔×f6? 18.♘e4+ ♔g7 19.♖b1 ♕e5 20.♕d2 h5 21.g×h5, e a recompensa pela excursão da dama é iminente. Deixar o peão em f6 parece até mais terrível, mas as pretas não têm escolha!

Em uma posição como essa, não há motivo para as brancas considerarem o modesto 17.♖c1!, mas esse lance provavelmente teria dado a elas um ataque irresistível. A ameaça principal é 18.♖c2 e ♕d2 (ou, em alguns casos, ♕a1).

17...♔g8!

O exército branco só necessita fazer uma última, decisiva estocada, mas nesse ponto intuitivamente senti que o pior já havia passado, e comecei a colocar meu olhar no rei branco prisioneiro no centro.

18.♕c1!

A partida não pode ser decidida através de um ataque frontal, por exemplo, 18.♘e4 ♘d7! (18...♗×g4? 19.♖b1 ♕e5 20.♕d2 ♘d7 21.♕h6 ♘×f6 22.♘×f6+ ♕×f6 23.♕×h7+ ♔f8 24.♕h8+, ganhando uma peça) 19.♖b1 ♕e5 20.♕d2 ♘×f6 21.♕h6 b6! 22.g5 (ou 22.♘×f6 ♕×f6 23.♕×h7+ ♔f8 24.♕h8+ ♕×h8 25.♖×h8+ ♔e7 26.d6+ ♔d8) 22...♘×e4 23.♕×h7+ ♔f8 24.f×e4 ♗d7, e a ofensiva das brancas é estancada. Vaiser oferece entrar em um final, onde a ausência de desenvolvimento e o forte peão em f6 dão às brancas a vantagem. Mas uma surpresa o aguardava!

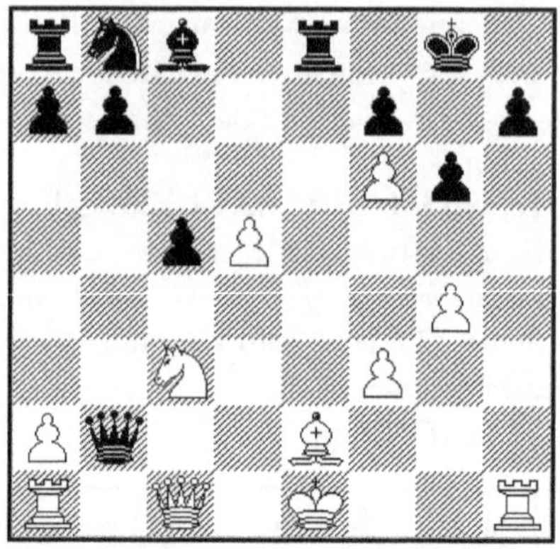

18...♕b4!

Isso parece suicida, pois a entrada da dama em h6 criará duas ameaças mortais. Mas as pretas podem estancá-las: 19.♕h6? ♕×c3+ 20.♔f2 ♕d4+ 21.♔g3 ♕e5+ 22.f4 ♕×f6. O sacrifício de qualidade 18...♖×e2+? 19.♘×e2 ♕×f6 teria sido tímido, deixando as brancas com muito melhores chances após 20.♕c3! "Eu nem considerei a retirada da dama. O peão em f6, a coluna h, a dama pronta para avançar a h6, as peças do adversário sem desenvolvimento, lance das brancas – achei que com tudo isso não poderia deixar de dar um mate!" – Vaiser.

19.♔f1?

As brancas deveriam ter reconsiderado e, contrariando seus planos ambiciosos, concordado com uma posição igual. Esse objetivo poderia ser atingido por meio de 19.♕d2! ♘d7 20.♖b1 ♕d4 21.♕×d4 c×d4 22.♘e4 d3! 23.♗×d3 ♘×f6 24.♔f2 com provável empate (24...♘×d5? 25.♖b5!). Ao continuar a perseguir o inatingível, as brancas imperceptivelmente ultrapassam a linha fatal.

19...♘d7 20.♗b5

Isso parece convincente: nada poderá impedir a dama branca de ocupar agora a sua casa querida. Mas de fato as pretas não têm a intenção de defender o seu rei, e com seu próximo lance, o qual ameaça ...♖e3, elas iniciam uma contra-ofensiva.

20...♕d4! 21.♔g2

O direto 21.♕h6 é rebatico com 21...♘×f6 22.♗×e8 ♕×c3 23.♔g2 ♗×g4! 24.♗×f7+ ♔×f7 25.f×g4 ♖e8, quando as brancas não têm defesa.

21...♖e3!

Muito mais forte do que 21...♕×f6, que dá às brancas bom contrajogo após 22.♕h6 ♕g7 23.♘e4!, a despeito de deixar cair dois peões.

22.♘e2 ♕e5 23.♔f2 ♖×e2+ 24.♗×e2 ♘×f6

Podemos avaliar o resultado do *"blitzkrieg"* das brancas. Seu ataque foi parado e o fato de ganhar a qualidade é pouca consolação. As pretas agora têm dois peões por isso, e adicionalmente a posição exposta do rei branco cria as condições para várias operações táticas. Por exemplo, após 25.♖b1 o sacrifício do bispo dá às pretas um ataque irresistível: 25...♗×g4! 26.f×g4 ♘e4+ 27.♔e1 ♕g3+ 28.♔d1 ♖e8! (29.♗b5 ♕f3+ 30.♔c2 ♕c3+, ou 29.♖b3 ♘f2+ 30.♔e1 ♕g2!). Para evitar o pior, as brancas vão para o final, mas as pretas são capazes de ganhar mais um peão. Deve ser mencionado que nesse ponto ambos os jogadores já estavam em apuro de tempo.

25.♕×c5 ♗×g4 26.♕e3 ♕×e3+ 27.♔×e3 ♘×d5+ 28.♔f2 ♗e6 29.♖ab1

Agora as pretas promovem a troca do cavalo pelo bispo e as chances brancas de salvar a partida se tornam mínimas. Melhores chances eram oferecidas por 29.♗c4! ♖c8 30.♗b3 (30.♖ac1? ♘f4!), quando as pretas teriam que se contentar com a variante 30...♔g7 31.♖ac1 (31.♖hd1 ♖c5! não é diferente) 31...♖×c1 32.♖×c1 ♔f6, centralizando o seu rei com boas perspectivas de vitória.

29...b6 30.♖bc1 ♘f4 31.a3 ♘×e2 32.♔×e2 b5 33.♖c7 a5 34.♖b1 ♗c4+ 35.♔f2 a4!

Esse arranjo "antiposicional" de peões é justificado, pois após obter um ponto forte, o bispo não tem força menor do que a torre.

36.♖e1 ♖d8 37.♖e3 ♖d2+ 38.♔g3 ♔g7 39.f4 ♖b2 40.♖c5 h5

O imediato 40...♖b3 é mais preciso. Aqui a partida foi adiada, mas (após selar **41.♔h4**) as brancas abandonaram sem continuar. Embora a resistência ainda fosse possível, as pretas tinham dois caminhos claros para a vitória. O primeiro consistia da ruptura ...b4 (após a retirada do bispo de e6) seguido pela troca do peão h pelo peão branco f. Os três peões passados seriam evidentemente decisivos. O segundo caminho, mais técnico, envolve a exploração da fraqueza dos peões brancos: 41...♖b3 42.♖g3 ♖b1! 43.♖e3 ♖g1 44.♖g5 (44.♖g3 ♖h1+ 45.♖h3 ♖f1) 44...♖h1+ 45.♔g3 f5!, cortando a torre da ala da dama. A escolha entre os caminhos é questão de gosto.

Em todas as partidas do Campeonato por Equipes nas quais joguei com as pretas tive que lutar contra aberturas fechadas. Escolhendo regularmente a Defesa Índia do Rei, consegui resolver com sucesso meus problemas de abertura. Aqui estão alguns desenvolvimentos interessantes em minhas partidas com Vaganian e Grigorian, nas quais as brancas fianquetaram seus bispos de casas brancas.

Partida 35

Vaganian - Kasparov

Campeonato por Equipes da URSS
Moscou 1981
Defesa Índia do Rei

1.d4 ♘f6 2.♘f3 g6 3.c4 ♗g7 4.g3 0–0

5.♗g2 d6 6.0–0 c5 7.d×c5 d×c5 8.♕×d8 ♖×d8 9.♘e5!?

Apesar de parecer inofensiva, a continuação escolhida por Vaganian contém um certo grau de veneno. A transferência do cavalo para d3 amarrará as pretas na defesa do seu peão c e atrasará seriamente seu desenvolvimento na ala da dama, e o rotineiro 9...♘fd7 é desagradavelmente respondido por 10.♘×d7! ♘×d7 11.♖d1. Após prolongada reflexão, consegui encontrar um plano interessante, que envolve um sacrifício de peão.

9...♘e8!? 10.♘d3 ♘d6 11.♘×c5 ♘c6!

Pelo sacrifício de peão as pretas têm melhor desenvolvimento, e adicionalmente o peão de c4 está atacado. Mas o próximo lance das brancas aparentemente defende todas as ameaças.

12.♘a3

Agora nada se consegue com 12...♘d4 13.♖e1 ♗g4 14.♔f1!, quando a iniciativa das pretas chega ao fim. Mas por que a pressa?

12...♖b8!

Explorando o fato de as peças brancas estarem amarradas, as pretas calmamente removem sua torre da luz do "raio X" do bispo de g2, e ameaçam recuperar o seu peão através de 13...♘d4 14.♖e1 ♗g4 15.♔f1 ♖dc8. Ao defender-se contra essa ameaça, Vaganian ao mesmo tempo tenta resolver o problema do desenvolvimento da sua ala da dama.

13.♘a4

Isso parece suficientemente convincente, já que, à primeira vista, as brancas são capazes de desenvolver suas peças sem dificuldades e manter seu peão a mais. Mas as pretas encontram alguns recursos latentes. Poderia ser interessante tentar 13.♖e1!? ♘a5 14.♗g5 ♔f8, com posição indefinida.

13...♗e6 14.♗f4 ♖bc8 15.♖ac1

Após 15.♗×d6 ♖×d6 a atividade das peças pretas no máximo compensa o peão sacrificado.

15...♘d4 16.♖fe1

Agora as brancas conseguem defender tudo, e a atividade das pretas alcança um impasse. A prosaica recuperação do peão por 16...♗×c4 17.♘×c4 (17.♗×d6? ♘×e2+ 18.♖×e2 ♗×e2 19.♖×c8 ♖×c8 20.♗f4 b5) 17...♖×c4 deixa as brancas com as melhores chances após 18.♘c3. Mas nesse ponto crítico, a tática vem em auxílio das pretas.

16...b5! 17.♗×d6!

Vaganian está à altura dos acontecimentos! Parece que as brancas nada têm a temer ao tomar o segundo peão: 17.c×b5 (não 17.♘×b5? ♘6×b5 18.c×b5 ♘×e2+! 19.♖×e2 ♖×c1+ 20.♗×c1 ♖d1+ 21.♗f1 ♗h3) 17...♖×c1 18.♗×c1, mas aqui também a mola comprimida volta com força terrível: 18...♘c4! 19.♘c3 (é ruim 19.♘×c4 ♘×e2+ 20.♖×e2 ♖d1+ 21.♗f1 ♗×c4) 19...♘×a3 20.b×a3 ♖c8! (20...♘c2? 21.♖d1) 21.♗d2 ♘c2 22.♖c1 ♗×c3 23.♖×c2 (23.♗×c3 ♖×c3 24.♗e4 ♘d4) 23...♗×d2 24.♖×d2 ♖c1+ 25.♗f1 ♗h3, e mate. Essa variante forçada demonstra a enorme força potencial da posição das pretas. Vaganian acompanhou minha idéia, e encontrou uma forma de desarmá-la.

17...♖×d6 18.♘×b5 ♘×b5 19.c×b5 ♖×c1 20.♖×c1 ♖d2

As fraquezas da fileira de retaguarda das brancas e de seus peões permitem às pretas restaurar a igualdade material.

21.♗f3 ♗×b2

Empate de comum acordo em vista da variante 22.♘×b2 ♖×b2 23.a4 ♖a2 24.♗c6 ♗b3!

Partida 36

Grigorian - Kasparov

Campeonato por Equipes da URSS

Moscou 1981

Defesa Índia do Rei

1.♘f3 ♘f6 2.c4 g6 3.g3 ♗g7 4.♗g2 0–0 5.0–0 c5 6.d4 d6 7.♘c3 ♘c6 8.d×c5

Grigorian também é incapaz de resistir à

tentação de jogar uma posição simétrica com um tempo extra, e portanto com o mínimo de risco. Partida muito mais complicada resulta de 8.d5 ♘a5 9.♘d2. Mas agora, se desejarem jogar para vencer, as pretas têm que assumir grandes riscos a fim de complicar a partida.

8...d×c5 9.♗e3 ♗e6

9...♕a5 parece mais natural, mas a prática mostrou que após 10.♗d2 as pretas não têm nada melhor do que voltar a dama a d8. Tal redução rápida da luta certamente não fazia parte dos meus planos.

10.♕a4

10.♗×c5 é fortemente rebatido por 10...♕a5!, quebrando com vantagem a simetria. Mas agora o tempo extra das brancas começa a falar. Assim 10...♕b6 é desagradavelmente respondido por 11.♕b5! ♘d7 13.♘g5. A mesma resposta segue no caso de 10.♕a5, e as sim as pretas são obrigadas a desviar.

10...♘d4 11.♖ad1

11.♗×d4 c×d4 12.♘b5 poderia ter conduzido a um extermínio em massa de peças após 12...♘d7, por exemplo, 13.♘f×d4 (13.♘b×d4?! ♘b6! 14.♘×e6 ♘×a4 15.♘×d8 ♖f×d8 com jogo melhor) 13...a6! 14.♘×e6 a×b5 15.♘×d8 ♖×a4 (15...b×a4? 16.♘×b7 a3 17.♖ad1!) 16.♘×b7 b×c4 17.♖ad1 (17.♗c6 ♖a7) 17...♘b6 com provável empate. É verdade, as pretas podem também escolher outra continuação, levando a jogo mais complicado: 12...♗d7 13.♕b3 ♘e4! ♖ad1 (14.♘b×d4? ♗×d4 15.♘×d4 ♘d2) 14...♗×b5 15.♕×b5 ♘d6 16.♕b3 ♕b6. Agora, de qualquer forma, a partida entra em uma fase de insondáveis complicações.

11...♗d7 12.♕a3 ♘c2 13.♕×c5 b6

As pretas iniciam a perseguição à dama branca. Seria ingênuo achar que com forças tão limitadas elas pudessem aprisionar a dama, mas no curso das coisas eu esperava conquistar algumas outras vantagens, compensando o peão de vantagem e melhor desenvolvimento das brancas.

14.♕g5!?

As brancas provocam o fogo inimigo, na esperança de explorar em futuro próximo o enfraquecimento da ala do rei das pretas. Ao imediato 14.♕e5 as pretas teriam feito melhor em continuar 14...♘g4 15.♕e4 ♘c×e3 15.f×e3 ♖c8!, mantendo a compensação pelo peão sacrificado.

14...h6 15.♕f4!

A dama branca encontra a única passagem segura através do campo minado! O tentador 15.♕h4 (na esperança de 15...g5? 16.♗×g5 h×g5 17.♘×g5 com ataque arrasador) conduz a uma posição completamente irracional após 15...♘×e3 16.f×e3 ♘g4! 17.♘d5! g5 18.♘×g5! (18.♕h5? e6! 19.♕×g4 e×d5 20.♕h5 ♕c8! com a ameaça de ...♗g4) 18...e6!! Eu acho que isso merece um diagrama.

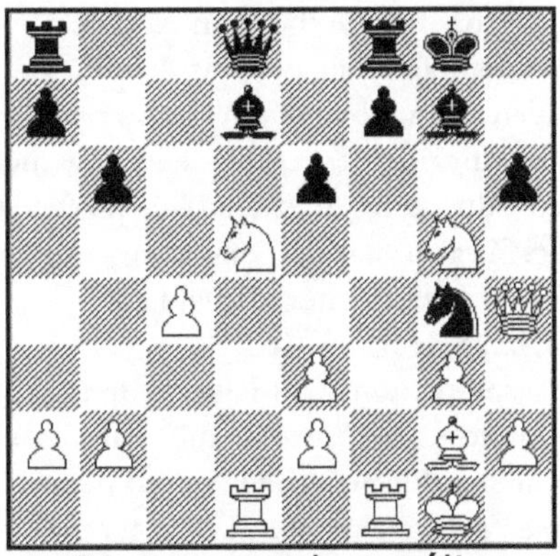

Diagrama de análise

A abundância de possibilidades faz com que não seja fácil para as brancas encontrarem o caminho correto:

(1) 19.♕×g4? e×d5 20.♘×f7 ♗×g4 21.♘×d8 ♖a×d8 22.♗×d5+ ♔h8, e o bispo das pretas é muito mais forte do que os peões dispersos.

(2) 19.♘×b6 ♘×e3!! (agora praticamente todas as peças estão *en prise*) 20.♘×d7! (20.♘×a8 é mais fraco em vista de 20...h×g5 21.♕e4 ♘×g2! 22.♕×g2 ♕c8!, quando após ...♗c6 as pretas ganham o cavalo e mantêm uma vantagem óbvia) 20...h×g5 21.♕e4 ♘×d1! (21...♘×f1 22.♕×a8!) 22.♖×d1 (não 22.♘×f8? ♕b6+ 23.♔h1 ♘f2+ 24.♖×f2 ♕×f2 ou 24.e3 ♖d8!, e as pretas ganham) 22...♖c8. A posição resultante é de difícil avaliação, mas na minha opinião as chances das pretas são melhores em vista da posição insegura do rei branco.

(3) 19.♘×f7! (somente esse golpe inesperado permite às brancas a manutenção do equilíbrio) 19...♕×h4 20.g×h4 e×d5! (o incauto 20...♖×f7? perde material após 21.♖×f7 ♔×f7 22.♖f1+) 21.♗×d5 (21.♘×h6+ ♔h7!) 21...♘×e3! 22.♗×a8! ♘×d1 (22...♗h3? 23.♘×h6+) 23.♖×d1 ♗e6! (23...♖×f7 24.♗d5 com chances melhores) 24.♘d8 ♗×c4 25.♗d5+ ♗×d5 26.♖×d5 ♗×b2 com empate.

Trabalhar todas essas variantes no tabuleiro era obviamente impossível, mas eu intuitivamente senti que corria menos risco do que meu adversário. Após 15.♕f4! as pretas têm que jogar com muita precisão para manter a igualdade.

15...g5 16.♕e5 ♖c8!?

As pretas tentam manter a tensão, mas as brancas encontram um caminho de forçar simplificações evitando o perigo. Por isso eu provavelmente deveria ter preferido 16...♘g4 17.♕e4 ♘c×e3 18.f×e3 ♖c8, não permitindo as trocas que ocorreram na partida.

17.♘d5!

17.♗c1? teria justificado completamente o último lance das pretas – 17...♖c5!, e a dama branca está aprisionada!

17...♘×d5 18.♕×d5 ♗e6 19.♕b7!

Mais forte do que o plausível 19.♕×d8 ♖f×d8 20.b3, pois após 20...g4! 21.♘h4 ♘×e3 22.f×e3 ♗f6! (22...b5? 23.c×b5 ♖×d1 24.♖×d1 ♖c2 25.♖d8+) com a ameaça de ...b5, as pretas teriam ao menos chances iguais.

19...♕c7 20.♕×c7 ♖×c7 21.b3

Aqui, por proposta das brancas, foi acordado o empate. Elas provavelmente deveriam ter continuado a jogar, embora após 21...♘×e3 22.f×e3 ♖fc8 23.♘d4 ♗d7 as pretas não devam perder. Também é de interesse o semi-correto 22...b5?! 23.c×b5 ♖c2 24.♖d2 ♖fc8 25.♖fd1 ♖×d2 22.♖×d2 ♖c1+ 27.♔f2 ♗c3 28.♖d8+ ♔g7 com a ameaça de ...g4. A partida poderia então ter continuado 29.h3! (29.♘d4 ♗g4!) 29...♗a5! (29...♖a1? 30.♖a8! ♖×a2 31.b6) 30.♖a8 ♗b6 31.♘d4 ♖a1 32.a4 ♖a3, quando o ganho para as brancas não é aparente.

Apesar do fato de que essas duas partidas tenham terminado empatadas, e que poucos lances tenham sido feitos nelas, eu fiquei feliz com elas pelo aspecto criativo.

Graz, 1981

O Campeonato Mundial por Equipes de Juniores (para jogadores até a idade de 25 anos) na cidade austríaca de Graz foi o terceiro evento desse tipo. O primeiro (em 1978) terminou com uma sensacional vitória dos jogadores ingleses, mas no segundo a equipe soviética conseguiu vencer a revanche. E dessa vez ninguém duvidava do sucesso da equipe soviética, a qual era formada por jogadores de alta categoria (Kasparov, Psakhis, Yusupov, Dolmatov, Kochiev e Vladimirov), e que poderia ser capaz de competir por medalha até na Olimpíada masculina.

Antes do início nós imaginamos que o principal "problema" seria decidir a cada dia a escalação da equipe. Mas logo na primeira rodada dissipou-se nossa esperança otimista de uma vitória fácil. Enquanto em uma luta tenaz derrotamos a equipe austríaca (2½ - 1½), os ingleses derrotaram os suíços por 4 - 0. Na segunda rodada foi com enorme dificuldade que conseguimos extrair uma vitória de 2½ - 1½ sobre os iugoslavos, enquanto os ingleses mantiveram o ritmo e derrotaram a equipe brasileira pela contagem máxima. Após duas rodadas nós estávamos na metade da tabela de classificação, já três pontos atrás dos líderes. Mas não havia motivo para desespero, pois havia ainda nove rodadas à frente. Nas duas seguintes a equipe soviética melhorou o seu jogo e derrotou os canadenses e os franceses por 3½ - ½. Mas a diferença se reduziu somente em meio ponto, pois os ingleses derrotaram as fortíssimas equipes da Suécia e dos Estados Unidos por 3½ - ½ e 3 - 1 respectivamente. Nós tivemos que depositar nossa fé no confronto direto, o qual ocorreu na 5ª rodada. Liderando com 2½ pontos, os ingleses podiam encarar o futuro com confiança. Até uma derrota por 1½ - 2½ poderia deixá-los com chances de vencer o campeonato. Assim, nós precisávamos de uma grande vitória. E nós conseguimos!

Psakhis jogou uma partida poderosa contra Mestel (que havia vencido todas suas partidas). Yusupov demonstrou excelente técnica de final, vencendo Plaskett em uma posição de "empate morto". Em uma luta tenaz e complicada eu consegui confundir Speelman e dei à nossa equipe o terceiro ponto. Somente Dolmatov falhou em explorar todas as vantagens de sua posição, e foi obrigado no prosseguimento da partida suspensa a concordar com o empate. Assim, 3½ - ½, e fomos para a liderança! É verdade, na rodada seguinte tínhamos que encarar outro teste sério, mas o nosso *match* com a equipe dos Estados Unidos, o qual não foi tão bom para nós, terminou empatado. Não obstante, os ingleses até mesmo perderam para os húngaros por 1½ - 2½. Pela última rodada tínhamos ampliado nossa liderança para 2½ pontos e vencemos nosso *match* contra a Alemanha Ocidental (2½ - 1½). No mesmo dia a Inglaterra derrotou a Iugoslávia (3 - 1) e terminou em segundo, à frente da Hungria.

Grande parte de nossa vitória foi devida ao clima amistoso que prevaleceu em nossa equipe ao longo do torneio. O constante sentimento de unidade e de amizade permitiu-nos superar todas as dificuldades.

A equipe inglesa causou forte impressão.

É suficiente dizer que eles conquistaram três prêmios de melhores tabuleiros (Mestel, Plaskett e Davies) enquanto a nossa equipe conquistou sucesso similar em apenas dois (Kasparov e Vladimirov). Entre outros resultados, deve ser mencionado o sucesso da equipe da Hungria, que conseguiu chegar à frente da forte equipe dos Estados Unidos, e também o desempenho da equipe francesa, que pela primeira vez terminou em quinto lugar num evento como esse. Por sua vez os americanos também ameaçaram os líderes, mas um pobre final os deixou fora da colocação de medalhas. Joel Benjamin, de 16 anos, jogou bem pela equipe americana, e obteve o melhor resultado entre os primeiros reservas (incluindo uma vitória sobre Yusupov).

Eu fiquei feliz com o meu jogo em Graz, e fui capaz de criar várias partidas interessantes. O papel de líder é sem dúvida uma honra sem igual, mas nos momentos críticos uma responsabilidade em dobro recai sobre os seus ombros. Por isso eu tive que jogar por dez rodadas sucessivas sem ser substituído, e descansei somente na última rodada, quando o final do torneio já estava praticamente decidido.

Partida 37

Sunye Neto - Kasparov

Mundial por Equipes de Juniores, Graz 1981

Brasil x URSS

Gambito da Dama

1.♘f3 ♘f6 2.c4 c5 3.♘c3 e6 4.e3 ♘c6 5.d4 d5 6.c×d5 e×d5 7.♗b5 ♗d6 8.d×c5 ♗×c5 9.0–0 0–0 10.b3 ♗g4 11.♗b2 ♖c8 12.♖c1 ♗d6 13.♗e2 ♗b8!

O fraco peão d não é um preço muito alto a pagar para poder desenvolver as forças tão convenientemente. No caso de 14.♘d4 eu havia planejado 14...♕d6 15.g3 ♗h3.

14.♘b5 ♘e4 15.♘bd4 ♖e8 16.h3 ♗×f3 17.♘×f3 ♕d6 18.♕d3 ♘g5 (18...a6!) **19.♖fd1 ♖cd8 20.♔f1 ♘e4 21.a3 a6 22.♕c2 ♗a7 23.♗d3 ♕e7 24.♖e1 ♖d6 25.b4 ♖e6 26.b5 a×b5 27.♗×b5 h6 28.♖cd1 ♖d8 29.♕b3 ♕d6 30.a4 ♗c5 31.♖e2 b6 32.♔g1**

Se 32.♗×c6 ♕×c6 33.♘d4, então 33...♕c7! 34.♘×e6? ♕h2 35.♖ee1 f×e6, com superioridade, ou 34.♔g1 ♖g6.

Aqui o jogador brasileiro ofereceu o empate.

Entretanto, eu consegui encontrar uma forma interessante de atacar a ala do rei, e assim (também levando em conta o fato do meu adversário ter pouco tempo) decidi continuar jogando.

32...♘e7!

O plano das pretas inclui a transferência desse cavalo via f5 (ou g6) para h4, e sua torre para g6, com pressão sobre a posição do rei inimigo.

33.♘d4 ♖g6 34.♗d3 ♕d7

Dessa forma surgiu a primeira ameaça. A forma mais clara para estancar o ataque seria através de 35.f3!, após o que 35...♘g3 36.♗×g6 ♘×e2+ 37.♘×e2 ♘×g6 conduz a jogo aproximadamente igual. Mas Sunye evita o menor enfraquecimento em sua posição.

35.♔h1?! ♘f5! 36.♗×e4?

Mas isso é um sério erro, após o qual a vantagem das pretas se torna apreciável. Era essencial eliminar a cavalaria preta com 36.♘×f5 ♕×f5 37.♗×e4 ♕×e4 38.f3, quando as pretas têm somente uma vantagem mínima.

36...d×e4 37.♖ed2 ♘h4!

Somente aqui Sunye percebeu que, no caso do preparado 38.♘f3, uma surpresa desagradável o aguardava: 38...e×f3! 39.♖×d7 f×g2+ 40.♔g1 ♘f3 mate! Outro lance de cavalo 38.♘f5 conduz ao ganho de qualidade, mas após 38...♕×f5 39.♖×d8+ ♔h7 como as brancas defendem seu rei? Então só resta...

38.♘e6 ♕×d2 39.♖×d2 ♖×d2 40.♘f4 ♖g5 41.♔g1

Aqui eu tinha que selar meu lance, e a imprevisão dele serviu como uma abertura para a mais bela combinação que eu já criei sobre um tabuleiro de xadrez.

41...♘f3+! 42.♔f1

O outro lance do rei será considerado abaixo.

42...♗×e3!!

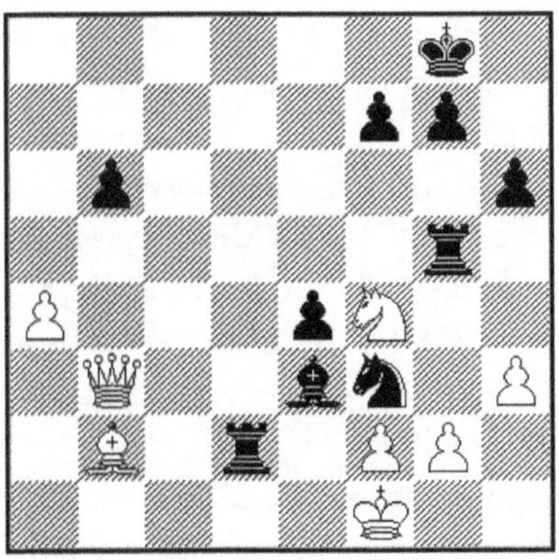

43.f×e3

A aceitação do sacrifício é forçada, pois após 43.♘e2 as brancas levam mate: 43...♘h2+ 44.♔e1 ♖×g2 45.♕×e3 ♘f3+ 46.♔f1 ♖g1+!! 47.♘×g1 ♖d1+.

43...♖d×g2! 44.♕c3!

A única defesa. O natural 44.♕×b6 perde imediatamente: 44...♖h2 45.♘e2 ♖gg2. Mas agora nesse caso as brancas têm xeque perpétuo em c8 e f5.

44...♖h2 45.♘e2 ♔h7!

Renovando a ameaça de ...♖gg2. Sunye previne isso de uma forma primitiva e não percebe uma construção de mate incomum.

46.♕c8?! ♖h1+ 47.♔f2 ♘d2!

As brancas abandonam. Após 48.♘g3 ♖h2+ 49.♔e1 ♘f3+ 50.♔f1 ♖×b2, não tem sentido continuar jogando.

Uma resistência mais obstinada poderia ter sido oferecida por 46.♕b4!, mantendo o controle sobre d2. Mas também nesse caso as pretas tinham uma forma de vencer, embora não tão óbvia: 46...f5! 47.♕b5 (47.♕f8 ♖h1+ 48.♔f2 ♘d2! etc.) 47...f4! 48.♕b4 ♘d2+! 49.♕×d2 (49.♔e1 f3! 50.♔×d2 ♖×e2+ 51.♔c3 ♖×e3+ 52.♔d4 f2 e o peão f coroa) 49...♖h1+ 50.♔f2 f3!, e é fácil ver que o mate ou uma enorme perda de material é inevitável para as brancas.

Deixe-me agora retornar à posição após 41...♘f3+. O que poderia ter acontecido se as brancas tivessem movido o seu rei para o outro lado – 42.♔h1? Nesse caso eu havia preparado outra combinação: 42...♗×e3!! 43.f×e3 ♖d×g2 44.♘×g2 ♖g3!

Uma posição fantástica!

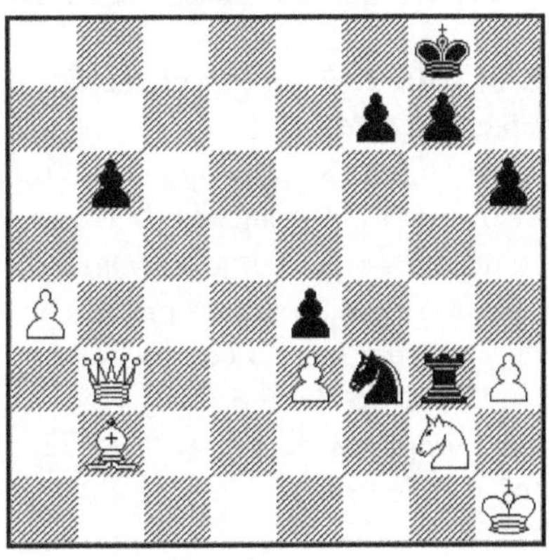

Apesar da enorme vantagem material das brancas, elas não podem se defender contra o mate. Ainda preciso encontrar algo similar em uma partida prática.

Também não ajuda as brancas declinar do sacrifício – 43.♘e6. Eu pretendia continuar 43...♖×f2, e se 44.g×f3 ♖f1+ 45.♔h2 e×f3! 46.♘×g5 (46.♕×e3 ♖g2 mate) 46...♗f4 mate!

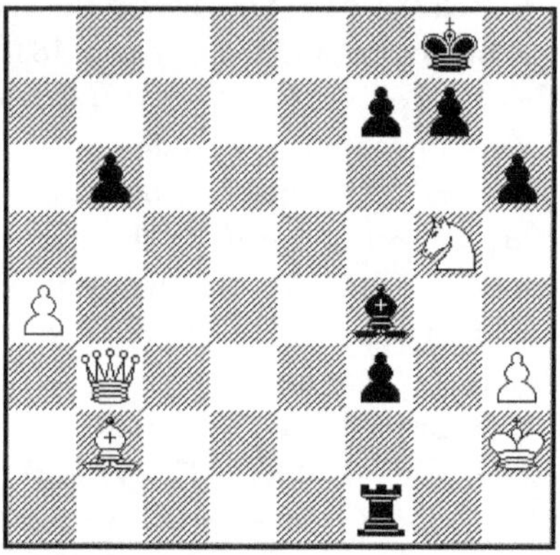

Novamente um final de mate! Com sua beleza incomum, recordo-me mais dessa partida do que de qualquer outra das que eu joguei em Graz.

Partida 38

Klaric - Kasparov

Mundial por Equipes de Juniores, Graz 1981

Iugoslávia x URSS

Abertura Peão da Dama

1.d4 ♘f6 2.c3 g6 3.♗g5 ♗g7 4.♘d2 0–0 5.e4 d6 6.f4!?

Após 6.♘gf3 uma posição teórica familiar teria sido alcançada. Mas agora, se as brancas conseguirem jogar ♘gf3 e ♗c4, elas estarão bem, então as pretas têm que atacar imediatamente o centro.

6...c5 7.d×c5 d×c5 8.♗c4

Uma imprecisão. 8.♘gf3 seguido por 9.♗e2 é mais forte.

8...♘c6 9.♘gf3 ♘a5 10.♗e2 ♘g4! 11.♘f1 ♕b6 12.♕c1 c4 13.♗h4 e5!?

Um sacrifício posicional de peão.

14.h3 ♘f6 15.♗×f6 ♕×f6 16.f×e5

Um momento importante. No caso de 16.♘×e5 eu pretendia continuar 16...g5! 17.♘×c4 g×f4 18.♘×a5 ♕h4+ 19.♔d1 ♕d8+ 20.♔c2 ♕×a5 21.♕×f4 ♗e6!. Apesar dos dois peões a menos, as pretas têm chances excelentes.

16...♕e7

Haveria uma luta complicada após 16...♕b6!? 17.♘e3 ♗h6 18.♘d5 ♗×c1 19.♘×b6 ♗×b2 20.♘×a8 ♗×a1 21.♔d2.

17.♕f4

O tentador 17.♘e3 teria levado as brancas a dificuldades após 17...♗e6 18.♘d5 ♗×d5 19.e×d5 ♗×e5.

17...♘c6 18.♘e3 ♘×e5 19.♘×c4?

19.♘d5 ♕d6 20.0–0–0 era melhor, completando seu desenvolvimento.

19...♘×f3+ 20.♗×f3 ♗e6 21.♘e3 ♕c5! 22.♘c2

22.0–0 é inesperadamente respondido por 22...g5!, quando as brancas perdem uma peça.

22...♖ad8 *[É mais enérgico 22...♗e5! 23.♕e3 ♗g3+ 24.♔d1 (24.♔f1 ♕b5+) 24...♖fd8+ 25.♘d4 (25.♔c1 ♕×e3+ 26.♘×e3 ♗f4) 25...♗e5, quando a posição das brancas não pode ser defendida]* **23.♕e3 ♕b5 24.♘b4 ♗c4**

Agora o rei não pode escapar do centro – 25.♗e2 ♗×e2 26.♕×e2 ♕c5, e 27.♕f2? falha devido a 27...♗×c3+!

25.a4 ♕e5 26.♔f2

26.♗e2 é ruim – 26...♗h6! 27.♕×h6 ♕g3+. Mas como as pretas continuam o seu ataque?

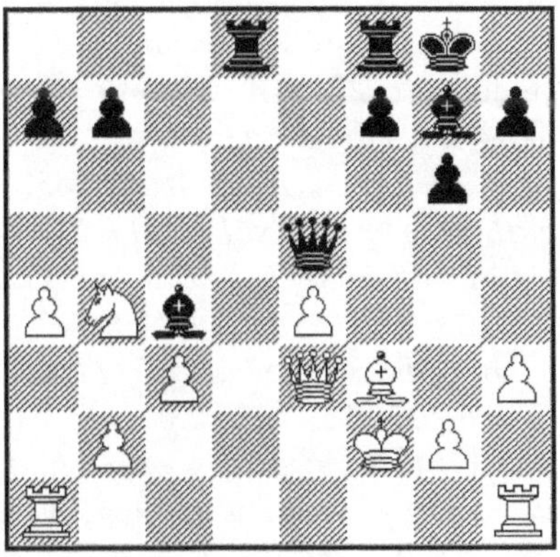

26...♗f6! *[26...f5! é muito forte, por exemplo, 27.e×f5 ♕×e3+ 28.♔×e3 a5! 29.♘a2 (29.♘c2 ♗h6+) 29...♖d3+, ou 27.♖he1 f4 28.♕×a7 (28.♕c1 ♕c5+) 28...♖a8 29.♕b6 ♖f6 30.♕d4 ♕×d4 31.c×d4 ♖b6 com ataque arrasador]* **27.♖hd1 ♗e7**

Agora não há defesa satisfatória contra ...♗c5.

28.♘c2

28.♘d5 é decisivamente respondido por 28...♗h4+! 29.♔g1 ♗×d5, quando as brancas perdem uma peça!

Não é bem assim: as brancas podem recuperar sua peça por meio de 30.♕c5!, e após desperdiçar boas chances nos lances 22 e 26, as pretas ainda teriam que demonstrar sua vantagem. Após 30...♗e7 31.♕a5 b6 32.♖×d5 ♕f4! elas são capazes de fazer isso: 33.♕×a7 ♖×d5 34.e×d5 (34.♕×e7 é mais tenaz, embora 34...♖d2 deixe as pretas com chances reais de vitória) 34...♗c5+ 35.♔h1 ♗d6 36.♔g1 ♕e3+ 37.♔h1 (37.♔f1 ♗c5) 37...♖e8!, ou 33.♕b5 ♗c5+! 34.♔h1 ♖×d5 35.e×d5 ♗d6 36.♔g1 ♕e3+ 37.♔h1 ♕e5 38.♔g1 ♖e8! Mas o correto 31.♕b5! provavelmente teria levado ao empate. Daí decorre que o ponto de exclamação colocado em 26...♗f6 deveria ser substituído por uma interrogação!

28...♖×d1 29.♖×d1 ♗b3 30.♕d3

Ou 30.♕e2 ♗c5+ e 31...♕h2.

30...♕c5+ 31.♔e1 ♗h4+ 32.♔d2 ♖d8 33.♘d4 ♗×d1 e as pretas venceram.

Partida 39

Speelman - Kasparov

Mundial por Equipes de Juniores, Graz 1981

Inglaterra x URSS

Abertura Inglesa

1.♘f3 ♘f6 2.c4 c5 3.♘c3 e6 4.g3 b6 5.♗g2 ♗b7 6.0–0 ♗e7 7.b3 0–0 8.♗b2 d6 9.e3 ♘bd7 10.d4 a6 11.♖c1

Smyslov, no Torneio das Equipes da URSS (1981), e Smejkal no Torneio Internacional de Moscou (1981), continuaram com 11.♕e2 contra mim, com aproximada igualdade após 11...♘e4. O lance feito pelo jogador inglês é um pouco pior, pois permite às pretas desferir um interessante contragolpe.

11...b5!

À primeira vista parece que as brancas podem ganhar um peão com 12.d×c5 ♘×c5 13.c×b5 a×b5 14.♘×b5, planejando responder a 14...♖×a2 com 15.♗×f6, aparentemente forçando 15...g×f6. Mas 15...♗×f6! muda a situação a favor das pretas: 16.♕×d6 ♘×b3 17.♖cd1 ♕×d6 18.♘×d6 ♗×f3 19.♗×f3 ♘d2, ou 16.♘×d6 ♗a6 17.♖×c5 ♗e2! 18.♕b1

♖b2 ganhando a qualidade. E se as brancas não fizerem nada, após ...b×c4 e ...c×d4 a ligeira fraqueza dos peões centrais brancos prometerá um bom jogo às pretas.

12.d5 e×d5 13.♘×d5 ♘×d5 14.c×d5 ♗f6!

A troca dos bispos favorece as pretas, pois a ruptura e4–e5 é retardada, e adicionalmente seu contrajogo na ala da dama se torna mais fácil.

15.♗×f6 ♘×f6

As vantagens dessa captura são óbvias – o cavalo exerce pressão no centro; mas seus defeitos são menos claros – as brancas poderão preparar e4–e5, e nesse caso o cavalo estaria melhor colocado em d7 (de onde, casualmente, poderá também ser transferido para a ala da dama). Era preferível 15...♕×f6!, quando a dama na grande diagonal poderia ter apoiado a ofensiva dos peões ...a5, ...b4 e ...a4.

16.♘h4 a5 17.e4 ♖e8 18.♖e1 g6

O direto 18...a4 é rebatido por 19.e5! ♖×e5 20.♖×e5 d×e5 21.♖×c5 com vantagem para as brancas. Por exemplo, no caso de 21...e4 elas têm o importante recurso 22.♘f5!, quando a captura em d5 é impossível.

As pretas impedem o adversário de trazer seu cavalo para o jogo via f5.

19.♕d2 b4

Aqui 19...a4 é ruim devido a 20.b4.

20.a3

O desenvolvimento natural dos acontecimentos teria sido 20.f4 ♘d7 21.♖cd1 a4 22.♘f3 a×b3 23.a×b3 ♕b6 ou 23...♖a3 com jogo de duplo gume. O jogador inglês toma uma decisão discutível: desejando suprimir a atividade das pretas, ele avança o peão no lado onde o adversário é mais forte.

20...b×a3 21.♖a1 ♕e7!

Agora 22.♖×a3? é respondido por 22...♘×d5. Embora fraco, o peão a3 permanece vivo em certas variantes, e pode se tornar perigoso. Por exemplo, 22.e5 é refutado por 22...a4! 23.e×f6 ♕×e1+ seguido de ...a×b3 e ...a2.

Essa variante é incorreta. Após 22.e5? a4? 23.e×f6 ♕×e1+ 24.♖×e1 ♖×e1+ 25.♕×e1 a×b3 26.♘f5!! são as brancas que ganham: 26...a2 27.♘h6+ ♔h8 28.♘×f7+ ♔g8 29.♘h6+ ♔h8 30.♕e7 a1=♕+ 31.♗f1, ou 26...g×f5 27.♕e3 a2 28.♕h6 a1=♕ 29.♗f1 ♕×f6 30.♕×f6. O simples 22...d×e5 23.d6 ♕d7 é perfeitamente adequado, enquanto no caso de 22.f4 a4 23.e5 a dama poderia realmente ter sido sacrificada – 23...a×b3 24.e×f6 ♕×e1+ etc.

22.h3

Preparando 23.♖e3 (com a idéia de 24.♖×a3), as brancas protegem-se contra ...♘g4 e desocupam h2 para o seu rei.

22...♕e5

Criando a ameaça de 23...♕b2, mas a idéia principal reside no próximo lance. As brancas são forçadas a tomar o peão a3, e são capazes de fazer isso, pois, com a dama em e5, 23...♘×d5 é ruim devido a 24.♘f3.

23.♖×a3 ♕d4! 24.♕×d4 c×d4

Outro peão passado – desta vez na coluna d! É verdade, ele também é fraco, mas causa uma certa confusão nas fileiras do adversário. Também é importante que as brancas encontrem dificuldades para trazer seu bispo e o seu cavalo para o jogo – eles estão amarrados pela pressão central das pretas.

25.♖a4

Com um cálculo simples: 25...♗×d5 26.♖×d4 ♖ab8 28.♖a1, mas 25.♖d1 ♘×e4 26.♖×d4 ♘c5 27.b4 a×b4 28.♖×a8 ♖×a8 29.♖×b4 era mais sólido – após 29...♔f8 as pretas têm a vantagem (a fraqueza do peão d5), mas as chances de empate das brancas são muito consideráveis.

25...d3 26.♖d1?!

26.♖d4 ♗×d5 27.♖×d3 parece conduzir

a uma posição como a do comentário anterior, mas o fato de a torre não estar em d4 é importante. Após 27...♖ab8 28.♖a1 ♗×b3 29.♖×a5 ♘×e4 a recuperação do peão – 30.♗×e4 ♖×e4 – envolve um risco: 31.♖×d6 ♗e6! 32.♔g2 ♖e2 33.♖a3 ♖bb2 34.♖f3 h5, quando a despeito da igualdade material não é fácil empatar. É possível que evitando jogar 30.♗×e4 as brancas mantivessem chances defensivas perfeitamente boas.

26...♘d7!

O peão d prova ser muito duro: 27.♖×d3? ♘c5!

27.b4 a×b4 28.♖×b4 ♘c5 29.♘f3 ♖a2

É duvidoso que 29...♖×e4 30.♖×e4 ♘×e4 31.♘e1 ♘c3 32.♖×d3 ♖a1 33.♖×c3 ♖×e1+ 34.♔h2 ♖d1 seja mais forte – nesse final as pretas têm apenas leves chances de vitória.

30.e5! d×e5 31.♖c1 ♖c2

As pretas são obrigadas a entrar num final com "quatro contra três" em um lado do tabuleiro.

32.♖×c2 d×c2 33.♖c4 ♘b3 34.♖×c2 ♗×d5 35.♖c7 e4 36.♘e1 ♘d4 37.♖d7 ♖e5 38.♘d3?

Esperto, porém insuficiente. Com sua torre em c7 as brancas deveriam ter jogado 37.♘c2, sem temer 37...♘f3+: após 38.♗×f3 e×f3 39.♘e3, 40.g4 e ♔h2–g3 as brancas empatam facilmente *[37.♘c2 é melhor respondido por 37...♘e6 38.♖d7 ♖d8 39.♖×d8+ ♘×d8, ainda com algumas esperanças de sucesso]* Ainda aqui não era muito tarde para voltar – 38.♖c7.

38...e×d3 39.♗×d5

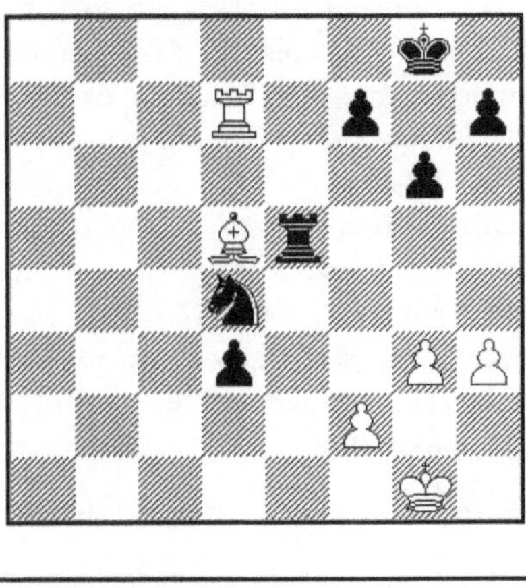

Assim as pretas têm outro peão passado – seu terceiro! A pergunta é o que fazer com ele.

39...♔f8!

As brancas contavam com 39...d2 40.♗×f7+ e 41.♖×d4. Mas agora 40.♗×f7 é respondido por 40...♖e4!, quando o peão d poderá ser parado somente ao custo de uma peça.

40.♗c4 d2 41.♖×d4 ♖e1+ 42.♔g2 d1=♕ 43.♖×d1 ♖×d1

A vitória com qualidade a mais não apresenta nenhuma dificuldade séria.

44.h4 ♖c1 45.♗d5 ♖c5 46.♗b3 ♔e7 47.♗a2 h6 48.♗b3 ♖c7 49.♗a2 ♔d6 50.♔h3 ♔e5 51.♔g4 ♖a7 52.♗b3 ♖b7 53.♗d1 ♖b2 54.♔f3 ♔d4 55.♗e2 ♖b3+ 56.♔g2 ♔c3 57.♗f3 ♖b5 58.♗c6 ♖c5 59.♗e8 ♖c7 60.♔f1 ♔d2 61.♗a4 ♖c1+ 62.♔g2 ♔e1 63.♗b3 ♖c7 64.f4 ♔e2 65.♗d5 ♔e3 66.♗a8 f6 67.♔g1 ♖g7 68.♔g2 g5 69.h×g5 h×g5 70.f×g5 ♖×g5

As brancas abandonaram.

Partida 40

Kasparov - Fedorowicz

Mundial por Equipes de Juniores, Graz 1981

URSS x EUA

Defesa Índia da Dama

1.d4 ♘f6 2.c4 e6 3.♘f3 b6 4.a3 c5 5.d5 ♗a6 6.♕c2 e×d5 7.c×d5 g6

Mais preciso do que 7...d6 8.♘c3 ♘bd7, como na partida Kasparov-Browne (1979), na qual após 9.♗f4! ♗e7 10.g3 0–0 11.♗g2 ♖e8 12.0–0 as brancas obtiveram as melhores chances.

8.♘c3 ♗g7 9.g3 0–0 10.♗g2 d6 11.0–0 ♖e8 12.♖e1 ♕c7

Uma sutileza importante: normalmente a dama é desenvolvida em e7, onde ela meramente atrapalha suas peças após as brancas adotarem o posicionamento e2–e4, h2–h3 e ♗f4.

13.♗f4

Talvez aqui também eu devesse ter executado o plano padrão com e2–e4, mas eu pensei que podia tentar explorar imediatamente a posição da dama preta: agora o desenvolvimento normal é feito com mais dificuldade, pois 13...♘bd7 é respondido pelo altamente desagradável 14.♕a4.

13...♘h5

Esse lance para o canto do tabuleiro não parece muito bonito, mas agora a ruptura e4–e5 é retardada ao máximo, enquanto o contrajogo das pretas na ala da dama é mais do que uma realidade: ...c4 e ...♘d7–c5, ou ...♗b7, ...a6 e ...b5.

14.♗d2 ♘d7

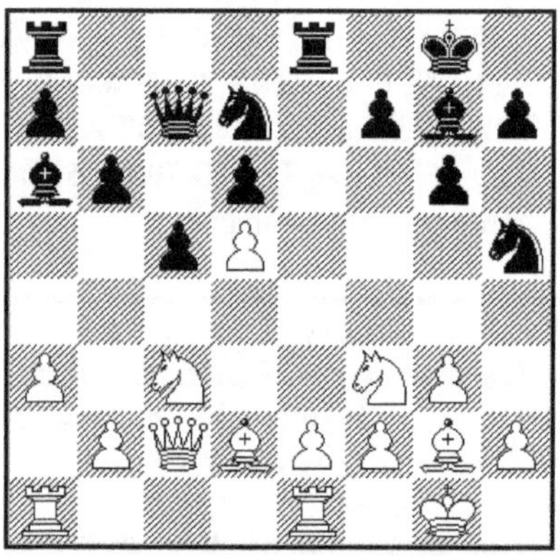

Agora as brancas têm que decidir um plano específico de ação. É claro que através da manobra típica 15.a4 elas podem restringir a ofensiva do adversário, mas após 15...c4 não há uma forma clara de desenvolver a sua iniciativa. Após considerável reflexão, as brancas decidem levar a cabo um plano original, que no geral não segue de forma lógica seus lances precedentes.

15.♕a4 ♗b7 16.♕h4

Tal transferência da dama é normalmente associada com um ataque ao rei. Aqui, no momento, não há ainda qualquer expectativa de um ataque, e com o tabuleiro cheio de peças parece injustificado a dama tomar uma posição à frente. No entanto, há alguma justificativa para a manobra da dama: para fortalecer ofensivamente a ala da dama, as pretas terão que transferir para lá uma quantidade de peças, após o que poderão aparecer as pré-condições para um ataque ao rei preto.

16...a6 17.♖ac1 b5 18.b4

Dessa forma as brancas param a ofensiva do adversário.

18...♕d8

18...♘b6 19.g4 ♘f6 20.e4 ♘c4 21.♗g5 ou 21.♗h6 poderia ter conduzido precisamente ao que eu tinha em mente: as pretas têm uma grande vantagem na ala da dama, mas as brancas jogam contra o rei. A situação teria se tornado aguda e completamente indefinida. Fedorowicz evidentemente não estava gostando da dama branca em h4, e diretamente tentou tirá-la de lá. O jogo forçante que segue exige grande precisão.

19.♗g5

No caso de 19.♘e4 as pretas haviam preparado não 19...♕×h4? 20.♘×h4, mas 19...♖×e4! 20.♕×e4 ♘hf6 e ...♗×d5 com excelente compensação pela qualidade.

19...f6

19...♗f6 é desfavorável devido a 20.♗×f6, quando 20...♕×f6 21.♘e4! é agora muito forte, ao passo que se 20...♘h×f6 o plano das brancas é completamente justificado: após 21.e4 é difícil para as pretas defenderem o seu rei.

20.♗d2 f5

Dessa forma as pretas tomam o controle da casa e4 e pretendem transferir seu cavalo de h5 para o centro. No momento as brancas não são capazes de explorar o enfraquecimento da casa e6.

21.♗g5 ♕b6?

21...♗f6! era correto, mantendo

aproximadamente a igualdade, por exemplo, 22.e4 (22.♗×f6 ♕×f6) 22...c×b4 23.a×b4 ♖c8.

22.e4 c×b4

Também após 22...h6 23.♗d2 (23e×f5!?) 23...♗f6 24.♕h3 a posição das pretas está à beira do abismo.

23.a×b4 ♖ac8

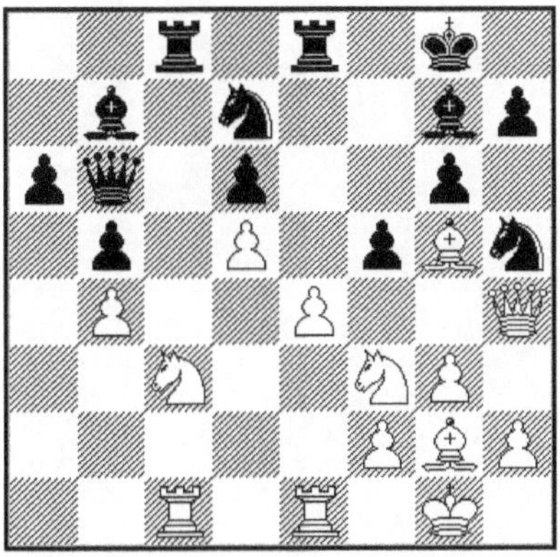

A posição critica. Ambos os lados conquistaram o que pretendiam, obtendo atividade máxima em sua "própria" parte do tabuleiro. Nesse ponto a posição instável do cavalo em c3 e a fraqueza do centro das brancas me alarmaram, e então eu decidi repetir lances.

24.♗e3? ♕d8 25.♗g5 ♕b6?

Esse lance foi feito rapidamente, e se tornou claro que meu adversário não se opunha ao empate. Como antes, 25...♗f6 era essencial, mas era extremamente difícil antecipar o curso dos acontecimentos que estavam por vir. Após alguma reflexão eu descobri que a posição continha a oportunidade para uma combinação de ataque.

26.e×f5!

Ao entregar uma peça as brancas aparentemente não alcançam nenhum ganho imediato em troca. Mas é aqui que os pequenos defeitos no posicionamento das pretas começam a falar: sua dama, seu bispo em b7 e o cavalo em h5 estão mal colocados, e a proteção do rei está enfraquecida. Prova ser impossível resistir ao ataque das forças superiores do adversário.

26...♖×e1+ 27.♖×e1 ♗×c3

É claro que não 27...♖×c3, devido a 28.♗d8 ♗f6 29.♖e8+ ♔f7 30.♖e7+ ♔g8 31.♖×d7 com vantagem decisiva.

28.♖e7 ♖c4

É muito difícil encontrar uma defesa. Por exemplo, a retirada natural do cavalo de d7 para f8 ou f6 é contestada por 29.♗e3!, quando a dama preta é capturada – 29...♕d8 30.♖×b7 não conta. A tentativa de contra-ataque 28...♗f6 29.♖×d7 ♖c2 é estancada por 30.g4! (defendendo f2), enquanto 29...♖c1+ é muito simplesmente respondido por 30.♗×c1 ♗×h4 31.♗e3, recuperando a dama.

29.♕h3!

Uma resposta simples e forte: a dama espera na emboscada. Sua transferência para a ala do rei foi recompensada com sucesso completo!

29...♗c8

De novo, se o cavalo se move de d7, ♗e3 é decisivo.

30.f×g6 ♘df6

30...h×g6 31.♕e6+ conduz a um desastre imediato.

31.♗×f6 ♘×f6 32.g×h7+ ♔f8

32...♔h8 pode ser respondido por 33.♕h6, e se 33...♕×f2+ 34.♔h1. Na verdade, eu pretendia responder 33.♘h4, de novo com mate inevitável, mas um mate mais espetacular: 33...♖×h4 34.♕×c8+, ou 33...♗×h3 34.♘g6 mate.

33.h8=♕+ ♔×e7 34.♕g7+

As pretas abandonam. Evidentemente as duas damas cuidam facilmente do seu rei.

Duas Semanas em Tilburg

À exceção do Campeão Mundial e do desafiante ao seu título, quase todos os melhores jogadores do mundo desembarcaram na pequena cidade holandesa de Tilburg para o seu quinto tradicional torneio. Um dos favoritos era o holandês Jan Timman, que sempre jogava bem em sua terra natal. Havia um impressionante quarteto de jogadores soviéticos: o Campeão da URSS Alexander Beliavsky, os ex-Campeões Mundiais Boris Spassky e Tigran Petrosian, e o autor dessas linhas. De maneira geral, qualquer um dos doze jogadores seria capaz de lutar pela primeira colocação.

No início a liderança foi surpreendentemente tomada por Ulf Andersson - 2½ em 3 pontos. Jogando na sua maneira aparentemente despretenciosa e sem pressa, o Grande Mestre sueco conseguiu iludir a vigilância de Miles e Portisch. Mas então Andersson se contentou com empates, e duas derrotas ao final o jogaram de volta à metade da tabela do torneio. Timman gradualmente entrou em jogo, e uma partida importante foi Timman-Kasparov, pela quarta rodada, a qual o Grande Mestre holandês conduziu com grande força e precisão. Quase imperceptivelmente, Beliavsky aproximou-se dos líderes. Sua tremenda concentração e autodeterminação no tabuleiro permitiram-lhe alcançar Timman na nona rodada. Mas nessa rodada, o desapontamento esperava pelos líderes: ambos tiveram que abandonar pela primeira vez no torneio. Timman perdeu para Sosonko, e Beliavsky para Portisch, após o que os líderes se juntaram a Petrosian, o único participante que não experimentou o sabor amargo da derrota. Em minha partida com ele, estive próximo da vitória, mas novamente, assim como em Moscou, a defesa triunfou.

Petrosian e Kasparov leêm o jornal

Partida 41
Kasparov - Petrosian
5° Interpolis Schaaktournooi
Tilburg 1981

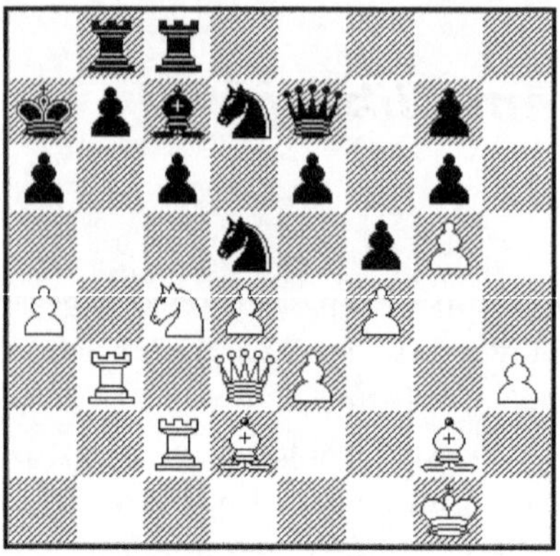

Após sacrificar um pão na abertura, fui capaz de restringir severamente as peças pretas. Além disso, é óbvio que o rei preto está mal colocado. Agora, por exemplo, é ameaçado a4–a5, e não é claro como a ameaça de ♖cb2 e ♕b1 pode ser freada. Percebendo a inviabilidade de uma defesa passiva, Petrosian decide dar um passo desesperado.

30...b5

À primeira vista isso parece bom, mas as brancas têm uma forte contestação.

31.a×b5 c×b5 32.♖a2!

Agora o cavalo é imune (32...b×c4? 33.♖×a6+!), e parece que o colapso da posição das pretas é inevitável.

32...♔b7!!?

Os dois pontos de exclamação são pela coragem do rei preto em ir ao encontro do perigo, e o ponto de interrogação pelo fato de que esse provavelmente não é o lance mais forte. A maioria dos jogadores provavelmente teria preferido 32...♗d6, mas então após 33.♖×b5 ♖×b5 34.♘×d6 ♕×d6 35.♕×b5 as brancas recuperam o peão com vantagem óbvia. Mas 32...♔b7 teve um inesperado efeito psicológico em mim. Sentindo que havia uma vitória iminente, eu fiquei nervoso.

33.♗b4?

Por estranho que pareça, este lance natural, aumentando a tensão, prova ser um sério erro. O suporte principal da posição das pretas é o seu cavalo em d5, e era essencial começar a combatê-lo. Correto era 33.♘a3!. Agora 33...♘7b6 perde por 34.♘×b5! a×b5 35.♕×b5, por exemplo, 35...♖d8 (35...♖a8 36.♗×d5+ e×d5 37.♕×d5+) 36.♗b4! ♕e8 37.♕a6+ ♔c6 38.♗c5 ♔d7 (38...♖a8 39.♖×b6+) 39.♗f1! Então no caso de 33.♘a3! as pretas são forçadas a responder 33...♗b6, mas nesse caso o cavalo branco inesperadamente muda de rumo, explorando o fato de que a coordenação das peças pretas foi interrompida – 34.♘c2! E embora após 34...♖a8 35.♘b4 ♕d6 as pretas sejam capazes de defender todas as suas fraquezas, a ruptura central abre a posição para a vantagem decisiva das brancas: 36.e4! f×e4 37.♕×e4, e as pretas não têm defesa (37...♖a7 38.♕×g6 ♗×d4+ 39.♔h1 ♘7b6 40.f5!).

Como fica visível nessas variantes, a vitória não era tão simples como pode parecer à primeira vista, e para encontrá-la se exige uma análise profunda da posição. Após o insípido lance jogado, as pretas são capazes de segurar suas linhas defensivas.

33...♕e8!

Daqui a dama defende indiretamente o peão de b5. 33...♕d8? teria sido muito mais fraco em vista de 34.e4! f×e4 35.♕×e4 com ameaças irresistíveis: 35...♕e8 36.♕×d5+! e×d5 37.♗×d5+ ♔a7 38.♖×a6+! ♔×a6 39.♖a3+ ♗a5 40.♖×a5 mate.

34.♗d6

O bispo branco dirige-se em direção da perdição, mas no geral esse lance não estraga nada, pois 34.♗a5 ♕e7! também não produz qualquer resultado.

34...♖a8 35.♕b1

Percebendo que a vitória havia sido desperdiçada, as brancas simplesmente colocam as suas peças em posição de ataque, esperando lançar um golpe combinatório inesperado. Devo admitir que até considerei de passagem o lance 32 das pretas, contudo sua próxima resposta jogou-me em total confusão.

35...♔c6!!

O próprio rei dá um passo à frente em direção ao exército branco! Mas após esse lance paradoxal a posição das brancas imediatamente perde sua atração, e agora elas têm que se preocupar em como bater em retirada suas peças emaranhadas sem perder material. Lamentavelmente, confundido pela fantástica defesa de meu adversário, eu falhei em encontrar a melhor continuação e perdi em poucos lances, embora aqui existisse ainda uma maneira de salvar a partida: 36.♗×c7 b×c4 (36...♔×c7 37.♘b2 ♔d8 38.♕e1 com compensação pelo peão) 37.♖b7 ♖×c7 38.♖×a6+ ♖×a6 39.♕b5+ ♔d6 40.♕×a6+ ♔e7 (40...♖c6? 41.♕a3+) 41.♗×d5 ♖×b7 42.♗×b7 (42.♕×e6+? ♔d8 43.♕×e8+ ♔×e8 44.♗×b7 c3, e o peão coroa) 42...♕b8 43.♔f2 com um final empatado.

36.♖ba3? b×c4 37.♖×a6+ ♖×a6 38.♖×a6+ ♗b6 39.♗c5 ♕d8 40.♕a1

Nada é alterado por 40.♕b4 ♖a8! 41.♕a4+ ♔b7 etc.

40...♘×c5 41.d×c5 ♔×c5 42.♖a4, e as brancas abandonaram. Essa partida pesou muito na determinação da posição no torneio dos dois jogadores.

A última rodada provou ser decisiva a respeito dos melhores colocados. Após Petrosian ter concordado com um rápido empate com Ljubojevic, a sorte do primeiro lugar foi decidida na partida Beliavsky-Timman. Após empregar uma melhoria em uma variante muito aguda da Defesa Siciliana, Beliavsky venceu a partida e com ela o torneio.

A respeito de meu relativo fracasso, posso definitivamente dizer: eu fui grandemente derrubado pela minha inabilidade em realizar uma vantagem. Essa deficiência foi típica em minhas partidas com Petrosian, Spassky, Portisch e Larsen, onde em quatro posições vitoriosas eu consegui conquistar só dois empates! A despeito de meu pobre resultado, eu também tive algumas realizações criativas, entre as quais as minhas três vitórias podem ser incluídas. Aqui está uma delas.

Partida 42

Kasparov - Andersson

5º Interpolis Schaaktournooi

Tilburg 1981

Defesa Índia da Dama

1.d4 ♘f6 2.c4 e6 3.♘f3 b6 4.a3 ♗b7 5.♘c3 ♘e4

A continuação favorita do Grande Mestre sueco na Defesa Índia da Dama com 4.a3. Em minha opinião, 5...d5 é mais promissor.

6.♘×e4 ♗×e4 7.♘d2!

A continuação mais enérgica.

7...♗g6?!

Um lance novo, mas dificilmente bom. No caso de 7...♗b7 as pretas provavelmente temiam 8.e4. Após a retirada do bispo da grande diagonal, as brancas mudam seus planos.

8.g3! ♘c6?!

Uma continuação do mesmo percurso fantasioso. O normal 8...c6 9.♗g2 d5 10.0–0 ♗e7 11.e4 poderia meramente ter dado às brancas chances ligeiramente melhores.

9.e3 a6

As pretas ainda tentam engajar na batalha pelo centro, embora elas devessem começar a pensar no desenvolvimento das peças de sua ala do rei.

10.b4!

10.b3 também é bom, mas eu decidi provocar as pretas para um jogo ativo.

10...b5 11.c×b5 a×b5 12.♗b2 ♘a7

Nesse momento Ulf avaliou a sua posição com muito otimismo. Realmente, após ...d5 as pretas não teriam nada a temer. Mas de agora até o final da partida elas não terão descanso.

13.h4!

Um enfraquecimento na ala do rei das pretas precisa ser provocado.

13...h6

Melhores chances defensivas seriam oferecidas por 13...h5.

14.d5! e×d5 15.♗g2 c6 16.0–0

Essa é a posição que as brancas almejavam. O desenvolvimento das peças pretas se torna difícil, e a ameaça da abertura do jogo através de e3–e4, na essência, não pode ser estancada (embora 16...f5 previna isso, criaria fraquezas irreparáveis na posição das pretas). Andersson tenta rocar artificialmente, mas ao fazê-lo enfraquece de forma catastrófica suas casas brancas.

16...f6 17.♖e1!

O imediato 17.e4 é mais fraco devido a 17...d×e4 18.♗×e4 ♗f7!

17...♗e7 18.♕g4 ♔f7 19.h5 ♗h7 20.e4 d×e4 21.♗×e4 ♗×e4 22.♘×e4

As brancas mobilizaram totalmente as suas forças enquanto as peças pretas permanecem aconchegadas nas duas últimas fileiras. É óbvio que o resultado da partida está decidido.

22...♘c8

O rei preto não está destinado a encontrar abrigo. 22...♖f8 é repondido decisivamente por 23.♖ad1 d5 24.♘×f6!, e 22...♖e8 por 23.♕g6+ ♔f8 24.g4, quando não há defesa contra ♘g3–f5.

23.♖ad1 ♖a7

As pretas de certo modo defenderam suas fraquezas, mas com uma simples combinação as brancas destroem a fortificação defensiva.

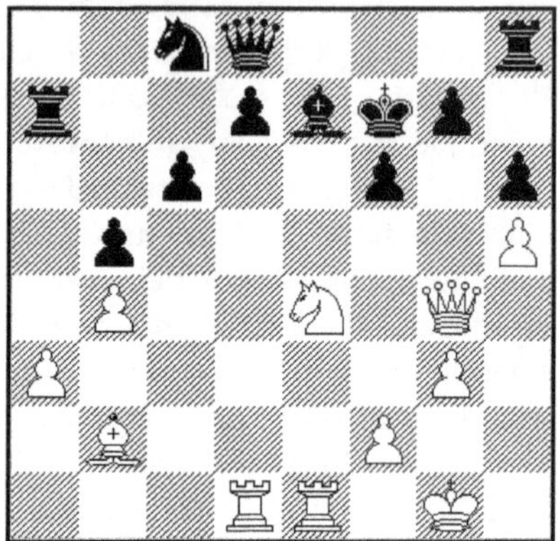

24.♘×f6! g×f6

24...♗×f6 perde imediatamente por 25.♕g6+ ♔f8 26.♗×f6 g×f6 27.♖e6!

25.♕g6+ ♔f8 26.♗c1! d5 27.♖d4!

O atalho mais curto para a vitória. As pretas ganhariam algumas chances após 27.♗×h6+ ♖×h6 28.♕×h6+ ♔g8! 29.♖d4 ♗f8.

27...♘d6 28.♖g4 ♘f7 29.♗×h6+! ♔e8

Ou 29...♘×h6 30.♕g7+ ♔e8 31.♕×h8+ ♔d7 32.♕×h6.

30.♗g7

As pretas abandonam. O peão h não pode ser parado.

	1	2	3	4	5	6	7	8	9	10	11	12	Pontos	Lugar
1 - Beliavsky	Ж	½	0	1	½	½	½	½	1	1	1	1	7½	1º
2 - Petrosian	½	Ж	½	½	½	½	½	1	1	½	½	1	7	2º
3 - Portisch	1	½	Ж	½	1	0	½	½	0	1	1	½	6½	3º- 4º
4 - Timman	0	½	½	Ж	½	½	1	1	0	1	½	1	6½	3º- 4º
5 - Ljubojevic	½	½	0	½	Ж	½	½	½	½	1	1	½	6	5º
6 - Andersson	½	½	1	½	½	Ж	½	0	½	0	½	1	5½	6º- 8º
7 - Spassky	½	½	½	0	½	½	Ж	1	½	½	½	½	5½	6º- 8º
8 - Kasparov	½	0	½	0	½	1	0	Ж	1	½	1	½	5½	6º- 8º
9 - Sosonko	0	0	1	1	½	½	½	0	Ж	0	½	½	4½	9º- 10º
10-Larsen	0	½	0	0	0	1	½	½	1	Ж	0	1	4½	9º- 10º
11-Hübner	0	½	0	½	0	½	½	0	½	1	Ж	½	4	11º
12-Miles	0	0	½	0	½	0	½	½	½	0	½	Ж	3	12º

Quando o Fotochart Não é Necessário...

Escrever sobre um torneio tão tenso e disputado como o 49° Campeonato da URSS (Liga Principal) não é tarefa fácil. Principalmente para um jogador que foi capaz de resistir com sucesso a todas as mudanças ocorridas em suas lutas. É preciso dizer que os Campeonatos da URSS sempre forneceram uma grande e diversa quantidade de material para estudo. É aqui que novos caminhos são abertos, posições de aberturas da moda são refutadas, e verdadeiras obras-primas são criadas, causando admiração aos entusiastas do xadrez até os dias de hoje.

E, no entanto, na minha opinião, o 49° Campeonato deixará uma impressão mais marcante na história do xadrez do que a maioria de seus predecessores. Não é somente uma questão do alto número de partidas com resultado decisivo, mais de cinqüenta por cento, o que por si só não é comum em torneios de tal categoria, mas a extrema ferocidade da luta, que permaneceu até o último dia do torneio. Na minha opinião, cada participante jogou ao menos uma partida que pode ser registrada entre suas realizações criativas. Descrever todo o curso do torneio simplesmente não é possível, então enfatizarei somente a emocionante corrida pelo primeiro lugar, na qual o meu rival foi o mais "oriental" Grande Mestre soviético, meu companheiro de equipe de estudantes Lev Psakhis (Krasnoyarsk).

Parece-me que antes do Campeonato nossas chances não eram consideradas muito altas. Apenas seis semanas antes, tive um desempenho fraco no torneio internacional de Tilburg, enquanto Psakhis chegou a Frunze como o Campeão Soviético de 1980. Pouquíssimos tinham conseguido conquistar a medalha de ouro dois anos seguidos (somente Keres, Tal e Polugaevsky), e por conseguinte um feito como esse poderia ser considerado uma indicação de altíssima categoria, da qual a maioria dos competidores antes do torneio (e durante ele!) por algum motivo imaginou que Psakhis era desprovido. Mas antes desse torneio Lev realizara uma enorme quantidade de trabalho (particularmente, ele incluiu 1.d4 em seu repertório), e com a exibição de um jogo firme e confiante, conseguiu percorrer toda a distância sem qualquer tropeço. Seu resultado brilhante - 12½ pontos em 17 (+9 =7 -1) - sem dúvida forçará muitos a reconsiderarem a sua atitude com o jovem jogador de Krasnoyarsk e reconhecerem o surgimento de outro Grande Mestre fora de série nas fileiras do xadrez soviético.

Para mim o torneio teve um curso mais tenso. Após conquistar uma vitória espetacular na primeira rodada sobre Gavrikov, na segunda eu sem justificativa joguei por complicações em minha partida com Psakhis e sofri uma derrota merecida. Esse fracasso fez-me sóbrio: joguei as partidas seguintes de uma maneira mais refreada, recorrendo à tática somente quando a posição assim requeria. Para minha surpresa, descobri que conseguira repetir um recorde incomum conseguido por Victor Kupreichik – cinco vitórias em seguida! Isto, e também o meu sucesso ao final do torneio, foi grandemente auxiliado pela eliminação dos apuros de tempo – um inimigo terrível, que me perseguira o ano inteiro. Seis pontos em sete foi uma largada esplêndida, mas do outro lado estava Psakhis, pronto para a qualquer momento "ultrapassar na curva".

Eu joguei as quatro rodadas seguintes abaixo da crítica: 1½ ponto (três empates e uma derrota) contra adversários que não vinham muito bem no Campeonato – e encontrei-me meio ponto à frente de... Romanishin. Mas Psakhis liderava agora com um ponto de vantagem e confiantemente se dirigia para a sua segunda medalha de ouro. Consegui recuperar-me a tempo ao conquistar três vitórias e entrei na reta final na liderança. Mas a distância que me separava de meu perseguidor era muito pequena (meio ponto), e ainda por cima nossos adversários não eram os que eu desejava. Psakhis tinha que jogar com Kupreichik, Gulko e Agzamov, enquanto eu encararia Romanishin, Sveshnikov e Tukmakov. As duas rodadas seguintes confirmaram completamente meus temores – Psakhis arrasou seus adversários em grande estilo, enquanto minhas partidas terminaram empatadas, apesar de meus esforços em conseguir sucesso.

E então a última rodada... Agora poucos duvidavam que Psakhis poderia vencer. E realmente, havia todas as razões para isso: meio ponto à frente, as peças brancas contra Agzamov, e também... meu adversário. Eu mesmo achava difícil acreditar que com as pretas pudesse derrotar um lutador de torneios tão experiente como Tukmakov, que, acima de tudo mais, poderia se satisfazer com um empate, que lhe daria a medalha de bronze e a classificação para a Liga Principal em 1982. Nessa situação, Psakhis tomou uma decisão altamente comprometedora: jogar para ganhar contra Agzamov. Mesmo desconsiderando a situação do torneio antes da última rodada, tenho que admitir que as chances de sucesso de Psakhis contra Agzamov eram muito maiores do que as minhas contra Tukmakov. Mas a última rodada tem suas próprias leis...

Por um longo tempo a sorte flutuou na partida Psakhis-Agzamov. Em determinado momento parecia que Lev estava próximo da vitória, mas seu adversário conseguiu rechaçar o seu ataque, mantendo um peão de vantagem. Aqui Psakhis iniciou as negociações de paz, decidindo não deixar escapar o pássaro que tinha na mão, mas inesperadamente recebeu uma recusa. Agora a pressão estava sobre Psakhis, que estava empenhado em escapar do perigo que o ameaçava. No final um empate foi acordado por proposta de Agzamov em uma posição bastante complicada, na qual o peão de vantagem das pretas era compensado pelos minutos a mais das brancas. Mas a essa altura a partida do outro candidato ao título já estava concluída.

Partida 43

Tukmakov - Kasparov

49º Camp. da URSS - Liga Principal

Frunze 1981

Defesa Índia do Rei

1.d4 ♘f6 2.c4 g6

Em meu repertório atual a Defesa Índia do Rei não ocupa o lugar mais proeminente, mas nesse momento crítico decidi retornar para uma velha e bem testada arma.

3.♘c3 ♗g7 4.e4 d6 5.♗e2 0–0 6.♗g5

O sistema escolhido por Tukmakov não promete às brancas grande coisa, mas tem a vantagem de restringir fortemente as possibilidades ativas das pretas. Percebendo que simplificação, resultando em chances iguais, não poderia me satisfazer, Tukmakov espera que as pretas se desviem de caminhos bem trilhados.

6...c5 7.d5 b5?!

Objetivamente esse sacrifício de peão só merece um ponto de interrogação, mas a probabilidade de complicações é aumentada, e isso é merecedor de um ponto de exclamação!

8.c×b5 a6 9.a4!

Sem dúvida, a continuação mais forte, colocando dúvidas no jogo de gambito das pretas. Em Tilburg (1981) contra Spassky tive essa posição com as cores opostas. O ex-Campeão Mundial jogou mal –

9...♕a5?, e depois de 10.♗d2! ♘bd7 11.♖a3! a vantagem das brancas se tornou indiscutível. A continuação escolhida pelas pretas na presente partida permite-lhes obter um jogo de peças muito vívido.

9...h6 10.♗d2

Após 10.♗f4 g5! 11.♗d2 e6 12.d×e6 ♗×e6 as brancas têm dificuldades com o desenvolvimento do cavalo do rei.

10...e6 11.d×e6 ♗×e6 12.♘f3 a×b5 13.♗×b5

As brancas não podem manter um peão forte em b5, pois após 13.a×b5? ♗b3 14.♕c1 ♖×a1 15.♕×a1 ♕e7! o peão de e4 está condenado.

13...♘a6 14.0–0 ♘c7

14...♘b4 é tentador, mas após 15.♗e3! as brancas previnem ...d5 e obtêm uma vantagem óbvia.

15.♖e1

15.♗e2 manteria ambos os bispos, mas teria permitido às pretas muito confortavelmente avançar ...d5. Mas mesmo após 15.♗e2 d5 16.e×d5 ♘f×d5 17.♘×d5 ♘×d5 as pretas têm somente uma ligeira compensação pelo peão – não mais. Com 15.♖e1 as brancas lutam por mais, mas ao fazer isso permitem ao adversário a vantagem do par de bispos. Aqui, pela primeira vez, ocorreu-me que o empate, o qual satisfazia as brancas no senso puramente competitivo, já tinha deixado de ser a linha guia para elas.

15...♘×b5 16.♘×b5

E após esse lance otimista, a minha suposição transformou-se em certeza. Sim, Tukmakov realmente fora tomado pelo fervor da luta, e, desejando punir o adversário pelo jogo irresponsável na abertura, esqueceu-se do objetivo competitivo à sua frente na última rodada. Por outro lado, 16.a×b5 poderia ter pavimentado o caminho para numerosas trocas e... aquele tão esperado terceiro lugar. A rigor, foi nesse ponto que a partida começou...

16...d5 17.e×d5 ♘×d5 18.♘e5!

No momento, as brancas estão a postos. O plausível 18.♕c2 teria permitido ao bispo preto exercer pressão terrível na ala da dama após 18...♘b4! 19.♗×b4 c×b4.

18...♖e8 19.♖c1

É difícil condenar esse lance natural, trazendo outra peça ao jogo e criando uma ameaça ao peão c5, mas ele é de fato a causa das dificuldades subseqüentes das brancas. Posições dinâmicas desse tipo requerem decisões corretas e corajosas a cada lance, e a alternância entre lances fortes e "sólidos" não produz bons resultados. A dinâmica da situação exigia o enérgico 19.♘c4!, ameaçando uma invasão em d6 e consolidando a vantagem das brancas. Agora, entretanto, as pretas são capazes de ativar suas peças ao máximo.

19...♗f5!

A partir desse ponto as pretas empregam a tática de "pressão intensa". Ao atacar uma das peças das brancas em cada lance, eu o forcei a prosseguir em um caminho estreito e tortuoso, no qual a menor imprecisão poderia ser fatal.

20.♘c6

Essa expedição é praticamente forçada, pois 20.♘c4 permitiria às pretas criar ameaças desagradáveis, por exemplo, 20...♖×e1+ 21.♗×e1 ♘f4! 22.♕×d8+ ♖×d8, enquanto após 20.f4 g5! 21.♕h5 ♖e7 chega-se a uma posição na qual o peão de vantagem das brancas não desempenha grande papel. 20.♗a5 muda radicalmente o caráter da partida, mas as complicações conduzem a um final melhor para as pretas: 20...♖×a5 21.♘c6 ♖×e1+ 22.♕×e1 ♕g5! 23.♘×a5 (23.h4? ♕g4 24.f3 ♕f4 25.♘×a5 ♗e5 26.g3 ♕×f3 27.♕×e5 ♘e3) 23...♘f4 24.g3 ♘e2+ (24...♕g4 não funciona, devido a 25.f3 ♕×f3 26.g×f4 ♗e4 27.♕d2) 25.♕×e2 ♕×c1+ 26.♔g2

♗e6! (26...♗×b2? 27.♘b3) 27.b3 ♕b1!, e a atividade das peças pretas compensa completamente sua desvantagem material mínima.

O lance escolhido pelas brancas também parece bom, pois após 20...♕b6 21.♘a5! ♖×e1 22.♕×e1 elas conseguem reter o seu peão de vantagem enquanto estancam todas as ameaças. Mas será que o papel de defensora do peão de c5 realmente combina com a dama preta?

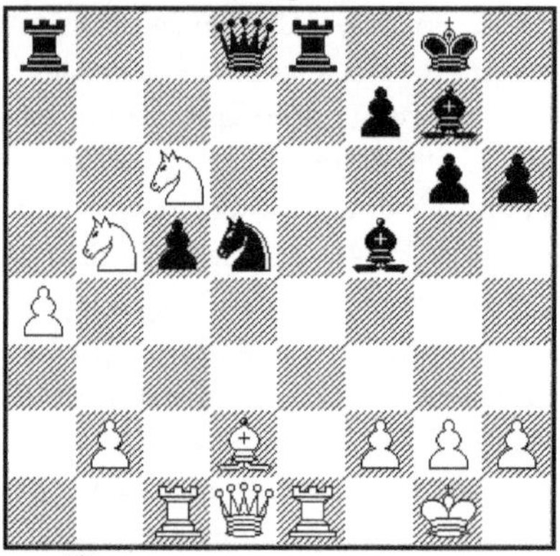

20...♕d7!

Ao sacrificar o segundo peão, as pretas desviam a torre branca, após o que um defeito altamente significativo na posição das brancas é inesperadamente revelado – a fraqueza de sua primeira fileira.

21.♖×c5 ♖×e1+ 22.♕×e1

Forçado: após 22.♗×e1 ♖e8! a ameaça de ...♘f4 dificilmente poderá ser parada. Por exemplo, 23.g3 ♘f4!, enquanto após 23.♗a5 o cavalo preto muda de rumo – 23...♘b4!, e as brancas ficam mal.

22...♖e8 23.♕c1

Após 23.♕f1 o próximo lance das pretas teria adquirido mais força ainda.

23...♘b6!

Nem um momento de descanso! Tudo o que as brancas precisam é de uma casa de fuga para o seu rei, mas não será permitido esse tempo até o final da partida.

24.b3

As brancas têm que perder tempo na defesa de seu peão de a4, pois se o cavalo preto alcançar essa casa causará confusão nas fileiras das peças brancas.

24...♖e2

A idéia das pretas começa a tomar forma – as peças brancas estão amontoadas na ala da dama, e o seu rei já está vendo alarmado as peças pretas operando nos arredores de sua residência. Verdade, por essa inconveniência as brancas têm a compensação imponente na forma de dois peões conectados e passados.

Agora as brancas estão em uma encruzilhada: Para onde devem mover o seu bispo? 25.♗e3 obviamente não funciona devido a 25...♗b2! 26.♕f1 ♗d3 27.♕d1 ♗×b5!, mas qual das outras casas elas podem escolher? c3 ou a5? "O mais longe possível das complicações" – Tukmakov decidiu, "além disso, o cavalo será atacado". Mas em uma posição irracional desse tipo, decisões exteriormente lógicas não são sempre corretas.

É difícil dizer como a partida poderia ter se desenvolvido após 25.♗c3. Por exemplo, poderia ter continuado 25...♖c2 26.♕e1 ♗e4!, com complicações que não permitem uma avaliação precisa.

Apesar disso, tentemos analisar as complicações resultantes, a fim de avaliar a correção de 20...♕d7. Após 25...♖c2 26.♕e1 ♗e4 27.♘cd4! ♕g4 28.g3 ♕h3 (28...♘d5 29.f3! ♘f4 30.♕×e4! ♘h3+ 31.♔f1) 29.♕×e4 ♖c1+ 30.♕e1! ♖×e1+ 31.♗×e1 as pretas encaram deprimidas a luta por um empate. Dessa forma, o ataque sobre g2 se mostra incorreto. A alternativa é 25...♖c2 26.♕e1 ♗×c3 27.♘×c3 (27.♖×c3? ♖×c3 perde uma peça) 27...♕e6! Agora a fraqueza da retaguarda das brancas obriga-as a serem cautelosas. 28.♘e5? perde devido a 28...♘d7! 29.♖c8+ ♔h7 30.♘f3 ♘e5 31.♘×e5 ♕×e5!, assim como 28.♕a1? devido a 28...♕d6! 29.b4

♕d2. *Após 28.♕e3 as pretas podem forçar um empate: 28...♘d7 29.♖c4 (29.♘e7+? ♕×e7; 29.♘d4? ♕×e3 30.♖c8+ ♘f8) 29...♘b6 (29...♗d3?! 30.♘d4! ♕×e3 31.♖c8+) 30.♖c5 ♘d7.*

A posição crítica surge após 28.♕f1 ♗d3 29.♕d1 (ou 28.♕d1 ♗g4! 29.♕f1 ♗e2 30.♕e1 ♗d3 31.♕d1). Encontrar o caminho correto aqui não é fácil: 29...♕f6! (29...♘d7? 30.♘d4; 29...♕d6? 30.♘e4) 30.♕e1 ♕d6! (a pressão continua; uma alternativa mais fraca seria 30...♘d7? 31.♘d5!, ou 30...♕×f2+? 31.♕×f2 ♖c1+ 32.♕e1 ♖×e1+ 32.♔f2, ou 30...♕e6 31.♕e3! ♘d7 32.♘d4!) 31.b4 ♘×a4! (31...♘d7? conduz a uma posição difícil após 32.♘b5! ♗×b5 33.♖×c2 ♗×c6 34.b5) 32.♘×a4 ♖e2 (as brancas agora têm uma peça a mais, mas uma ameaça atrás da outra!) 33.♕c1 (33.♕c3? perde devido a 33...♕f4, enquanto se 33.♕f1, então 33...♖d2 34.♕e1 ♖e2) 33...♕f6 34.♕f1 (34.f3? ♕h4) 34...♖d2 35.♕e1 ♖d2, com uma repetição de lances.

Pode ser considerado (se, é claro, não existirem erros nessa análise) que após 25.♗c3 a atividade das peças pretas equilibra a vantagem material do adversário.

25.♗a5

Após esse lance eu senti que Tukmakov não estava completamente ciente do perigo que o ameaçava. À primeira vista as brancas realmente têm tudo em ordem: o cavalo preto está pendurado, e 25...♗b2 26.♕f1 ♗d3 leva direto a 27.♘b4! Mas a enorme energia armazenada nas peças pretas está apenas começando a irromper.

25...♗e4!

O cavalo é imune: após 26.♗×b6? ♕g4 27.♕f1 ♖e1! as brancas levam mate! Agora, quando as ameaças das pretas começam a ficar claras, as brancas deveriam ter considerado 26.♕f1, trazendo a dama para a defesa. Nesse caso, eu teria continuado 26...♖b2 27.♗×b6 ♗×c6 (27...♗×g2 conduz somente a um empate), retendo boa compensação pelos peões sacrificados. Mas Tukmakov foi atraído pela idéia de colocar em jogo suas peças que estavam agrupadas na ala da dama.

26.♘e5 ♕e7!

Atacando novos alvos.

27.♘d4?

Esse lance natural facilita substancialmente a minha tarefa, tanto no tabuleiro como nos meus comentários. Pode parecer estranho, mas provavelmente agora a posição das brancas se torna indefensável, e então pela primeira vez coloco um ponto de interrogação no lance de meu adversário. Apesar de toda crítica ao jogo das brancas, a posição ainda era indefinida, mas somente no caso de 27.♕f1! Se desejassem, as pretas poderiam forçar um empate espetacular: 27...♖a2 (27...♖b2? 28.♗×b6 ♗×e5 29.♖×e5! ♕×e5 30.♗d4, ganhando) 28.♗×b6 ♗×e5 29.♘c3 ♗×h2+ 30.♔×h2 ♕h4+ 31.♔g1 ♗×g2 32.♔×g2 ♕g4+, com xeque perpétuo. Em qualquer outra partida um empate assim poderia trazer enorme satisfação criativa, mas nesse dia eu assumi todos os riscos justamente para evitar um empate! Por sorte, Tukmakov aliviou-me da necessidade de procurar chances ilusórias em variantes como 29...♗×c3 30.♖×c3 ♕f6 31.♗a5! (31.♖e3? ♖a1 31.♖e1 ♗d3!) 31...♕g5 32.f3 (32.♗b4? ♖a1!; 32.♖e3!?), e se 32...♕×a5, então 33.♖c8+ ♔g7 34.f×e4. Mover o cavalo para o centro não somente falha em resolver os problemas das brancas, como até agrava sua posição, pois em d4 o cavalo ficará sob vários ataques.

27...♖a2 28.♗×b6

Não há nada melhor. 28.♘dc6 é respondido por 28...♕×c5!, e 28.♘df3 por 28...♗×f3.

28...♗×e5 29.♕e3?

E agora, quando o perigo é claramente aparente, e quando as peças pretas tomaram todas as posições chaves, Tukmakov perde a cabeça. A quantidade de ameaças e o apuro de tempo provocam um erro "inexplicável", que o faz perder a partida em um lance. Para ser justo, deve ser notado que a melhor defesa, 29.♕e1! (29.♕×h6 ♕×c5), teria apenas permitido às brancas prolongar a resistência. A continuação mais simples das pretas seria 29...♕d6! 30.♘e2 (é ruim 30.♖c8+ ♔h7 31.♗c5 ♗×h2+ 32.♔h1 ♕f4) 30...♗×h2+ (30...♖a1? 31.♖c1) 31.♔h1 ♗e5, mantendo um ataque muito forte.

Aqui uma correção é necessária: após 32.♘c3! ♕f6 33.♖×e5! (33.♕×e4? ♖a1+ 34.♘b1 ♕h4+!) 33...♕×e5 34.♔g1! (34.f3? ♕h5+ 35.♔g1 ♖×g2+!) 34...♖c2 35.♘×e4 ♕f4 (ou 35...f5 36.♕e3! ♕×e4 37.♕×h6 com provável empate) 36.g3 (36.♘c3? ♖c1 37.♘d1 ♕d6) 36...♖c1 37.♘f6+! ♔g7 38.♘e8+ ♔g8 (38...♔f8 39.♗c5+; 38...♔h8 39.♗d4+) 39.♘f6+ as brancas forçam um empate. 29...♗×h2+ (ao invés de 29...♕d6) conduz ao mesmo resultado: 30.♔×h2 ♕h4+ 31.♔g1 ♕g4 32.g3 (parece que 32.♘f3 também é suficiente: 32...♗×f3 33.♕e8+ ♔g7 34.♕e5+ ♔h7 35.♕g3 ♕×g3 36.f×g3 ♖×g2+ 37.♔f1 ♖×g3 38.♔f2 ♖h3 39.a5) 32...♕h3 33.♖c8+! ♔h7 34.♘f3 ♗×f3 35.♖h8+ ♔×h8 36.♕e8+ ♔g7 37.♗d4+ f6 38.♕e7+.

As pretas realmente têm um forte ataque após 29...♕f6! 30.♘e2! ♖a1 31.♖c1 ♕g5 32.g3 (32.♕f1 ♖×c1 33.♘×c1 ♕f4) 32...♕g4! 33.♘d4! ♕h3! 34.f3 ♖a2 35.♘c2 ♗×f3 36.♕f2 ♗e4.

29...♕×c5!

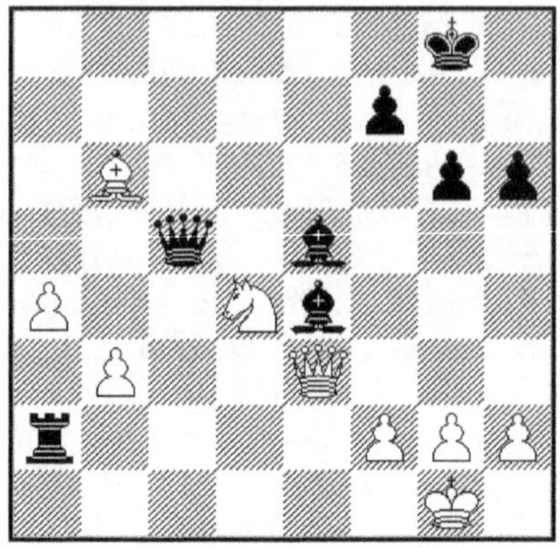

Esse diagrama sempre reluzirá para mim com o brilho da medalha de ouro do Campeonato da URSS!

Uns 15 minutos após o final dessa partida, Psakhis-Agzamov também concluíram a sua. O resultado foi que os dois líderes, que vinham trocando de lugar durante o torneio, atravessaram a linha de chegada juntos. Geralmente, em tais situações, um sistema de desempate é adotado (número de vitórias, ou contagem Sonneborn-Berger), mas esse foi um exemplo feliz onde ambos foram vitoriosos!

Escaramuças em um Campo Minado

Nas 13ª e 14ª rodadas do Campeonato de Frunze, eu me juntei à discussão teórica em voga naquela época, da Variante Botvinnik na Defesa Eslava. Em ambas as partidas, meus adversários, os Grandes Mestres Timoshchenko e Dorfman, haviam preparado uma melhoria em uma longa variante forçada, e Dorfman, além disso, pôde levar em conta a experiência funesta de seu predecessor. De qualquer forma, ambos os cursos tomados pelas partidas, e os seus resultados, foram idênticos. Mas antes de descrever essas partidas "gêmeas", eu gostaria de fazer uma ligeira digressão.

A abordagem clássica do xadrez, aquela que determina às pretas o papel do lado defensor na abertura, coloca a elas a tarefa imediata de igualar. Mas o progresso do pensamento enxadrístico foi incapaz de reconciliar-se com uma abordagem assim do problema da abertura. Existem agora numerosos sistemas nos quais as pretas invadem os limites dos privilégios das brancas na abertura – o direito de obter uma vantagem. A primeira pesquisa nessa direção foi de responsabilidade de Botvinnik. Mikhail Moiseevich muitas vezes seguiu por continuações rejeitadas, confiando em sua análise profunda e compreensão sutil das situações resultantes. Muitas vitórias brilhantes foram conquistadas por ele em tais sistemas "desfavoráveis", e um desses com justiça leva o nome de seu criador. Mesmo entre as variantes de contra-ataque modernas e altamente complexas, a Variante Botvinnik se destaca pela agudeza e pela complicação das posições resultantes. Por um longo tempo, a abundância de possíveis perigos, assustou as brancas, mas nos anos recentes a teoria dessa Variante tomou grande impulso. Após convencerem-se de que não conquistavam nenhum ganho real declinando do desafio lançado pelas pretas, as brancas renovaram suas tentativas de refutá-la.

1.d4 d5 2.c4 c6 3.♘f3 ♘f6 4.♘c3 e6 5.♗g5 d×c4 6.e4 b5 7.e5 h6 8.♗h4 g5 9.♘×g5 h×g5 10.♗×g5 ♘bd7

A posição inicial da variante. A perturbação do equilíbrio em todas (!) as partes do tabuleiro promete uma luta emocionante. As buscas das brancas por uma vantagem estão associadas a 11.e×f6 e 11.g3. Por um longo período o último foi considerado mais forte, mas a partida Polugaevsky-Torre, do Torneio Internacional de Moscou (1981), sacudiu essa avaliação. Após isso, os dois lances são considerados equivalentes, pois em ambos os casos as pretas podem, se desejarem, levar o jogo para a mesma posição.

11.e×f6 ♗b7 12.g3 c5 13.d5 ♕b6

13...♘b6 era considerado o melhor lance, mas desapareceu da prática após a supra-mencionada partida, na qual seguiu 14.d×e6! ♕×d1+ 15.♖×d1 ♗×h1 16.e7 a6 17.h4!! ♗h6 18.f4, e a armada dos peões brancos provou ser mais forte do que a torre.

14.♗g2 0–0–0 15.0–0 b4 16.♘a4

Para onde deve se movimentar a dama? Na partida Razuvaev-Vaiser (jogada em maio de 1981) as pretas deram uma resposta pobre a essa questão – 16...♕a6?, e após 17.a3! b3 18.♘c3 ♘b6 19.♕g4 ♘×d5 20.♘×d5 ♗×d5 21.♗×d5 ♖×d5 22.♖fd1! elas se depararam com problemas insolúveis. Mas apenas uns poucos dias depois no mesmo torneio (o Campeonato por Equipes da URSS) Timoshchenko encontrou o caminho correto – 16...♕b5! Seu desanimado adversário, Zaichik, foi incapaz de encontrar seu caminho na situação pouco familiar, e rapidamente terminou em uma posição ruim. O debate incendiou-se com nova força no Campeonato da URSS, Liga Principal, outubro de 1981. Dorfman contra Kharitonov fêz confiantemente seus 16 lances iniciais com as pretas, mas a forte resposta das brancas forçou-o a pensar por um longo tempo.

16...♕b5! 17.a3!

Ao abrir a partida na ala da dama, as brancas enfatizam a posição insegura do rei preto. Dorfman não reagiu da melhor maneira – 17...e×d5 – e após 18.a×b4 c×b4 19.♗e3! ele evitou dificuldades somente graças ao jogo impreciso de seu adversário. A bola estava de novo no campo das pretas! E foi rebatida pela "dupla" Sveshnikov-Timoshchenko, que uniram seus esforços para produzir o lance

17...♘b8

Lance que foi empregado algumas rodadas depois na partida Anikayev-Sveshnikov. Mas o último estava sem sorte – a novidade não teve o efeito desejado. No tabuleiro Anikayev encontrou os lances que mais tarde seriam considerados os melhores.

18.a×b4 c×b4 19.♗e3 ♗×d5 20.♗×d5 ♖×d5 21.♕e2 ♘c6 22.♖fc1

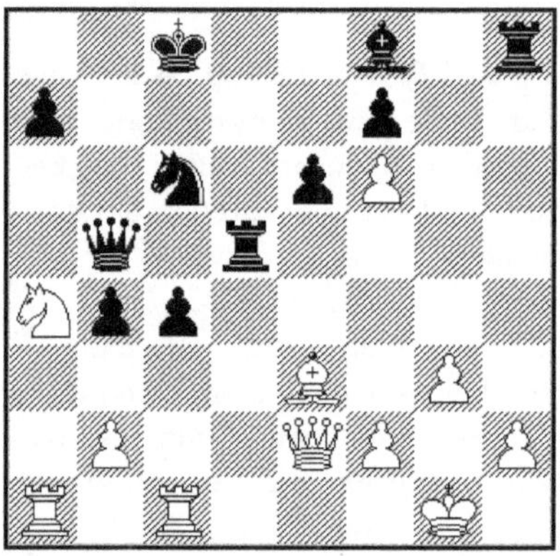

A posição crítica para a avaliação de 17...♘b8. Sveshnikov jogou mal – 22...♔b7, e Anikayev explorou com precisão o erro de seu adversário: 23.♖×c4 ♘a5 24.b3! com vantagem óbvia (24...♘×b3 é ruim devido a 25.♘c3! b×c3 26.♖×a7+ ♔b8 27.♖×f7 com um ataque irresistível). Mas mesmo este fracasso não perturbou aqueles que procuravam a verdade. O mais interessante estava apenas começando. A resposta das pretas não tardou em chegar. Ao final da mesma Liga Principal, Timoshchenko já empregou outra novidade! Após 22...c3!? seu adversário, Rashkovsky, mergulhou em pensamentos e... através de um corajoso sacrifício de peça colocou as pretas em posição difícil! – 23.♕×b5 ♖×b5 24.♘×c3! b×c3 25.♖×c3 ♔d7 (25...♔b7 26.♖ac1) 26.♖a6 ♘d8 27.♖×a7+ ♔e8 28.♖c8. Embora as pretas tenham conseguido salvar meio ponto nessa partida (Rashkovsky prejudicou-se por severo apuro de tempo), ficou claro que 22...c3 não poderia reabilitar a variante. Mas todos esses acontecimentos meramente serviram como um prólogo...

E então, em 15 de dezembro, Frunze, o palco do Palácio dos Esportes.

Partida 44

Kasparov - Timoshchenko

49º Camp. da URSS - Liga Principal
Frunze 1981
Defesa Eslava

Após um estudo detalhado da posição alcançada após o lance 28 na partida Rashkovsky-Timoshchenko, cheguei à conclusão de que as brancas tinham boas chances de vitória. Por isso, o jogo rápido de Timoshchenko na abertura me surpreendeu. Feliz porque a análise que eu havia feito não seria perdida, fiz os meus lances com igual rapidez. E dentro de 20 minutos após o início da rodada, quando nos tabuleiros remanescentes as peças estavam apenas começando a entrar em contato, na nossa partida a posição do diagrama anterior já havia sido alcançada. Mas o próximo lance das pretas dissipou meus sonhos de uma vitória por preparação caseira.

22...♘a5

A força de uma novidade como essa é que força o adversário a gastar tempo no reagrupamento psicológico, e qualquer jogador sabe como é difícil passar de uma análise bem preparada para um jogo espontâneo específico. Entretanto, a proximidade do perigo quase sempre o ajuda a mobilizar todos os seus recursos internos.

Minha primeira impressão sobre a posição resultante era desfavorável. A variante 23.♗×a7 ♔b7 24.♘b6 c3! demonstra acima de tudo as vantagens da posição das pretas. Será que o curso de toda estratégia das brancas era insensato? Certamente que não! Mas para refutar o jogo arriscado das pretas, medidas enérgicas são necessárias. Todo o ganho posicional das pretas foi obtido às custas de um sério enfraquecimento de suas defesas do rei, enquanto as peças brancas estão quase nas vizinhanças de sua residência. Então adiante, ao ataque! Esse raciocínio, que é tão lógico, tomou-me 53 minutos no tabuleiro.

Na verdade, é pouco provável que mais do que meio minuto tenha sido gasto nesse "raciocínio lógico", mas algumas variantes tinham que ser calculadas...

23.b3! c3

As brancas têm um ataque virtualmente irresistível após 23...♘×b3 24.♖×c4+ ♔d7 25.♘c3! b×c3 26.♖×a7+ ♔d8 27.♖×c3!, quando a dama é imune devido ao mate em três lances. Mas agora as brancas são obrigadas a sacrificar uma peça, sem obter qualquer solução forçada para a posição.

24.♘×c3 b×c3 25.♖×c3+ ♔d7

25...♔b7? é ruim em vista de 26.♕c2 ♗d6 27.b4! com ameaças decisivas (27...♘c6 28.♖×c6). Por isso o rei preto permanece no centro sob a cobertura de seu exército.

26.♕c2 ♗d6 27.♖c1 ♕b7

O ataque das brancas parece ter alcançado um impasse, pois a triplicação de peças pesadas na coluna c não trouxe nenhum ganho tangível. Ademais, com o lance defensivo 27...♕b7 as pretas criaram a terrível ameaça de ...♖×h2! Mas de novo, como no lance 23, a iniciativa das brancas é apoiada pelo peão b.

28.b4!

Esse lance pára indiretamente a ameaça de 28...♖×h2, que é decisivamente respondido por 29.♕a4+! (29...♔d8 30.♖c8+; 29...♖b5 30.♔×h2). Esse recurso latente foi evidentemente desprezado por Timoshchenko em suas análises, pois após 28.b4! ele pensou cerca de 25 minutos. Agora o astuto 28...♖b5 não ajuda devido a 29.b×a5 ♖×h2 30.♖c6!, forçando um final vitorioso: 30...♖bh5 31.a6! ♖h1+ 32.♔g2 ♖×c1 33.a×b7 ♖×c2 34.♖×d6+! ♔c7 35.♖d7+ ♔b8 36.♗f4+ e5 37.g4! etc.

28...♕×b4!

Jogado sem preconceito. As pretas fazem saber que o xeque em c7 não lhes causará qualquer problema. Realmente, após 29.♖c7+? ♗×c7 30.♕×c7+ ♔e8 31.♗c5 ♕b7 32.♕×a5 a iniciativa das brancas não compensa a perda da qualidade.

Em comparação com a possível variante anterior 27...♕b4 28.♖c7+! ♗×c7 29.♕×c7+ ♔e8 30.♗c5 ♕b7 31.♕×a5 com grande vantagem, aqui a ausência do peão b3 fala alto.

29.♖b1 ♕g4

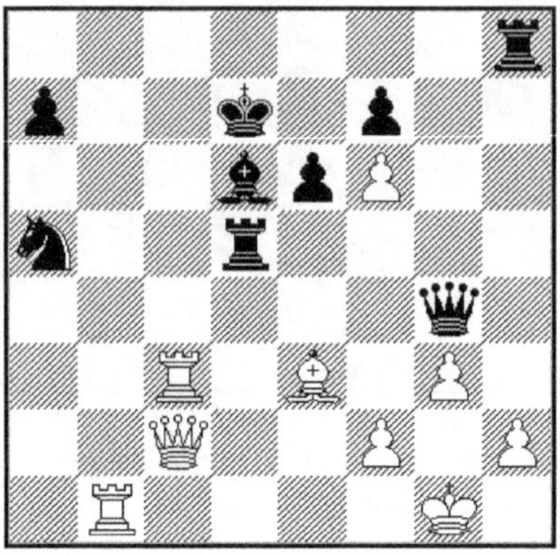

O jogo forçado chegou ao fim. O próximo lance das brancas decide se elas estão aptas a criar novas ameaças, ou se as pretas sairão ilesas. Aqui eu pensei por um longo tempo, desse modo "reconhecendo" que o ataque estava sendo conduzido intuitivamente.

Não é possível extrair qualquer ganho imediato da posição, por exemplo, 30.♗f4 ♗×f4 31.♕a4+ ♔d6 32.♖e1 (32.♕b4+ ♔e5!) 32...e5! 33.♕b4+ ♔e6 34.♕e7+ ♔f5, ou 30.f3 ♕f5! (o descuidado 30...♕h3? permite às brancas concluírem a partida através de uma bela combinação: 31.♖b7+!! ♘×b7 32.♕a4+ ♔d8 33.♗b6+!, com mate) 31.♕a4+ ♔d8 32.♖bc1 ♕×f6, e o rei preto escapa da perseguição. Como se torna visível na última variante, as pretas não precisam temer o xeque da dama em a4, desde que o seu rei possa se retirar calmamente para d8. Isso significa... que se é pela eliminação do peão a7, o qual priva o bispo da casa b6, as brancas podem (e devem!) usar aquele tempo precioso, que freqüentemente faz falta para a felicidade completa!

30.♗×a7!!

Essa decisão paradoxal provou ser a melhor. Agora a ameaça de 31.f3 se torna mortal. Mas as pretas ganharam um tempo, o qual Timoshchenko decide usar para preparar um escudo para o seu rei.

Nesse momento eu tinha pouco mais de vinte minutos em meu relógio, enquanto Timoschenko tinha usado menos de quarenta.

30...e5 31.♕a2!

E inesperadamente se torna claro que as pretas são incapazes de resolver um problema muito simples – o que fazer com a sua torre de d5? Aqui Timoshchenko pensou por mais de uma hora, mas considerações prolongadas nem sempre aumentam a qualidade do lance...

31...♖d1+

Não a melhor decisão, pois agora o cavalo de a5 está no ar. É verdade, 31...♕h3 não salva as pretas, em vista de 32.f3! ♔e6 33.♖b5! (33.♖d1? ♕×h2+!), assim como 31...♔e6 devido a 32.f3 ♕f5 33.♖d1 e4 34.f×e4 ♕×e4 35.♖e3. As pretas poderiam ter causado maiores problemas por meio de 31...♕f5! Agora 32.♖e1 (32.♕×d5? ♕×b1+ 33.♔g2 ♕b7) é ineficaz em vista de 32...♔e6, enquanto o "brilhante" 32.♖b7+ permite às pretas parar o ataque após 32...♘×b7 33.♕×d5 ♕b1+ (33...♘d8? 34.♖d3 ♕×f6 35.♗b8 ♖h6 36.♗×d6 ♕×d6 37.♕b5+) 34.♔g2 ♘d8 35.♖b3 ♕f5! (mas não 35...♕c2? 36.♖b6! ♕c7 37.♕b5+ ♔e6 38.♗b8) 36.♖b6 ♕h3+ 37.♔f3 e4+! 38.♔e3 ♕h6+ etc. Correto é 32.f3!!, eliminando o principal recurso defensivo das pretas, ...e4, após o que é pouco provável que elas possam salvar a partida, por exemplo, 32...♖a8 (32...e4? 33.♕a4+ ♔e6 34.f×e4) 33.♖bc1! ♖×a7 34.♕×d5 ♕×f6 35.♖a3! De qualquer forma, 31...♕f5 teria sido a melhor chance prática. A troca das torres conduz à força a uma posição sem esperanças.

Na opinião de Timoshchenko, as brancas

também venceriam após 32.♖e1 ♔e6 33.♖d1 e4 34.f3!, por exemplo, 34...♗×g3 35.h×g3 ♖h1+ 36.♔×h1 ♕h3+ 37.♔g1 ♕×g3+ 38.♔f1 ♕h3+ 39.♔e2 ♕g2+ 40.♗f2, ou 35...♕h5 36.♕×d5+ ♕×d5 37.♖×d5 ♔×d5 38.♖c5+.

32.♖×d1 ♕×d1+ 33.♔g2 ♕h5

Da mesma forma, o cavalo não pode ser salvo, então as pretas tentam confundir as coisas.

34.♕a4+!

34.h4? é muito mais fraco em vista de 34...♘c6!

34...♔e6 35.h4!

Agora tudo está acabado. Após 35...e4 36.♕×e4+ ♕e5 37.♕g4+ ♕f5 38.♖e3+ ♗e5 39.♕e2! as ameaças das brancas são irresistíveis, e as pretas são forçadas a se desfazer de seu cavalo, ficando com dois peões a menos em uma posição ruim.

É interessante notar que, enquanto no lance 30 as brancas tinham pouco tempo, agora os papéis estavam invertidos: as pretas estavam no apuro de tempo, enquanto as brancas tinham ainda 15 minutos inteiros em seu relógio!

35...♕e2 36.♕×a5 ♖a8

Primeiro 36...♕e4+ é mais tenaz.

37.♕a4!

A perseguição ao rei preto é retomada com força renovada.

37...♔×f6 38.♕d7 ♔g7 39.♖f3 ♕c4 40.♕×d6 ♖×a7 41.♕×e5+ ♔h7 42.♖f5

Em busca de uma proteção, o rei preto atravessou todo o tabuleiro sob o fogo das peças brancas. Não há mais lugar para ir, então as pretas só de raiva dão um último xeque.

42...♕c6+ 43.♔h2

As pretas abandonaram.

A partida terminou, mas as paixões levantadas por ela não morreram. O sacrifício de peça era correto? Onde as pretas poderiam ter jogado com mais força? Essas questões preocuparam quase todos os participantes do Campeonato. Nas discussões que flamejaram imediatamente após a conclusão da rodada, a voz de Sveshnikov foi ouvida mais alto do que as outras. As variantes demonstradas por ele pareceram bastante convincentes, e no final a consulta dos Grandes Mestres decidiu que 30...e5 deveria ser considerado o erro decisivo, ao passo que 30...♗e5 teria permitido às pretas parar o ataque. Todas as minhas tentativas de refutar esse lance não tiveram sucesso, e Sveshnikov publicamente declarou que em seu encontro comigo na 16ª rodada estaria pronto para tentar vingar a posição após 30...♗e5. Sabendo como o Grande Mestre de Chelyabinsk mantém-se fiel a seus princípios em debates abertos, não havia dúvida de que ele cumpriria sua promessa.

Ao voltar para meu hotel, por longo tempo não consegui dormir. Pensamentos sobre a partida recém jogada não me deixavam em paz. Seguramente todo o plano das brancas não era somente um blefe!? Finalmente, não pude me conter e sentei para analisar. Somente pelas duas da manhã pude encontrar a paz. Minhas análises mostravam de forma irrefutável que 30...♗e5 não poderia salvar as pretas. Só restava esperar pela 16ª rodada, mas a vida decretou de outra forma...

Espectadores que chegaram tarde para o início da 14ª rodada olhavam com espanto para um dos tabuleiros murais.

Partida 45

Kasparov - Dorfman

49° Camp. da URSS - Liga Principal
Frunze 1981
Defesa Eslava

Somente cerca de quarenta minutos foram necessários para os jogadores dessa partida fazerem trinta lances e chegar a um meio-jogo muito complexo. Não é difícil adivinhar que a posição no tabuleiro era a seguinte.

Ambos os jogadores estavam esperando por ela, e cada um estava convencido de que ganharia o ponto sem qualquer dificuldade particular. Mas Dorfman tomara as palavras de Sveshnikov como verdades, e não havia encontrado tempo para aprofundar-se, enquanto a minha confiança no sucesso estava baseada em análise detalhada. Dorfman jogou rapidamente

30...♗e5

Mas as brancas replicaram trazendo-lhe uma surpresa.

31.♖c5!

Sveshnikov havia considerado 31.f3 como sendo obrigatório, permitindo às pretas estancarem o ataque através de 31...♗d4+!, por exemplo, 32.♔h1 ♕×g3 33.♕a4+ ♔d8 34.♖b8+ ♕×b8 35.♗×b8 ♗×c3, ou 32.♗×d4 ♕×d4+ 33.♔h1 ♔d6! etc. O lance jogado é dirigido em primeira instância para trocar a torre de d5 – a defensora-chefe do rei preto.

31...♖×c5

As coisas terminam desanimadoramente para as pretas depois de 31...♖a8. Por exemplo, 32.♖×a5! ♖×a5 33.♖b7+ ♔e8 34.♖e7+ ♔f8 37.♕h7 com mate inevitável.

32.♗×c5!

Esse lance tranqüilo é o ápice da idéia das brancas. O pseudo-ativo 32.♕×c5? era uma trilha falsa: 32...♘c6! 33.♖b7+ ♗c7 34.♗b6 ♖c8, e não há maneira de fortalecer o ataque. Após 32.♗×c5 as pretas não têm defesa. Eis as variantes de minhas análises noturnas: 32...♖c8? 33.♕d2+; 32...♕c4 33.♕d2+ ♔c6 34.♖b6+! ♔×c5 35.♕×a5+ ♔d4 36.♖b4; 32...♖b8 33.♖d1+ ♔e8 34.f4!, recuperando a peça em vista da ameaça de ♕a4+; 32...♗c7 33.♕d3+ ♔c8 34.♖b4! ♕f5 35.♕a6+ e 36.♖d4+.

Dorfman gastou uma hora e cinco minutos (!) na busca por salvação, mas já era muito tarde!

32...♘c6 33.♕d3+ ♔c8

A tentativa de bloquear a coluna d é sem esperança: 33...♘d4 (33...♗d4 34.♖b7+ ♔e8 35.♕b5) 34.♖d1 ♖h4 35.♕b5+ ♔c8 36.♕a6+ ♔c7 37.♗b6+! Após 33...♔c8 as brancas poderiam forçar um final vitorioso de damas: 34.♕a6+ ♔d7 35.♖b7+ ♗c7 36.♖×c7+! ♔×c7 37.♕b6+ ♔c8! 38.♕×c6+ ♔b8 39.♕b6+ ♔c8 40.♕a6 ♔c7 41.♗b6+ ♔c6 42.♗d4+! ♔d7 (42...♔d5 43.♕b5+ ♔e4 44.f3+!) 43.♕a4+! ♔c8 44.♕a8+ e 45.♕×h8. Mas elas têm a possibilidade de concluir a partida através de um ataque direto.

34.♖d1 ♘b8

Se 34...♖d8, as brancas vencem por meio de 35.♕a6+.

35.♖c1!

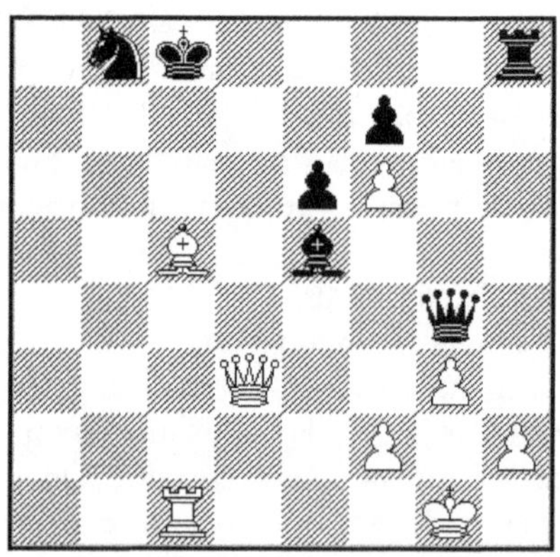

Enfatizando o desamparo das peças pretas, as quais são incapazes de ajudar seu rei. O sacrifício expiatório feito pelas pretas apenas retarda ligeiramente o final.

35...♕a4 36.♗d6+ ♘c6 37.♗×e5 ♖d8 38.♕b1!

Renovando as ameaças de mate.

38...♖d5 39.♕b8+ ♔d7 40.♕c7+ ♔e8 41.♕×c6+ ♕×c6 42.♖×c6 ♖×e5 43.♖c8+

As pretas abandonaram. Após 43...♔d7 44.♖f8 elas perdem um terceiro peão.

Após essa partida todos aguardavam com interesse a 16ª rodada, e a partida Kasparov-Sveshnikov. Mas o Grande Mestre de Chelyabinsk desviou antes, logo no quinto lance (5...h6), reconhecendo tacitamente assim a correção das vitórias das brancas nas partidas precedentes. Mas conhecendo Sveshnikov, seria de se presumir com confiança que em um futuro próximo ele se esforçaria para retomar a discussão.

Tais catástrofes sem dúvida reduzirão o número de apoiadores da variante, mas a questão de o quanto as brancas conseguiram finalmente neutralizar o "campo minado" na Variante Botvinnik, ou se novas explosões serão ouvidas, significando seu renascimento, permanece aberta, na minha opinião.

Uma "nova explosão" ressoou um ano e meio depois em minha partida com o ex-Campeão Mundial Mikhail Tal (pág. 189).

Quando o destino reside em um envelope

Após a nona rodada, a situação entre os líderes se tornou extremamente confusa. Embora formalmente a corrida estivesse sendo liderada por Romanishin e Kupreichik, os líderes potenciais permaneciam Psakhis e eu. Ambos tínhamos quatro pontos em cinco, com quatro (!) partidas suspensas.

Jogar várias partidas suspensas na mesma noite é difícil, por um número elevado de razões compreensíveis. Primeiramente, a qualidade das análises é reduzida, pois seus pensamentos são "dispersos" e é somente com grandes dificuldades que o cérebro é capaz de se concentrar em cada uma das posições. Em segundo lugar, durante os 15 minutos de intervalo permitidos entre as partidas, é muito difícil para ele desligar da sua experiência recente, e novamente sintonizar-se para uma luta. Minha tarefa foi ligeiramente facilitada por Dolmatov, que abandonou sem continuar, mas restavam três adiamentos – com Beliavsky, Kuzmin e Kupreichik. Cada uma dessas posições, à sua maneira, era difícil de analisar. Em todas as três era o meu adversário que tinha selado o lance secreto. Naturalmente, um erro é possível quando um lance é selado, mas o meu treinador A.Nikitin e eu tínhamos evidentemente que levar em conta todas as possibilidades. Ao se iniciar a sessão de adiamento, apesar de uma noite sem dormir, nós ainda tínhamos um número de questões sem respostas. Havia somente um fator sobre o qual não havia dúvidas: cada um dos meus oponentes tinha uma continuação muito forte, que causaria uma dificuldade máxima em realizar minha tarefa (vencer o Grande Mestre de Lvov e empatar as outras duas partidas).

A primeira partida a ser reiniciada foi a mais agradável para mim – contra Beliavsky.

Partida 46

Kasparov - Beliavsky

49º Camp. da URSS - Liga Principal

Frunze 1981

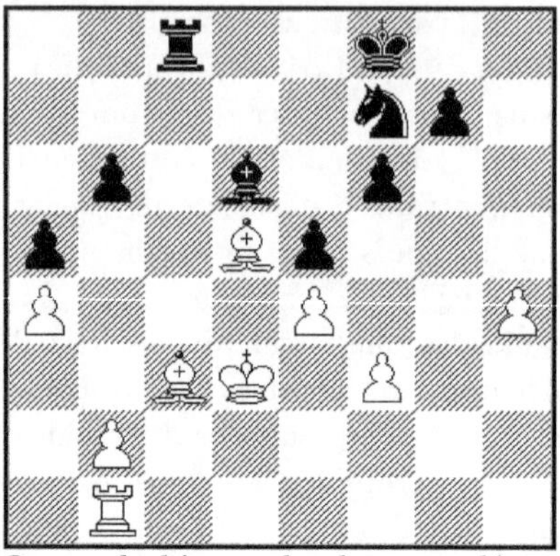

O par de bispos das brancas dá a elas chances reais de vitória. As pretas devem preocupar-se em frear a ameaça de b2–b4 com abertura decisiva de linhas na ala da dama. Beliavsky gastou 40 minutos (!) nesse lance secreto. O que ele poderia ter escolhido? Nós primeiramente analisamos 43...♗b4. Agora o direto 44.♗×b4+ a×b4 45.♔d2 ♘d6 46.♖c1 deixa as pretas com algumas esperanças de salvar a partida após 46...♖c5! 47.♖×c5 b×c5 48.♔d3 ♔e7 49.a5 ♔d7 50.a6 c4+! 51.♔c2 (51.♗×c4 ♔c6) 51...♘c8 52.♗×c4 ♔c6 53.♔b3 ♔c5. O atalho mais curto para a vitória é através de 45.♖g1! ♘d6 46.♖g2!, visando a troca em c2 e amarrando o rei preto ao peão de g7. Agora após 46...♖c5 47.h5! as pretas estão em *zugzwang* e são obrigadas a desfazer seu posicionamento ideal: 47...♘f7 48.♖c2 ♖×c2 49.♔×c2 ♘g5 50.♔b3 ♘×f3 51.♔×b4, ou 47...♖a5 48.♖c2! ♖×a4 49.♖c6 ♘e8 50.♖×b6. Em ambos os casos não resta dúvida quanto ao resultado da partida.

As pretas também não são socorridas pelo sacrifício de peão 45...g5!? 46.♗×f7 ♔×f7 47.h×g5, pois no final de torres também a sua ruína é causada pelos seus peões enfraquecidos: 47...b3 48.g×f6 ♔×f6 (48...♖c2 49.f4! ♔×f6 50.f5 ♖×b2 51.♖g6+ ♔f7 52.♖×b6 ♖a2 53.♖b4! b2 54.♔c2) 49.♖g2! ♖c1 50.♖g8 ♖c2 51.♖b8 ♖×b2 52.♖×b6+ ♔g5 53.♔c4 ♖c2+ 54.♔×b3 ♖f2 55.a5 ♖×f3+ 56.♔a4 ♖e3 57.♖b4, vencendo.

As pretas não conseguem nada através de uma espera passiva, e a tentativa de erguer uma "fortaleza" após 44.b4 ♖×c3+45.♔×c3 ♗×b4+ 46.♔d3 ♘d6 falha, pois as brancas rompem pela coluna g, usando seu peão h como um aríete.

"Tudo está claro nessa posição" decidimos, quando subitamente me ocorreu um pensamento prudente: as pretas não podem jogar ativamente com 43...g5? À primeira vista, esse lance concede às brancas novos alvos para ataque, mas a sua vantagem principal é que o cavalo preto adquire mobilidade. É tentador criar um peão passado imediatamente com 44.h5, mas então como poderão as brancas romper após 44...♗b4? Por um longo tempo pareceu que 44.♖h1 poderia vencer, mas após 44...g×h4 (44...♖c7 é mais fraco devido a 45.♗×f7 ♖×f7 46.♔c4 ♖h7 47.h5) 45.♖×h4 ♔g7! 46.f4 (a defesa das pretas é impenetrável após 46.♖g4+ ♘g5! 47.f4 ♖×c3+ 48.b×c3 e×f4) 46...e×f4 (nessa situação, o sacrifício da qualidade seria impaciente: 46...♖×c3+ 47.b×c3 e×f4 48.♗×f7! ♔×f7 49.♖h5! ♔e6 50.♖f5 seguido por ♔c4–b5, e as brancas destroem as defesas das pretas) 47.♖g4+ ♔f8 48.♗×f6 ♖c7! as pretas podem defender. E embora 49.♗×f7 ♔×f7 (49...♖×f7? 50.e5) 50.♗d4 ainda deixe algumas esperanças, ficou claro que novas medidas eram necessárias. Até mesmo o super enérgico 44.b4!? foi considerado, mas aqui as pretas também são capazes de criar contrajogo: 44...a×b4 45.♗×b4 g×h4 46.♗×d6+ ♘×d6 47.♖×b6 ♔e7.

Como resultado, eu tive que me conformar com o fato de que após o lance secreto mais forte não havia vitória definitiva, e mudar a busca para continuações "simplesmente" promissoras. Nós julgamos 44.♗×f7! o melhor – as brancas abrem mão do orgulho da sua posição, mas criam fraquezas incuráveis nos peões pretos: 44...♔×f7 45.h×g5 f×g5. Apesar da pequena quantidade de material, aqui há esperança de sucesso: 46.♖g1 ♔g6 47.♗d2 ♗e7 48.♗e3 ♖c6 49.♖c1! Agora o final de bispo é perdido para as pretas: 49...♖×c1? 50.♗×c1 ♗c5 51.♔c4 ♔h5 52.♗d2! (com a ameaça de ♗×a5) 52...♗d4 53.b3 ♔h4 54.♔d5. Mas o final de torres não é tão claro: 49...♗c5! 50.♗×c5 b×c5 51.♖c3! (mais forte do que 51.♔c4 ♖b6 52.♖c2 ♖b4+ 53.♔×c5 ♖×a4 54.♔b5 ♖a2) 51...♖b6 52.b3, e as brancas provavelmente devem vencer, mas só "provavelmente"! Há pouco material restante no tabuleiro.

Dá para entender facilmente por que eu olhava o árbitro com tanta ansiedade enquanto ele abria o envelope. Teria Beliavsky conseguido encontrar sua única chance? Nesse momento o árbitro reproduziu no tabuleiro o lance secreto das pretas.

43...♘h8

Eu me alegrei internamente, mas logo meus pensamentos começaram a trabalhar em outra direção. Ao dedicar nossa atenção maior a 43...♗b4 e 43...g5!, nós tínhamos meramente verificado em nossas análises que após 43...♘h8 44.h5 a ruptura b2–b4 não poderia ser evitada. As análises agora tinham que continuar no tabuleiro.

44.h5 ♘f7

Agora o cavalo obteve a chance de entrar no jogo via g5, mas a perda de dois tempos está prestes a ter os seus efeitos.

45.b4 a×b4 46.♗×b4 ♖d8 47.♗×d6+?!

As brancas tornam sua tarefa mais difícil. O imediato 47.♔c4 era mais simples, por exemplo, 47...♘g5 48.♔b5 ♘×f3 49.♔×b6 ♖b8+ 50.♗b7, ou 47...♗×h4 48.♖×b4 ♘d6+ 49.♔b3 ♘c8 50.♗e6. Mas agora no caminho para a vitória as brancas terão que evitar muitas armadilhas.

47...♖×d6 48.♔c4 ♘g5 49.♖b3!

Eu quase caí na tentação de eliminar de imediato o peão b6, sem prestar atenção no contra-ataque das pretas. De fato, a variante 49.♔b5? ♘×f3 50.♔a6 ♔e7 51.♖×b6 f5! 52.♖×d6 ♔×d6 53.♔b6 f×e4 54.a5 (54.♗×e4 ♘d2) parece atraente, mas é aqui que as brancas poderiam ter caído em uma cilada. Após 54...♔×d5!! 55.a6 e3 56.a7 e2 58.a8=♕+ ♔d4 são as brancas que têm que buscar o xeque perpétuo!

49...♔e7

49...♘h3 é inofensivo em vista de 50.♔b5 ♘f4 51.♗c4!, quando não há defesa contra ♔a6.

50.♔b5 f5! 51.♔a6 f4

O contrajogo das pretas é muito real, e parece que as brancas não conseguem invadir, pois à primeira vista, a perda do peão f3 trará desagradáveis conseqüências para elas – o peão f4 está muito próximo da casa de coroação. Mas as brancas, no entanto, permitem a esse peão completar sua carreira, pois calcularam precisamente que, com o novo balanço de forças, tudo será decidido em função de quem é a vez, e essa será uma vantagem delas!

52.♔b7! ♖h6 53.♖×b6 ♖×b6+ 54.♔×b6 ♘×f3 55.a5 ♘d2

O cavalo é obrigado a ocupar essa posição desafortunada, de outra forma o bispo será capaz de parar os peões passados: 55...♘d4 56.a6 f3 57.a7 f2 58.♗c4.

56.a6 f3 57.a7 f2 58.a8=♕ f1=♕

A situação no tabuleiro mudou de forma irreconhecível. Pode parecer que a presença das damas permita às pretas contar com o empate, mas daqui até o final da partida elas não terão descanso. Explorando as diferenças na colocação das peças menores e o fato de ser a sua vez de jogar, as brancas criam ameaças de mate irresistíveis.

59.♔c7!

O apressado 59.♕a3+? ♔f6 60.♕d6+ ♔g5 61.♕×e5+ ♔h4 permitiria ao rei preto escapar.

59...♕c1+

A única defesa contra o mate. Se 59...♕f8, então 60.♕a3+ ♔e8 61.♕a4+ ♔e7 62.♕d7+ ♔f6 63.♕f5+ ♔e7 64.♕e6 mate.

60.♗c6 ♘×e4

60...♕c3 falha em salvar a partida devido a 61.♕e8+ ♔f6 62.♕g6+ ♔e7 63.♕×g7+ ♔e6 64.♔d8!, renovando a ameaça de mate. Após o forçado 64...♕a5+ 65.♔e8 ♔d6 66.♕f6+ ♔c5 67.♕×e5+ ♔b6 68.♕×a5+ o peão h coroa.

61.♕e8+ ♔f6 62.♕g6+ ♔e7 63.♕×g7+

O cavalo não fugirá, e então as brancas também tomam um peão importante com xeque.

63...♔e6 64.♕g4+ ♔f7 65.♕g6+!

As pretas ainda teriam algumas chances ilusórias após 65.♕×e4 ♕g5. Mas já que agora 65...♔e7 66.♕×e4 ♕g5 67.♕g6! é completamente sem esperanças, as pretas recuam seu rei para perto da casa h8, mas aqui ele encontra sua ruína imediata.

65...♔f8 66.h6!

A única forma de evitar a ameaça de mate é por meio de 66...♔e7, mas então após 67.h7 não se pode impedir o surgimento de uma nova dama branca. As pretas abandonaram.

As ações coordenadas de maneira incomum do pequeno número de peças brancas, como se estivessem soldadas em um mecanismo único e bem regulado, causam admiração! Sem dúvida, é muito agradável vencer de tal forma um Grande Mestre de alta categoria, mas minhas emoções tinham o prazo de 15 minutos, após o qual teria que encarar a continuação de uma posição particularmente triste contra Kuzmin.

Partida 47

Kuzmin - Kasparov

49º Camp. da URSS - Liga Principal
Frunze 1981

O material novamente está igualado, e após uma breve espiada nessa posição pode parecer que aqui também exista o equilíbrio. Mas não é bem assim. O peão passado distante e o poderoso cavalo em d6, isolando a dama preta da ala do rei, dão às brancas a vantagem. E a presença das damas, em conjunto com a grande liberdade de manobra das brancas, permite-lhes armar um ataque ao rei, enquanto as peças pretas, amarradas ao bloqueio do peão c, não podem com facilidade vir em auxílio ao seu monarca. Além disso, a fraqueza na oitava fileira força as pretas a vigiarem com muito cuidado os vários saltos possíveis do cavalo branco. Dessa forma, no caso de 42.♘b5 as pretas somente são salvas por meio de 42...♖d7!, mas não 42...♖cc8? devido a 43.♘a7! Outra dificuldade na análise de uma posição como essa é que as brancas não são obrigadas a ter pressa, mas podem manobrar livremente, aguardando o momento conveniente de passar para uma ofensiva determinada.

Com base nisso, o lance mais desagradável para as pretas seria 42.♔h1!, eliminando a possibilidade em certas variantes do peão c5 ser tomado com xeque. Nesse caso, as pretas provavelmente teriam que continuar com 42...♖f8, renunciando a qualquer contrajogo. Mas com o seu lance secreto Kuzmin decidiu forçar os acontecimentos.

42.♘c4

Forçando o cavalo de e5 – o suporte principal da posição das pretas – a abandonar o seu posto. Mas agora, após o cavalo ter se retirado de d6, as pretas são capazes de restaurar a coordenação corrompida das suas peças. No caso de outro movimento de cavalo – 42.♘f5 – as pretas pretendiam promover um interessante reagrupamento: 42...♖a4!? 43.♕e2 g6! 44.♘d6 ♖f4! seguido por ...♖e7 e ...♔g7, quando não é claro o que as brancas podem fazer.

42...♘f7 43.h4

Kuzmin apressa-se em desmanchar a defesa do rei preto, mas ao mesmo tempo o rei branco também é privado da sua rede protetora de peões.

Explorando o fato de que as pretas não podem permitir a troca dos cavalos, as brancas deveriam ter retornado – 43.♘d6 (43...♘e5 44.♔h1).

43...♖e8 44.♕f3

O incauto 44.♕g6 ♕e6 45.h×g5?! permitiria às pretas passar para o contra-ataque: 45...♕g4 46.♘d6?! ♘×d6 47.♖×d6 (47.c×d6 ♖e2!) 47...♖ce7 etc.

44...♕e6 45.♘d6

Sentindo que a sua atividade na ala do rei alcançou um impasse, as brancas forçam a troca dos cavalos, depositando todas as suas esperanças no peão c.

45...g4!

Uma interposição importante. Agora após 46.♕f4 ♕e3+! 47.♕×e3 ♖×e3 as pretas são capazes de evitar o perigo maior, e então as brancas são forçadas a perder um tempo e retirar a dama para uma posição menos ativa.

46.♕f2 ♖a8

As pretas naturalmente evitam a troca em d6, a qual permitiria ao peão das brancas alcançar a reta final.

47.♘×f7+ ♖×f7 48.♖d6 ♕e5 49.♖6d5

As brancas não ousam permitir ...g3 – seu rei poderia se sentir muito desconfortável.

49...♕e6 50.♕f4

No final de peças pesadas o peão c tem uma força poderosa, pois após a troca dos cavalos se torna mais difícil bloqueá-lo. Mas as pretas conquistaram a possibilidade de ativar as suas peças, o que prova ser mais importante e faz o empate ser o resultado mais provável.

50...♖e7!

Ao ameaçar a troca de damas, as pretas provocam o rei branco a se mover para h2.

51.♔h2 ♖a3!

Lembrando às brancas que para uma

batalha de peças pesadas seu rei não está totalmente seguro, ao passo que o rei preto pode se esconder em f7 (52.♖h5+? ♔g8 53.♖d8+ ♔f7).

52.♖5d3

Para se defender contra ...g3+, as brancas retiram seu controle da 5ª fileira, e, o que é mais importante, de e5. É improvável que 52.♖1d3 ♖a1! fosse algo melhor, quando elas têm que considerar as ameaças na retaguarda.

52...♖a2!

A cada troca a força do peão c seria aumentada, por exemplo, 52...♖×d3? 53.♖×d3 ♕e5? 54.♕×e5 ♖×e5 55.♖c3! com vantagem decisiva. Após 52...♖a2! a atividade das pretas previne o adversário de usar o seu maior trunfo. Desse modo, nem 53.♖c1 nem 53.♖c3 são possíveis, devido a 53...♖×g2+! 54.♔×g2 ♕e2+. Kuzmin decide proteger seu peão g2 com segurança, mas ao fazê-lo ele coloca a sua torre fora de jogo.

53.♖g3 f5

Agora as conquistas das pretas são vistas claramente – o peão passado branco ainda não se moveu, enquanto o contrajogo das pretas parece altamente promissor.

54.♖d6 ♕e5

As pretas oferecem a troca, calculando que após 55.♕×e5 ♖×e5 56.c6 (56.♖c3 f4!) 56...♖c2 as brancas encontrariam dificuldades para coordenar suas peças.

55.♕c4

O plausível 55.♕g5 resulta no belo 55...♖×g2+! 56.♔×g2 ♕e2+ 57.♔g1 (57.♔h1? ♕f1+) 57...♕e1+ 58.♔h2 ♖e2+ 59.♖g2 ♖×g2+ 60.♔×g2 ♕e2+ com xeque perpétuo.

55...♖e2

O passivo 55...♖a8 teria permitido às brancas tomar a iniciativa: 56.♖d5! ♕f6 57.♕f4! (57...♕×h4? 58.♖h3).

56.♖d8+ ♖e8 57.♖×e8+ ♕×e8 58.c6

O peão c avançou, mas as pretas já estavam preparadas para isso.

58...♖e4

Empate de comum acordo. 59.♕d5! ♕e7 60.c7! ♕×c7 61.♕×f5 ♖f4 é praticamente forçado. Uma tentativa para as brancas jogarem pela vitória envolve riscos consideráveis, por exemplo, 59.♕c3?! ♕e6! 60.c7 ♖c4 61.♕d2 ♔h7! etc.

Dessa forma, duas das partidas suspensas foram concluídas com sucesso, mas ainda havia outro teste desagradável a ser encarado.

Partida 48

Kasparov - Kupreichik

49° Camp. da URSS - Liga Principal
Frunze 1981

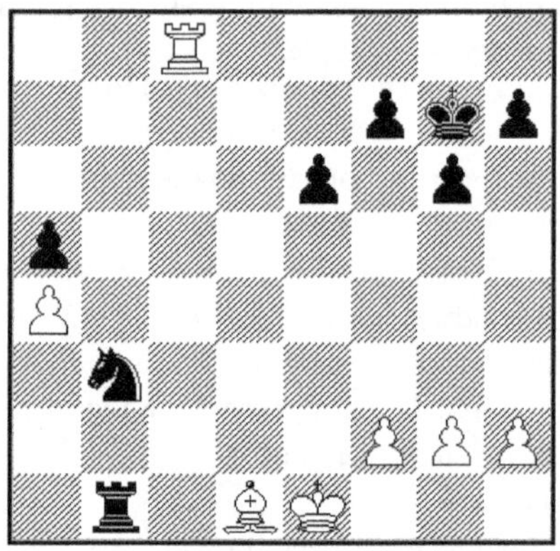

Restam poucas peças no tabuleiro, e parece que o peão a menos das brancas as coloca sob uma ameaça séria de derrota. Mas explorando o posicionamento desajeitado das peças pretas, as brancas são capazes de recuperar o peão (a5). Infelizmente nós não fomos capazes de dedicar tempo suficiente para essa partida suspensa, e estudamos com maior atenção apenas 42...♖c1, o que conduz à força após 43.♖×c1 ♘×c1 44.♔d2 ♘a2 45.♗b3 ♘b4 46.♔c3 ♔f6 47.♔c4 ♔e5 48.♔b5 ♔d6

49.♔×a5 ♔c5 a uma posição na qual, à primeira vista, a colocação desanimadora do rei branco dá às pretas chances reais de vitória. Entretanto nós conseguimos encontrar uma defesa mais ou menos aceitável.

Mas em nossa pressa não fomos capazes de decidir o quanto era perigoso para as brancas o lance 42...♔f6. Nesse caso, a tentativa direta das brancas de recuperar o peão seria rebatida pelas pretas com golpes táticos. Por exemplo, 43.♖c3 ♘c1! (43...♘d4 44.♖c5) 44.♔d2 ♘a2 45.♖c5 ♖b2+ 46.♔e3 (46.♔e1? ♘b4) 46...♘b4, e agora 47.♖×a5? não é possível devido a 47...♘d5+ 48.♔f3 ♘c3, quando o bispo branco inesperadamente se encontra em uma armadilha. Em nossas análises a agilidade do cavalo preto começou a encher-me de um horror quase supersticioso, mas em um exame mais apurado todas as ameaças das pretas desapareceram. Tudo o que é preciso é cortar o cavalo do centro – 47.♗f3!, e no caso de 47...♘c2+ corajosamente marchar para um xeque descoberto – 48.♔d2! (48.♔d3? ♘e1+ 49.♔e3 ♖b3+ 50.♔e2 ♘×f3 51.g×f3 ♖b4 52.♖×a5 ♖h4 com vitória fácil), e é fácil ver que nenhum dos possíveis movimentos do cavalo dá às pretas alguma alegria: 48...♘a3+ (48...♘d4+? 49.♔c3) 49.♔e1! ♖b1+ 50.♗d1, ou 48...♘a1+ 49.♔e1 ♘b3? 50.♖b5. Eu agora posso descrever calmamente as virtudes e defeitos desse ou daquele lance, mas durante o adiamento eu estava com bastante medo de 42...♔f6, não sem razão temendo surpresas desagradáveis de um tático tão hábil como Kupreichik.

Mas tudo acabou sendo muito mais simples. Após pensar por cerca de meia hora em seu lance secreto, Kupreichik não se arriscou a entrar nas complicações de 42...♔f6, e preferiu **42...♖c1**. Após fazer sete lances forçados (**43.♖×c1 ♘×c1 44.♔d2 ♘a2 45.♗b3 ♘b4 46.♔c3 ♔f6 47.♔c4 ♔e5 48.♔b5 ♔d6 49.♔×a5 ♔c5**) em tempo relâmpago, os jogadores alcançaram a seguinte posição:

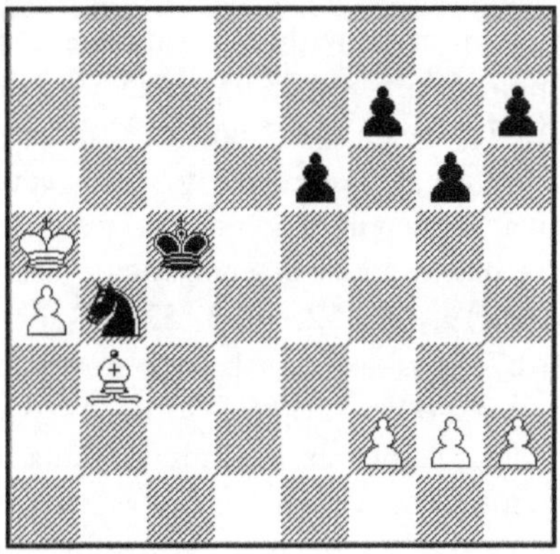

O plano das pretas é simples: explorando a posição nada invejável do rei branco, elas tentarão realizar a sua maioria numérica na ala do rei, transformando-a em um peão passado.

50.f4!

Isso paralisa a ala do rei das pretas e força-as a abrir ligeiramente a gaiola que prende o rei branco.

50...♘d5

Ou 50...h6 51.g3 g5 52.f5! etc.

51.♔a6!

O principal é a atividade! 51.g3 ♘c7! permitiria às pretas criar um peão passado através de ...f6 e ...e5, enquanto o rei branco é mantido preso. Agora no caso de 51...♘×f4 52.a5! ♔c6 (52...♔b4? 53.♔b6!, e são as brancas que ganham) 53.♗a4+ ♔c7 54.♗e8 f5 55.g3! (não ♔b5? em vista de 55...♘×g2! 56.♗c6 ♘e3 57.a6 ♔b8 58.♔b6 ♘c4+) 55...♘d5 56.♔b5 o peão a garante as brancas contra a derrota. Por isso as pretas pretendem primeiro eliminar o perigoso peão passado das brancas, mas ao fazerem isso suas peças se distanciam da ala do rei.

51...♔b4 52.♗d1

52.♗×d5? conduz a um final de damas perdido após 52...e×d5 53.♔b6 d4 54.a5 d3 55.a6 d2 56.a7 d1=♕ 57.a8=♕ ♕d4+.

52...♘e3

Aqui também a captura do peão f4 não traz às pretas nenhuma vantagem, por exemplo, 52...♘×f4 53.a5! ♘d5 54.♗f3 f5 55.♔b7! ♔×a5 56.♔c6, e a diferença significativa na colocação dos reis reduz a nada a vantagem material das pretas. As coisas não mudam essencialmente através do mais astuto 52...♘c3 53.♗f3 ♘×a4 54.♔b7, quando o rei branco novamente tem sucesso em avançar sobre os peões pretos da ala do rei. Verdade seja dita, um descuido na vigilância e as brancas poderiam cair em uma armadilha bem camuflada: 52...♘c3 53.♗c2?! ♘×a4 54.♗×a4? ♔×a4 55.♔b6 g5!! (somente um empate resulta de 55...♔b4 56.♔c6 ♔c4 57.♔d6 ♔d4 58.♔e7 f5 59.♔×e6 ♔e4 60.♔f6 ♔×f4 61.♔g7) 56.g3 (56.f×g5 ♔b4 57.♔c6 ♔c4 58.♔d6 ♔d4 é igualmente ruim) 56...g×f4 57.g×f4 ♔b4 58.♔c6 ♔c4 59.♔d6 ♔d4 60.♔e7 f5! 61.♔×e6 ♔e4, e as pretas vencem.

53.♗f3 ♔×a4 54.♔b6 ♔b4 55.♔c6 ♔c4 56.♔d6

Provavelmente 56.♔d7 era mais preciso, mas o lance jogado não estraga nada.

56...♘d5

Agora as brancas conquistam o empate sem qualquer dificuldade, enquanto 56...♘f5+ poderia tê-las forçado a terem cuidado.

57.♔e5 ♔d3

Após 57...♔c5 58.g4! e f4–f5 a troca em massa de peões é inevitável.

58.♗×d5!

Isso parece perigoso, pois agora o rei preto é o primeiro a avançar sobre os peões da ala do rei, mas o rei branco também tem sucesso em fazer o seu "trabalho sujo" a tempo.

58...e×d5 59.♔×d5 ♔e3 60.♔e5

Empate de comum acordo. As variantes 60...f5 61.♔f6 ♔×f4 62.♔g7 ou 60...♔f2 61.♔f6 ♔×g2 62.♔×f7 ♔×h2 63.♔g7 confirmam a conveniência dessa decisão.

Os resultados da sessão de adiamentos foram uma agradável surpresa para mim e para o meu treinador – a tarefa máxima afinal foi alcançada! A finalização bem sucedida dessas partidas permitiu-me pela primeira vez assumir a liderança isolada do torneio.

	1	2	3	4	5	6	7	8	9	10	11	12	13	14	15	16	17	18	Pontos	Lugar
1 - Kasparov	Ж	0	½	1	1	½	1	1	1	½	½	1	1	1	½	0	1	1	12½	1º- 2º
2 - Psakhis	1	Ж	1	½	1	½	1	½	0	1	½	½	½	1	½	1	1	1	12½	1º- 2º
3 - Romanishin	½	0	Ж	½	½	1	1	0	½	½	1	½	½	½	1	0	1	1	10	3º
4 - Gavrikov	0	½	½	Ж	½	½	½	1	½	0	½	1	½	1	½	1	½	½	9½	4º- 5º
5 - Tukmakov	0	0	½	½	Ж	0	½	½	1	1	½	½	½	1	½	1	½	1	9½	4º- 5º
6 - Agzamov	½	½	0	½	1	Ж	½	½	½	0	1	½	1	0	½	1	1	0	9	6º- 7º
7 - Beliavsky	0	0	0	½	½	½	Ж	½	1	0	½	½	1	1	1	1	½	½	9	6º- 7º
8 - Dorfman	0	½	1	0	½	½	½	Ж	½	0	1	½	½	½	½	½	1	½	8½	8º- 9º
9 - Yusupov	0	1	½	½	0	½	0	½	Ж	1	0	0	1	1	1	½	0	1	8½	8º- 9º
10-Kupreichik	½	0	½	1	0	1	1	1	0	Ж	0	½	0	0	½	1	½	½	8	10º- 13º
11-Sveshnikov	½	½	0	½	½	0	½	0	1	1	Ж	½	0	1	½	½	½	½	8	10º- 13º
12-Dolmatov	0	½	½	0	½	½	½	½	1	½	½	Ж	½	0	1	½	½	½	8	10º- 13º
13-Tseshkovsky	0	½	½	½	½	0	0	½	0	1	1	½	Ж	½	0	1	½	1	8	10º- 13º
14-Yudasin	0	0	½	0	0	1	0	½	0	1	0	1	½	Ж	½	1	1	½	7½	14º
15-Kuzmin	½	½	0	½	½	½	0	½	0	½	½	0	1	½	Ж	0	0	1	6½	15º- 16º
16-Gulko	1	0	1	0	0	0	0	½	½	0	½	½	0	0	1	Ж	1	½	6½	15º- 16º
17-Timoshchenko	0	0	0	½	½	0	½	0	1	½	½	½	½	0	1	0	Ж	½	6	17º
18-Mikhalchishin	0	0	0	½	0	1	½	½	0	½	½	½	0	½	0	½	½	Ж	5½	18º

Super Torneio em Bugojno

Até recentemente o nome Bugojno pouco significava, até para os habitantes da Iugoslávia, mas, desde 1978, essa pequena cidade atrai a atenção de todo o mundo do xadrez. O presente torneio foi o de número três. No primeiro, a vitória foi dividida entre Karpov e Spassky, enquanto no segundo (1980) o Campeão Mundial conseguiu superar Larsen bem no final. Ambos os torneios produziram uma luta acirrada, e por isso um jogo firme também era esperado dos participantes do evento de 1982. E deve ser dito que estas expectativas não foram contrariadas – em cada rodada ocorreram partidas interessantes, e foi somente no final, quando as considerações competitivas começaram a ter supremacia, que alguns empates ocorreram. A esse respeito o Torneio de Bugojno foi uma agradável exceção na série de super torneios que se tornaram populares nos últimos tempos.

A força equilibrada dos participantes sugeria que haveria uma dura batalha pelo primeiro lugar. Dos jogadores estrangeiros, os mais cotados para a vitória eram Jan Timman e Bent Larsen, que no passado tinham a seu crédito numerosas e memoráveis vitórias em torneios. Mas na verdade não houve uma batalha séria pelo prêmio máximo. O ritmo rápido imposto por mim desde o começo resultou ser muito forte para meus adversários.

Na primeira rodada eu enfrentei Svetozar Gligoric, joguei a abertura de forma experimental, e não obtive vantagem. Mas então meu adversário errou, após o que fui capaz de sufocar suas peças como se estivessem numa espécie de afogado.

Partida 49

Kasparov - Gligoric

3º Torneio Internacional

Bugojno 1982

Defesa Índia da Dama

1.d4 ♘f6 2.c4 e6 3.♘f3 b6 4.a3 c5 5.d5 ♗a6 6.♕c2 e×d5 7.c×d5 g6 8.♗f4 d6 9.♘c3 ♗g7 10.♕a4+ ♕d7 11.♗×d6 ♕×a4 12.♘×a4 ♘×d5 13.0–0–0 ♘e7 14.e4 ♗×f1 15.♖h×f1 ♘bc6 16.♘c3 ♖d8? (16...♗×c3!) **17.♘b5 ♖d7 18.♗f4 ♖×d1+ 19.♖×d1 0–0 20.♖d7 ♖a8 21.♗d6 ♘c8 22.♘c7 ♖b8 23.♘a6 ♖a8 24.♗f4 ♘8e7 25.♗d6 ♘c8 26.♗g3 ♘8e7 27.♗h4 ♗f8 28.♗f6 ♖d8 29.♖c7 ♖e8**

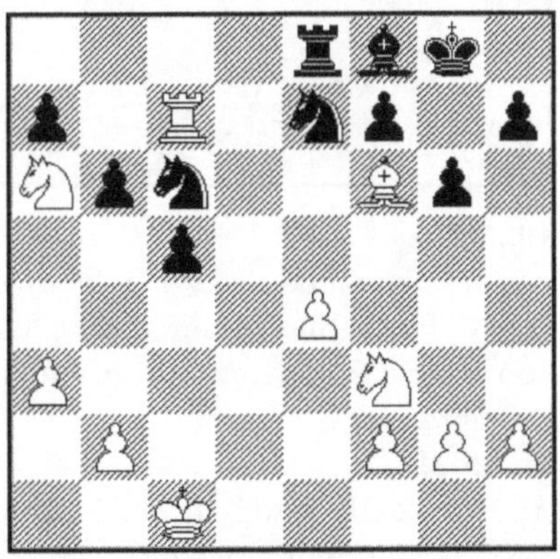

30.g4 ♗g7 31.g5 ♗f8 32.♔c2 ♖c8 33.♖b7 ♘d4+ 34.♘×d4 c×d4+ 35.♔d3 ♘c6 36.f4 ♗d6 37.e5 ♗f8 38.b4 ♘d8 39.♗×d8 ♖×d8 40.♖×a7 h6 41.h4 h5 42.♘c7

As pretas abandonaram.

Pode-se dizer que no estágio inicial do torneio – as quatro rodadas iniciais – eu obtive sucesso não apenas no aspecto competitivo (3½ pontos), mas também no criativo. Aqui, por exemplo, está meu interessante empate na segunda rodada, onde muita coisa permaneceu atrás da cena.

Partida 50

Ivanovic - Kasparov

3º Torneio Internacional

Bugojno 1982

Defesa Siciliana

1.e4 c5 2.♘f3 d6 3.d4 c×d4 4.♘×d4 ♘f6 5.♘c3 a6 6.♗c4 e6 7.♕e2 ♗e7 8.a4 ♘c6 9.♗e3 0–0 10.0–0

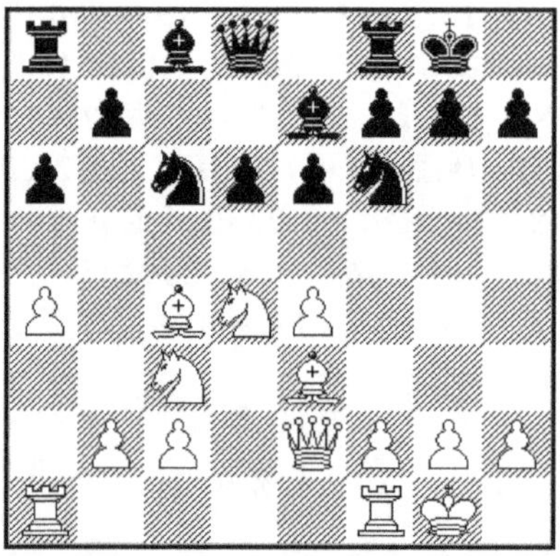

10...d5

Através desse tipo de avanço libertador, as pretas geralmente tomam a iniciativa. O jogador iugoslavo encontrou uma solução interessante.

11.♖fd1!

Após 11.e×d5 e×d5 12.♗d3 ♗b4 as pretas têm jogo muito melhor.

11...♗d6 12.e×d5

Agora tudo termina em um empate particularmente rápido. 12.♗g5 poderia ter conduzido a jogo mais complicado, embora aqui também as chances das pretas não fossem piores, por exemplo, 12...♘×d4 13.♖×d4 ♕b6 14.♗×f6 g×f6 15.♕g4+ ♔h8 16.e×d5. Nessa posição elas poderiam escolher entre 16...e5 17.♕h4 com empate ou 16...♕×b2, ganhando uma peça, mas nesse último caso as brancas têm chances de um ataque.

12...e×d5 13.♘×d5 ♘×d5 14.♗×d5 ♗×h2+ 15.♔×h2 ♕×d5 16.c4 ♕e5+ 17.♔g1

Empate.

E na partida contra o Grande Mestre argentino Najdorf consegui levar a cabo uma idéia interessante.

Partida 51

Kasparov - Najdorf

3º Torneio Internacional

Bugojno 1982

Defesa Índia da Dama

1.d4 ♘f6 2.c4 e6 3.♘f3 b6 4.a3 ♗b7 5.♘c3 d5 6.c×d5 ♘×d5 7.e3 ♗e7 8.♗b5+ c6 9.♗d3 ♘×c3 10.b×c3 c5 11.0–0 ♘c6 12.e4 0–0 13.♗e3 c×d4 14.c×d4 ♖c8 15.♕e2 ♘a5 16.♖fd1 ♕d6

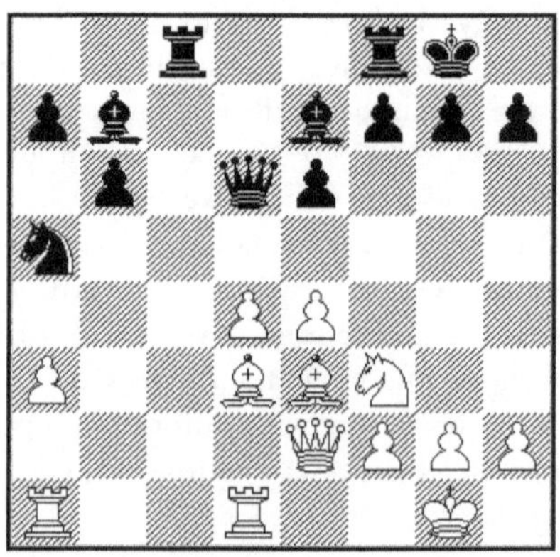

Eu consegui explorar a posição avançada da dama preta para um ataque na ala do rei. Para fazer isso, os dois peões centrais tinham que ser sacrificados.

17.d5 e×d5 18.e5 ♕e6 19.♘d4 ♕×e5 20.♘f5

As diagonais dos bispos estão abertas e o cavalo foi trazido à frente, mas por outro lado a posição das pretas é ainda perfeitamente sólida.

20...♗f6

20...♗c5 é ruim devido a 21.♕h5, quando contra a ameaça de ♘e7+ não há defesa satisfatória. À primeira vista, 20...♘c4 parece funcionar, mas então o tranqüilo 21.♕f1! decide a partida.

História da carochinha! Após 20...♘c4 21.♕f1 o simples 21...♗d6! deixa as brancas no mau caminho (22.f4 ♕f6 23.♗d4 ♗c5, ou 22.g3 ♘×e3) Pouco melhor é 21.♗d4 ♕×e2 22.♖×e2 ♗c5 23.♗×g7 ♖fe8. Talvez a única possibilidade de salvação seja 21.♕h5 g6 22.♗d4 ♕×d4 (22...g×h5 23.♘×e7+) 23.♘×d4 g×h5 24.♖×e7 ♘d6 25.♘f5 ♘×f5 26.♖×b7 ♘d4 27.♖×a7 – a fraqueza dos peões das pretas provavelmente não as permitirá vencer. Chega-se à conclusão de que, ao invés do sacrifício frívolo de dois peões, as brancas deveriam ter escolhido o "rotineiro" 17.h4.

21.♕g4

A ameaça é ♗d4. A resposta mais natural é 21...♖fe8, e então 22.♗d2 ♕×a1 23.♖×a1 ♗×a1, quando 24.♘×g7 não funciona devido a 24...♗×g7 25.♗h6 ♖c1+ 26.♗f1 ♖×f1+! 27.♔×f1 ♗a6+, e as pretas dão mate. Desta forma, (ao invés de 24.♘×g7) 24.h4! é mais forte (renovando a ameaça de ♘×g7). A propósito, 24.♘h6+ não é muito bom em vista de 24...♔f8 25.♗b4+ ♖c5 – as pretas dão a qualidade, mas o ataque branco definha. Mas após 24.h4 elas mantêm fortes ameaças.

As pretas poderiam também ter se defendido por meio de 21...♕c3, quando as brancas teriam continuado 22.♘e7+ ♗×e7 (é ruim 22...♔h8 23.♗×h7 ♖c4 24.♗e4!, com mate) 23.♗d4 ♕×d4 24.♕×d4 ♗f6 25.♕g4 ♗×a1 26.♖×a1. As pretas têm torre, cavalo e dois peões pela dama. Acho que as chances das brancas são preferíveis, mas o resultado mais provável é o empate.

Mas Najdorf jogou um lance fraco:

21...♖ce8? 22.♗d2 ♕×a1

Ou 22...♕c7 23.♘h6+ ♔h8 24.♖×e8 ♖×e8 25.♕f5 ♖e4 26.♗×e4 d×e4 27.♖c1 ♘c4 28.♗g5 com vantagem decisiva.

23.♖×a1 ♗×a1

Agora a combinação acima mencionada funciona.

24.♘×g7! ♗×g7

Ou 24...♗c8 25.♘e6+ ♔h8 26.♕f5, com mate.

25.♗h6

As pretas abandonaram.

Na minha opinião, as partidas decisivas na batalha pelo primeiro lugar foram as da sexta e sétima rodadas contra os ex-Campeões Mundiais Petrosian e Spassky. Como o leitor deve estar ciente, até então as partidas com Petrosian haviam ido de mal a pior para mim, mas nessa ocasião consegui quebrar essa tradição desagradável. Logo na abertura consegui uma grande vantagem.

Partida 52

Kasparov - Petrosian

3º Torneio Internacional
Bugojno 1982
Defesa Bogoíndia

1.d4 ♘f6 2.c4 e6 3.♘f3 ♗b4+ 4.♗d2 ♕e7 5.g3 ♗×d2+ 6.♕×d2 0–0 7.♗g2 d5 8.0–0 d×c4 9.♘a3 c5 10.d×c5 ♕×c5 11.♖ac1 ♘c6 12.♘×c4 ♕e7 13.♘fe5 ♘×e5 14.♘×e5

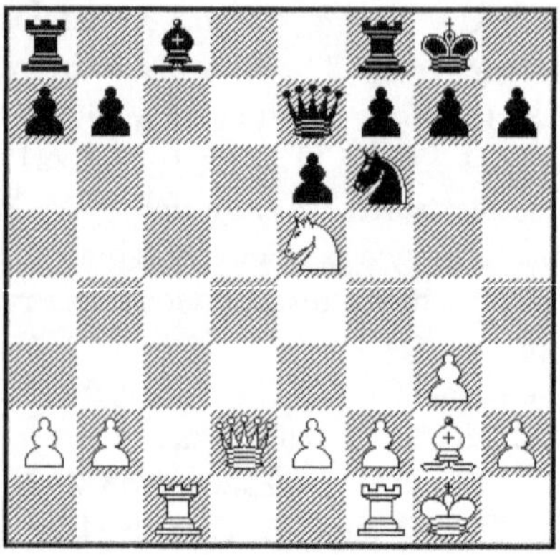

Avaliar essa posição não é muito difícil – a diferença na colocação das peças é muito grande. Mas a ausência de fraquezas na posição das pretas torna difícil a realização da vantagem. Se elas puderem desenvolver as peças sem qualquer dano em particular, a iniciativa das brancas será neutralizada. Para tal elas precisam retirar o cavalo de e5 da sua posição dominante.

14...♘d5 15.♖fd1 ♘b6 16.♕a5!

Restringindo a ala da dama das pretas, e prevenindo 16...f6 em vista de 17.♘c4 ♘×c4 18.♖×c4 com invasão decisiva.

16...g6 17.♖d3!

Com seu último lance as pretas tentaram preparar a troca de um par de torres, mas as brancas anteciparam essa tentativa: 17...♖d8 18.♕c5! ♕×c5 19.♖×d8+ ♕f8 20.♖×f8+ ♔×f8 21.♖c7, com posição arrasadora.

17...♘d5 18.e4!

É uma pena para as brancas ter que bloquear a diagonal do seu próprio bispo, mas agora é mais importante deslocar o cavalo do seu excelente posto.

18...♘b6

Forçado, para cobrir c7. A tentativa de ganhar alguma liberdade através de meios táticos não funcionaria – 18...♕b4? 19.♖×d5.

19.♗f1!

Um lance discreto, mas muito importante. Em tal situação, o principal é não permitir ao adversário que se liberte. As pretas pretendiam jogar 19...f6, e depois de 20.♘c4 explorar a situação desprotegida da torre em d3: 20...♘×c4 21.♖×c4 b6 22.♕c3 ♗a6. O profilático 19.♗f1! previne essa possibilidade.

19...♖e8

É difícil chamar esse lance de erro, mas de qualquer forma, a melhor chance das pretas era sacrificar um peão através de 19...f6 20.♘c4 ♗d7, embora ainda assim as brancas devessem vencer gradualmente após 21.♘×b6 a×b6 22.♕×b6 ♗c6 23.a3.

20.♖dd1!

As brancas coordenaram completamente todas as suas peças, e as pretas podem apenas observar passivamente os preparativos de seu adversário.

20...♖f8

Não há nada mais, já que não é mais possível subornar o adversário com um sacrifício de peão: 20...f6 21.♘c4 ♗d7 22.♘×b6 a×b6 23.♕×b6 ♗c6 24.♗b5! ♗×b5 25.♕×b5 com vitória direta. Agora as pretas podem somente esperar por um milagre, ou... a inexperiência e afobação do seu adversário. Com a experiência dos encontros anteriores, a última parece mais provável, mas as lições recebidas de Petrosian em Moscou e Tilburg haviam me ensinado muito.

21.a3!

Lances insignificantes como esse demonstram ao adversário o quão impotente ele está.

21...♔g7 22.b3

As brancas, lentamente e sem afobação, aproximam-se de seu objetivo. É óbvio que o avanço do peão a a5 vai decretar o fim da resistência das pretas, mas o que elas podem fazer?

22...♔g8 23.a4 ♖d8

Até sem esse equívoco, a partida não se prolongaria muito.

24.♕c5!

A variante 24...♕×c5 (24...♕e8 25.♘g4!) 25.♖×d8+ ♕f8 26.♖×f8+ ♔×f8 27.♖c7 não requer nenhum comentário. As pretas abandonaram.

Minha partida com Spassky seguiu um curso muito mais tenso.

Partida 53

Spassky - Kasparov

3º Torneio Internacional

Bugojno 1982

Defesa Siciliana

1.e4 c5 2.♘c3 e6 3.g3 d5 4.e×d5 e×d5 5.♗g2 ♘f6

5...d4 é prematuro em vista da interposição 6.♕e2+, após o que o cavalo ocupará uma das casas centrais, e4 ou d5.

6.♘ge2 d4 7.♘e4 ♘×e4 8.♗×e4 ♘d7

8...♘c6 seguido por ...♗d6 e ...0–0 também é aceitável.

9.0–0 ♘f6 10.♗g2 ♗d6

As pretas desenvolveram bem as suas peças. Se 11.d3 então 11...0–0, e elas têm simplesmente as melhores chances – elas têm maior espaço para manobrar. Por isso Spassky imediatamente começa a minar o centro de peões das pretas.

11.c3!

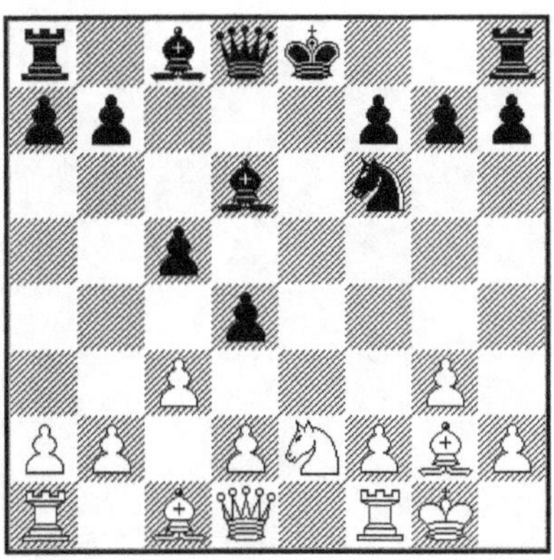

11...d3!?

Um jogo mais tranqüilo resultaria de 11...0–0 12.c×d4 c×d4 13.d3 (um pouco pior é 13.♘×d4 ♗×g3) 13...♖e8.

12.♘f4 0–0

É claro que não 12...♗×f4? devido a 13.♕a4+ ♗d7 14.♖e1+ ♔f8 15.♕×f4.

13.♘×d3 ♗×g3 14.f×g3!

Isso é mais forte do que 14.h×g3 – a torre branca entra em jogo na coluna f. 14.♘×c5? é ruim – 14...♗×h2+ 15.♔×h2 ♘g4+, e o ataque das pretas dificilmente pode ser parado.

14...♕×d3 15.♕f3

Uma posição interessante – as pretas bloquearam a ala da dama do seu adversário, mas se as brancas conseguirem se libertar, seu par de bispos poderá ter um importante poder de decisão. As pretas precisam jogar energicamente, e assim 15...♖d8 não funciona em vista de 16.♕×d3 ♖×d3 17.♖e1 seguido por ♗f1, quando as brancas estão melhores.

15...♕×f3 16.♗×f3

No caso de 16.♖×f3 as pretas jogam 16...♗e6 com chances melhores.

16...♗h3 17.♗×b7!

Spassky também está lutando por vantagem.

17...♖ae8 18.♗g2

Não 18.♖d1 devido a 18...♗g4 19.♖f1 ♗e2 20.♖e1 ♗d3.

18...♗×g2 19.♔×g2 ♖e2+ 20.♖f2 ♖fe8

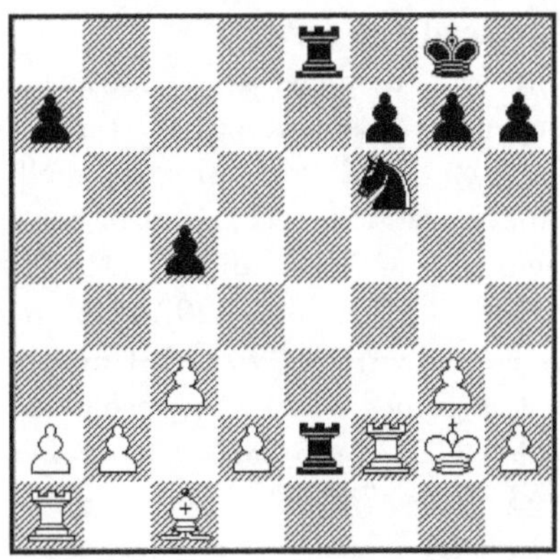

As brancas têm um peão a mais, mas no momento suas duas peças da ala da dama estão fora de jogo. É verdade, resta pouco material no tabuleiro, e é extremamente difícil para as pretas explorar sua liderança no desenvolvimento. Especialmente porque Spassky faz agora um lance muito forte.

21.b3!

Uma solução excelente, e a única correta nessa posição. 21.d4 é ruim – 21...c×d4 22.c×d4 ♖e1, e a paralisia da ala da dama das brancas está próxima a se manifestar. A idéia do lance na partida é abandonar a ala do rei à sua sorte, mas desenvolver a ala da dama. Por exemplo, 21...h5 22.♗a3 ♘g4 23.♖×e2 ♖×e2+ 24.♔f3 etc. (o plano das brancas inclui ♗×c5×a7), ou 21...h5 22.♗a3 ♖×f2+ 23.♔×f2 ♘e4+ 24.♔g2 ♘×d2 25.♗×c5 ♖e2+ 26.♗f2 ♘e4 27.♔f3 ♖×f2+ 28.♔×e4 ♖×h2 – e na minha opinião as brancas ainda estão melhores.

21...♖×f2+ 22.♔×f2 ♘g4+ 23.♔g2 f5!

23...♖e1 é tentador, e se 24.♗b2 ♖e2+ 25.♔f3 ♖×d2. Mas então 26.♗a3 ♘×h2+ 27.♔e4 é muito forte – a atividade das peças brancas constitui uma força formidável.

24.h3 ♘e5 25.d4

Com o seu peão em d2, é claro que as brancas não podem permitir que o cavalo entre em d3.

25...c×d4 26.c×d4

26.♗d2 é interessante, devolvendo o peão mas desenvolvendo o bispo após 26...d×c3 27.♗×c3 com as melhores chances. Mas as pretas poderiam conseguir o empate – 26...♘d3 27.♔f3 ♘e5+ 28.♔f4 ♘d3+, pois 29.♔×f5 não é possível em vista de 29...♖e2. Uma posição de dois gumes poderia ter resultado após 27.♔f1 – 27...d×c3 28.♗×c3 ♖e3 29.♗d4 ♖×g3 30.♗×a7 ♖×h3.

26...♘d3

As pretas são salvas pela atividade de seu cavalo, pois 27.♗a3 não é possível devido a 27...♘e1+ e 28...♘c2.

27.♗g5

27.♗f4 pode ser adequadamente respondido por 27...♘×f4+ 28.g×f4 ♖e4.

27...h6 28.♖d1 h×g5 29.♖×d3 ♖e2+ 30.♔f3 ♖×a2 31.d5 ♔f7 32.d6 ♔e8

Empate.

A seqüência poderia ter sido 33.♖e3+ ♔d7 34.♖e7+ ♔×d6 35.♖×g7 ♖b2 36.♖×g5 ♔e6.

Após ganhar um ponto e meio nessas duas partidas, eu senti que tinha boas chances para o primeiro lugar. Nas rodadas 8 e 9 consegui ganhar contra Larsen e Kavalek, e minha liderança sobre o rival mais próximo – Polugaevsky – alcançou um ponto e meio.

Partida 54

Kasparov - Larsen

3º Torneio Internacional

Bugojno 1982

Na posição do diagrama é difícil imaginar as complicações combinatórias vindouras, e seria de se esperar que após uma batalha de manobras a partida terminasse em um empate. Entretanto, eu consegui encontrar uma possibilidade interessante.

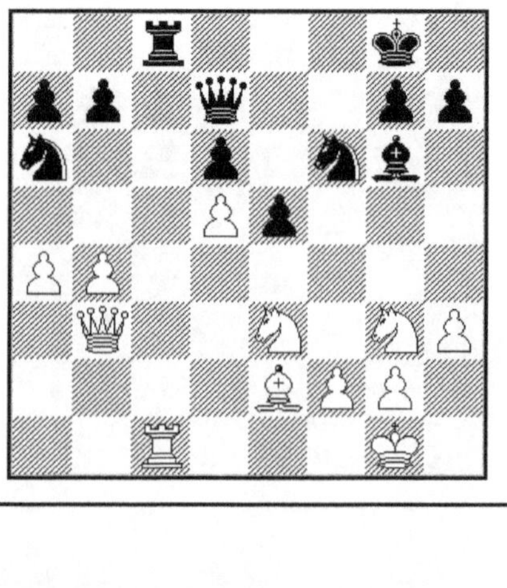

25.♖c6!

Um lance audacioso, com a virtude de não comprometer nada! Casualmente, tem uma base posicional: 25...♗f7 26.♗g4! ♘×g4 27.♖×c8+ ♕×c8 28.h×g4 com uma apreciável vantagem para as brancas (28...♕c1+ 29.♔h2 ♕d2? 30.♕c4!). Mas se as pretas simplesmente tivessem ignorado a torre imprudente e melhorado a colocação de suas peças (25...♘c7), a partida poderia ter tomado um curso nivelado. Entretanto, Larsen não é um daqueles que tomam como suas as palavras do adversário e então, após pensar por 20 minutos dos 25 que lhe restavam, resolutamente retirou a torre branca do tabuleiro.

25...b×c6?

Agora a idéia das brancas está justificada.

26.d×c6+ ♕f7 27.♗c4 d5 28.♘×d5 ♔h8

28...♔f8, com a idéia de entregar a dama em uma versão favorável, caminha para uma refutação elegante: 29.♘b6! ♖×c6 30.♗×f7 ♗×f7 31.♕a3!, quando o xeque descoberto é decisivo, ou 29...a×b6 30.♗×f7 ♗×f7 31.♕d3!

29.♘b6! ♕c7 30.♘×c8 ♕×c8 31.b5!

Esse lance foi subestimado por Larsen. Por alguma razão, ele considerou somente 31.♗×a6 ♕×a6, o que lhe teria permitido parar os peões passados. Mas as brancas não têm razões para trocar seu bispo forte.

31...♘c5 32.♕a3 ♘ce4

O cavalo não pode ser mantido em c5 – 32...♕f8 33.c7! ♘fd7 34.♗e6!

33.♕e7 ♘×g3

Agora 34.f×g3 venceria sem maiores dificuldades. Infelizmente, nesse momento minha atenção foi distraída pela seta das pretas, a qual ainda permanecia levantada somente por um tipo de milagre, e, pensando que todos os caminhos levam a Roma, decidi jogar brilhantemente.

34.c7 ♗f5

Aqui as brancas podem escolher entre 35.♕d8+ ♘e8 36.♗f7 e o mais elegante 36.b6! a×b6 37.♗a6!, com vitória instantânea em ambos os casos. Eu não me lembro em que estava pensando, mas de súbito catei mecanicamente o cavalo preto.

35.f×g3? h5!

Larsen prontamente se aproveita da chance oferecida – agora as variantes dadas nos comentários anteriores não funcionam, pois o cavalo preto conquistou a casa h7. Após convencer-me de que era impossível vencer a partida imediatamente, decidi simplesmente avançar meus peões.

36.a5 e4 37.b6 a×b6 38.a×b6 ♔h7

Não é possível bloquear os peões: 38...♕b7 39.♕c5 ♗c8 40.♗b5! e3 (de outra forma ♗c6) 41.♕×e3, e as brancas devem vencer.

39.♕c5 ♗d7

Aqui a seta das pretas finalmente caiu, mas da mesma forma após 40.♕a5 o peão branco não pode ser parado.

Partida 55

Kavalek - Kasparov

3º Torneio Internacional

Bugojno 1982

Defesa Índia do Rei

1.c4 g6 2.♘c3 ♗g7 3.d4 ♘f6 4.e4 d6 5.♘f3 0–0 6.h3 e5 7.d5

Um dos sistemas mais insidiosos de jogo contra a Defesa Índia do Rei, imaginado por Vladimir Makogonov. A idéia principal é que a imediata preparação de ...f5 bate de frente com uma enérgica resposta: 7...♘h5 8.♘h2! (isso parece fantasioso, mas tem uma base sólida – porque estaria o ♘h2 pior do que o ♘h5?) 8...♕e8 9.♗e2 ♘f4 10.♗f3 f5 11.g3!. Somente esse sacrifício de peão coloca dúvidas sobre o jogo das pretas, enquanto que 11.h4? permitiu-lhes desenvolver uma atividade furiosa na partida Kavalek-Quinteros, em 1973: 11...♘a6 12.g3 ♘c5!! 13.g×f4 e×f4, e as brancas tiveram que recorrer a medidas extremas (14.e5!) para evitar um desastre imediato.

Após 11.g3! ♘×h3 12.♗g2 nem 12...f×e4 13.♗e3 ♗f5 14.♘g4 (Bagirov-Vukic, 1976) nem 12...f4 13.♘f3 g5 14.♗×h3 ♗×h3 15.♖×h3 g4 16.♖h1 g×f3 17.♕×f3 (Vizhmanavin-Chiburdanidze, 1981) ajudam as pretas a resolverem os seus problemas.

Entretanto, as pretas não são obrigadas a ter pressa com ...f5.

7...♘a6 8.♗e3

As brancas estão preparadas para responder a 8...♘c5 com o normal 9.♘d2, mas uma surpresa as aguarda.

8...♘h5!

Percebendo a posição não totalmente feliz do bispo em e3 nas variantes com ...♘h5 e ...f5, as pretas revertem para esse plano.

9.♘h2 ♕e8 10.♗e2 ♘f4 11.♗f3 f5

Agora é óbvio que a inclusão de ...♘a6 e ♗e3 favoreceu as pretas, no mínimo pelo fato de que 12.g3 não funciona (12...♘×h3 13.♗g2 f4). O desenvolvimento do cavalo por a6 também tem outro aspecto positivo, mas sobre isso falaremos mais tarde.

12.h4 ♕e7 13.g3

Na expectativa de 13...♘h3 14.♖f1 f4 15.♗c1, quando aparentemente não há caminho para as pretas desenvolverem a sua iniciativa, e o seu cavalo permanece fora da luta. A idéia de deixar o cavalo *en prise* pode parecer audaciosa, mas um estudo mais cuidadoso da posição revela sua similaridade com a partida Kavalek-Quinteros, mencionada acima. As brancas provavelmente estavam seguras pelo fato de que aqui a casa c5 está sendo vigiada pelo bispo em e3, mas há outro caminho para alcançar d3...

13...♘b4!

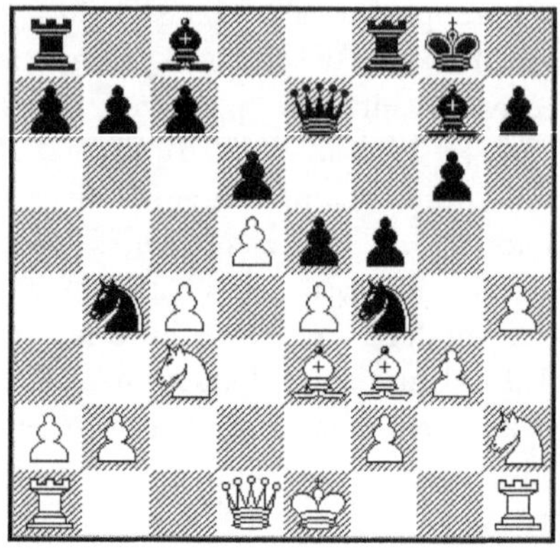

O cavalo em f4 é imune: 14.g×f4 f×e4! (14...e×f4? 15.♗×f4 f×e4 16.♗g5!) 15.f×e5 (15.♘×e4 e×f4 16.♗d2 ♘d3+ 17.♔e2 ♘c5, recuperando a peça) 15...♘d3+ 16.♔e2 ♖×f3! 17.♘×f3 ♗g4 18.♘×e4 ♘×e5, e a partida não pode ser salva. Kavalek estava evidentemente desanimado com tal reviravolta, e cometeu um erro sério.

14.♕b3?

Isso é coragem, beirando o suicídio. Quer seja bom ou mau, as brancas deveriam ter rocado. As pretas poderiam ter replicado 14...g5!, continuando a aumentar a tensão nas vizinhanças do rei branco. A posição após 14.0–0 g5! não é fácil de se avaliar objetivamente, mas na minha opinião as pretas têm boas perspectivas na batalha vindoura.

14...♘fd3+

Uma situação assim no 14° lance não é vista freqüentemente: a cavalaria preta, após passar pelo centro avançado do adversário pelos flancos, começa a perseguir o rei branco.

15.♔e2 f4 16.♗d2

Quando jogando com as pretas em tal posição, o mais importante é não perder a cabeça em face da quantidade de continuações tentadoras. O simples 16...a5, por exemplo, era possível, mas a intuição sugeriu para mim que medidas mais enérgicas eram necessárias.

16...f×g3?!

As pretas confundem os sinais da estrada, e caem num caminho esburacado, o qual pode conduzir a um empate forçado. No espírito do jogo precedente era o resoluto 16...♘×f2! 17.♔×f2 ♘d3+ 18.♔g2 (18.♔e2 ♘c5 19.♕c2 f×g3 20.♘f1 ♕f6) 18...f×g3 19.♔×g3 ♖f4!, quando todo o exército preto toma parte na ofensiva decisiva, por exemplo, 20.♘g4 h5! 21.♘e3 (21.♘f2 ♖×f3! 22.♔×f3 ♕f6+ 23.♔e2 ♘×f2 com mate inevitável) 21...♗f6! 22.♘g2 ♗×h4+ 23.♖×h4 ♕g5+, ou 20.♗×f4 e×f4+ 21.♔g2 ♕×h4 22.♖hf1 ♗h3+ 23.♔h1 ♗×f1 24.♖×f1 ♘f2+ 25.♖×f2 ♕×f2 26.♕×b7 ♖f8, e a vitória não está longe. É assim que essa partida, que começou tão bem, deveria ter sido concluída!

"A vitória não está longe" é uma expressão muito forte: 27.♘e2! g5 28.♕×c7 (28.♕b3 ♕h4!, e o peão avança) 28...g4! 29.♗×g4 f3 30.♘×f3 (30.♗×f3 ♗e5!) 30...♕×e2 (30...♖×f3? 31.♗×f3 ♕×f3+ 32.♔g1 ♕×e2 33.♕c8+ com xeque perpétuo) 31.♕×d6 ♕f1+! 32.♘g1 ♕×c4, e as pretas ainda têm boas chances de vitória.

17.f×g3 ♖×f3! 18.♘×f3 ♗g4 19.♖af1 ♖f8

A posição crítica para avaliar o curso tomado pelas pretas. À primeira vista, parece que as coisas estão indo esplendidamente para elas: além do direto ...♕f7, elas também ameaçam a dupla troca em f3 seguido pela invasão da dama preta. Mas um estudo mais cuidadoso da posição revela que a ameaça de ...♕f7 não é mortal se a casa d2 estiver livre para o rei branco, e enquanto isso a cavalaria preta começa a atolar em território inimigo. Agora o mais importante para as brancas é cobrir a casa f2, assim defendendo-se contra a segunda ameaça. Esse objetivo é atingido por 20.♘d1 e 20.♗e3. Na partida as brancas escolhem a continuação mais tentadora, mas ela se mostrou incorreta.

20.♘d1?

Como já mencionado, é importante desocupar a casa d2. Essa exigência é cumprida por 20.♗e3!, quando as pretas precisariam encontrar a única continuação para manter o balanço – 20...♗h6! (é muito mais fraco 20...♕f7? 21.a3! ♗×f3+ 22.♔d2 ♕d7 23.♖hg1, ou 20...♕d7 21.a3 ♗×f3+ 22.♖×f3 ♕g4 23.♖f1 ♖×f3 24.♖×f3 ♘e1 25.♔×e1 ♕×f3 26.♔d2!). Agora 21.a3? é ruim devido a 21...♖×f3 22.♖×f3 ♗×f3+ 23.♔×f3 ♕f6+ 24.♔e2 ♗×e3 25.♖f1 ♘c1+, ou 24.♔g2 ♗×e3 25.♖f1 ♘e1+! Após 21.♗×h6 ♖×f3 22.♖×f3 ♗×f3+ 23.♔×f3 ♕f6+ 24.♔g2 ♕f2+ 25.♔h3 ♕f3 26.♖h2 (26.♔h2 ♕f2+) e parece que o ataque das pretas definhou, mas 26...g5! 27.♗×g5 ♕f1+ 28.♔g4 (28.♖g2? ♘f2+ 29.♔h2 ♕h1 mate) 28...h5+! 29.♔×h5 ♕f3+ 30.♔h6 (não 30.g4? em vista do mate em dois lances) 30...♕f8+ 31.♔h5 ♕f3+ conduz a um xeque perpétuo.

Pode parecer estranho que após 20.♗e3! as pretas não tenham nada melhor, mas é assim que as coisas são: a eficiência de suas peças é muitíssimo reduzida (para efeito de comparação, a posição após 16...♘×f2! deve ser lembrada).

20...♕f7!

Uma resposta forte: o cavalo preto é imune, enquanto o branco está condenado.

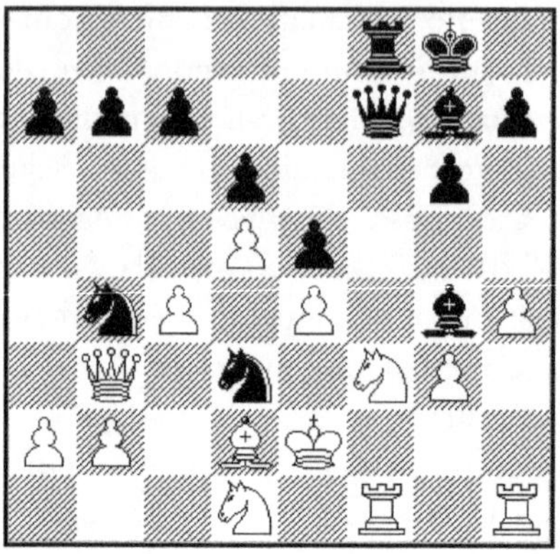

21.♗e3 ♗×f3+ 22.♔d2 ♕d7 23.♖hg1

23.a3 é mais tenaz, mas essencialmente não teria mudado nada: após 23...♗×h1 24.♖×h1 a5 25.a×b4 ♘×b4 o peão extra das pretas mais a posição exposta do rei branco asseguram a vitória às pretas.

23...♕h3 24.a3 ♗×e4! 25.♖×f8+ ♗×f8 26.a×b4 ♕h2+ 27.♔c3 ♘c1!

Um final elegante. As brancas abandonaram.

Após vencer essa partida, prematuramente pensei que teria um torneio tranqüilo pela frente. Mas após um empate rápido contra Polugaevsky, tive que encarar uma partida com as pretas contra Timman, que poderia ter sido aquela mosca na sopa, que estraga a lembrança de qualquer de sucesso. Após jogar a abertura de forma frívola, pelo lance 15 eu já estava em uma posição nada invejável.

Partida 56

Timman - Kasparov

3º Torneio Internacional
Bugojno 1982
Defesa Índia do Rei

1.d4 ♘f6 2.c4 g6 3.♘c3 ♗g7 4.e4 d6 5.f3 0–0 6.♗e3 ♘c6 7.♘ge2 a6 8.♕d2 ♖b8 9.h4 b5?! 10.h5 e5 11.d5 ♘a5 12.♘g3 b×c4 13.0–0–0 ♘d7 14.h×g6 f×g6 15.♘b1

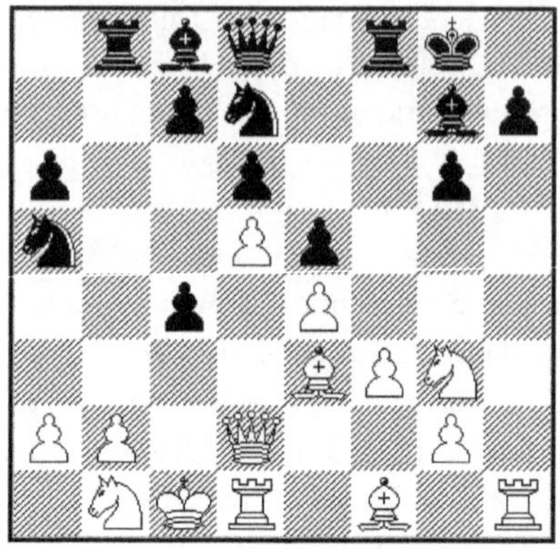

Aqui 15...♘b7 16.♗×c4 ♘bc5 era normal e, embora deixasse as pretas sob pressão posicional, elas poderiam ainda ter esperança de uma defesa bem sucedida. Mas eu ainda estava com um estado de espírito otimista, e com confiança joguei

15...♖b5?

esperando conseguir confundir as coisas após 16.♘a3 ♘c5! 17.♗×c4 (17.♔b1? c3! 18.♕×c3 ♘a4) 17...♖b3!? 18.♗×c5 ♖×a3 19.♗×a3 ♘×c4 20.♕e1 (20.♕c3? ♘×a3 21.♕×a3 ♕g5+) 20...♘×a3 21.b×a3. Nessa variante a posição exposta do rei branco realmente dá às pretas contra-chances.

16.b4!

Uma resposta elegante, que dispersa as ilusões das pretas. 16...♘b7 17.♗×c4 é obviamente sem esperança, então as pretas decidem dar um passo desesperado – o sacrifício de uma torre.

16...c×b3 17.♗×b5 c5

É absurdo dizer que as pretas estão à beira da derrota – elas já cruzaram essa linha! O simples 18.♗e2 teria deixado as brancas com uma torre limpa a mais e uma situação relativamente tranqüila – o que mais alguém pode querer de uma posição? Mas a partir desse momento, um papel importante é desempenhado pela tendência psicológica – a cada lance as brancas esperam que seu adversário capitule, enquanto as pretas mostram recursos ao se equilibrar à beira do abismo.

18.d×c6?! a×b5

Aqui Timman mergulhou em pensamentos. Uma verificação mais detalhada do óbvio 19.c×d7 mostra que as coisas não são tão claras: 19...♘c4 20.d×c8=♕ ♕×c8 21.♕d5+ ♖f7, e o pequeno exército das pretas inesperadamente cria algumas ameaças muito reais. Entretanto a simples eliminação do perigoso peão b – 21.a×b3! teria deixado as brancas com uma vantagem suficiente para vencer após 21...♘×d2+ 22.♔×d2. Mas quando você tem uma torre de vantagem, não é tão fácil separar-se de sua dama!

19.♕d5+? ♖f7

Não 19...♔h8? 20.♖×h7+! e mate.

20.a×b3

Agora as pretas têm apenas a qualidade a menos, e isso é um sucesso!

20...♘f8!

Preparando ...♗e6 e protegendo o rei. Agora 21.♕×b5 é respondido desagradavelmente por 21...♘×c6!, então a dama captura outro peão.

21.♕×d6 ♕e8

A situação aguçou: as pretas conseguiram coordenar as suas peças, e a posição insegura do rei branco começa a evidenciar-se. As brancas provavelmente deveriam ter se conformado com o fato de que uma vitória rápida não seria possível, e continuado com 22.♔b2, mantendo uma óbvia vantagem após 22...♘×c6 23.♘e2. Mas, ao encontrar resistência inesperada, Timman começa a ficar nervoso...

22.♕d8 ♕×c6+ 23.♔b2

E novamente parece que a força bruta triunfará (é ruim 23...♘×b3 24.♕d5!, ou 23...♕a6 24.♖d6 ♘c6 25.♖×c6! ♕×c6 26.♖c1), mas as pretas conseguem encontrar novos recursos.

23...♕a8! 24.♖c1

Esperando por 24...♘c6 25.♖×c6.

24...♘c4+! 25.b×c4 ♖d7!

Uma interposição importante – é preciso determinar qual caminho a dama branca tomará.

26.♕e8

Lógico, já que no caso de 26.♕b6 as pretas têm o perigoso 26...♖b7, enquanto após 26.♕h4 a dama está fora de jogo. Além disso, as brancas têm algo mais em mente... Isso fica claro em um par de lances.

26...b×c4 27.♘c3 ♕c6!!

Mas isso claramente não fazia parte do plano das brancas. Seu cálculo estava baseado em 27.♕b7+ 28.♔a1 ♕a6+ 29.♘a2 ♖d3 30.♖×h7!, quando as pretas não têm defesa, por exemplo, 30...♖×e3 (30...♔×h7 31.♕f7) 31.♖×g7+ ♔×g7 32.♕e7+ ♔g8 33.♘h5! g×h5 34.♕g5+ e ♕×e3. Mas após o lance jogado, as brancas inevitavelmente perdem a dama (as pretas ameaçam ...♖d2+ ou ♖b7+).

Quando o último lance das pretas foi feito no tabuleiro, Timman ficou pálido – ele só precisou de uma olhadela para compreender a natureza irreparável do que tinha acontecido. De qualquer modo, ele fez o lance seguinte quase imediatamente – as brancas tinham somente uma resposta aceitável.

28.♔c2 ♖d2+

Aqui, para surpresa dos espectadores, um empate foi acordado por minha proposta. Deve ser dito que após 29.♔×d2 ♕×e8 30.♘d5 a posição das pretas não dá muitos motivos para otimismo. Quanto a Timman, o choque causado por uma mudança tão súbita dos acontecimentos foi demais para ele. Na posição final (29.♔×d2 ♕×e8 30.♘d5) a seguinte variante é possível: 30...♗e6 31.♖×c4 ♗×d5 32.e×d5 ♕b5 33.♖c5 ♕b2+ 34.♖c2 ♕b4+

35.♔e2 ♕b5+ 36.♔f2 ♕×d5, com provável empate.

Essa escapada milagrosa em essência decidiu a batalha pelo primeiro lugar, e um empate na rodada seguinte com Hübner colocou-me fora do alcance de meus rivais.

	1	2	3	4	5	6	7	8	9	10	11	12	13	14	Pontos	Lugar
1 - Kasparov	Ж	½	½	½	½	½	1	1	½	½	1	1	1	1	9½	1º
2 - Polugaevsky	½	Ж	½	½	1	½	0	½	½	1	½	1	1	½	8	2º- 3º
3 - Ljubojevic	½	½	Ж	½	½	½	½	½	1	1	½	½	½	1	8	2º- 3º
4 - Spassky	½	½	½	Ж	½	½	1	½	½	½	½	½	1	½	7½	4º- 5º
5 - Hübner	½	0	½	½	Ж	½	½	½	1	½	½	½	1	1	7½	4º- 5º
6 - Andersson	½	½	½	½	½	Ж	0	½	½	1	½	½	1	½	7	6º- 8º
7 - Larsen	0	1	½	0	½	1	Ж	½	0	0	1	1	1	½	7	6º- 8º
8 - Petrosian	0	½	½	½	½	½	½	Ж	½	1	½	½	½	1	7	6º- 8º
9 - Ivanovic	½	½	0	½	0	½	1	½	Ж	1	½	0	0	1	6	9º
10-Timman	½	0	0	½	½	0	1	0	0	Ж	1	1	½	½	5½	10º
11-Kavalek	0	½	½	½	½	½	0	½	½	0	Ж	½	½	½	5	11º- 12º
12-Najdorf	0	0	½	½	½	½	0	½	1	0	½	Ж	½	½	5	11º- 12º
13-Gligoric	0	0	½	0	0	0	0	½	1	½	½	½	Ж	1	4½	13º
14-Ivkov	0	½	0	½	0	½	½	0	0	½	½	½	0	Ж	3½	14º

Post Script Para Um Prólogo

Moscou, 1982

O salão de conferências do Hotel Sport está deserto. Os tabuleiros murais – testemunhas silenciosas de uma interessante, arrojada, e às vezes trágica luta no Torneio Interzonal de Moscou – já não estão nas paredes. Agora esse torneio é história, e, depois de descansar um pouco após a corrida, podemos tentar avaliar calmamente os eventos que ali ocorreram.

O Torneio Interzonal de Moscou foi o último de três eventos iguais, organizados para determinar seis participantes dos *Matches* de Candidatos. Como era de se esperar, não havia falta de previsões. Além disso, a fórmula para compilar as previsões era extremamente simples: comparar a tabela dos Interzonais já completados, adicionar dois ou três fatores superficiais, e – deduzir uma "regularidade" aplicável ao torneio que iria começar.

O auge dessas "previsões" era a determinação dos dois candidatos selecionados em qualquer um dos torneios pelo sistema vigente (14 jogadores lutando por duas vagas): um favorito, mais um dentre os não listados no início como um provável candidato. No papel, esses cálculos pareciam convincentes, mas Caissa provavelmente não pôde ler o jornal *Esporte Soviético*, e então decidiu de outra forma...

Parece-me que o Interzonal de Moscou foi o mais combativo dentre os três. Eu antecipo uma objeção: pode-se esperar objetividade do vencedor de um dos torneios ao comparar todos os Interzonais como um todo?

Mas, primeiramente, o número de partidas com resultados decisivos no Torneio de Moscou foi o mais alto (54,9% contra 50,6% e 46,2% em Las Palmas e Toluca respectivamente). Em segundo lugar, antes da última rodada no Interzonal de Moscou, havia nada menos que cinco (!) contendores com chances reais pela segunda vaga no Torneio de Candidatos. E finalmente, contando o número de empates de "Grandes Mestres" - *(N. do T. – empates sem luta)* – no Torneio de Moscou, os dedos de uma mão podem ser suficientes... Esses argumentos parecem perfeitamente convincentes, mas eu gostaria de sugerir àqueles que amam verdadeiramente e compreendem o xadrez que façam um estudo cuidadoso das partidas. Ocorreram sucessos criativos para quase todos os participantes no torneio. Acredito que os espectadores que conseguiram obter os ingressos não se desapontaram – ocorreram encontros sensacionais em cada rodada.

Mas o principal, todavia, foi a ferocidade da luta, a qual foi mantida alta literalmente até os momentos conclusivos da última rodada. Transmitir com absoluta autenticidade a atmosfera elétrica no palco do torneio e arredores é tarefa impossível, mas eu me esforçarei para revelar o drama da situação em esboços de episódios individuais.

O Grande Mestre cubano Guillermo Garcia simplesmente não consegue lidar com sua tosse nervosa. Afinal, sua meta está tão deslumbrantemente próxima, e ele precisa somente manter-se firme e evitar a derrota! O cubano febrilmente acende um cigarro após o outro, consciente de que o destino poderia nunca mais lhe dar uma chance assim.

Alexander Beliavsky lentamente se levanta de seu tabuleiro. Pelo seu rosto dá para adivinhar que ele ainda está tentando entender o que aconteceu com sua torre a mais na sua partida contra Van der Wiel, e porque o rei branco ficou sob ataque de mate?! Sim, tivesse Beliavsky vencido a partida ele teria ficado em condições de lutar pelo primeiro lugar, mas a derrota vexatória empurrou-o de volta para o meio de seus rivais. Por ora ninguém imagina que os testes mais severos de Beliavsky ainda estão por vir – primeiro 8 horas exaustivas em uma partida suspensa com Andersson, e então outra de manhã contra Rodriguez, na qual o Grande Mestre de Lvov entrega uma peça em uma posição vencedora e só empata por milagre. E depois de tudo isso, calmo e imperturbável como sempre, sobe ao palco para a última rodada para se engajar com as pretas em uma batalha com Gheorghiu. Beliavsky vence. Ele vence contrariando todas as previsões e "senso comum", e essa vitória é a merecida recompensa pela coragem do Grande Mestre de Lvov.

Efim Geller olha ansiosamente para seu relógio. O avanço cruel do ponteiro dos minutos ameaça jogar por terra as quatro vitórias de peso conquistadas pelo celebrado Grande Mestre soviético no final do torneio. Infelizmente, é exatamente isso o que acontece: explorando habilmente os erros do veterano no apuro de tempo, Sax força sua rendição.

Mikhail Tal olha com espanto para seu oponente – quando é que ele vai finalmente começar a cometer alguns erros? Mas Quinteros está imperturbável, nesse dia ele joga com inspiração, e é o ex-Campeão Mundial quem se vê forçado a abandonar seus sonhos de vitória e encontrar somente os únicos para salvar a partida. Tal precisava muito daquela vitória!

Ulf Andersson conduz esplendidamente a sua partida pela 9ª rodada. A vitória parece estar próxima, mas eu consigo me equilibrar à beira do abismo. Subitamente algo imperceptível muda no rosto do Grande Mestre sueco. Os espectadores continuam vendo os dois peões a mais das brancas, mas eu percebi o desânimo de Ulf. As pretas conquistaram algumas ameaças, e para estancá-las o ultracauteloso sueco precisa de tempo, e lhe resta tão pouco! A indecisão de Ulf é agravada pela minha oferta de empate. Ao final, a visão da seta ameaçadora subindo resolve toda a hesitação, e Andersson assina a planilha. Com efeito, essa assinatura significou seu abandono de qualquer batalha posterior pelo torneio. Embora o empate mantivesse o *status quo* dos dois jogadores, eles entraram nas quatro partidas finais com diferentes estados psicológicos. Ao final, evitei a perda de qualquer ponto (quatro vitórias!), enquanto Ulf empatou todas as suas partidas.

Sim, pontos em um Interzonal não são concedidos facilmente. Com freqüência a habilidade em jogar bem prova ser insuficiente por si só, e por isso em meus preparativos, além dos assuntos puramente enxadrísticos, dediquei uma atenção considerável ao desenvolvimento de uma estratégia de torneio. Mas de minha parte poderia não ser muito sincero sustentar que tudo tinha sido planejado antecipadamente: vitórias ao final e empates na metade do torneio. Certamente não dá para prever tudo. Mas, levando em conta a curta distância, atenção particular foi dada ao problema de não perder, e por conseguinte a evitar os riscos o máximo possível. Isso de forma alguma significava evitar a luta em qualquer das partidas. Pelo contrário, em cada rodada eu me esforcei para engajar o adversário na batalha, mas se a partida não seguisse um rumo bom (como, por exemplo, contra Garcia), eu não tentava nadar contra a maré, mas oferecia o empate. Era muito importante manter força suficiente para o final. Afinal, toda derrota atua muito exaustivamente no sistema nervoso. Isso faz o resultado de Beliavsky merecedor de até mais respeito, já que ele conseguiu terminar entre os dois primeiros apesar de três derrotas.

A estratégia de torneio que eu usei foi criticada pelos jornalistas esportivos. Nas páginas dos jornais eu era reprovado por cautela excessiva, por sufocar o lado criativo do meu jogo em favor do resultado competitivo, e assim por diante. Isso era contrastado com meu jogo em outros torneios, onde, estando preparado para assumir riscos, sacrificava peões e peças. Realmente, é agradável aos espectadores assistir a encontros espetaculares com sacrifícios. Mas, primeiramente, existiram os sacrifícios (é suficiente lembrar as partidas com Tal e Beliavsky), e, em segundo lugar, é ingênuo exigir dos participantes de um evento eliminatório tão cruel que eles criem obras-primas. Por isso, na minha opinião, a questão do sucesso criativo ou fracasso num torneio só pode ser considerada na interpretação competitiva. Em Moscou eu consegui jogar várias partidas interessantes.

Partida 57
Kasparov - Sax
Torneio Interzonal
Moscou 1982
Defesa Grünfeld

1.d4 ♘f6 2.c4 g6 3.♘c3 d5 4.c×d5 ♘×d5 5.e4 ♘×c3 6.b×c3 ♗g7 7.♗c4

Anteriormente eu regularmente empregava o sistema com 7.♘f3, mas Sax – um fervoroso defensor da Defesa Grünfeld – é bem familiarizado com as sutilezas desta abertura, e, é claro, com os seus últimos desenvolvimentos. Então decidi por uma continuação menos em voga.

7...0–0 8.♗e3 b6

Isso é duvidoso, pois não ajuda com o principal problema estratégico das pretas na abertura – a contraposição do centro das brancas por meio de ...c5.

9.h4 ♗b7

Talvez a ordem de lances mais precisa. Na partida com Knaak (1979) Sax jogou 9...♘c6, e depois 10.h5 ♘a5 11.h×g6! ficou claro que 11...♘×c4 era ruim devido a 12.♕h5! f×g6 13.♕×h7+ ♔f7 14.♘f3 com um ataque virtualmente irresistível. As pretas tiveram que jogar 11...h×g6, mas após 12.♗d3 elas estavam em dificuldades.

10.♕f3 ♕d7 11.♘e2 h5

Forçado – de outra forma h4–h5, e não é aparente como as pretas poderão defender. Mas agora surge uma questão diferente: como as brancas podem atacar?

12.♗g5!

As brancas iniciam um reagrupamento de suas forças, cujo objetivo é unir seu bispo de casas pretas, cavalo e dama para o ataque.

12...♘c6 13.♘f4 e6

No caso de 13...♘a5 as brancas tinham o decisivo 14.♘×g6.

14.♖d1 ♘a5 15.♗d3 e5!

Quebrando imediatamente a ameaçadora dupla de peões no centro. O natural 15...c5 teria perdido quase que forçado: 16.♘×h5! g×h5 17.♗f6 ♗×f6 18.♕×f6 ♕d8 19.♕h6, e novamente a ameaça de e4–e5 e ♖h3 não teria defesa satisfatória. 15...♕c6 também é insuficiente: as brancas podem simplesmente jogar 16.♗b1, e 16...♗a6 não é perigoso – seu rei permanece no centro, e a sua torre do rei pode entrar em jogo via h3, por exemplo, 17.♖h3 ♕c4 18.♖g3, e as pretas têm apenas um xeque inofensivo em f1. Casualmente, nesse momento as pretas podem ganhar uma peça através de 15...f6, mas após 16.♘xg6 f×g5 17.♕×h5 ♕f7 18.f3! as brancas mantém um ataque muito forte quase "grátis".

16.d×e5 ♗×e5 17.0–0

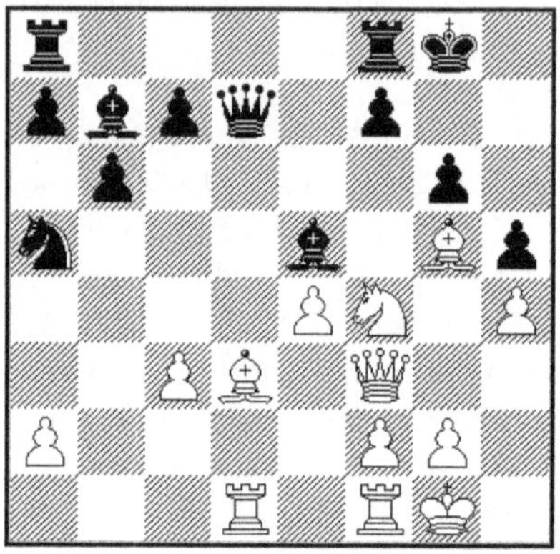

À primeira vista, as brancas estão piores (sua única ameaça no centro foi quebrada). Mas essa pode ser uma avaliação superficial. A vantagem principal das brancas é que suas peças, situadas próximo ao rei preto, podem a qualquer momento iniciar um ataque direto. As pretas têm uma dificuldade específica – não é fácil para elas decidirem onde colocar a sua dama. Se, por exemplo, 17.♕a4, então 18.g4 – linhas são abertas, e não há nada para defender o rei preto. É natural, portanto, que Sax tenha como objetivo colocar sua dama o mais próximo possível da ala do rei.

17...♕g4 18.♕e3 ♖fe8 19.♗e2

Agora Sax é forçado a entregar o seu bispo de casas pretas, pois 19...♕c8 20.♘d5 ♗×d5 21.♖×d5 é péssimo para ele – as brancas têm o par de bispos e excelentes perspectivas.

19...♗×f4 20.♗×f4 ♘c4?

O ponto crítico. As pretas poderiam ter tomado o peão aqui com 20...♕×h4, mas após 21.e5 teriam se condenado a uma defesa difícil: as brancas controlam as casas pretas, têm firme controle da iniciativa, e a posição é de jogo muito mais fácil para elas. Sax, é claro, deu-se conta disso e concebeu uma combinação interessante, que, para sua infelicidade, foi respondida com uma refutação longe de óbvia.

21.♗×c4 ♖×e4 22.f3! ♕×f4

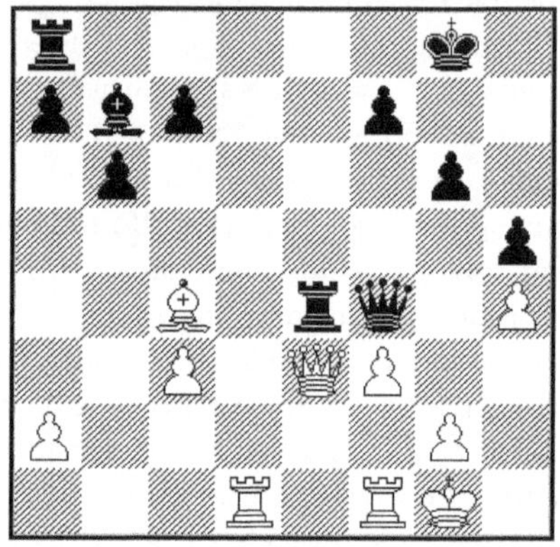

23.♗×f7+ ♔g7 24.♕d3!

Agora a fraqueza do peão g6 força as pretas a entrarem num final. Mas aqui também a colocação ativa das peças brancas, em conjunto com o estado precário do rei inimigo, dá a elas excelentes chances de vitória.

24...♕e3+ 25.♕×e3 ♖×e3 26.♖d7 ♔h6 27.♖×c7 ♗a6 28.♖d1 ♗d3 29.♖d2

O rei branco está pronto para tomar parte no jogo. O resto é simples.

29...♗f5 30.♔f2 ♖e5 31.♖d5 ♖×d5 32.♗×d5 ♖d8 33.c4 b5 34.♔e3 a5 35.♔f4 ♗b1

Este perde imediatamente, mas 35...b×c4 36.♗×c4 ♖d4+ 37.♔e5! também falha em salvar a partida. Então 37...♖×h4 é ruim devido a 38.f4, quando contra ♗g8 com a ameaça de ♖h7 não há defesa (38...♗b1 39.♗g8 g5 40.f5 g4 41.♔f6).

36.g4 h×g4 37.f×g4

As pretas abandonaram.

De se notar são as duas partidas seguintes, que são similares não somente no conteúdo, mas também em extensão. Primeiramente, a da terceira rodada.

Partida 58
Kasparov - Murey
Torneio Interzonal
Moscou 1982
Defesa Índia da Dama

1.d4 ♘f6 2.c4 e6 3.♘f3 b6 4.♘c3 ♗b7 5.a3 d5 6.c×d5 ♘×d5 7.♕c2!?

Esse lance abre uma nova página nessa variante. Em contraste com o usual 7.e3 (e em poucos lances e3–e4), as brancas planejam jogar e2–e4 de uma vez e em c2 a dama dificilmente estará pior do que em d1.

7...c5

É claro, o centro branco está um pouco fraco, mas apesar disso as pretas não devem atrasar o desenvolvimento da sua ala do rei. Christiansen contra Portisch (1982) adotou uma ordem diferente de lances – 7...♗e7 8.e4 ♘×c3 9.b×c3 0–0 10.♗d3 c5, mas mesmo assim as brancas conseguiram desenvolver as suas forças mais harmoniosamente após 11.0–0 c×d4 12.c×d4 ♘c6 13.♗b2 ♖c8 14.♕e2.

8.e4 ♘×c3 9.b×c3 ♘c6 *[O interesse em 7.♕c2 declinou rapidamente quando, um mês e meio após o Torneio Interzonal, nas Olimpíadas de Lucerna, as pretas com sucesso demonstraram a desvantagem da nova posição da dama: 9...♘d7! 10.♗d3 ♕c7! com a intenção de 11...c×d4 12.c×d4 ♕×c2. As brancas são forçadas a perder tempo, e tanto 11.♕g2 g6 12.0–0 ♗g7 (Kasparov-Sosonko) como 11.♕b1 g6 12.0–0 ♗g7 (Hort-Miles) dão às pretas uma posição confortável]* **10.♗b2!**

O peão d4 está seguramente defendido, e a torre está pronta para tomar uma posição de ataque em d1.

10...♖c8?

As pretas não são capazes de explorar a oposição da dama e da torre, e a perda de um tempo custará demasiado a elas. Elas deveriam ter transposto para a partida Portisch-Christiansen por meio de 10...♗e7.

11.♖d1

Enfatizando a natureza ilusória das ameaças das pretas. Um lance atrás as pretas estavam sonhando com um ataque, mas agora elas têm que resolver um problema desagradável – como defender contra d4–d5 junto com ♗b5+.

11...c×d4 12.c×d4 a6

Lances otimistas de cavalo conduzem a uma catástrofe imediata, por exemplo, 12...♘×d4? 13.♕a4+, ou 12...♘e5 13.♗b5+ ♗c6 14.d×e5!, ou 12...♘b4 13.♕a4+ ♗c6 14.♕b3.

Após 12...a6 as brancas têm a possibilidade de começar imediatamente a forçar o jogo através de 13.d5!? As complicações interessantes na seguinte variante favorecem as brancas: 13...♘b4 14.♕a4+ b5 15.♗×b5+ a×b5 16.♕×b5+ ♕d7 17.♕×d7 ♔×d7 18.d×e6+ ♔×e6 19.♘d4+! ♔e5 20.0–0!, e o rei preto tem problemas (20...♘a6 21.♘c6+! ♔f4 22.♗c1+! ♔×e4 23.♖fe1+ ♔f5 24.♖d5+ ♔g6 25.♖g5+ ♔f6 26.f4! ♗c5+ 27.♔f1, ou 24...♔f6 25.♗b2+ ♔g6 26.♘e5+ ♔f6 27.♖d7 etc.). Tudo isso é muito bonito, mas o cavalo preto só precisa mudar o curso – 13...♘e5 – e a posição se torna menos clara: 14.♕b3 (14.♕a4+ b5 15.♗×b5+? a×b5 16.♕×b5+ ♕d7) 14...♘×f3+ 15.g×f3 e×d5. Por isso as brancas consistentemente continuam a desenvolver seu plano.

13.♕d2!

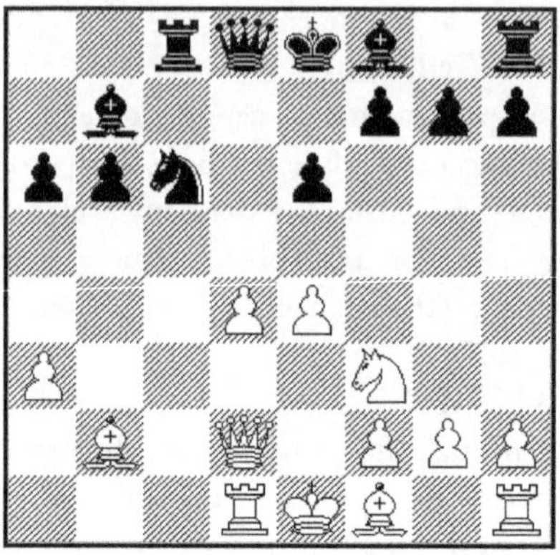

Agora as pretas estão desprovidas do contra-jogo associado com a posição da dama branca na coluna c, e o peão d4 ameaça avançar à força a d7. A ruptura pode ser evitada somente através de 13...♘e7, mas como a posição das pretas pareceria patética então!

13...♘a5

Percebendo que a batalha estratégica foi perdida, as pretas tentam encontrar algum recurso tático, mas é muito tarde – a verdade enxadrística está do lado das brancas!

14.d5! e×d5

14...♘c4 dificilmente seria melhor. Após 15.♗×c4 ♖×c4 as brancas têm uma escolha agradável entre 16.0–0 e 16.♕e2.

15.e×d5 ♗d6

As pretas continuam o seu desenvolvimento, mas agora a ala do rei é destruída. O plausível 15...♕e7+ 16.♗e2 ♘c4 é refutado por 17.d6!, e após o forçado 17...♘×d6 (outras capturas conduzem a perda de peça das pretas) 18.0–0 a única questão que permanece é o número de lances para a partida acabar. O mais tenaz provavelmente era 15...f6 para bloquear o peão passado após 16.d6 com 16...♕d7.

16.♗×g7 ♕e7+ 17.♗e2 ♖g8 18.♕h6!

De forma alguma o bispo é obrigado a recuar, e a invasão da torre em c2 meramente ajuda as brancas (18...♖c2 19.♘d4).

18...f5 19.♗f6 ♕f8

O sacrifício de qualidade 19...♖g6 não poderia prolongar grandemente a resistência das pretas. O mais simples seria então 20.♕×g6+ h×g6 21.♗×e7 ♔×e7 22.h4! ♗×a3 23.h5.

20.♕×h7 ♕f7

Após 20...♖×g2 as brancas tinham o rapidamente decisivo 21.♘e5!

21.♕×f5 ♖g6 22.♕e4+ ♔f8 23.♘g5! ♖×g5 24.♗×g5 ♖e8 25.♗h6+ ♔g8 26.♕g4

As pretas abandonaram.

A vitória das brancas pareceu tão convincente que a repetição dessa variante de abertura por qualquer dos participantes parecia improvável. No entanto...

Partida 59

Kasparov - Gheorghiu

Torneio Interzonal

Moscou 1982

Defesa Índia da Dama

1.d4 ♘f6 2.c4 e6 3.♘f3 b6 4.♘c3 ♗b7 5.a3 d5 6.c×d5 ♘×d5 7.♕c2 c5 8.e4 ♘×c3 9.b×c3

A vitória nessa partida garantiria meu sucesso no torneio, então olhei ansiosamente meu adversário repetir com confiança os primeiros oito lances da partida prévia. O que ele tinha em mente?

9...♗e7

Gheorghiu preparou um coquetel dos planos empregados por Christiansen e Murey, mas a forte contestação seguinte revelou os defeitos dele.

10.♗b5+! ♗c6 11.♗d3

A posição do bispo em c6 propicia o motivo para várias combinações.

11...♘d7 12.0–0 h6?

No caso de 12...0–0 Gheorghiu temia 13.d5, mas a perda de tempo numa situação dessa é um luxo não permitido.

13.♖d1!

As brancas poderiam ter continuado calmamente com 13.a4 0–0 14.♕e2 com a vantagem, mas eu achei que a pequena desarmonia no posicionamento das peças pretas poderia ser explorada através de medidas mais enérgicas. O imediato 13.d5 e×d5 14.e×d5 ♗×d5 15.♖d1 era tentador, mas para mim as conseqüências do seguinte sacrifício de qualidade não eram tão claras: 15...♗e6 16.♗e4 (16.♗f5 ♗×f5 17.♕×f5 ♕c8!) 16...♖c8 17.♗f4 0–0 18.♗b7 ♗f6.

13...♕c7?!

As pretas não têm o senso do perigo iminente. Certamente, a posição após 13...0–0 14.d5 e×d5 15.e×d5 ♗b7 16.c4 dá às pretas poucas razões para otimismo, mas elas deveriam ter seguido por esse caminho. 13...c×d4, por outro lado, é respondido pelo inesperado 14.♘×d4, quando após 14...♕c7 15.♘×c6 ♕×c6 16.♕e2! a cravada na diagonal a4–e8 provará ser fatal.

14.d5 e×d5 15.e×d5 ♗×d5 16.♗b5

Agora 16...♗c6 parece o mais natural, mas após 17.♗f4! ♕b7 18.♗×c6 ♕×c6 19.♖e1! as pretas encaram uma defesa difícil. Embora formalmente elas tenham um peão a mais, em essência estão jogando com uma torre a menos. Nesse caso a partida poderia ter se desenvolvido como segue: 19...♔f8 20.♖ad1 ♖e8 21.♕f5 ♘f6 22.♘e5 ♕c8 23.♘d7+! ♘×d7 24.♕×d7 ♕×d7 25.♖×d7 g5 26.♖d×e7! ♖×e7 26.♗d6, vencendo. Essa variante não é essencial, mas ilustra bem as possibilidades das brancas.

16...a6

As pretas contavam muito com esse lance – 17.♗×d7+ ♕×d7 18.c4 ♗e4!

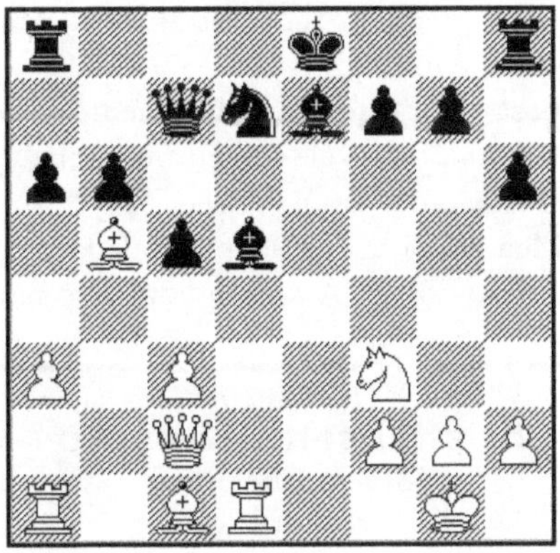

17.♗f4!

Obrigando as pretas a atirar a cautela ao vento e trazer seu rei ao centro do tabuleiro, já que 17...♕b7 18.♗×d7+ ♕×d7 19.c4 ♕g4 20.♖×d5 ♕×f4 21.♖e1 é muito menos aceitável (por exemplo, 21...♖a7 22.♘e5 ♖c7 23.♘g6! f×g6 24.♕×g6+ ♕f7 25.♖d8+!).

17...♕×f4 18.♗×d7+ ♔×d7 19.♖×d5+ ♔c7?

Talvez seja somente nesse lance que um ponto de interrogação possa ser colocado com certeza completa. As brancas teriam encontrado maiores dificuldades em realizar a sua vantagem após 19...♔c8, planejando ...♖a7–c7.

20.♖e1! ♗d6

Após 20...♖he8 21.♖de5 ♕f6 22.♕e4 as pretas perdem uma peça, enquanto 20...♗f6 21.♖e4 conduz a uma situação picante – a dama cai em uma armadilha no meio do tabuleiro!

21.♖f5 ♕c4 22.♖e4!

Mesmo em tal posição não é muito tarde para cometer um erro – 22.♘d2? ♖he8!

22...♕b5 23.♖×f7+ ♔b8 24.♖e6 ♖d8 25.c4 ♕c6

Se 25...♕a5 as brancas vencem através de 26.♕e4 ♖a7 27.♖×d6!

26.♘e5 ♕c8 27.♕b1!

Não o único caminho, mas o mais

elegante (27...b5 28.c×b5). As pretas abandonaram.

Essa vitória foi particularmente valiosa para mim, porque ela assegurou minha vaga no Torneio de Candidatos!

Meu encontro na sétima rodada com o Campeão dos EUA tomou um curso tenso.

Partida 60

Christiansen - Kasparov

Torneio Interzonal

Moscou 1982

Defesa Índia do Rei

1.d4 ♘f6 2.c4 g6 3.♘c3 ♗g7 4.e4 d6 5.f4 0–0 6.♘f3

A escolha da variante evidencia as intenções agressivas do jogador americano.

6...c5 7.d5 e6 8.d×e6

Ao trocar seu forte peão d5, as brancas esperam explorar seu controle superior sobre as casas centrais e a atividade da dupla de peões e4 + f4.

8...f×e6

O natural 8...♗×e6 deixa as brancas com um jogo mais fácil: 9.♗d3 ♘c6 10.f5 ♗d7 11.0–0. Por isso eu escolhi uma continuação dinâmica e menos estudada.

9.♗d3 ♘c6 10.0–0 ♘d4!

As pretas exploram imediatamente a principal vantagem da sua posição – seu controle sobre d4. A variante 11.♘×d4 c×d4 12.♘e2 e5 não pode satisfazer as brancas, mas elas deveriam ter pressionado o cavalo centralizado através de 11.♘e2. A manobra fantasiosa executada por Christiansen permite às pretas tomarem a iniciativa.

11.♘g5?! e5!

Após 11...h6 12.♘f3! a fraqueza da ala do rei das pretas pode se tornar perceptível.

12.f5

Consistente, mas 12.f×e5 teria sido mais cauteloso.

12...h6 13.♘h3

Christiansen fez esse lance sem nenhuma reflexão em particular, mas por enquanto as conseqüências do sacrifício de peça 13.f×g6 h×g5 14.♗×g5 não são totalmente claras. Assim, por exemplo, o plausível 14...♘e6 permite às brancas obterem um ataque altamente promissor: 15.♗×f6 ♖×f6 16.♕h5 ♘f8 (16...♘f4 17.♕h7+ ♔f8 18.g3 ♘×d3 19.♘d5!) 17.♘d5 ♖×f1+ 18.♖×f1 ♗e6 19.♗e2! ♕d7 20.♕g5!, e é difícil para as pretas encontrar uma defesa contra o avanço do peão h. Por isso eu pretendia continuar 14...♗e6, e depois de 15.♘d5 (15.h4 ♕d7!) 15...♗×d5 16.e×d5 desenvolver minhas forças com o auxílio do sacrifício de um peão: 16...e4! 17.♗×e4 ♕e7 18.♗d3 ♖ae8.

Retornar o cavalo ao seu posto anterior através de 13.♘f3 não traz sucesso. Após 13...g×f5 14.e×f5 ♘×f5 15.♘×e5 d×e5 16.♗×f5 ♕d4! a vantagem das pretas é indiscutível (17.♔h1 ♗×f5 18.♖×f5 ♘g4!).

13...g×f5 14.e×f5 b5!

Um golpe no flanco, com o objetivo de conquistar predominância no centro. Agora as brancas têm que fazer uma escolha. Elas não podem reforçar o seu peão c4 – 15.b3 b4!, e o cavalo não tem casas normais para ir. Elas também não podem aceitar o sacrifício de peão – 15.c×b5 d5. Então, devem tomar o peão, só que com o cavalo. 15.♘×b5 manteria uma aproximada igualdade: após 15...♘×b5 16.c×b5 d5 a ausência do cavalo de d4 faz o avanço dos peões pretos menos perigoso, enquanto após 15...e4 16.♗e2 ♘×f5 o cavalo em isolamento em h3 tem a chance de vir para o jogo. Mas Christiansen, desiludido com o curso estratégico da partida, tenta resolver seus problemas através de medidas táticas.

15.♗e3? b×c4 16.♗×c4+ ♔h8!

As pretas evitam uma armadilha transparente – 16...d5? 17.♘×d5 ♘×d5 18.♗×d4 c×d4 19.♕b3, mas como as brancas poderão agora conter o avanço ...d5, que ameaça quebrar sua posição? O peão f5 também está atacado.

17.♗×d4 c×d4 18.♘d5

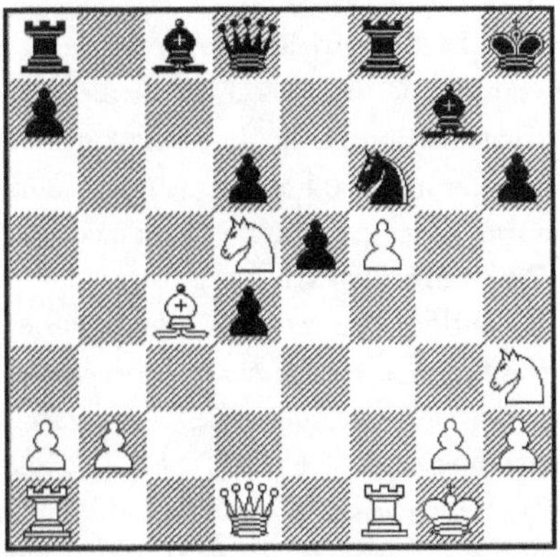

A vantagem posicional das pretas é indiscutível, embora a partida permaneça bastante complicada. Posições desse tipo exigem ações específicas e bem definidas, com o objetivo de revelar o mais rapidamente possível os defeitos da posição do adversário. Agora 18...♘×d5 19.♗×d5 ♖b8 ou o imediato 18...♖b8 parecem bastante bons, mas as pretas têm uma continuação mais enérgica.

18...♗a6!

As pretas se desfazem da vantagem do par de bispos com o objetivo de capacitar seu cavalo a ocupar um posto dominante em e3. Mas como podem então as brancas se opor aos peões pretos? O Grande Mestre americano preferiu o sacrifício de qualidade, buscando chances em escaramuças táticas.

19.♘×f6 ♗×c4 20.♘h5 ♗×f1 21.♕g4! ♕d7! 22.♖×f1

Pode parecer que as brancas conseguiram uma grande coisa – suas ameaças na ala do rei parecem perigosas. Mas o simples avanço do peão d4 coloca tudo em seu lugar.

22...d3! 23.♕f3

23.♕e4 conduz ao resoluto 23...d5! 24.♕×d3 e4, mas as brancas poderiam ter preferido 23.♘f2 d2 24.♘e4 ♖×f5 25.♖×f5 d1=♕+ 26.♕×d1 ♕×f5 27.♘×d6 ♕g6 28.♘×g7 ♔×g7 29.h3, quando elas têm chances de salvar a partida.

23...d2!

O audacioso peão priva as brancas de jogarem ativamente, por exemplo, 24.f6 ♗×f6! 25.♘×f6 ♕g7, recuperando o cavalo cravado.

24.g4 ♖ac8!

25.f6 é de novo impossível – 25...♗×f6 26.♘×f6 ♕g7 27.g5! ♖c1 28.♔f2 ♕g6!, e a perda de material é inevitável.

25.♕d3 ♕a4 26.♘f2 ♕d4!

Não é a única forma de vencer, mas do ponto de vista prático, a mais curta. A troca das damas remove todas as esperanças das brancas associadas com a posição insegura do rei preto.

27.♕×d4 e×d4

Exteriormente os peões triplicados têm uma aparência patética, mas é um desses casos onde a força dos peões é determinada pelo seu grau de avanço. Como antes, o principal papel continua a ser desempenhado pelo peão de d2.

28.♘f4 ♖fe8 29.♘e6 ♖c1 30.♘d1 ♗f6!

Continuações mais tentadoras teriam meramente complicado as coisas, por exemplo, 30...d3? 31.♔f2 ♖b8 32.b3 ♖b4 33.♔e3!

31.♔f2 ♗g5

Após 31...♗h4+? 32.♔e2 ♗e1 33.♖f3 ♖ec8 34.♖d3! o peão d2 está detido, e o bispo preto fora de jogo.

32.♔e2 ♖c5! 33.♔d3 ♖e5 34.♘×g5 h×g5

Jogar pelo brilhantismo poderia não terminar muito bem: na variante 34...♖e1? 35.♘f7+ ♔g8 36.♖f2 ♖×d1 37.♘×d6 as brancas podem evitar todos os perigos.

35.♖f2

35.♔×d2 não teria mudado essencialmente as coisas. Então a torre preta faria uma "escadinha" – 35...♖e4! 36.h3 ♖f4 37.♖g1 ♖f3! – e as brancas estão virtualmente afogadas.

35...♖e4 36.h3?

36.♖g2 teria prolongado a resistência.

36...♖e3+!

Uma pequena combinação, que ganha um peão. A torre, é claro, é imune (37.♘×e3 d×e3 38.♖f1 e2).

37.♔×d4

E agora se inicia o momento mais admirável do peão d2, que 15 lances atrás parecia condenado.

37...♖8e4+! 38.♔d5 ♖e2 39.♖f3 ♖e1 40.f6

40.♖d3 é decididamente respondido por 40...♖×d1! 41.♔×e4 ♖e1+.

40...♖f4

Aqui Christiansen pegou o envelope para adiar a partida, mas após uma ligeira reflexão ele estendeu a sua mão e congratulou-me pela vitória.

Partida 61

Van der Wiel - Kasparov

Torneio Interzonal

Moscou 1982

Abertura Peão da Dama

1.d4 ♘f6 2.♗g5 ♘e4 3.♗f4 c5 4.d5 ♕b6

Uma abertura incomum. O cavalo no centro está muito inseguro, e as pretas são obrigadas a procurar continuações ativas. Agora, é claro, 5.b3 é ruim devido a 5...♕f6. O lance que sugere a si mesmo é 5.♕c1; tenho que admitir que a jogada de Van der Wiel me surpreendeu.

5.♗c1

As pretas jogaram energicamente, mas após a continuação normal 5...d6 6.f3 ♘f6 7.e4 o centro está tomado pelo seu adversário. Então a ruptura ...e6 é necessária.

5...e6 6.f3 ♕a5+

É útil fazer o peão se mover de c2 para c3 – onde ele tira a casa do cavalo, e a casa d3 fica enfraquecida. E, mais importante, após 6...♘fc6 7.c4 as coisas correriam sem maiores percalços para as brancas.

7.c3 ♘f6 8.e4 d6

8...e×d5 é bem respondido por 9.e5.

9.♘a3 *[Eu vi essa posição somente uma vez mais – na partida Vizhmanavin-Ehlvest (Campeonato da URSS, Liga Principal, 1984). Vizhmanavin veio com 9.♗d2!?, e após o crucial mas arriscado 9...♕b6 10.c4 ♕×b2 11.♘c3 ♕b6 12.f4 ele tomou a iniciativa. As pretas estariam satisfeitas com 9...e×d5 10.c4 ♕c7 11.c×d5 g6, transpondo para uma versão razoável da Benoni Moderna, mas 10.e×d5 e 11.c4 é mais forte, quando as brancas têm vantagem espacial com desenvolvimento normal.]*

9...e×d5 10.e×d5 ♗e7 11.♘c4 ♕d8

Assim, após terem feito três lances cada um, a dama preta e o bispo branco retornaram às suas casas originais. A posição, a grosso modo, está nivelada, mas aqui Van der Wiel começa a jogar de forma estranha.

12.♘e3 0–0 13.♘e2 ♖e8 14.g4?

As brancas pretendem apertar o adversário após ♗g2, 0–0 e g4–g5. As pretas realmente têm pouco espaço, e também os "interesses" de seus cavalos cruzam em d7.

Por cerca de 40 minutos não fui capaz de encontrar o lance correto, embora me consolasse com o fato de que ainda não havia feito nada de mal. Mas o mesmo não pode ser dito sobre as brancas...

14...♘fd7!

15.♘g3

Continuando seu curso agressivo, mas também as pretas não pretendem ficar paradas.

15...♗g5 16.♔f2 ♘e5

As pretas têm um jogo esplêndido, com o qual até algum tempo não podiam sequer sonhar. No caso de 17.h4 elas têm 17...♗×e3+ 18.♗×e3 ♕f6, quando embora 19...♘×g4 seja uma ameaça de principiante, até um Grande Mestre encontra dificuldades em estancá-la.

17.♗b5 ♗d7 18.♗×d7 ♘b×d7 19.♘ef5 c4!

Os cavalos brancos parecem bem colocados, mas os pretos são muito mais efetivos: a ameaça é 20...♘d3+. No caso de 20.♗×g5 ♕×g5 21.♘×d6 poderia seguir 21...♘d3+ 22.♔g2 ♘f4+ 23.♔f2 ♘c5! 24.♘×e8 ♖×e8, e parece-me que as brancas estão impotentes.

20.♘h5? ♘d3+ 21.♔g3 ♗×c1 22.♖×c1 g6

Pode se assumir que Van der Wiel estivesse contando com 23.♕d2 g×f5 24.♕h6, mas não é obrigatório capturar em direção ao centro: 23...g×h5! 24.♕h6 ♕f6, e tudo está acabado. As brancas abandonaram.

Partida 62

Velimirovic - Kasparov

Torneio Interzonal
Moscou 1982
Defesa Caro-Kan

O clima de luta antecedendo essa partida foi criado por Velimirovic, que declarou que nela, na última rodada, tentaria infligir uma derrota ao vencedor do torneio. O problema da escolha da abertura foi facilmente decidido: o ávido mosqueteiro foi convidado a tentar abrir uma brecha nos bastiões da Defesa Caro-Kan.

1.e4 c6 2.d4 d5 3.e5 ♗f5 4.♘c3

Um plano popular: no caso de 4...e6 as brancas lançam um ataque na ala do rei com 5.g4 ♗g6 6.♘ge2, seguido por ♘f4 e h2–h4. Mas uma surpresa aguardava por elas.

4...♕b6!?

Já que as brancas pretendem empurrar seu peão de g2, que o faça em situação mais favorável para as pretas.

5.g4 ♗d7

Agora o avanço do peão h perde o sentido, e as brancas precisam preparar o caminho para seu peão f. Novas pesquisas possivelmente mostrarão que 5...♗c8 é mais preciso (em vista da ação tomada agora por Velimirovic).

Novas "pesquisas" – uma partida Sveshnikov-Donchenko (1983) – confirmaram uma verdade antiga: na abertura é importante desenvolver as peças rapidamente. Após 5...♗c8 6.♗g2 e6 7.♘ge2 c5 8.d×c5 ♗×c5 9.0–0 ♗d7 (9...♘e7 10.♘a4) 10.♘f4 ♕c7 11.♖e1 ♘e7 12.♘h5 as brancas têm uma vantagem óbvia. Por outro lado, a causa do fracasso das pretas talvez tenha sido seu jogo excessivamente "antigo" – 6...e6 e 7...c5 (6...♘a6!?, 6...g6!?).

6.♘a4 ♕c7 7.♘c5 e6 8.♘×d7 ♘×d7 9.f4 c5 10.c3 ♘e7 11.♘f3

Não é sem razão que as brancas gastaram tempo na troca do bispo de d7 – isso facilita a ruptura f4–f5.

11...h5

Uma decisão comprometedora, mas necessária. As pretas ajudam a abertura da posição, a fim de que todas as suas peças possam tomar parte na batalha.

12.f5 *[Provavelmente 12.g×h5 deveria ter sido jogado, para responder a 12...♖×h5? com 13.d×c5 e ♘d4–b5. As pretas teriam respondido 12...♘f5, com posição indefinida.]* **12...h×g4 13.f×e6 g×f3 14.e×d7+ ♕×d7 15.♕×f3 c×d4 16.c×d4**

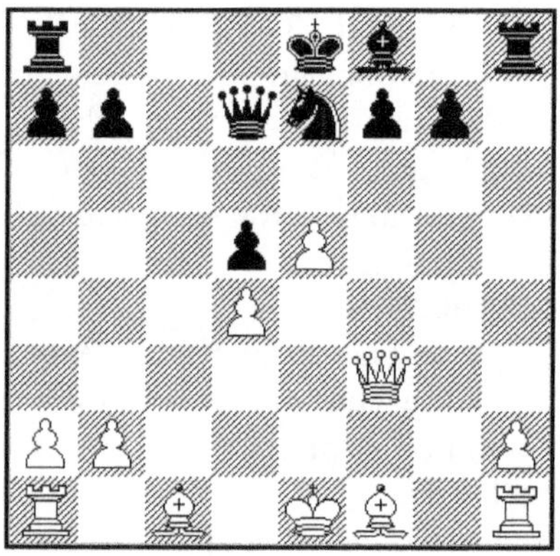

As pretas estão felizes com o resultado da abertura, mas a força potencial dos bispos brancos não pode ser subestimada.

16...♘c6

As pretas estavam olhando o futuro com grande otimismo, e então elas não entraram em um final promissor – 16...♘f5!? 17.♗h3 ♖×h3 18.♕×h3 ♘×d4 19.♕×d7+ ♔×d7 20.0–0 ♔e6.

17.♗e3 ♗b4+ 18.♔f2 ♖h4?

As esperanças de sucesso das pretas estão associadas ao fato de que o rei do adversário não tem um abrigo seguro. Após 18...0–0–0 e a inevitável abertura de linhas, (...f6) as brancas teriam que encarar problemas difíceis. Ao invés disso as pretas tentam fortalecer sua posição através da criação de pressão no peão d4, e cometem um descuido.

19.♖d1 ♖c8

As pretas viram que seu planejado 19...0–0–0 20.♗g5 ♘×d4 não funciona devido a 21.♖×d4 ♖×d4 22.♗h3, e não se incomodam em analisar em detalhes o sacrifício de qualidade 20...♖dh8 21.♗×h4 ♖×h4 com a possível continuação 22.♗g2 g5! 23.♕×d5 ♕f5+ 24.♔g1 ♕c2 *[22.♖g1! (ao invés de 22.♗g2) teria lançado dúvidas nessa idéia. Agora 22...♘×d4? 23.♖×d4 ♗c5 não funciona devido a 24.♔g3! ♗×d4 25.♔×h4 ♕e7+ 26.♖g5, e a perda de tempo com 22...g6 pode custar caro às pretas após 23.♖g3 com a idéia de ♗h3 e ♖g4.]* A decisão de deixar seu rei no centro, com isso privando-se de sua principal vantagem (isto é, a posição mais segura do rei), é evidentemente arriscada, mas pareceu-me que o jogo das brancas não seria fácil.

20.♖g1!

Uma resposta brilhante. As brancas evitam uma armadilha – 20.♗g2? ♘×e5! 21.d×e5 ♖c2+ 22.♔f1 (22.♔g3 ♖g4+!) 22...♕b5+ 23.♔g1 ♖e4! com um ataque muito forte – e, entregando um peão, conquistam uma completa coordenação de todas as suas peças.

20...♖×h2+ 21.♖g2 ♖×g2+

21...♖h3 é respondido fortemente por 22.♕f4.

22.♔×g2 ♘d8 23.♗d3 ♘e6 24.♖f1!

Começando a criar ameaças concretas – 25.♗b5.

24...a6 25.♕h5

Agora é ameaçado 26.♖×f7.

25...g6 26.♕h8+ ♘f8 27.♔g3!

Após privar as pretas da sua última chance de jogo ativo, as brancas mantêm a possibilidade fortalecer a sua posição através de ♗h6 e ♗e2–g4.

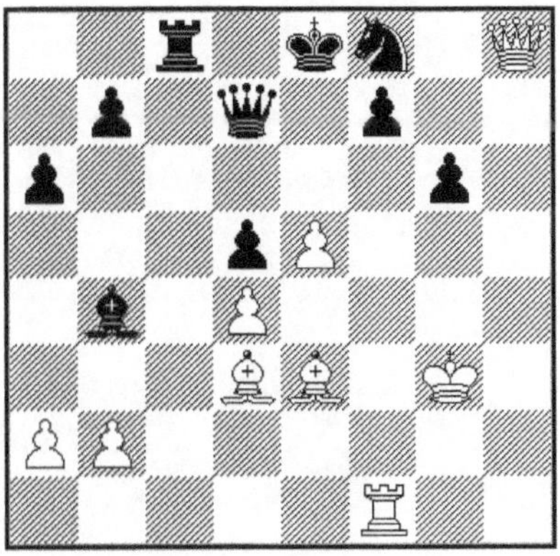

27...♗e7?

O defeito da posição das pretas é a sua passividade, mas teria sido perfeitamente defensável após o melhor lance, 27...♖c6, estancando de uma vez por todas a ameaça de ♗×g6, por exemplo 28.♗h6 (28.a3 ♗e7 29.♖f2 seguido por ♗e2–g4 é provavelmente mais forte) 28...♗e7 29.♕g8 ♕e6 30.♖f6? ♗×f6 31.♕×f8+ ♔d7 32.e×f6 ♕e1+ 33.♔g2 ♖×f6, com contra-ataque vencedor.

28.♕g8?

Com pouco tempo, Velimirovic deixa passar uma oportunidade favorável 28.♗×g6! f×g6 29.♗h6. A ameaça de 30.♖×f8+ (até no caso de 29.♕b5 – 30.♖×f8+! ♔d7 31.e6+ ♔×e6 32.♕e5+ ♔d7 33.♖×c8 ♗d6 34.♖d8+) forçaria as pretas a devolver a peça com 29...♔d8 30.♗×f8 ♔c7 31.♕h6! (mas não 31.♖c1+ ♔b6 32.♖×c8 ♕×c8 33.♗g7 ♕c2, ou 31.♕g7? ♖×f8 32.♖×f8 ♗h4+) 31...♖e8!, e buscar o empate em posições como 32.♗g7 (32.♗×e7 ♖×e7) 32...♕e6 etc.

As brancas querem vencer sem sacrificar – 28...♕e6 29.♗h6 com a possível variante 29...♖c7? (29...♖c6) 30.♗×f8 ♗×f8 31.♖f6 ♕e7 32.♗×g6 f×g6 33.♖e6. Entretanto, 28.♕g8? não apenas joga fora a vantagem das brancas, mas até arruína seu jogo.

28...♕e6

Aqui Velimirovic estava prestes a jogar o bispo de e3, quando subitamente viu que 29.♗h6 seria respondido pelo avanço mortal do peão f preto. Ele usou quase todo o seu tempo, e, ainda com um minuto no relógio, continuou a partida, na verdade apenas esperando um erro acidental de seu adversário.

29.♕h8 f5!

A perda de dois tempos está próxima de ter suas conseqüências, e a resposta natural das pretas imediatamente consolida a sua vantagem. Não há nada a explicar no restante da partida, jogada no apuro de tempo.

30.♕h3?! ♕f7 31.♕h1 ♘e6! 32.♕×d5 ♖d8 33.♕h1 ♘×d4 34.♕h8+ ♗f8 35.♗g5 ♖c8 36.e6? ♘×e6 37.♖e1 ♔d7 38.♕h4 ♗d6+ 39.♔f2 ♘×g5 40.♕×g5 ♕h7

Aqui acabou o apuro de tempo, e as brancas abandonaram.

	1	2	3	4	5	6	7	8	9	10	11	12	13	14	Pontos	Lugar
1 - Kasparov	Ж	½	½	½	½	½	1	1	1	1	1	1	1	½	10	1º
2 - Beliavsky	½	Ж	1	½	1	1	0	0	1	1	0	1	½	1	8½	2º
3 - Tal	½	0	Ж	½	½	½	1	½	½	1	1	½	1	½	8	3º- 4º
4 - Andersson	½	½	½	Ж	0	½	1	½	½	½	1	1	½	1	8	3º- 4º
5 - Geller	½	0	½	1	Ж	½	½	0	1	1	½	½	1	½	7½	5º- 6º
6 - Garcia G.	½	0	½	½	½	Ж	1	1	0	1	1	½	0	1	7½	5º- 6º
7 - Murey	0	1	0	0	½	0	Ж	1	½	½	½	½	1	1	6½	7º
8 - Sax	0	1	½	½	1	0	0	Ж	½	½	0	½	½	1	6	8º- 9º
9 - Christiansen	0	0	½	½	0	1	½	½	Ж	0	½	½	1	1	6	8º- 9º
10-Velimirovic	0	0	0	½	0	0	½	½	1	Ж	½	1	1	½	5½	10º
11-Van der Wiel	0	1	0	0	½	0	½	1	½	½	Ж	½	0	½	5	11º- 12º
12-Gheorghiu	0	0	½	0	½	½	½	½	½	0	½	Ж	1	½	5	11º- 12º
13-Rodriguez R.	0	½	0	½	0	1	0	½	0	0	1	0	Ж	1	4½	13º
14-Quinteros	½	0	½	0	½	0	0	0	0	½	½	½	0	Ж	3	14º

E de Novo os Mais Fortes !

O rugido das batalhas enxadrísticas cessou na cidade turística de Lucerna, na Suíça. A Olimpíada mais uma vez confirmou a superioridade indiscutível da Escola Soviética de Xadrez – sua liderança sobre o segundo colocado foi bastante considerável. Mas a natureza da disputa e a sua tensão são determinadas não somente pelas aparências expostas. Um papel particular é desempenhado por fatores aparentemente imperceptíveis (em primeira instância, a psicologia oculta), e, além disso, em eventos por equipes seu papel é significativamente aumentado. Para poder explicar meu raciocínio, sou obrigado a fazer uma pequena digressão.

Em seu significado competitivo, as Olimpíadas Mundiais de Xadrez são inferiores somente aos *matches* pelo Campeonato Mundial, mas até recentemente elas não despertavam nenhum grande interesse. A razão era que os vencedores podiam ser nomeados antes do início do evento, com cem por cento de certeza. A única questão era a que distância a URSS terminaria à frente do segundo colocado. Mas então, em Buenos Aires 1978, os húngaros conseguiram quebrar essa tradição e chegaram ao título olímpico. Na época esse fracasso do lado soviético (o primeiro desde 1952!) foi considerado uma surpresa desagradável, nada mais do que isso. As razões para essa avaliação não muito realista foram a ausência do Campeão Mundial Anatoly Karpov, que na época havia recém terminado o cansativo *Match* (*com Kortchnoi, N. do T.*) em Baguio, e também a mudança para o Sistema Suíço, o que aumentou o papel da sorte durante o torneio. Mas o tempo mostrou que o fracasso da equipe não tinha sido um acidente. Os vários anos de vitórias dos jogadores soviéticos na arena internacional tinham convencido de tal maneira a todos da invencibilidade da nossa posição, que até o sucesso mínimo no *match* de quatro rodadas com a equipe do Resto do Mundo em 1970 (20½pontos-19½) foi considerado por muitos como sendo comparativamente um fracasso. O significativo rejuvenescimento do xadrez nos anos recentes havia desenvolvido vários fortes Grandes Mestres estrangeiros, e então era perfeitamente natural que pudessem surgir várias equipes, com jogadores decididos a competir seriamente pela vitória com a equipe soviética. A mais imponente era a equipe da Hungria, cuja juventude era liderada pelo altamente experiente Lajos Portisch. Ainda assim, na minha opinião, mesmo em Buenos Aires a nossa equipe era mais forte do que a dos húngaros, mas o excesso de autoconfiança nunca é uma coisa boa...

Apesar dessa derrota dolorida, o humor geral antes da Olimpíada seguinte em Malta pouco diferiu do anterior. Ninguém tinha qualquer dúvida sobre a vitória da equipe, que para essa ocasião era supostamente representada pelos seus jogadores mais fortes, e também as lições da Olimpíada anterior tinham sido ostensivamente bem apreendidas. Mas o resultado geral, apesar da vitória, não pareceu muito tranqüilizador. Estar correndo atrás durante todo o torneio (somente no final, ao custo de enormes esforços, a equipe húngara foi alcançada) e obter a medalha de ouro graças a uma diferença insignificante na contagem Buchholz – era isso que se esperava da equipe soviética em Malta?

Eu fui um participante nos acontecimentos de Malta. Posso dizer que os húngaros no mínimo jogaram tão bem como nós, mas a sorte não estava do seu lado. Eu nunca esquecerei como os melhores jogadores do mundo se comprimiram em torno do *match* Grécia-Escócia, no qual o destino da Olimpíada foi de fato decidido! Foi então que eu aprendi que o ouro olímpico pode ter um gosto amargo...

Agora é possível compreender porque uma importância tão grande foi dada à Olimpíada em Lucerna. Os jogadores soviéticos seriam capazes de demonstrar a sua supremacia, ou a era de uma única potência enxadrística teria irreversivelmente passado – essa era a pergunta que todos estavam fazendo antes do início do torneio. É preciso dizer que a equipe soviética estava diante de um problema longe de ser simples – a recuperação da vantagem psicológica perdida. E isso teria que ser feito frente ao crescimento agudo da competição, quando muitos sentiam que bem poderiam competir com a equipe soviética. Quais eram de fato os maiores competidores antes do início?

O mais forte era sem dúvida a equipe soviética, que incluía os jogadores líderes mundiais, encabeçada pelo Campeão Mundial. O rating médio dos seus quatro principais jogadores – Karpov, Kasparov, Polugaevsky e Beliavsky – era o número enorme de 2651; torneios dessa categoria simplesmente não existem! E os seus reservas (embora, na Olimpíada, tal divisão seja arbitrária) Tal e Yusupov poderiam consistir na força principal de qualquer equipe. As próximas equipes na lista de rating, EUA, Hungria, Inglaterra, Iugoslávia e Tchecoslováquia, pareciam aproximadamente equivalentes, embora a opinião geral fosse de que somente os húngaros e os americanos constituíssem um desafio real para nós. Além disso, enquanto os húngaros contavam principalmente com seus líderes Portisch e Ribli, os americanos depositavam as esperanças na composição equilibrada da sua equipe, que era constituída por seis fortes Grandes Mestres (Browne, Seirawan, Alburt, Kavalek, Christiansen e Tarjan).

Eu não vejo nenhum sentido em discutir as viravoltas da sorte a cada rodada, mas tentarei descrever os fatores-chave que afetaram o curso de todo o torneio, e também pinçar algumas das nuanças típicas dessa competição.

O fato principal foi a vitória irrepreensível da equipe soviética, que terminou 6½ (!) pontos à frente da segunda colocada, a equipe da Tchecoslováquia. Tal sucesso brilhante pode ser explicado por vários fatores, mas na minha opinião, a fonte de nosso sucesso (e também dos nossos fracassos anteriores) deve ser procurada na disposição anímica da equipe. Apesar da natureza altamente individual do jogo, nas Olimpíadas é o espírito de equipe o fator que freqüentemente assume significado decisivo. E em Lucerna nós fomos capazes de conseguir uma fusão desejável – uma confiança tranqüila em nossas forças com auxílio mútuo para a equipe. E se a isso somarmos o jogo bem sucedido de todos os membros da equipe, tal resultado na Olimpíada se torna mais do que lógico. Mesmo assim, não se deve ir ao outro extremo e presumir que a Olimpíada tenha sido um passeio – alguns de nossos *matches* tomaram um curso muito difícil. Mas eu quero enfatizar o principal: o destino desse importante torneio não dependeu em nenhum momento do resultado de uma partida isolada.

De particular importância foram as

partidas na terceira e a quarta rodadas com os EUA e a Iugoslávia. As vitórias que conquistamos em lutas difíceis (3-1 e 2½-1½) permitiram-nos com confiança assumir o primeiro posto na classificação, após o que estivemos sempre na liderança. A propósito, os destinos desses *matches* foram decididos nas partidas suspensas, graças à qualidade superior das análises dessas posições. Nesses casos fomos beneficiados pelo rigor da programação do torneio – as partidas adiadas eram continuadas duas horas depois do final da rodada. Não é muito o que pode ser encontrado durante intervalo tão curto de tempo, mas nós conseguimos descobrir recursos que nossos adversários não tinham sequer considerado. Dessa forma, vários "meios pontos extras" foram conquistados.

Na metade do torneio, quando as equipes líderes começaram a se encontrar, a velocidade de nosso progresso foi reduzida. Mas todos deixaram pontos, de forma que a nossa liderança se manteve. Decisivo na batalha pelo primeiro lugar foi o nosso *match* contra os húngaros, que haviam começado mal. Então, é verdade, eles melhoraram a sua posição, e no instante de nosso *match* eles estavam somente um ponto atrás. Os húngaros só precisavam jogar com sucesso esse *Match* e então, quem sabe... Mas o milagre não ocorreu. Contra as vitórias de Karpov e Beliavsky, eles foram capazes de responder apenas com a vitória de Csom (sobre Yusupov), e eu com as pretas consegui conter o avanço de Ribli.

Mas nos *matches* seguintes ninguém segurou a nossa equipe - 3½-½, 4-0, 4-0, 3½-½ - foram os resultados de nossos encontros contra algumas equipes muito fortes: Inglaterra, Suíça, Argentina e Romênia. Os Grandes Mestres soviéticos obtiveram sucesso em tudo – pressões posicionais, ataques rápidos e finais sutis.

Resumindo, nessas rodadas literalmente tudo aconteceu, e, é claro, nós tivemos alguma sorte. Aqui, como prova, estão dois exemplos reveladores.

L.Bronstein - Yusupov
25ª Olimpíada Mundial-Lucerna 1982
Argentina x URSS

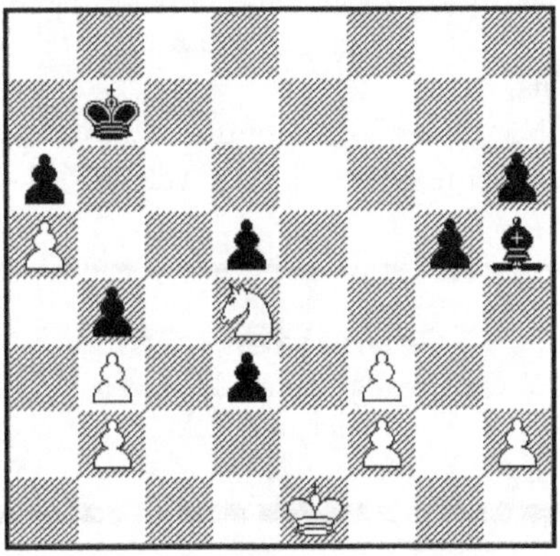

Só há uma avaliação possível dessa posição – as brancas têm uma vantagem óbvia. Mas quando Igor Zaitsev perguntou minha opinião, minha resposta pareceu estranha para ele. Realmente, na frase "Artur obviamente está pior, mas acho que ele pretende vencer" há pouca lógica, mas ninguém poderia imaginar o quão perto da verdade estava. A partida continuou assim:

35.♔d2

Isso não causa nenhum dano, mas 35.f4! g×f4 36.♘e6 era mais forte, quando as pretas encaram uma luta difícil pelo empate.

35...♗g6 36.f4 g×f4 37.♘e6

37.f3 também parece bom, mas as brancas estavam em apuro de tempo, e não tinham tempo para escolher.

37...f3 38.♘d4?

Mas esse erro muda radicalmente a natureza da partida. Apesar de todas as imprecisões cometidas. 38.♘c5+ ainda manteria a vantagem das brancas.

38...♗e4 39.♔e3 ♔c7 40.♘×f3??

A vantagem, é claro, está agora do lado das pretas, mas porque perder tão rapidamente?

40...♗×f3 41.♔×f3

E sem esperar pelo óbvio 41...d4, as brancas abandonaram.

Depois da rodada Artur admitiu: "eu sabia que estava pior, mas não conseguia deixar de pensar que poderia ganhar a partida". Olhei triunfantemente para Zaitsev...

Na rodada seguinte Caissa sorriu igualmente generosa para Mikhail Tal.

Schneider - Tal

25ª Olimpíada Mundial-Lucerna 1982
Suécia x URSS

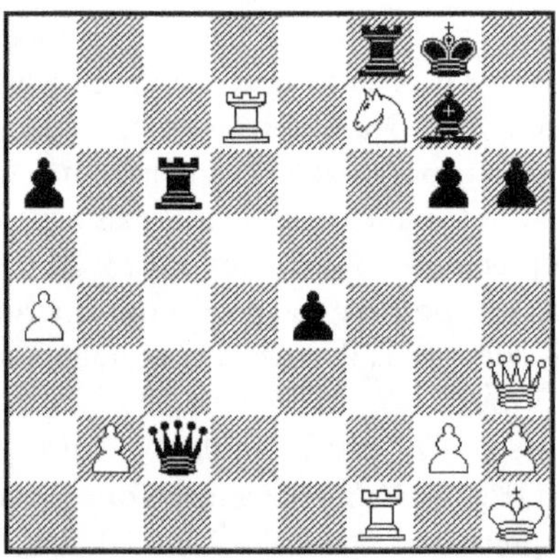

Com seu último lance, 29...♔h8–g8, Tal imprudentemente evitou repetir a posição (29...♔h7 30.♘g5+), assumindo que as ameaças das brancas não eram perigosas devido às fraquezas em sua fileira de retaguarda. Por exemplo, 30.♘×h6+ ♗×h6 31.♖×f8+ ♔×f8 32.♕×h6+ ♔e8, e as pretas vencem. Mas as brancas tinham a possibilidade de uma combinação, cujo papel principal seria desempenhado pela sua dama – que teria sido sacrificada: 30.♕×h6!! A dama é imune devido ao mate em dois lances, e há também um final de mate após 30...♖×f7 31.♖d8+, ou 30...♖f6 (ou 30...♕e2) 31.♕h8+!! ♗×h8 32.♘h6 mate! A única defesa é 30...g5, mas então também após 31.♕×g5 as ameaças das brancas são irresistíveis.

Nesse ponto minha atenção foi atraída por Ulf Andersson (nossa partida já havia terminado em empate), que, descartando a sua habitual moderação, estava explicando alguma coisa com excitação aos seus companheiros de equipe. Era fácil entendê-lo – vitória para Schneider teria sido uma dupla sensação: o sueco poderia se transformar no herói da Olimpíada, e a sua equipe derrotaria a URSS! Uma multidão de olhos seguia com grande tensão essa partida, mas o sueco, não percebendo nada do que passava ao seu redor, continuou pensando no seu lance. Subitamente deu uma olhada ansiosa para a seta do relógio subindo e jogou rapidamente

30.g3??

perdendo a chance de inscrever o seu nome no acervo de ouro do xadrez. E o fato de que a vítima pudesse ter sido o grande mágico das combinações enxadrísticas teria aumentado consideravelmente o prestígio da partida.

30...h5!

Sinalizando para as brancas a possibilidade perdida. Schneider provavelmente já havia se dado conta de seu erro, e, desanimado, perdeu sem luta. Entretanto, a vantagem agora está com as pretas.

31.♘g5 ♕×b2 32.♘e6 ♖×f1+ 33.♕×f1 ♗f6 34.♖d8+ ♔f7 35.♘g5+ ♔e7 36.♘×e4 ♔×d8, as brancas abandonaram.

"A sorte favorece os fortes, e os muito fortes têm muita sorte" – assim foi como Alexander Roshal, o assessor de imprensa de nossa delegação, reagiu a essas vitórias. Mas, no entanto, elas foram exceções. Como regra, as vitórias dos Grandes Mestres soviéticos foram sucessos criativos.

Aqui estão alguns exemplos de meu próprio jogo.

Partida 63

Kasparov - Nunn

25ª Olimpíada Mundial-Lucerna 1982
URSS x Inglaterra
Defesa Benoni Moderna

1.d4 ♘f6 2.c4 e6 3.♘c3!

O ponto de exclamação é pela psicologia oculta desse lance. Nunn é bem conhecido pela sua aderência à Benoni Moderna, uma abertura sobre a qual até já escreveu uma extensa monografia. Portanto, considerando que no seu próximo lance Nunn jogaria ...c5, eu fiz um lance que, nesse caso, deixa as brancas com uma larga escolha de continuações.

3...c5 4.d5 e×d5 5.c×d5 d6 6.e4 g6 7.f4 ♗g7 8.♗b5+

E foi o desejo das brancas em escolher esse sistema de ataque que explica o seu terceiro lance.

8...♘fd7 9.a4!

Na minha opinião esse é mais forte do que o usual 9.♗d3, pois o bispo mantém a opção de retirada para qualquer casa ao longo da diagonal a6–f1, e a2–a4 em todo caso é parte do plano das brancas.

9...♘a6

9...0–0 é mais natural, mas meu adversário, que havia feito um estudo profundo das idéias desta abertura, decidiu ganhar um tempo não rocando.

10.♘f3 ♘b4 11.0–0 a6?

Ainda não era muito tarde para rocar, mas então após 11...0–0 12.♖e1! a6 13.♗f1 não é fácil para as pretas criarem contra-jogo. Exteriormente a idéia de Nunn parece atrativa: após tanto 12.♗c4 0–0 13.♔h1 ♘b6! 14.♗e2 ♗g4 como 12.♗e2 0–0 13.♗e3 ♘f6 as pretas conseguem superar as suas dificuldades. Mas o próximo lance das brancas revela os defeitos do posicionamento das pretas.

12.♗×d7+! ♗×d7 13.f5!

As peças pretas estão fora de jogo (especialmente o cavalo em b4, que ocupa uma casa inexpugnável, porém inútil), enquanto as brancas podem entrar em jogo sem nenhum obstáculo. Passemos de considerações gerais para variantes concretas: 13...g×f5 14.♗g5 f6 15.♗f4 ♕c7 16.♘d2! 0–0–0 (16...♘d3 17.♗×d6! ♕×d6 18.♘c4) 17.♘c4, ou 14...♗f6 15.♗f4 0–0! (15...♕e7 16.e5!) 16.e5! (16.♗×d6? ♗×a4) 16...d×e5 17.♘×e5, e as coisas ficam difíceis para as pretas. A tentativa de trazer o cavalo de b4 para o jogo também termina em um fiasco: 13...c4 14.♗g5 (Nunn também considerou bastante desagradável o simples 14.♗e3) 14...♕b6+ 15.♔h1 ♘d3 16.f6 ♗f8 17.a5! ♘f2+ 18.♖×f2 ♕×f2 19.♘a4!, e a superioridade numérica das brancas na parte significativa do campo de batalha está próxima de decidir o resultado.

13...0–0

Para evitar o pior, as pretas decidem remover seu rei do centro, mas a pressão das brancas não enfraquece.

14.♗g5 f6

Após 14...♗f6 15.♕d2 as pretas não têm meios de contraporem-se à forte concentração de forças das brancas na ala do rei. É verdade, existe também uma tentativa de mudar o rumo das coisas através de meios táticos – 14...♗d4+? 15.♔h1 (mas não 15.♕×d4 c×d4 16.♗×d8 d×c3 17.b×c3 ♘×d5) 15...f6, mas então também o simples 16.♗h6 ♖e8 17.♖c1! mantém para as brancas uma enorme vantagem posicional.

15.♗f4 g×f5?

Essa tentativa de complicar um pouco a partida conduz à catástrofe. Defender a posição após 15...♕e7 certamente não seria ocupação prazerosa, mas é como as pretas deveriam ter continuado. As brancas teriam uma escolha entre o tranqüilo 16.♖e1, mantendo todas as vantagens da sua posição, e o mais pretensioso 16.f×g6 h×g6 17.♘h4 ♔h7 18.♗d3, quando não é fácil para as pretas defender as numerosas fraquezas em sua posição.

16.♗×d6 ♗×a4

As pretas depositavam suas esperanças nesse contragolpe, mas nenhum tipo de artifício pode reparar seus defeitos posicionais. As coisas essencialmente não teriam mudado no caso de 16...♖e8 17.♗×c5 f×e4 18.♘d4 ♘d3 19.♘×e4!, quando não há dúvida sobre o resultado da partida.

17.♖×a4 ♕×d6

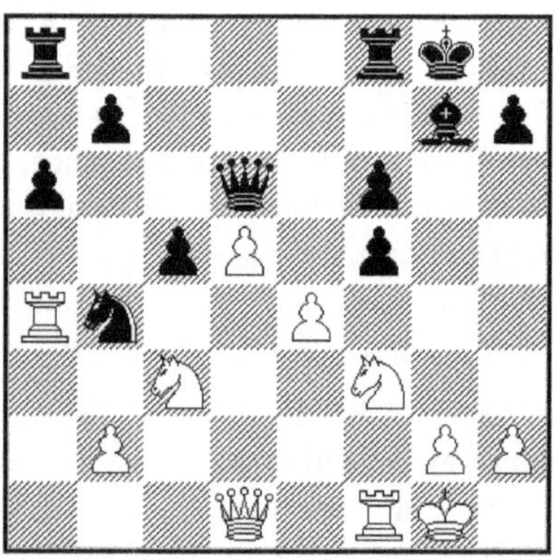

18.♘h4!

O cavalo se estabelece triunfalmente em f5, onde seu valor é multiplicado.

18...f×e4 19.♘f5 ♕d7

Ou 19...♕e5 20.♕g4 ♖f7 21.♘h6+.

20.♘×e4 ♔h8

Defendendo contra a ameaça de ♕g4, a qual é decisiva após 20...♖ae8, por exemplo, 21.♕g4 ♔h8 (21...♖×e4 22.♘h6+!) 22.♘×c5. Mas agora o infortúnio ataca do outro lado.

21.♘×c5

As pretas abandonaram.

A variante 21...♕×d5 22.♕×d5 ♘×d5 23.♘e6 não requer nenhum comentário.

Partida 64

Alburt - Kasparov

25ª Olimpíada Mundial-Lucerna 1982

EUA x URSS

Defesa Índia do Rei

1.c4 g6 2.d4 ♗g7 3.♘c3 ♘f6 4.e4 d6 5.♗e2 0–0 6.♗g5 ♘bd7

Anteriormente, contra o mesmo adversário, eu conseguira vencer o duelo da abertura (e com isso a partida) na variante problemática 6...c5 7.d5 h6 8.♗f4 e6. Entretanto, ficou claro que o jogo das brancas poderia ser melhorado, e nessa ocasião conduzi a partida para linhas diferentes. Mas aqui também uma novidade me aguardava!

7.♕c1!?

Esse lance aparentemente artificial tem uma justificativa lógica. O ponto é que após o "normal" 7.♕d2 e5 8.d5 ♘c5 as dificuldades das brancas sobre a defesa de seu peão e4 forçam-nas a jogarem o feio 9.f3 ou 9.♗f3. Mas agora todos os seus problemas podem ser resolvidos pelo simples 9.b4. E se as pretas gastarem tempo preparando uma base de operações para o cavalo – 7...e5 8.d5 a5, então também a posição da dama em c1 tem as suas vantagens: após 9.♘f3 ♘c5 o cavalo branco pode ocupar a casa d2. Por mais de uma hora eu ponderei sobre as virtudes e defeitos de 7.♕c1, e finalmente decidi atuar no espírito do Gambito Benko.

7...c5

Seria bom preparar o jogo na ala da dama com 7...a6, mas então as brancas teriam tempo para efetuarem a troca vantajosa dos bispos de casas pretas: 8.♘f3 c5 9.♗h6.

8.d5 b5!?

Eu fiz um sacrifício de peão similar na última rodada do 49° Campeonato da URSS, quando a situação do torneio obrigava-me a jogar somente pela vitória. Em princípio, a correção de tal sacrifício é sempre duvidosa, mas a inclusão dos lances ♕c1 e ...♘bd7 sem dúvida favorece as pretas.

9.c×b5 a6 10.a4

Hoje em dia esse método de jogo é classificado como o mais forte contra todas as variedades do Gambito Benko. Através do reforço de seu peão b5, as brancas restringem o contra-jogo das pretas na ala da dama.

10...♕a5 11.♗d2 a×b5!

Após 11...♕b4?! 12.f3 a dama arrisca-se a ser perdida.

12.♘×b5!

Muito mais forte do que 12.♗×b5 ♗a6!, quando a iniciativa das pretas começa a assumir proporções reais. Aqui está uma variante possível: 13.♘ge2 ♕b4! 14.f3 ♘e5 15.0–0 ♘c4, e não é fácil para as brancas conterem a pressão que inesperadamente surgiu.

12...♕b6 13.♕c2?!

Mas esse lance, apesar de sua natureza óbvia, tem que ser criticado. Como a seqüência da partida mostrará, a torre em a1 não poderia ter ficado desprotegida, e as brancas deveriam ter se restringido ao modesto 13.♕b1 ou até mesmo ter jogado 13.f3. Mas elas esperam desenvolver suas peças harmoniosamente, sem fazer nenhuma concessão posicional.

13...♗a6 14.♘f3?

Tivessem as brancas avaliado corretamente as conseqüências da combinação planejada pelas pretas, teriam atrasado o desenvolvimento da ala do rei e feito o profilático lance de torre 14.♖a3. Nesse caso as pretas poderiam ou tentar explorar sua vantagem no desenvolvimento através de 14...c4!?, ou fazer a ruptura ...e6, imediatamente ou após preparação (14...♖fe8).

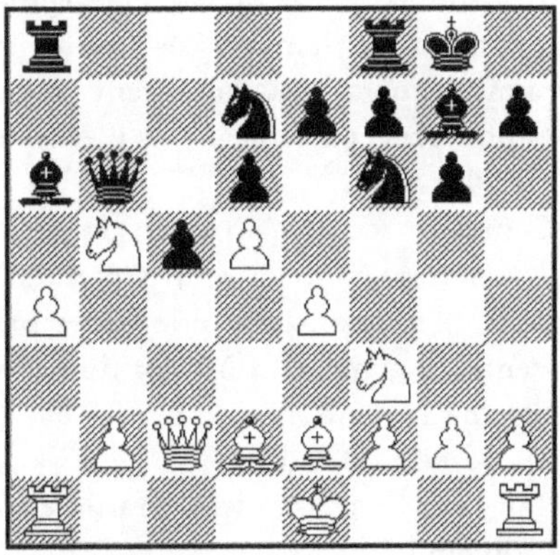

14...♗×b5!

Evitando com sucesso a tentação de explorar o mesmo tema de forma diferente. Embora 14...♘×e4? 15.♕×e4 ♗×b5 16.♗×b5 ♕×b5 17.a×b5 ♖×a1+ 18.♔e2 ♖×h1 conduza a uma situação material que favoreça as pretas, após 19.♕×e7 o forte peão b5 dá às brancas uma vantagem óbvia. É verdade que à primeira vista pensei que as pretas pudessem forçar um empate por meio de 19...♘f6 20.b6! ♖b1 (20...♖e8 21.♕×e8+ ♘×e8 22.b7) 21.b4! ♘×d5 22.♕×f8+? ♗×f8 23.b7 ♘f4+ 24.♔e3 ♘d5+, quando 25.♔e4 não é possível devido a 25...♘×b4! 26.b8=♕ d5+, ganhando a dama recém-nascida. Mas o simples 22.♕e4! dispersou todas as minhas ilusões.

15.♗×b5 ♕×b5 16.a×b5 ♖×a1+ 17.♗c1 ♘×e4!

Após a queda desse peão, o destino do peão d5 também está decidido. Superestimar a força do peão b5 poderia levar à perda da iniciativa: 17...♖b8 18.0–0 ♖×b5 19.♗d2!, e as brancas consolidam sua posição enquanto retêm vantagem material.

18.0–0 ♘ef6

Formalmente a vantagem material está do lado das brancas, mas as fraquezas dos peões de b2, b5 e d5, bem como a grande mobilidade das peças pretas, especialmente os cavalos, que têm postos confortáveis disponíveis para eles, permitem que seja dada preferência à posição das pretas.

19.b4!

O melhor recurso: ao custo do peão d5 (que em todo caso já estava perdido) as brancas quebram o grupo de peões pretos no centro, e aumentam o valor do peão b5 na batalha à frente.

19...♘×d5 20.♗d2

Talvez as brancas devessem primeiro ter trocado em c5.

20...♖af8

Aqui também eu tive que superar a tentação de uma variante brilhante: 20...♖×f1+ 21.♔×f1 c×b4 22.♕c6 b3!! 23.♕×d5 b2 24.♕a2 ♘b5! 25.♗a5 (de outra forma ...♖a8 é decisivo) 25...♖a8 26.♘d2 ♗c3, vencendo. Lamentavelmente, todo esse brilhantismo é demolido pelo simples 22.♕b3!

21.b×c5?!

As brancas deveriam ter preparado um abrigo seguro para o seu rei através de 21.g3. É verdade que as pretas teriam mantido a iniciativa após 21...♖1a2! 22.♕e4 e6, mas converter isso em algo tangível não teria sido fácil.

21...♖×f1+ 22.♔×f1 ♖a1+! 23.♔e2

23.♗e1 teria atrapalhado a coordenação das peças brancas, mas a posição do rei no centro também dá às pretas possibilidades adicionais.

23...♘×c5 24.♕c4 e6

A diferença de atividade entre as peças brancas e as peças pretas é óbvia. As brancas não podem esperar passivamente: após ...♗f6 e ...♔g7 o destino do peão b5 estará decidido, e com ele a partida. Adicionalmente, as pretas estão ameaçando restringir ainda mais a ação da dama através de 25...♖a4. Ativá-la através de medidas "terapêuticas" não obtém sucesso (25.♕h4 ♗f6 26.♗g5 ♖a4!), e então as brancas decidem por medidas extremas.

25.b6!?

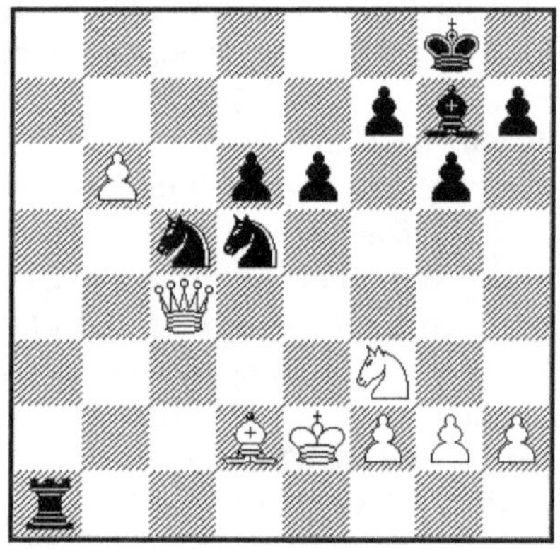

Um lance que tem muitas virtudes (ativa a dama e atrapalha a coordenação das peças pretas), mas também um defeito altamente significativo – a vantagem material agora passa para as pretas. Os planos para os dois lados estão definitivamente decididos: as pretas tentarão avançar seus peões centrais, enquanto as brancas combinarão a batalha contra eles com tentativas de criar ameaças ao rei preto.

Provavelmente as brancas não deviam ter se desfeito de seu peão. Elas poderiam ter tentado 25.g3 ♗f6 26.♘e1! ♖a4 27.♕c2 ♖a3 28.♘g2 seguido por ♘e3 ou ♘f4.

25...♘×b6

Era tentador manter a harmonia na colocação da cavalaria, e confiar a eliminação do peão b6 à torre. Mas justamente 25...♖b1? teria permitido às brancas atingirem seu objetivo – ativar suas peças ao máximo. Após 26.♕a2! ♖xb6 27.♕a8+ ♗f8 28.♗h6 ♘d7 29.♗xf8 (29.♕d8? ♖b8! 30.♕xd7 ♗xh6, e o peão d6 é imune: 31.♕xd6? ♖b2+ 32.♔f1 ♖b1+ 33.♔e2 ♘c3+, ganhando a dama) 29...♘xf8 30.♘g5! e é pouco provável que as pretas possam se desembaraçar sem perder nada, por exemplo, 30...h6 31.♘h7! ♔xh7 32.♕xf8, ou 30...♘f6 31.♕d8 ♖b2+ 32.♔e1 ♘6d7 33.♕e7. A seguinte tentativa de contra-ataque também falha: 30...♖b2+ (30...♘f4+ 31.♔e3!) 31.♔e1 (31.♔f3? ♘f6 32.♕d8 ♖b5! 33.h4 h6!) 31...♘f4 32.♘xh7 ♘d3+ 33.♔d1 ♘xf2+ 34.♔c1 ♘d3+ 35.♔d1 ♔xh7 36.♕xf8, e ao que parece as pretas são incapazes de explorar sua vantagem mínima.

26.♕b5 ♘bd7 27.♗e3 ♗f8! 28.♘d4?!

Somente com peças a posição das pretas não pode ser quebrada – 28.h4!?

28...♖a2+ 29.♔f1 ♖a1+ 30.♔e2 e5!

A questão sobre qual peão avançar primeiro é respondida de uma forma estranha à primeira vista. Mas essa decisão "estranha" tem uma explicação lógica: depois será mais fácil jogar ...d5, já que essa casa pode ser controlada por somente duas das peças brancas.

31.♘c6 ♖a2+ 32.♔f1 ♖a1+ 33.♔e2 ♖a2+ 34.♔f1 ♖a6

34...♘e6 também parece bom, mas as pretas consistentemente colocam sua idéia em prática.

35.♗xc5

No caso de 35.♘d8? d5! 36.♗xc5 ♘xc5 37.♕e8 ♖f6 o peão e5 é imune: 38.♕xe5? ♖xf2+! 39.♔g1 ♘e4! 40.♕xd5 ♖f5, vencendo.

35...♘xc5?

Um erro, que é até mais imperdoável pelo fato de que em situação similar, no lance 22, as pretas tomaram o caminho correto. A interposição 35...♖a1+! tornaria a defesa das brancas mais difícil, em vista da posição desafortunada do seu rei.

36.g3!

Agora o rei adquire uma proteção. Durante os próximos lances (até o adiamento) a posição dificilmente muda: as brancas são forçadas a esperar e as pretas têm pouco tempo.

36...♖a1+ 37.♔g2 ♘e6 38.♕b8 ♖d1 39.♕b2 ♖d5 40.♕b8 ♖c5

40...♖d2 ou 40...♔g7 são preferíveis, mas as pretas não puderam resistir à tentação de armar uma armadilha (uma bastante transparente).

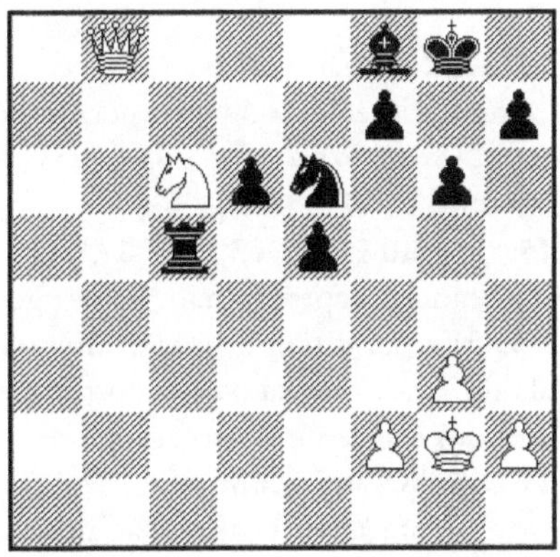

41.♘e7+

O lance secreto. 41.♘b4 teria permitido às pretas restringirem as possibilidades das brancas – 41...♘c7!, por exemplo 42.♘d3 ♖c3 43.♘b4 ♖b3!, e a troca dos cavalos é inevitável. No geral uma troca de peças menores favorece as pretas, pois após isso as brancas são forçadas a aguardar o final passivamente. Que tal troca não seja fácil de se provocar é uma outra questão. Essa é uma posição "prática", e para defender seus interesses os jogadores não são auxiliados tanto pelas análises, mas por seus recursos durante a partida. Entretanto, em uma breve análise conjunta com Yusupov e Makarichev, fui capaz de encontrar algumas idéias promissoras.

41...♔g7 42.♘c8

O único lance. O peão d6 é imune (após 42.♕×d6? h5! e não há defesa contra 43...♔h7! e 44...♖c7, ganhando o cavalo), e, conforme já foi dito, as brancas devem evitar uma troca de peças menores.

42...♖d5 43.♕a8!

A luta gira em torno do avanço ...d5. À primeira vista 43.♕b7 também não teria mudado essencialmente as coisas, mas então as pretas estariam aptas a desenvolver o seu plano com a ajuda de uma artimanha tática: 43...♖d2 44.♘b6 d5!, e a fraqueza do peão branco em f2 é a sua ruína (45.♘×d5 ♗c5, ou 45.♘d7 ♘c5 46.♕b4 ♖×f2+!).

43...♖d2 44.♘b6 ♘c5

O impaciente 44...d5? teria permitido às brancas forçar o empate: 45.♕a5! ♖b2 46.♘×d5 ♗c5 47.♘e3!

45.♘c4 ♖d4 46.♘e3 ♗e7 47.h4?!

As brancas superestimam o perigo de 47...♗g5, e permitem a fixação dos peões na ala do rei, o que dá ao cavalo preto (no futuro) um excelente posto em g4.

47...h5 48.♘d5 ♗d8!

Novamente as nuanças táticas auxiliam a idéia estratégica geral! As pretas estão prontas para executar um plano trabalhado nas análises – a transferência de seu cavalo para f6 (por exemplo, 49.♕c6 ♘e4 50.♕a8 ♘f6!).

49.♔f3?!

Os pensamentos das brancas têm em mira o impedimento da manobra ...♘e4–f6, mas, apesar da limitada quantidade de material remanescente, elas devem ser extremamente cautelosas em relação a trazer o seu rei para o centro! 49.♘e3 era melhor.

49...♘e6!

Criando uma nova ameaça posicional de ...♘c7! A continuação do plano anterior teria encontrado uma refutação: 49...♘e4 50.♕×d8 ♘d2+ 51.♔e2 ♖×d5 52.g4! (em prol dessa ruptura as brancas concordaram com uma troca desvantajosa) 52...h×g4 53.h5! ♘f3 54.h×g6, e a posição aberta do rei preto dá às brancas boas chances de empate.

50.♕c6

Após 50.♔g2 as pretas tomam o peão h4 (50...♗×h4! 51.g×h4 ♖×d5).

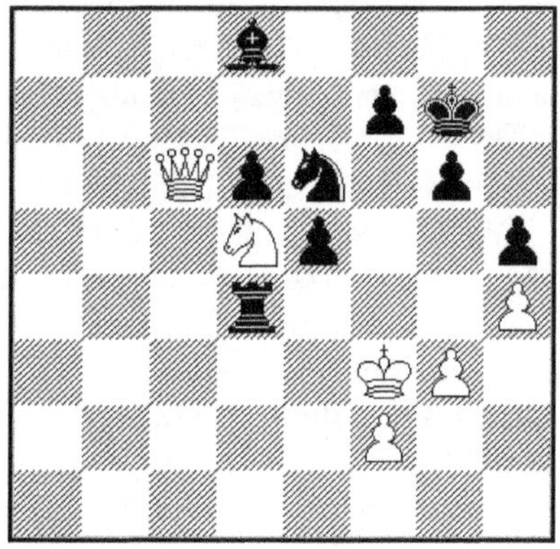

50...♖d2

Um desses casos em que as pretas desejam que a sua torre não estivesse ali! Tentativas de auto-sacrifício seriam ignoradas pelas brancas: 50...♖×h4 51.♕×d6, ou 50...♖f4+ 51.♔e3. O vistoso 50...e4+ teria meramente piorado a posição das pretas: após 51.♔g2 ♗×h4 52.♕×d6 ♗f6 53.♕c6 ♗e5 54.♘e3 a fraqueza do peão e4 o restringe. Uma posição similar poderia ter surgido na partida se as brancas tivessem continuado 51.♔g2, mas então após 51...♗×h4 52.♕×d6 ♗f6 53.♕c6 ♗d8 a ameaça de ...h4 e a fraqueza branca em e2 dá às pretas chances reais de vitória.

A seguinte variante era problemática: 51.♕×d6 ♗c7! 52.♕d7 ♗b6! 53.♘×b6 ♖×d7 54.♘×d7 f6 55.♔e4 ♔f7. É difícil dizer se esse final de cavalo é vencedor, mas também não é fácil demonstrar que o contrário seja verdade. Além disso, não é claro se as pretas conseguiriam abrir uma brecha na defesa após 51.♕b7 ou 51.♕c4.

A partida não forneceu respostas a essas perguntas. As brancas decidiram evitar todas as complicações e remover o peão d6, após antes eliminar as ameaças do adversário...

51.♔e3? ♖e2+!

A sobriedade instantânea chega como um golpe amargo – o caminho de volta está fechado!

52.♔d3 e4+ 53.♔c4 ♖c2+ 54.♘c3 ♗f6 55.♕×e4 ♖×c3+ 56.♔d5 ♖c5+ 57.♔×d6 ♗e5+

Após 58.♔d7 ♖c7+ 59.♔e8 ♗d6, o mate é inevitável.

As brancas abandonaram.

Partida 65

Kasparov - Suba

25ª Olimpíada Mundial-Lucerna 1982
URSS x Romênia

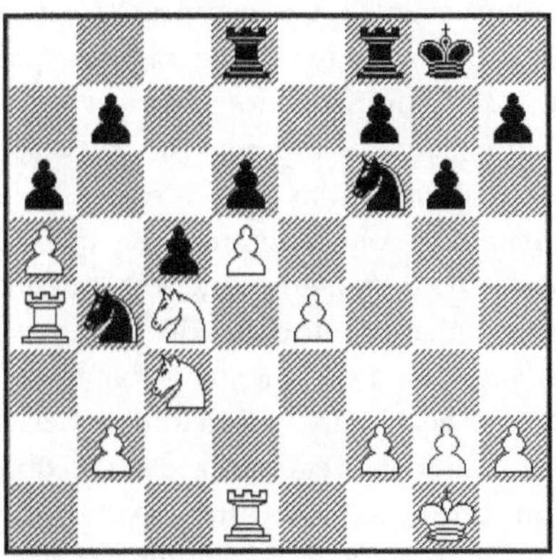

Nessa partida outra vez tive que desempenhar o papel não familiar de refutador da Benoni Moderna – uma abertura que por muitos anos esteve em meu repertório. As pretas freqüentemente têm que superar consideráveis dificuldades estratégicas, mas a abertura ainda prospera. Significativas a esse respeito são duas das minhas partidas contra Portisch, nos torneios internacionais de Moscou e Tilburg em 1981.

A posição do diagrama favorece as brancas – elas conseguiram privar o oponente de seu contra-jogo padrão na ala da dama, e estabelecer o seu cavalo no posto dominante de c4. É verdade, o cavalo em b4 também está bem colocado, mas isso não compensa os defeitos estratégicos da posição das pretas.

22.♖d2!

Retirando qualquer mobilidade do cavalo preto de b4.

22...♘e8!

Uma boa manobra posicional – as pretas pretendem transferir seu cavalo para b5 e preparar a ruptura ...f5.

23.♖a1 ♘c7

Talvez ele devesse ter se decidido por 23...f5, embora após 24.f3 a estrutura da posição não mude essencialmente.

24.♖e1?!

Uma imprecisão, que permite às pretas eliminar quase completamente os ganhos das brancas na ala da dama através de 24...♘b5! É verdade, até nesse caso as brancas reteriam uma certa vantagem após 25.♘×b5 a×b5 23.♘a3 ♖a8 27.♘×b5 ♖fd8 28.♖a1 b6. Tanto 24.b3 como 24.f3 teriam sido mais fortes.

24...♔g7?! 25.b3 ♖fe8 26.g4!

Aproveitando o fato de que as peças pretas ficaram presas na ala da dama, as brancas iniciam as ações na ala do rei.

26...♖d7

Após 26...g5? 27.f3 a transferência do cavalo de c3 para f5 teria decidido a partida.

27.f3 ♘b5 28.♘e2!

Isso consolida a vantagem das brancas. Os cavalos pretos conseguiram belos postos, mas ocorre que estão muito longe do flanco no qual a batalha decisiva se desenvolve.

28...f5?!

Defesas passivas como 28...♔h8 29.♘e3 (ou 29.g5) não são do gosto do Grande Mestre romeno, mas agora a superioridade numérica das brancas na ala do rei se faz sentir, e com forças limitadas elas são capazes de montar um ataque ao rei. 28...♘d4 também não teria funcionado, pois após 29.♘×d4 c×d4 30.♖a1! o cavalo em b4 está perdido.

29.g×f5 g×f5 30.♘g3 f×e4

No caso de 30...♘d4 o sacrifício de qualidade é decisivo: 31.♖×d4 c×d4 32.♘×d6!

31.f×e4 ♔h8 32.♖f1 ♘d4 33.♖g2!

As brancas calmamente continuam a concentração de suas forças. As ameaças de ♘f5 e ♖f6 são irresistíveis.

33...♘×b3 34.♘f5 ♖f8

Da mesma forma o peão d6 não pode ser defendido.

35.♘f×d6 ♖×f1+ 36.♔×f1 ♘×a5

As pretas conseguiram eliminar o peão que restringia sua ala da dama, mas é muito tarde!

37.♘e5! ♖g7 38.♘ef7+ ♔g8 39.♘h6+ ♔f8 40.♖f2+ ♔e7 41.♘hf5+ ♔d7 42.♘×b7!

O tentador 42.e5 teria permitido às pretas complicar as coisas com um sacrifício de torre – 42...♖g6 43.e6+ ♖×e6 44.d×e6+ ♔×e6.

42...♘d3

Tentando confundir as brancas através do número de peças *en prise*.

43.♘×a5!

Não a única solução, mas a mais elegante – a cavalaria controla todo o tabuleiro!

43...♘×f2 44.♔×f2 ♖g4 45.♔f3 ♖g1 46.e5 ♖f1+ 47.♔e4 ♖e1+ 48.♔f4

As pretas abandonaram.

A ausência de qualquer rival para a nossa equipe entorpeceu o final do torneio, mas a dura batalha pelo segundo lugar entre EUA, Iugoslávia e Tchecoslováquia parcialmente compensou isso. O jogo mais confiante dos tchecos nos últimos *matches* permitiu-lhes repetir o sucesso de meio século (!) antes, ao conquistar a medalha de prata. Essa foi talvez a maior surpresa da Olimpíada. Nas Olimpíadas recentes a equipe tcheca sempre deixou uma boa impressão, mas nunca foi listada entre os favoritos ou tomou parte da batalha pelas posições de medalha. O terceiro lugar foi conquistado pelos americanos, que chegaram meio ponto à frente dos iugoslavos. O bom início feito pelos iugoslavos aparentemente deu a eles altas esperanças, mas após o *match* com nossa equipe eles ficaram nervosos. E o fato de que mesmo assim tenham permanecido próximos ao topo deveu-se ao jogo de seu líder, Ljubojevic, que conquistou um brilhante resultado no primeiro tabuleiro – 11 pontos em 14. Uma surpresa foi a pobre exibição da equipe húngara, que passou toda a Olimpíada tocando o segundo violino. Seu desempenho de sucesso nas duas Olimpíadas anteriores havia convencido os húngaros de que eram capazes de lutar pelo primeiro lugar, e a sua equipe iniciou o torneio de Lucerna com somente um pensamento – batalhar pela vitória. Mas eles inesperadamente deixaram pontos logo na segunda rodada, e quando ficou claro que era impossível competir com os soviéticos, os húngaros ficaram completamente desapontados e foram incapazes de reajustar-se para lutar pelo segundo ou terceiro lugares. Resumindo, foi um caso óbvio de superestimação de suas próprias forças. Mesmo antes da Olimpíada os elogios expressados sobre a equipe húngara pareciam infundados para mim, e em particular, é difícil entender como uma equipe com Pinter no quarto tabuleiro possa definitivamente ser capaz de competir com uma equipe na qual o jogador no mesmo tabuleiro é Beliavsky?!

Concluindo, eu gostaria de insistir em duas questões, as quais em minha opinião precisam ser resolvidas para que o sistema de avaliação da Olimpíada possa ser melhorado. A essência da primeira – como os vencedores dos tabuleiros são determinados – pode parecer divertida. O fato é que a única coisa levada em conta é a porcentagem de pontos marcados, não se dando atenção para fatores como o rating médio dos adversários. Dessa forma, jogadores de equipes que começam colocadas nas posições mais baixas da tabela do torneio têm sem dúvida uma vantagem. Um jogador mais ou menos decente de uma equipe fraca pode marcar uma alta porcentagem de pontos, pois o jogo pobre da equipe pode emparceirá-la regularmente com adversários fracos! E aqui estão os resultados que esse paradoxo enxadrístico sem sentido produziu: tabuleiro 1 – Franco (Paraguai) – 11 pontos em 13 (84,6%); tabuleiro 2 – Mascarinas (Filipinas) 7½ em 9 (83,3%); tabuleiro 3 – Matamoros (Equador) 7 em 9 (77,8%); tabuleiro 4 – Agdestein (Noruega) – 9 em 12 (75%); tabuleiro 5 – Roos (França) – 9 em 11 (81,8%); tabuleiro 6 – Fancy (Papua Nova Guiné) – 8 em 9 (88,9%). Uma lista picante, não é mesmo? Na cerimônia de encerramento, Tal não pôde deixar de fazer uma piada sobre isso: "Qualquer membro da equipe soviética poderia muito bem dar uma sessão de simultâneas contra essa equipe do Resto do Mundo!"

Mas falando seriamente, aos resultados conquistados em encontros com Grandes Mestres deveria ser dado um peso consideravelmente maior. Tomando, por exemplo, o resultado de Ljubojevic, ou mesmo o de Tal (no tabuleiro 5) - 6½ em 8. É claro que essa situação não natural precisa ser resolvida. Parece-me que a coisa mais lógica seria estabelecer uma média mínima de rating do adversário para o resultado em um determinado tabuleiro ser contado.

A segunda questão diz respeito ao sistema de organização da Olimpíada. Esse é sem dúvida um grande festival de xadrez, mas por outro lado, as melhores equipes do mundo travam ali uma compromissada batalha pela vitória. E enquanto nas fileiras mais baixas da tabela do torneio o jogo é amador, de natureza festiva, no topo cada meio ponto vale seu peso em ouro e é conquistado à custa de esforços inacreditáveis. É claro, tal conglomeração misturada de equipes de diferentes forças pode ser justificada pela idéia da popularização do xadrez, mas eu acho que deveria existir uma fronteira entre festivais e torneios mundiais por equipes. Mas no momento o número de países que mandam suas equipes para as Olimpíadas Mundiais continua crescendo...

Quando É O Xadrez Que Ganha

Como alguém avalia uma partida de xadrez? As palavras costumeiras "vitória", "derrota" e "empate", mesmo juntas com descrições retumbantes, são incapazes de refletir a profundidade dos eventos que ocorrem durante o encontro. Entretanto, para uma avaliação competitiva, as três palavras dadas são de fato suficientes. Mas como alguém pode avaliar a energia criativa investida pelos dois jogadores, e composta pela terrível tensão da batalha? É possível lembrar várias partidas, sobre as quais a aritmética dos resultados diz virtualmente nada. É então que a literatura vem em auxílio – ordenado na forma verbal e derramado com belas metáforas, o comentário enxadrístico permite-nos mover levemente para o lado o véu de mistério que encobre um encontro altamente complicado no tabuleiro preto e branco.

Pode acontecer que as peças como que recebam um impulso invisível dos jogadores, tomem vida, e comecem a viver as suas próprias vidas. E quando a energia investida por ambos os lados alcança um ponto crítico, a partida começa a se desenvolver conforme leis que ninguém conhece, e já não é mais possível controlar o seu curso. Como uma torrente, a concentração do pensamento enxadrístico lava o interior do tabuleiro e após sacudir as peças em violento pandemônio, lança-as para as profundezas da arte enxadrística. E independente da forma que a partida termine, o xadrez nunca perde! Não é fácil entender todas as complicações de tal partida nem mesmo nas análises subseqüentes, e é difícil falar sobre ela sem corromper o painel de um encontro grandioso!

Esses pensamentos (expressos em linguagem que pode parecer surreal), arrisco-me a sugerir, aplicam-se à partida seguinte. Ela foi jogada na décima rodada, no *match* entre a URSS e a Suíça. A honra de liderar nossa equipe pela segunda vez consecutiva era um teste muito severo para mim. Eu tinha as peças pretas contra Kortchnoi, e então é fácil imaginar as dificuldades que encarei. No entanto, como quase sempre acontece, meus temores foram acompanhados por expectativas otimistas...

Meu oponente moveu resolutamente o peão da dama duas casas para frente, demonstrando com toda a sua aparência que, para o nosso primeiro encontro ele só tinha um objetivo: vencer. Na verdade, devo fazer uma menção especial – a primeira partida entre os dois jogadores ocorreu em uma exibição de simultâneas durante um torneio entre o Palácio dos Pioneiros e Grandes Mestres em 1975 em Leningrado. Mas isso fora em tempo e espaço bastante diferentes...

Partida 66

Kortchnoi - Kasparov

25ª Olimpíada Mundial-Lucerna 1982

Suíça x Rússia

Defesa Benoni Moderna

1.d4 ♘f6 2.c4 g6

Consciente de que a experiência de Kortchnoi em qualquer possível sistema de aberturas era imensuravelmente maior do que a minha, eu escolhi a Defesa Índia do Rei, a abertura que eu mais havia estudado.

3.g3 ♗g7 4.♗g2 c5

O sistema com o fianqueto do bispo de casas brancas, o qual é altamente desagradável para as pretas na Índia do Rei clássica, não é tão efetivo nas formações da Benoni Moderna. Isso explica o quarto lance das pretas.

5.d5

5.♘f3 é mais tranqüilo, mas nessa partida Kortchnoi não tinha intenção de evitar qualquer debate crucial!

5...d6 6.♘c3 0–0 7.♘f3 e6 8.0–0

Há uns 15 ou 20 anos atrás, Kortchnoi alegremente entraria nas complicações que surgem após 8.d×e6 ♗×e6 9.♘g5 ♗×c4 10.♗×b7 ♘bd7 , mas na época a teoria dessa variante era território virgem...

8...e×d5 9.c×d5

Uma posição que ocorreu na prática um incontável número de vezes. Através de muitos testes e pesquisas a melhor seqüência de lances foi determinada, e é a que os jogadores agora seguem.

Em tempos mais recentes a variante se alargou e caminhos aceitáveis foram encontrados para ambos os lados em derivações das linhas mais estudadas: os planos das brancas freqüentemente envolvem ♗f4, enquanto as pretas se abstêm de ...♖e8.

9...a6 10.a4 ♖e8 11.♘d2 ♘bd7 12.h3 ♖b8 13.♘c4

A posição crítica na abertura. O caráter do jogo subseqüente depende de para onde o cavalo de d7 se moverá agora. Após 13...♘b6 o peso principal da luta estará na ala da dama, por exemplo, 14.♘a3 ♗d7 15.a5 ♘c8 16.♘c4 ♗b5, ou 15.e4 ♘c8 16.♕d3 ♕c7. O lance do cavalo para o centro tem objetivos mais ambiciosos – nesse caso as pretas não pretendem se restringir à ala da dama, mas estão prontas para atuar em todo o tabuleiro, o alvo de seus ataques com freqüência é o próprio rei branco! A escolha entre essas duas continuações é uma questão de gosto, embora em minha opinião, 13...♘b6 seja posicionalmente mais sólido. Mas o espírito dessa partida pedia uma tempestade, e então o cavalo preto se moveu para a esquerda.

13...♘e5 14.♘a3 ♘h5

Isso parece sem propósito, pois a cavalaria avançada pode ficar sob ataque dos peões brancos. Mas por alguma razão dificilmente têm sido encontrados em tempos recentes os que desejem aceitar o sacrifício de peça nas variantes 15.f4 ♘xg3! 16.fxe5 ♗xe5 ou 15.g4 ♕h4! 16.gxh5 ♗xh3... Por sua vez, as pretas ameaçam através de ...f5 neutralizar a maioria de peões no centro do adversário, após o que terão as mãos livres para jogar em ambos os lados. Por isso as brancas não têm o direito de perder tempo.

15.e4!

Agora o planejado ...f5 inevitavelmente envolve sacrifícios das pretas. De sete a dez anos antes dessa partida (isto é, no início dos anos 70), as complicações após 15...f5 16.exf5 ♗xf5 17.g4 ♗xg4 18.hxg4 ♕h4 19.gxh5 ♖f8! 20.h6! ♗h8 estavam no centro das atenções. As partidas normalmente continuavam com 21.♘e4 ♘g4 22.♕xg4 ♕xg4 23.♘c4, e prosseguiam com sucessos alternados. Mas uma idéia artística sobre o tema de desvio – 21.♘c4!!, encontrada pelo Grande Mestre iugoslavo Kovacevic, resolveu o longo debate em favor das brancas. Após 21...♘g4 22.♕xg4 ♕xg4 23.♘xd6 ♗e5 24.♘de4 a boa coordenação das peças menores das brancas prova ser mais forte do que a dama. A palavra de resposta para as pretas pertence a Timman. É com seu lance 15...♖f8 que as principais esperanças de reabilitação de todo o plano das pretas estão associadas.

15...♖f8!?

Isso parece audacioso – as pretas calmamente preparam ...f5, não dando atenção ao plano do adversário. Mas uma tentativa de refutação imediata através de 16.g4 terminou de forma desanimadora para as brancas na partida-fonte Scheeren-Timman (1980): após 16...♕h4! 17.gxh5 ♗xh3 18.h6 ♗h8 19.♘e2? f5! Timman conduziu o ataque ao rei com grande poder.

16.♔h2!

As brancas têm tudo pronto para f2–f4, mas o que as pretas podem fazer? Só há um único caminho aberto para elas – avançar. Aqui já não há caminho de volta...

16...f5

Consistente, mas a preparação mais fundamental de ...b5 por meio de 16...♗d7 deveria ter sido considerada. De novo ignorando as preparações de seu adversário, as pretas pretendem no caso do natural 17.f4 lançar uma combinação interessante, com sacrifícios – 17...b5 18.fxe5 ♘xg3! (o rei branco é obrigado a lançar a cautela ao vento) 19.♔xg3 ♗xe5+ 20.♔f3 (as brancas também têm problemas difíceis para resolver após 20.♔f2 ♕h4+

21.♔g1 ♗×h3 22.♕e1 ♗g3 23.♖f4! ♗g4!) 20...b4, recuperando uma das peças sacrificadas, enquanto pela outra compensação suficiente é fornecida pela posição "supercentralizada" do rei branco.

17.f4

Argumentando logicamente, ter-se-ia que admitir a natureza imprudente do plano das pretas, pois a retirada do seu cavalo pode ser uma admissão de fracasso. Mas a partir desse ponto o bom senso é forçado a sair de cena, abrindo espaço ilimitado para os vôos da fantasia. A força da peça não é determinada por valor comparativo de acordo com a escala usual, mas pelo seu grau de utilidade em um determinado momento. Além disso, no xadrez, onde restrições estritamente matemáticas nem sempre se aplicam, a eficiência de uma peça individual pode exceder cem por cento!

17...b5!

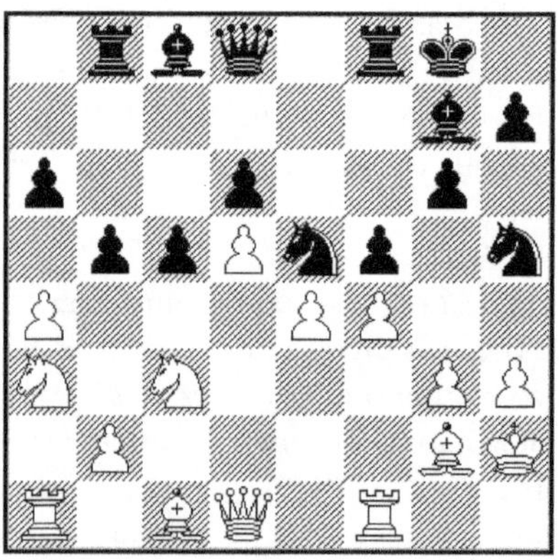

Uma luta corpo a corpo reluz em todas as partes do tabuleiro. As brancas têm que capturar alguma coisa, mas o quê?

18.a×b5

A tentação de remover do tabuleiro a peça atacada ainda não tomou conta das brancas, e elas decidem rebater os problemas na ala da dama. A aceitação do sacrifício não teria conduzido a nenhuma conseqüência irreversível para as brancas, mas igualmente não teria refutado o plano das pretas. Simplesmente teria aberto um novo capítulo dessa história emocionante. A resposta mais natural a 18.f×e5 é 18...♗×e5. Agora a defesa de g3 através de 19.♗f4 permite às pretas restaurar o balanço material – 19...b4 20.♗×e5 d×e5 21.♘c4 b×c3 22.b×c3 f4! – com o rei branco em uma posição insegura.

Entretanto, 19.♘e2 simultaneamente estanca ambas ameaças das pretas. Para manter a iniciativa elas são obrigadas a sacrificar seu segundo cavalo – 19...♘×g3! 20.♘×g3 f4 (após 20...♕h4? 21.♕f3 ♗d7 22.e×f5! ♖×f5 23.♕e3 o ataque definha) Nesse caso as brancas podem ir por dois caminhos fundamentalmente diferentes: (a) elas podem tentar estancar o ataque, sem recorrer a nenhum contra-sacrifício, ou (b) não aderindo à sua vantagem material, podem jogar para tomar a iniciativa. A partida poderia se desenvolver como segue:

(1). 21.♔g1 ♕h4 22.♖f3! (as brancas perdem após 22.♕f3? ♗d4+ 25.♔h1 ♗×h3!, enquanto a retirada do cavalo dá às pretas um ataque virtualmente irresistível, por exemplo, 22.♘h1 f3! 23.♖×f3 ♗g4! 24.♖×f8+ ♖×f8, ou 22.♘e2 f3! 23.♖×f3 ♖×f3 24.♗×f3 ♗×h3!) 22...♗d4+! 23.♔f1 (o sacrifício de dama 23.♕×d4!? c×d4 24.♘f1 conduz a uma posição pouco clara) 23...♗×h3 24.♘h1 (se 24.♘e2, então após 24...♗×g2+ 25.♔×g2 ♕g4+ 26.♘g3 h5! o ataque das pretas tem todas as chances de triunfar) 24...♗×g2+ 25.♔×g2 ♕g4+ 26.♔h2 (após 26.♔f1? as pretas obtêm um ataque irresistível através de lances tranqüilos – 26...♖be8! 27.♘f2 ♗×f2 28.♔×f2 ♕h4+! 29.♔g2 ♖e5!) 26...♕h5+ com xeque perpétuo. Além disso, as pretas podem tentar jogar pelo máximo – 26...♗g1+!? 27.♕×g1 ♕×f3.

(2). A partida se desenvolve em espírito totalmente diferente após 21.♗×f4 ♗×f4 (é uma pena dar o bispo, mas jogar *"a la Gufeld"* não traz sucesso – 21...♖×f4? 22.♖×f4 ♗×f4 23.♕f3 ♕h4 24.♖f1 g5 25.a×b5 a×b5 26.♘c2, e a peça a mais está destinada a se pronunciar) 22.a×b5 a×b5 23.♖×f4!? (se o bispo vier a se estabelecer em e5, não vai ser fácil salvar o cavalo cravado) 23...♖×f4. A posição alcançada teria chances para ambos os lados (e espaço para criatividade!).

Como é aparente nas variantes dadas, as defesas ao redor do rei branco somente podem ser forçadas a se abrir através do sacrifício de cavalo em g3. Então não seria mais simples fazer isso imediatamente? Vejamos: 18.f×e5 ♘×g3!? 19.♔×g3 ♗×e5+ 20.♔f2 ♕h4+ 21.♔g1 ♕g3. Agora as brancas têm uma escolha limitada – 22.♖f2 ou 22.♖f3. Dessas, 22.♖f2 parece a mais astuta, provocando as pretas a fazerem 22...♗d4?, após o que o inesperado sacrifício de dama 23.♕×d4! (23.♕f3? ♕×f3 24.♗×f3 f×e4 25.♘×e4 ♖×f3 26.♔g2 ♖×f2+ 27.♘×f2 ♗b7! dá às pretas excelentes chances de vitória) 23...c×d4 24.♗f4! ♕h4 25.♗×d6 muda radicalmente o cenário em favor das brancas. A única coisa que pode socorrer as pretas é estender a esfera de operações: 22...b4! 23.♘c4 ♕h2+ 24.♔f1 ♗g3! com jogo incrivelmente complicado. Eis uma variante picante, que ilustra a riqueza de possibilidades das pretas: 25.♖f3 b×c3 26.♗h6? f4! 27.♗×f8 ♗×h3 28.♗×h3 ♕×h3+ 29.♔e2 ♕g2+ 30.♔d3 c2! e vencem. É mais forte 22.♖f3 ♕h2+ 23.♔f2! (o aparentemente mais sólido 23.♔f1? permite às pretas trazerem suas últimas reservas de forma desembaraçada – 23...♗d7!, após o que é pouco provável que a posição das brancas possa ser defendida) 23...♗d4+ 24.♕×d4! c×d4 25.♗f4 f×e4 26.♗×h2 e×f3 27.♗×d6! d×c3, com as seguintes possibilidades para as brancas:

(1) 28.♗×b8? c×b2 29.♖e1 f×g2+ 30.♔×g2 b4 31.♘b1 ♗b7, e as pretas não têm do que reclamar.

(2) 28.♗×f3 c×b2 29.♖b1 ♗f5 30.♖×b2 ♗e4! 31.♗×f8 ♖×f8 32.♖b3 ♗×d5, com empate iminente.

(3) 28.♗f1!? c×b2 29.♖b1 ♗b7! 30.♗×b8 ♖×b8 31.a×b5 a×b5 32.d6! ♖d8 33.♘×b5 ♗c6 34.♖×b2 ♗×b5 35.♖×b5 ♖×d6, e não é claro que as brancas consigam realizar a sua vantagem material.

(4) 28.♗h1!! – uma importante melhoria à variante anterior, pois as brancas são capazes de manter seu peão d5, e com isso todas as chances de vitória.

Na reserva as pretas só têm a tentativa imprudente de continuar o seu ataque por meio de 23...♗d7!? (ao invés de 23...♗d4+). As ameaças das pretas não podem ser subestimadas, mas as duas peças das brancas são um fator muito considerável.

Todas essas variantes são muito interessantes, mas é hora de voltar ao próprio jogo!

18...a×b5 19.♘a×b5 f×e4

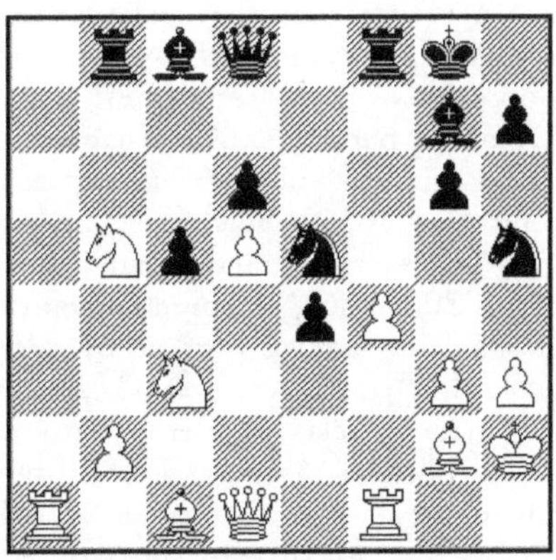

As brancas estão novamente em uma encruzilhada. Capturar a peça com 20.f×e5 justifica-se somente no caso de 20...♘×g3? Então após 21.♖×f8+ ♕×f8 22.e6! ♗e5 23.♔g1 o ataque definha. Mas o simples

20...♗×e5 cria problemas difíceis para as brancas, por exemplo, 21.♗f4 ♘×f4 22.g×f4 ♗×f4+ 23.♔g1 ♗d7!, com vantagem óbvia. 20.♘a7!? parece tentador, de olho em c6, mas as pretas têm um recurso inesperado, carregando a atmosfera ao máximo – 20...e3!?, como ocorreu na partida Alburt-Olafsson (1982). Apesar da vitória conquistada pelas brancas nas insondáveis complicações após 21.♕e2 ♘×g3! 22.♔×g3 g5!, dificilmente é possível dar uma avaliação precisa da posição. *[21.♘c6! (ao invés de 21.♕e2) 21...♘×c6 22.d×c6 poderia ter dado às brancas uma vantagem óbvia – um peão forte em c6, e um excelente posto em d5 para seus cavalos. No caso de 20.♘a7 as pretas provavelmente jogariam 20...♘f3+21.♗×f3 e×f3. Nas complicações após 22.♘c6 ♕d7 23.f5 ♖b7 24.g4 ♘f6 25.♖×f3 g×f5 o peão extra das brancas não se faz sentir (25.♖×f5? ♘×g4+! 27.h×g4 ♖×f5 28.g×f5 ♕×f5 com um ataque irresistível, ou 26.g×f5 ♘e8 com uma posição indefinida).]* Eu antecipo uma questão do leitor perplexo – tudo isso já havia sido jogado? Devo de imediato rejeitar qualquer possível acusação de "plágio": a partida mencionada acima ocorreu não muito antes da Olimpíada, e então os jogadores da presente partida nem suspeitavam da sua existência. E a mais forte evidência dessas palavras é a quantidade de tempo consumida pelos jogadores nos lances precedentes!

Durante a partida eu tive bastante receio de que as brancas pudessem ser capazes de superar as suas dificuldades de um golpe através do sacrifício temporário do seu cavalo – 20.♘×d6!? As pretas teriam que ficar satisfeitas com a variante 20...♕×d6 21.♘×e4! ♕b6 22.f×e5 ♖×f1 23.♕×f1 ♗×e5, na qual elas mantêm contra-jogo graças à posição insegura do rei branco. Infelizmente, o contra-sacrifício 20...♘×g3? não obtém sucesso. Após 21.♔×g3 ♕×d6 22.♘×e4 ♕b6 23.♗e3! (23.f×e5?! é muito arriscado: 23...♗×e5+ 24.♔h4 ♗f5!) as brancas tomam a iniciativa enquanto mantêm vantagem material.

Mas as brancas têm outra possibilidade. O lance escolhido por Kortchnoi, apesar de sua aparente simplicidade, prova ser muito forte.

20.♗×e4! ♗d7!

As pretas não somente deixam seu cavalo de e5 no ar, mas também expõem o apoio principal de sua posição – o peão em d6! A captura incauta desse peão poderia permitir-lhes alinhar as forças rapidamente – 21.♘×d6? ♖b6!! 22.f×e5 ♗×e5 23.♘c4 ♗×g3+ 24.♔g1 (24.♔g2 ♗×h3+) 24...♖bf6 25.♗g2 ♖f2! O rei branco claramente não pode resistir ao fogo feroz de todo o exército preto.

Portanto 23.♘e2! ♖×d6 com posição de duplo gume.

21.♘a7? não tem a sua antiga força (após 21...♖a8! não é fácil para as brancas escapar da cravada), mas o simples 21.♘a3 entra em consideração. Nesse caso, as pretas provavelmente teriam que ficar satisfeitas com o modesto 21...♘f7, visando responder a 22.♘c4 com o interessante 22...b4!? Mas Kortchnoi encontra outra continuação, inesperada e forte.

21.♕e2!

Mantendo temporariamente o cavalo branco em b5. Os dois próximos lances das pretas são praticamente forçados

21...♕b6 22.♘a3 ♖be8

Talvez a posição mais crítica. A ferocidade da luta está chegando ao

máximo, e a qualidade dos próximos dois ou três lances definirá o destino da partida. A dificuldade para as brancas reside principalmente na escolha de uma massa de possibilidades disponíveis. Primeiramente elas novamente têm que resolver a questão "tomar ou não tomar". Pode parecer que esse é o momento certo. Após 23.f×e5 a resposta das pretas é forçada – 23...♗×e5, após o que as brancas podem escolher entre defender diretamente ou indiretamente seu peão de g3. 24.♗f4? ♘×f4 25.g×f4 ♗×f4+ 26.♔g2 ♕d8! conduz a uma posição onde a superioridade numérica das pretas na ala do rei muito provavelmente superará a peça de vantagem das brancas. 24.♘c4! parece mais forte, mas mesmo então após 24...♗×g3+ 25.♔g1 ♕d8 a vantagem material das brancas não é sentida, ao passo que a concentração de peças pretas na ala do rei é fonte de preocupação para o rei branco, por exemplo, 26.♗h6?! ♖×f1+ 27.♕×f1 ♕h4 28.♖a7 ♘f6!, com ameaças difíceis de serem paradas.

As brancas também podem criar outra ameaça, atacando o outro cavalo com 23.g4. Perda de material é inevitável para as pretas, mas se elas encontrarem uma forma bem sucedida de sacrificar sua cavalaria – 23...♘×g4+! 24.h×g4 ♕d8!, as brancas seriam incapazes de simultaneamente parar as ameaças ao seu rei e manter a peça a mais, por exemplo, 25.g5? ♗×c3! 26.b×c3 ♗f5, ou 25.♕f3 ♕h4+ 26.♕h3 ♕×h3+ 27.♔×h3 ♗×c3.

A decisão mais sensata para as brancas seria rejeitar qualquer ganho material pelo objetivo de consolidar totalmente a sua posição. Esse objetivo é atingido por 23.♕g2!, removendo a dama de sua posição oposta à torre e liberando a casa e2 para o cavalo. Mais cedo ou mais tarde as pretas teriam que mover seu cavalo de e5, dessa forma admitindo o fracasso de sua estratégia. O imediato 23...♘f7 é completamente ruim; após 24.♘c4 ♕b8 25.g4 ♘f6 26.♗d3! as peças pretas são sufocadas dentro do seu território.

As pretas teriam tido que embarcar em golpes táticos do tipo 23...♕d8!? Sua iniciativa alcançou um impasse, mas as brasas nas cinzas poderiam flamejar uma nova ameaça a qualquer momento: 24.f×e5? ♖×f1 25.♕×f1 ♗×e5 26.♘e2 ♘×g3! 27.♘×g3 ♕h4 28.♕g2 ♗×h3! 29.♕×h3 ♗×g3+ 30.♔g2 ♕×e4+ 31.♔×g3 ♕d3+, vencendo. É pena, o simples 24.♗d2! deixa as pretas com os mesmos problemas. *[Há mais chances de complicar a partida após 23...♕b4!?, por exemplo 24.♘c2 ♕b8 25.♘e3 ♘f7 26.♘c4 ♗×c3! 27.b×c3 ♘f6 28.♗f3 ♗f5 29.♘e3 ♗d3 30.♖d1 c4, quando a posição não é totalmente clara].* Assim, pode ser afirmado que através de uma série de lances precisos as brancas teriam colocado problemas difíceis para as pretas, muito provavelmente insolúveis. Mas, com base nisso, poderia todo o jogo precedente das pretas ser classificado como insatisfatório? Eu acho que uma conclusão assim seria superficial – jogo absolutamente preciso existe somente em teoria, e quanto mais complicada a posição maior a probabilidade de erro. É claro, uma abordagem assim para uma partida de xadrez envolve um risco enorme, mas quem não corre riscos!... Entretanto, tal jogo tem chance de sucesso somente quando a situação resultante é nova, e dessa forma os lances das pretas nessa partida podem não ser dignos de serem copiados. Provavelmente a posição após 16...♗d7 deva ser estudada com mais cuidado, ou também um plano fundamentalmente diferente na abertura deva ser escolhido (conforme o comentário ao lance 13 das brancas).

Mas vamos retornar à partida. Parece que em termos gerais Kortchnoi chegou à mesma conclusão relativa ao plano subseqüente, mas ele resolveu o problema de forma bastante diferente.

23.♗d2?

Parece lógico: as brancas pretendem completar o seu desenvolvimento sem atraso, enquanto que após 23.♗e3? ♘f7! 24.♘c4 ♕d8 a posição insegura dos bispos na coluna e poderia pesar. Mas até uma idéia estratégica correta pode se provar má se tiver a execução tática errada.

23...♕×b2!

A tão aguardada hora da virada! Sem medo a dama corre para dentro do grosso das peças do adversário, sabendo que no caso de 24.♖fb1? o condenado cavalo lançaria um golpe decisivo – 24...♘f3+!

Essa pequena variante evidentemente esgotou a paciência de Kortchnoi, e o cavalo preto desapareceu para sempre do tabuleiro.

24.f×e5?

No momento mais inapropriado! Agora a energia armazenada nas peças pretas aparece, semeando a morte e destruição na posição das brancas. Elas deveriam imediatamente ter mandado a dama de volta através de 24.♖a2. O plausível 24...♕b4 conduziria a uma troca em massa e ao empate: 25.♖b1 ♕d4 26.♘ab5 ♗×b5 27.♘×b5 ♕c4 28.♕×c4 ♘×c4 29.♗d3! ♘×d2 30.♖×d2. Muito mais forte é 24...♕b8! Aqui também a captura em e5 tem sérias conseqüências – 25.f×e5? ♖×f1! 26.♕×f1 ♗×e5 27.♗e1 (27.♘e2 ♘×g3! 28.♘×g3 ♕b3) 27...♗×c3 28.♗×c3 ♖×e4. A vantagem das pretas é indiscutível, pois as brancas não são capazes de explorar a fraqueza da diagonal a1–h8, e as pretas em breve podem iniciar sérias ameaças ao rei branco. A seguinte variante divertida pede para ser dada: 29.♘c4? (29.♖f2 ♖e3!) 29...♗b5 30.♕a1 (30.♖b2 ♕e8!) 30...♗×c4! 31.♖a8 ♖e2+ 32.♔g1 ♖g2+! 33.♔h1 ♘×g3+ 34.♔×g2 ♗×d5+, e as pretas vencem. Portanto, após 24...♕b8! as brancas teriam que ficar satisfeitas com o profilático 25.♕g2, mas então a tranqüila retirada do cavalo para f7 manteria a vantagem das pretas – as peças brancas não têm nenhum ponto forte.

24.♘c2 parece ser mais forte, embora após 24...♕b8 a captura em e5 seja ainda desfavorável.

24...♗×e5

Em nenhum momento da partida esse lance poderia ter sido tão efetivo como agora!

25.♘c4 ♘×g3!

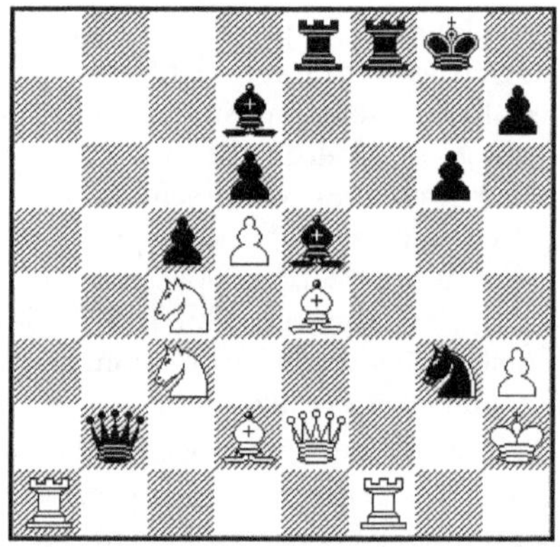

O cavalo em e5 não deu a vida em vão – em todas as variantes as pretas permanecem com vantagem material decisiva. Muitos jogadores em tal situação teriam desanimado, mas Kortchnoi conseguiu encontrar a única chance que demanda uma certa precisão das pretas.

26.♖×f8+ ♖×f8 27.♕e1 ♘×e4+ 28.♔g2 ♕c2

A continuação óbvia, mas as pretas também tinham outra, um caminho mais espetacular para a sua meta – 28...♖f2+!, por exemplo, 29.♕×f2 ♗×h3+! 30.♔f3 ♘×d2+ 31.♕×d2 ♕×a1 32.♘×e5 d×e5, ou 29.♔h1 ♖×d2!! 30.♖a8+ ♔g7 31.♕×d2 (31.♘×b2 ♘g3+ 32.♔g1 ♗d4+) 31...♕×d2 32.♘×d2 ♘×d2 33.♖a7 ♗×c3 34.♖×d7+ ♔f6 35.♖×d6+ ♔e5, vencendo.

29.♘×e5

Por um instante as brancas têm até uma peça a mais, mas a posição aberta do seu rei faz seus esforços inúteis. Agora 29...♘×d2! teria vencido imediatamente. A variante forçada 30.♘×d7 ♘f3+ 31.♕e2 ♘h4+! 32.♔g1 ♕×c3 33.♕e6+ ♔h8 34.♘×f8 ♕g3+! 35.♔f1 ♕g2+ 36.♔e1 ♘f3+ 37.♔d1 ♕d2 mate poderia ter sido uma conclusão apropriada para esse encontro dramático. Mas, confundido pela proximidade da vitória, peguei o caminho errado...

29...♖f2+?

O que era bom um lance atrás agora se torna inapropriado. A seguinte variante, a única na qual trabalhei devido à patética ausência de tempo, parece convincente: 30.♔g1 ♖×d2! 31.♕e4 (segue mate após 31.♘×e4 ♖g2+ 32.♔h1 ♖h2+, ou 32.♔f1 ♗b5+) 31...♕×c3 32.♖a8+ ♔g7 etc. Eu não levei em conta seriamente o sacrifício da dama – pensei que a peça mais forte das pretas não enfrentaria qualquer problema em particular com o exército disperso do adversário. Mas eu esqueci completamente que nessa partida não somente as peças pretas eram capazes de operar milagres!

30.♕×f2!

Agora a batalha flameja com força renovada. O encontro entra na sua fase conclusiva, que prova ser a mais emocionante. Infelizmente, as variantes mais interessantes permaneceram atrás das cenas, o que reduziu de forma significativa o valor estético do final. Mas isso pode ser explicado muito simplesmente – cada um dos jogadores tinha somente cerca de cinco minutos restantes no relógio.

30...♘×f2!

Um urra para a intuição! Algum tipo de sexto sentido forçou-me a rejeitar o plausível 30...♗×h3+, embora aqui não existisse tempo para trabalhar em variantes muito complicadas. Análises posteriores confirmaram meus temores. Isso é o que poderia ter acontecido após 30.♗×h3+? – 31.♔g1! ♘×f2 32.♖a2!. Se as pretas jogassem pela vitória, não teriam escolha: 32...♕f5 (32...♕×a2? 33.♘×a2 ♘e4 34.♘c4!) conduziria imediatamente ao xeque perpétuo – 33.♖a8+ ♔g7 34.♖a7+. Isso só deixa 32...♕b3. Então após 32.♖a8+ ♔g7 34.♖a7+ as pretas podem contentar-se com um empate – 34...♔g8 (34...♔f8?? 35.♗h6+ ♔e8 36.♖a8+ ♔e7 37.♗g5 mate) 35.♖a8+ etc. Mas o que elas devem temer no caso de 34...♔f6? Seguramente as peças brancas aparentemente impotentes não poderiam criar alguma ameaça real?

Diagrama de Análise

Mas após 35.♘f3!! uma posição de conto de fadas é alcançada: a ameaça de mate em quatro lances surge inesperadamente (36.♗g5+ ♔f5 37.♖f7+ ♔g4 38.♖f4+ ♔h5 39.♖h4 mate, ou 38...♔g3 39.♘e2 mate). E ainda mais, o cavalo de f2 está atacado. Ambas as ameaças podem ser estancadas apenas por 33...♘d3, mas então a desgraça muda de lado – 36.♘e4+! ♔f5 37.♘×d6+ ♔g4 (37...♔f6 38.♖f7 mate) 38.♘h2+ ♔h4 39.♖×h7+ ♔g3 40.♘e4 mate! Na teoria, fossem as pretas tentadas por 30...♗×h3+?, no apuro de tempo a partida poderia ter acabado dessa forma. Mas então é pouco provável que estes comentários tivessem sido escritos...

31.♖a2! ♕f5

31...♗×h3? 32.♔g1 não teria mudado nada.

32.♘×d7 ♘d3

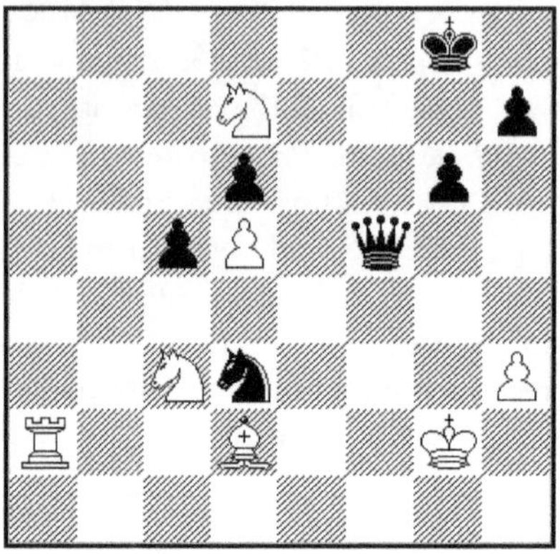

O material está aproximadamente igual, mas são as pretas que têm a iniciativa. A poderosa combinação dama+cavalo parece muito mais forte do que o muito numeroso, porém descoordenado exército branco. Assim o tímido 33.♘b6? teria permitido às pretas decidir rapidamente a partida a seu favor – 33...♕f2+ 34.♔h1 ♕f3+ 35.♔h2 (35.♔g1 ♕g3+) 35...♘f4! 36.♗×f4 (36.♖a8+ ♔g7 37.♖a7+ ♔h6 é sem sentido) 36...♕×f4+ 37.♔g2 ♕g5+, ganhando o cavalo. Percebendo que a perda de material é inevitável, as brancas lançam um ataque desesperado, e o rei preto, que até agora estava calmamente observando o curso dos acontecimentos, encontra-se agora no papel de perseguido.

33.♗h6?!

O ponto de exclamação pela coragem, e o ponto de interrogação pelo fato de que foi sacrificada a peça errada! Era muito mais importante conservar o cavalo de d7, quando a combinação torre+dois cavalos teria causado consideráveis problemas às pretas. É verdade, o direto 33.♖a7? permitiria às pretas demolir os planos do adversário sem dificuldades – 33...♕f2+ 34.♔h1 ♕×d2 35.♘f6+ ♔f8 36.♘ce4 ♘f2+, ganhando. Portanto, as brancas precisam jogar com astúcia – 33.♖a8+ ♔g7 34.♖a7!, armando uma cilada. As pretas são obrigadas a tomar o bispo – 34...♕f2+ 35.♔h1 ♕×d2 (35...c4? 36.♘c5+!), e depois de 36.♘e5+! o rei preto é obrigado a procurar um caminho seguro através do campo minado: 36...♔f8 (36...♔h6?? 37.♘g4+ ♔g5 38.♘e4+) 37.♖a8+ ♔e7 38.♖a7+ ♔d8 39.♘f7+. Agora qual caminho? Vamos tentar voltar – 39...♔e8 40.♘×d6+ ♔f8 41.♖f7+ ♔g8 42.♘ce4! ♕e1+ 42.♔h2, forçando as pretas a procurar sucesso através do sacrifício da dama: 43...♕×e4 44.♘×e4 ♔×f7 45.♔g3, mas este final de cavalo dá poucos motivos para otimismo. Só resta ao rei procurar proteção no outro canto do tabuleiro – 39...♔c8 40.♘×d6+ ♔b8 41.♖b7 ♔a8 42.♘cb5! A situação é mais ou menos a mesma que no caso de 39...♔e8, mas agora as pretas têm uma forma favorável de romper a construção de mate – 42...♘f2+ 43.♔g1 ♘×h3+ 44.♔h1 ♕×d5+ 45.♔h2 ♕×b7 46.♘×b7 ♔×b7 47.♔×h3 ♔c6. Ao que tudo indica, as pretas devem vencer esse final, por exemplo, 48.♘c3 c4 49.♔g3 ♔c5 50.♔f3 ♔d4 51.♘e2+ ♔d3.

Tudo é muito mais simples – 39.♖a8+! (ao invés de 39.♘f7+?) força o rei preto a voltar para casa, pois 39...♔c7? perde por 40.♘b5+ ♔b7 (40...♔b6 41.♘c4+) 41.♖a7+ e mate. Assim 29...♖f2+? teria levado de forma surpreendente (e à força!) ao xeque perpétuo!

33...♕×d7 34.♖a8+ ♔f7 35.♖h8?

Era essencial restringir a mobilidade do rei preto através de 35.♘e4! No tabuleiro imaginei toda sorte de horrores, e então eu pretendia continuar 35...g5!?, criando mais espaço para o meu rei. A posição após 35...g5 prova ser tão interessante, que ainda durante a Olimpíada Igor Zaitsev e eu fizemos uma análise completa dela. A variante principal se desenvolve como segue: 36.♖f8+! (36.♗×g5 h6! 37.♗×h6 ♔g6) 36...♔e7 37.♖h8 ♘f4+! (37.♕f5? 38.♗×g5+ ♔d7 39.♖×h7+! ganhando a dama) 38.♔f2 ♘×h3+ 39.♔g3 ♕f5 40.♗f8+! ♔d8! (40...♔d7? 41.♖×h7+ ♔d8 42.♗e7+ ♔c7 43.♗×d6 com empate) 41.♗×d6+ ♔d7 42.♖×h7+! ♕×h7! 43.♘f6+ ♔×d6 44.♘×h7 c4! 45.♘f6 ♘f4 46.♔g4 (46.♘e4+ ♔×d5 47.♘×g5 c3!, e o peão coroa) 46...♘×d5 47.♘e4+ ♔e5 com um final de cavalo vencedor. A análise continha várias outras ramificações, mas o lance simples encontrado pelo meu treinador Alexander Nikitin teria feito todas essas sutilezas desnecessárias. Realmente, 35...♕e7! deixa as brancas no mau caminho – o final após 36.♖f8+ (36.♘g5+ ♔f6 37.♖f8+ ♔e5 38.♖f7 ♕e8 é inofensivo) 36...♕×f8 37.♘g5+ ♔e8 38.♗×f8 ♔×f8 39.♘×h7+ ♔g7 40.♘g5 ♔f6 é completamente sem esperança.

35...♔f6

O único lance, mas bastante bom. Pela primeira vez na partida eu pude respirar com facilidade – todos os medos e perigos estavam agora para trás!

36.♔f3?

Normalmente um erro assim é acompanhado por dois pontos de interrogação, mas um lance, feito em grande apuro de tempo, somente para conseguir fazer um lance, não merece uma apreciação tão severa.

36...♕×h3+

As brancas abandonam.

Expectativas e Surpresas

Torneio de Candidatos,
Quartas-de-Final
Moscou, 1983

Primeiro Interzonal, primeiro Torneio de Candidatos... O grande valor em jogo nesses eventos, misturado com a novidade de cada passo, freqüentemente inibe o jogador e não lhe permite revelar totalmente o seu potencial criativo. Por essa razão, durante o curso de meu *match* com Alexander Beliavsky pelas quartas-de-final do Torneio de Candidatos, tive que me adaptar em muito curto espaço de tempo à lógica das disputas em *match*, com o que eu não estava familiarizado. Evidentemente minhas preparações anteriores ao *match* também tiveram que ser bastante pormenorizadas, já que pela primeira vez eu tinha que pensar sobre o meu repertório de aberturas para ser aplicado contra um único adversário. É verdade, meu adversário provavelmente experimentou dificuldades similares.

Eu acho que o papel mais importante em meu sucesso final foi de fato desempenhado pela preparação. E não foi a minha superioridade puramente na capacidade enxadrística, à qual muitos especialistas se referiram, mas uma abordagem mais flexível à estratégia do *match*, em particular na resolução dos problemas de abertura. Adicionalmente, eu e o meu grupo de treinadores (que durante minha preparação incluiu Nikitin, Shakarov, Timoshchenko e Vladimirov) estudamos as partidas de Beliavsky, e notamos seus pontos fortes e fracos. Os fortes incluíam sua enorme capacidade de "trabalhar" no tabuleiro, seu brilhante manejo de posições conhecidas e a sua excepcional tenacidade. Entretanto, as deficiências de uma pessoa são a continuação de suas virtudes: a aderência de Beliavsky a seus princípios na sustentação de suas próprias opiniões, freqüentemente se transforma em inflexibilidade, e o seu excelente conhecimento de certos esquemas fazia surgir o desejo de passar a abertura com os meios mínimos. Com base nisso, fizemos uma tentativa de planejar, mesmo que somente a grosso modo, o curso da batalha do *match*.

Partida 67
Kasparov - Beliavsky
Torneio de Candidatos, Moscou 1983
1ª Partida
Gambito da Dama

1.d4 Nf6 2.c4 e6 3.Nc3 d5 4.c×d5 e×d5 5.Bg5 Be7 6.e3 h6 7.Bh4 0–0 8.Bd3 b6 9.Nf3 Bb7 10.0–0 c5 11.Ne5 Nc6?! 12.Ba6 Qc8 13.B×b7 Q×b7 14.B×f6 B×f6 15.Ng4 Bd8 16.N×d5 N×d4! 17.Ndf6+! B×f6 18.N×f6+ g×f6 19.e×d4 c×d4 20.Q×d4 Kg7 21.Rac1?! Rac8 22.Qg4+ Kh7 23.Qf4 Rg8! 24.Qf5+ Kg7 25.h4? Rge8 26.Qg4+ Kh7 27.Qf4 Kg7 28.R×c8 Q×c8 29.Rd1 Qe6 30.Rd3 Qe1+ 31.Kh2 Qe5 32.Rg3+ Kh7 33.Qc4 Qe6 34.Qd4 Qf5! 35.Qc4 Qe6 36.Qc7 Qe7 37.Qc6 Qe6 38.Qb7 Qe7 39.Qd5 Qe6 40.Qh5 Rd8! 41.Re3 Rd5! 42.Qf3 Qf5

43.♕×f5+ ♖×f5 44.♔g3 ♔g6 45.♖e7 ♖a5 46.a3 ♖b5 47.b4 a5 48.♖e4 ♖d5 49.f3 h5 50.♔f4 ♖d3 51.a4 f5 52.♖c4 a×b4 53.♖×b4 f6 54.♔g3 ♖d6 55.♔f2 ♖e6 56.g3 ♔g7 57.♖c4 ♔g6 58.♖c8 ♖e5 59.♖a8 ♔g7 60.♖a6 b5 61.f4 ♖c5 62.♖a7+ ♔g6 63.a5 b4 64.a6 b3

Empate.

A primeira partida tem sempre uma importância particular, e para calouros em tal nível, como eram ambos os jogadores, sua importância é dobrada. As peças brancas, que me couberam por sorteio, obrigaram-me a jogar ativamente. A abertura dessa primeira partida foi consideravelmente significativa, o resultado dela forneceu um tipo de avaliação na preparação dos dois jogadores. Por estranho que pareça, a abertura veio como uma surpresa para nós dois – a troca no quarto lance não tinha ocorrido em nenhuma de nossas partidas anteriores, e Beliavsky por sua vez retrucou com uma surpresa ao escolher o sistema com o fianqueto de seu bispo de casas brancas, que não é popular na Variante das Trocas. Mas a maior surpresa talvez tenha sido o fato de que a posição após 11.♘e5 não havia sido considerada nem mesmo em livros fundamentais de referência, como o iugoslavo *Encyclopaedia of Chess Opennings*. A tentativa de Beliavsky de resolver seus problemas através do enérgico 11...♘c6 permitiu-me obter à força uma posição, onde a situação exposta do rei preto e a sua estrutura de peões irremediavelmente quebrada dão às brancas toda a expectativa de uma vitória. A posição crítica surge após o lance 20 das pretas.

Aqui após o desbotado 21.♖ac1?! as brancas perderam a maior parte de sua vantagem. Ao passo que o simples 21.♖ad1, conquistando o controle sobre a coluna d, teria colocado problemas difíceis para as pretas. Assim 21...♖ad8 levaria a um final perdido após 22.♕×d8! Melhor é 21...♖g8!, evitando a transferência da torre branca para a terceira fileira, mas mesmo aqui após 22.♖d3 ♔h7 23.g3 ♕c6 24.♖fd1 ♖ae8 25.♕f4! as pretas dificilmente seriam capazes de defender a sua despedaçada ala do rei.

Mas na partida as pretas foram capazes de reduzir a tensão através da troca de um par de torres. Além disso, o impulsivo 25.h4? (25.h3 era correto) privou as brancas de um tempo importante no seu 29º lance. 29.♖c1 teria sido fortemente respondido por 29...♖e4!, enquanto que com o peão em h3 esse recurso defensivo não poderia ser utilizado devido a 30.♕g3+. Na altura do adiamento Beliavsky já havia sido bem sucedido em neutralizar completamente a iniciativa das brancas, e embora estas mantivessem uma vantagem simbólica até o final, não era mais possível realizá-la.

Partida 68

Beliavsky - Kasparov

Torneio de Candidatos, Moscou 1983

2ª Partida

Gambito da Dama

1.d4 d5 2.c4 e6 3.♘c3 c5 4.c×d5 e×d5 5.♘f3 ♘c6 6.g3 ♘f6 7.♗g2 ♗e7 8.0–0 0–0 9.♗g5 c×d4 10.♘×d4 h6 11.♗e3 ♖e8 12.♕a4 ♗d7 13.♖ad1 ♘b4 14.♕b3 a5 15.♖d2?! a4 16.♕d1 a3 17.♕b1 ♗f8 18.b×a3 ♖×a3 19.♕b2 ♕a8! 20.♘b3?! ♗c6! 21.♗d4 ♘e4 22.♘×e4 d×e4 23.♖a1? ♗d5! 24.♕b1 b6! 25.e3 ♘d3 26.♖d1 b5 27.♗f1 b4 28.♗×d3 e×d3 29.♕×d3 ♖×a2 30.♖×a2 ♕×a2 31.♘c5 ♗f3 32.♖a1 ♕d5 33.♕b3! ♕h5 34.♘d3 ♗d6 35.♘e1 ♗b7 36.♖c1 ♕f5 37.♖d1 ♗f8 38.♕b1

As brancas ultrapassaram o limite de tempo.

O Grande Mestre de Lvov joga sempre com sucesso particular com as peças brancas, mas nessa partida ele não conseguiu nem mesmo tomar a costumeira iniciativa na abertura. Não seria exagero dizer que a minha escolha pela Defesa Tarrasch veio como uma surpresa impressionante para Beliavsky. Nos primeiros 14 lances, que eram bem conhecidos, ele gastou uma hora e meia! Convencido da necessidade de usar as peças brancas efetivamente, Beliavsky tentou desviar dos caminhos teóricos, com o objetivo de tirar-me da preparação. Somente isso explica a sua rejeição a 15.a4 em favor do duvidoso 15.♖d2. Realmente, a posição após 16...a3 não ocorrera anteriormente, mas essa novidade não dá às brancas nenhum ganho. As pretas foram capazes de posicionar bem as suas peças, e a sua enorme liderança no relógio deu-lhes uma vantagem psicológica. As brancas demoraram a sentir o perigo iminente. Assim, ao invés do rotineiro 20.♘b3?!, elas deveriam ter preferido o sacrifício de peão 20.♘db5!? ♗×b5 21.♘×b5 ♖×a2 22.♕b3, permitindo a manutenção do balanço.

No lance 23 as brancas perderam sua última oportunidade de suprimir a crescente iniciativa das pretas.

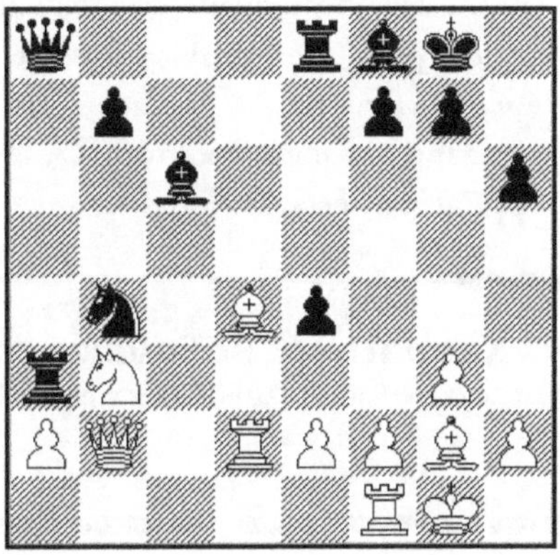

23.♘c5!, após o qual tanto 23...e3 24.♗×c6 esf2+ 25.♗×f2 ♘×c6, como 23...♘×a2!? 24.♖a1 ♕a5 25.♘×e4! (25.♖×a2? ♗×c5!) 25...♗×e4 26.♖×a2 ♗×g2 27.♔×g2 ♕d5+ 28.♔g1 ♖b3 deixam as pretas somente com vantagem mínima. O passivo 23.♖a1? permitiu às pretas intensificarem a pressão de forma desimpedida. Em vista da ameaça de ...e3 as brancas são forçadas a dar para o cavalo preto um excelente posto em d3, e ficou claro que não é nada fácil removê-lo daí – 26.♘c1 (26.♗×b6? ♗b4!) 26...♘e1, ou 27.♘c1 ♘×c1 28.♖×c1 b4! 29.♖c2 ♕a4 seguido por 30...♖a8, e o destino do peão a2 está decidido. Sob grande apuro de tempo Beliavsky resolveu radicalmente o problema do cavalo em d3, dando seu bispo por ele, mas a fraqueza catastrófica de suas casas brancas e o peão passado b deram às pretas vantagem estratégica decisiva. Embora a hábil transferência de seu cavalo para e1 salve as brancas da derrota imediata, as pretas mantiveram todas as vantagens da sua posição, e eu acho que a derrota das brancas pelo tempo basicamente não mudou nada – é pouco provável que elas pudessem sobreviver após 38...♗e4 39.♕b3 h5.

Essas duas partidas como que compuseram a fase inicial do *match*. A iniciativa estava firmemente do meu lado, e a julgar pelo desenrolar dos acontecimentos poderia se imaginar que o sucesso viria por iniciativa própria. Mas os testes principais estavam à frente.

Partida 69

Kasparov - Beliavsky

Torneio de Candidatos, Moscou 1983

3ª Partida

Gambito da Dama

1.d4 d5 2.c4 e6 3.♘c3 ♘f6 4.c×d5 e×d5 5.♗g5 ♗e7 6.e3 h6 7.♗h4 0–0 8.♗d3 b6 9.♘f3 ♗b7 10.0–0 c5 11.♘e5 ♘bd7 12.♕f3?! c×d4! 13.e×d4 ♘×e5 14.d×e5 ♘d7 15.♗×e7 ♕×e7 16.♘×d5 ♕×e5 17.♘e7+ ♔h8! 18.♕×b7 ♘c5 19.♕f3 ♘×d3 20.♘c6 ♕e6 21.b3 ♘e5 22.♘×e5 ♕×e5 23.♖ae1 ♕c7 24.♖c1 ♕e7

Empate.

Beliavsky seguiu o caminho da primeira partida, mas desviou no lance 11. A "micro-melhoria" 11...♘bd7 conduziu surpreendentemente rápido a uma simplificação e ao empate. Sem dúvida, o lance 12.♕f3 foi o grande culpado, mas sobre isso mais tarde... Tendo resolvido com sucesso o problema das peças pretas, Beliavsky ganhou um descanso e partiu para a próxima partida com um enorme desejo de vencer.

Partida 70

Beliavsky - Kasparov

Torneio de Candidatos, Moscou 1983

4ª Partida

Defesa Nimzoíndia

1.d4 ♘f6 2.c4 e6 3.♘c3 ♗b4 4.e3 0–0 5.♗d3 c5 6.♘f3 d5 7.0–0 c×d4 8.e×d4 d×c4 9.♗×c4 b6 10.♕e2 ♗b7 11.♖d1 ♗×c3 12.b×c3 ♕c7 13.♗d3! ♕×c3 14.♗b2 ♕c7 15.d5 ♗×d5 16.♗×f6 g×f6 17.♕e3! ♔g7 18.♖ac1 ♘c6! 19.♗e4 ♕d6! 20.♗×d5 e×d5 21.♖c4 ♕d7? 22.♖h4 ♕f5 23.♖×d5?! ♘e5? 24.h3! ♖fe8! 25.♘d4 ♕g6 26.♕f4 ♖ad8 27.♘f5+ ♔h8 28.♖×d8 ♖×d8 29.♕e4! ♖c8! 30.♔h2 ♖c4 31.♕a8+ ♕g8 32.♕×a7 ♖×h4 33.♘×h4 ♕g5 34.♕a8+! ♔g7 35.♕e4 h5?? 36.♘f5+ ♔g6 37.♘e7+ ♔h6 38.f4

As pretas abandonaram.

Nessa ocasião a troca da abertura não teve o efeito desejado. Além disso, tudo indica que a posição resultante era mais familiar para Beliavsky do que para mim. O sacrifício corajoso de dois peões foi a solução mais vigorosa para a posição. As pretas encararam uma escolha difícil – ou concordar com uma posição inferior após c3–c4, ou aceitar o desafio. Eu escolhi o segundo caminho, mas em poucos lances a iniciativa das brancas claramente pesou mais do que o seu déficit material. O primeiro momento crítico ocorreu no lance 19.

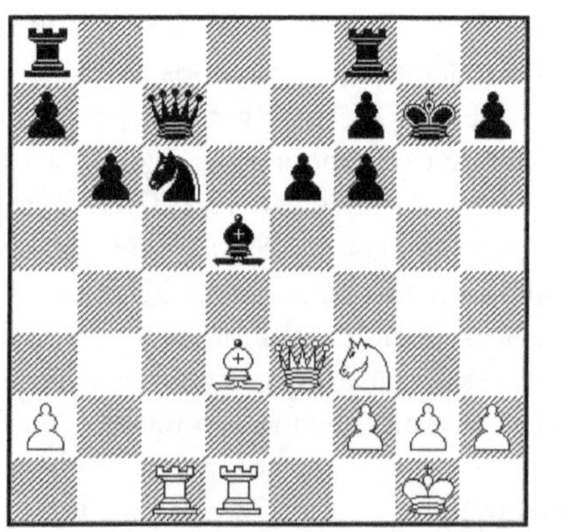

Aqui as brancas poderiam ter mantido todas as vantagens de sua posição através de 19.♘d4!, após o que não teria sido fácil para as pretas encontrarem uma defesa contra as várias ameaças. O direto 19.♗e4? permitiu às pretas estancar as ameaças imediatas, e manter seu dois peões a mais. Mas dentro de dois lances, as pretas retribuíram a gentileza, perdendo a chance de consolidar a sua posição através do simples 21...♘e7! Na possível variante 22.♖h4 ♘f5 23.♖g4+ ♔h8 24.♕d3 ♘e7 os dois peões teriam sido um fator mais preponderante do que a iniciativa das brancas. Mas as brancas em troca não exploraram da melhor forma a desastrada manobra da dama preta. É claro que é agradável capturar um peão central com ganho de tempo, mas em minha opinião 23.♕h6+ ♔h8 24.♖f4 ♕g6 25.♕h4 f5 26.♕h3! (26.♖×d5? ♖ad8) era mais forte, quando é pouco provável que as pretas tivessem sido capazes de defender todas as suas fraquezas.

Mas após 23...♘e5? 24.h3! a idéia das brancas foi justificada, enquanto o óbvio 23...♕b1+ poderia ter mudado significativamente o caráter da partida. Após o forçado 24.♘e1 as pretas podem dar o toque de retirada – 24...♔h8 25.♖dh5 ♖fe8 26.♖×h7+ ♕×h7 27.♖×h7+ ♕×h7 27.♖×h7+ ♔×h7 28.♕h3+ ♔g7, quando a posição insegura do rei preto não é fácil de ser explorada. Além disso, as pretas têm a possibilidade de complicar grandemente a partida através do paradoxal 24...♖g8!?, por exemplo, 25.♖dh5 ♔f8! 26.♖×h7 ♖e8 27.♕h6+ ♔e7, ou 25.♖d3 ♔f8! (25...♔h8? 26.♖×h7+ ♔×h7 27.♕e4+, ganhando a dama) 26.♖×h7 ♘e5 27.♕h6+ ♔e7 28.♖e3 ♖ac8 – em ambos os casos com jogo complicado.

No jogo subseqüente, por estranho que pareça, apesar do fato de que ambos os jogadores estivessem com pouquíssimo tempo, não se repetiram tais trocas de erros. Beliavsky, indiferente ao seu peão perdido, construiu sua vantagem posicional, enquanto as pretas dedicaram toda a sua atenção na defesa do rei contra as ameaças constantes. Aqui estão algumas das variantes que permaneceram atrás das cenas: 26.♕d2? (ao invés de 26.♕f4) 26...♖ad8! 27.♖×d8 ♖×d8 28.♘f5+ ♕×f5 29.♕×d8 ♕g5!, e a vantagem agora está com as pretas (30.♖e4? ♘f3+ 31.♔f1 ♕c1+ 32.♔e2 ♘g1+ etc). Se 26...♖ac8? (ao invés de 26...♖ad8), então 27.♘f5+ ♔h8 28.♘d6 ♖ed8 29.♖h6 e as pretas estão acabadas. As pretas dificilmente teriam conseguido manter seu peão extra – 29...b5 30.♔h2! (30.f4? ♘f3!, ou 30.g4? ♕g8! 31.♖h6 ♘g6 32.♕c6 ♖d1+ 33.♔g2 ♕d8, e as pretas se seguram) 30...a5 (é difícil sugerir algo mais útil) 31.g4! e a ameaça de ♖h6 em conjunto com f2–f4 está prestes a decidir a partida a favor das brancas.

A parte conclusiva da partida foi jogada em severo apuro de tempo, onde o erro grosseiro das pretas 35...h5?? levou a uma decisão imediata. O normal 35...♘g6 teria conduzido após 36.♘f5+ ♔g8 37.♕a8+ ♘f8 a uma posição na qual, graças à sua melhor estrutura de peões e o poderoso cavalo em f5, as brancas manteriam uma enorme vantagem posicional, mas o limitado material remanescente daria às pretas algumas esperanças de salvar a partida. Assim o enérgico ataque de Beliavsky nessa partida atingiu o seu objetivo. Uma nova fase da luta estava começando, e então, em vista da necessidade de trabalhar nos sistemas de abertura que ocorreram no curso do *match*, e também do fato de que eu estava levemente indisposto, decidi pedir tempo. No ciclo anterior do Torneio de

Candidatos tal fato pareceria perfeitamente normal, mas agora, quando cada jogador tem apenas um adiamento disponível, tal decisão não é tomada de maneira superficial.

Partida 71

Kasparov - Beliavsky

Torneio de Candidatos, Moscou 1983

5ª Partida

Gambito da Dama

1.d4 d5 2.c4 e6 3.♘c3 ♘f6 4.c×d5 e×d5 5.♗g5 ♗e7 6.e3 h6 7.♗h4 0–0 8.♗d3 b6 9.♘f3 ♗b7 10.0–0 c5 11.♘e5 ♘bd7 12.♗f5! ♘×e5 13.d×e5 ♘e8?! 14.♗g3 ♘c7?! 15.♕g4 ♕e8 16.♗d7! ♕d8 17.♖ad1 h5 18.♕h3 h4 19.♗f4 ♗g5 20.♗f5 g6 21.♘e4! ♗×f4 22.e×f4 g×f5 23.♕×f5! d×e4 24.♕g4+! ♔h7 25.♖×d8 ♖f×d8 26.♕×h4+ ♔g8 27.♕e7! e3! 28.♖e1! e×f2+?! 29.♔×f2 ♖d2+ 30.♖e2 ♖×e2+ 31.♔×e2 ♗a6+ 32.♔f2 ♘e6 33.f5 ♘d4 34.e6 ♖f8 35.♕g5+ ♔h7 36.e7 ♖e8 37.f6 ♘e6 38.♕h5+ ♔g8

As pretas abandonaram.

Nessa ocasião foi a vez de as brancas dizerem alguma coisa no duelo teórico. Os frutos dos meus três dias de trabalho em casa foram o lance 12.♗f5!, que impede as pretas de realizarem a sua operação padrão de troca 12...♘×e5 13.d×e5 ♘e4, já que o belo 14.♘×d5! é agora decisivo. Liberar a tensão no centro também não traz alívio – após 12...c×d4 13.♘×d7! ♘×d7 14.♗×e7 ♕×e7 15.♕×d4 as pretas estão condenadas a uma defesa cansativa, o que é especialmente desagradável numa situação tensa de *match*. Ao encontrar tal surpresa, Beliavsky tomou uma decisão crucial, mas também altamente comprometedora – permitir às brancas a iniciativa na ala do rei, enquanto contava com uma ruptura de peão no centro. Mas os próximos dois lances das pretas foram imprecisos – ao invés de 13...♘e8 elas deveriam ter preferido 13...♘h7, já que de qualquer forma o cavalo não pode alcançar e6, e sendo forçado a "vegetar" em c7 será uma fonte de problemas constantes para as pretas. E no 14º lance elas deveriam ter forçado o bispo branco a se definir – 14...g6, embora aqui também 15.♗c2 mantenha as vantagens das brancas.

15...♕e8 foi sem dúvida um lance pobre. O mal menor provavelmente era 15...♗c8 16.♖ad1 ♗×f5 (16...♗e6? 17.♘×d5! ♗×d5 18.e4) 17.♕×f5 d4, na esperança de salvar algum tipo de final com peão a menos. Devo dizer que a posição após 16.♗d7! foi alcançada em nosso tabuleiro durante a nossa preparação para a partida. Nossas análises concluíram com a variante 16...♗c8 17.e6!, e as brancas vencem, mas na verdade isso não é tão simples.

O imediato 20...♗×f4 21.e×f4 d4 teria impedido o cavalo branco da transferência para a ala do rei, mas após 22.♘e4 ♗×e4 23.♗×e4 ♖b8 24.f5 ♖e8 25.f4 a poderosa falange de peões das brancas não prenuncia nada de bom para as pretas (25...f6 26.♕×h4 f×e5 27.f6!).

A combinação iniciada com 21.♘e4! conduziu à força a uma posição onde, apesar da aproximada igualdade material, a posição aberta do rei preto e o pobre posicionamento de suas peças dão às brancas vantagem decisiva (embora o apressado 27.f5? tivesse permitido às pretas coordenarem suas peças através de 27...♖d7!).*[21...♗e7! teria permitido às pretas evitar dificuldades imediatas, embora após 22.♘d6 ♗×d6 23.e×d6 g×f5 24.d×c7 ou até 22.♗g4 sua posição não seja nada invejável.]*

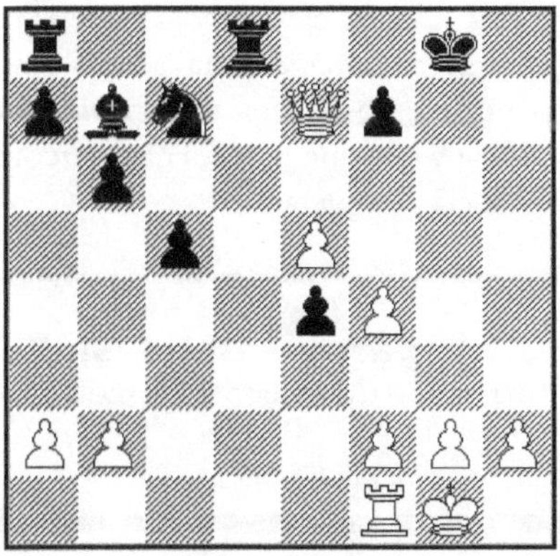

O hábil recurso 27...e3! encontrado pelas pretas forçou as brancas a mostrarem uma certa precisão, embora as "complicações" tenham durado apenas um lance. No apuro de tempo Beliavsky não encontrou a melhor chance, 28...e2 (28...♖d2 29.f3!), o que o teria permitido pescar um pouco em águas turbulentas, por exemplo, 29.f3 ♖d1 30.♔f2 ♗a6 31.♕×c7 ♖ad8 32.♖×e2?! ♗×e2 33.♔×e2 ♖1d2+ 34.♔e3 ♖8d3+ 35.♔e4 ♖d4+ 36.♔f5 ♖×g2 com chances de empate. Mas somente bastava as brancas demonstrarem alguma ingenuidade, e tudo imediatamente seria colocado em seu lugar – 32.♕×a7! ♖×e1 33.♕×a6 ♖dd1 34.♕×b6, e as pretas ficariam absolutamente impotentes, pois sua única esperança – seu peão e2 – tornou-se um passivo.

Após a troca de um par de torres, a dama e a infantaria ávida por avançar rapidamente decidiram o resultado. No momento em que as pretas capitularam, as brancas tinham uma escolha agradável – 39.♕g4+ ♔h7 40.♕×e6 f×e6 41.f7 ou 40.♕a4 ♘c7 41.♕d7.

Assim, a vantagem perdida das brancas foi restaurada no tempo mais curto possível. É claro, uma vitória tão rápida e arrasadora (em toda a partida as brancas gastaram apenas cerca de 50 minutos!) elevou meu espírito, mas mesmo assim eu estava consciente de que a batalha decisiva ainda estava por vir. Antes da sexta partida eu estava ainda bastante ansioso, pois era claro que Beliavsky se esforçaria totalmente para restabelecer a igualdade.

Partida 72

Beliavsky - Kasparov

Torneio de Candidatos, Moscou 1983

6ª Partida

Gambito da Dama

1.d4 d5 2.c4 e6 3.♘c3 c5 4.c×d5 e×d5 5.♘f3 ♘c6 6.g3 ♘f6 7.♗g2 ♗e7 8.0–0 0–0 9.♗g5 c×d4 10.♘×d4 h6 11.♗e3 ♖e8 12.♕c2 ♗g4 13.♖fd1 ♗f8 14.♖ac1 ♖c8 15.♘×c6 b×c6 16.♗d4! ♗b4 17.♖d2 ♕e7 18.a3 ♗a5 19.b4?! ♗b6 20.e3 ♕e6! 21.♕b2 ♗×d4 22.♖×d4 c5! 23.b×c5 ♖×c5 24.♘e2 ♖ec8 25.♖×c5 ♖×c5 26.♘f4 ♕c8 27.h3 ♖c1+ 28.♔h2 ♖c2 29.♕b3 ♗f5 30.♔g1! ♖c1+ 31.♖d1 ♗e4

Empate.

Talvez a partida-chave do *match*. Novamente, como na segunda partida, eu escolhi a Defesa Tarrasch, mas nessa ocasião Beliavsky estava completamente preparado para ela. Contra o arranjo das peças iniciado com 12.♕c2 as pretas foram incapazes de encontrar um antídoto, e a iniciativa foi tomada pelas brancas (as pretas provavelmente teriam tido até problemas mais difíceis para resolver após 15.♕a4!). O peão atrasado de c6 causou consideráveis problemas para as pretas, e se as brancas tivessem conseguido estabelecer um bloqueio em c5, as coisas poderiam ter ficado muito difíceis para elas. O apressado 19.b4?! provou ser uma imprecisão significativa, permitindo às pretas obterem contrajogo em conexão com o enfraquecimento das casas brancas na ala do rei, ao passo que 19.h3!, forçando o bispo preto a se decidir, teria consolidado a vantagem das brancas. O profilático 21.♕b2 (*veja o diagrama*) foi direcionado contra o possível ...♘e4. Por exemplo, na variante 21.♘a4 ♘e4! 22.♗×e4 d×e4 23.♗×b6 a×b6 24.♘×b6 ♖cd8 as pretas teriam conquistado certa compensação pelo peão.

As pretas estavam no tempo certo para a ruptura ...c5, a qual as brancas não foram capazes de prevenir (após 22.e×d4 ♗h3 as pretas têm contrajogo na ala do rei.), levando a posição a um equilíbrio dinâmico (a fraqueza do peão preto d foi compensada pela melhor coordenação das suas peças), a qual foi mantida até o final da partida. A continuação mais provável – 32.♘×d5 ♗×d5 33.♗×d5 ♖×d1+ 34.♕×d1 ♘×d5 35.♕×d5 ♕c1+ 36.♔g2 ♕×a3 – é a melhor confirmação disso.

Este empate me inspirou mais do que a vitória na partida anterior, e na conferência de imprensa após o *match* eu chamei a sexta partida de decisiva.

É claro, há um grau de exagero aqui, mas decisões enxadrísticas e assertivas relativas ao xadrez freqüentemente têm uma clara tendência emocional.

O *match* entrou na reta final, e embora a minha liderança de um ponto não fosse especialmente sólida, pude encarar o futuro com otimismo. Afinal, em vista da estratégia "segura" adotada por Beliavsky com as peças pretas, suas únicas chances de sucesso estavam na oitava e na décima partidas. É claro, ele também poderia tentar equilibrar a contagem na sétima partida, mas nesse caso haveria uma probabilidade significativa de que o *match* não percorresse a distância completa...

Partida 73

Kasparov - Beliavsky

Torneio de Candidatos, Moscou 1983
7ª Partida
Gambito da Dama

1.d4 d5 2.c4 e6 3.♘c3 ♘f6 4.c×d5 e×d5 5.♗g5 ♗e7 6.e3 h6 7.♗h4 0–0 8.♗d3 b6 9.♘f3 ♗b7 10.0–0 ♘e4 11.♗×e7 ♕×e7 12.♘e5 ♘d7 13.f4 ♘×e5 14.f×e5 c5 15.♕e1! ♖ad8 16.♖d1! ♕g5?! 17.♖f3?! f6 18.e×f6 c×d4! 19.e×d4 ♖de8! 20.♗b5! ♖d8!! 21.♗d3

Empate.

Uma partida que demanda uma explicação a cada lance, pois praticamente todas as variantes permaneceram atrás das cenas. 10...♘e4 foi em essência uma admissão da força da novidade das brancas na quinta partida. O natural 12.♘e5 não é considerado pelos guias de abertura, que recomendam apenas 12.♕b3. As pretas escolheram a hora certa para eliminar o cavalo de e5 (teria sido muito perigoso tolerá-lo ali, por exemplo, 13...♘df6?! 14.♘×e4 d×e4 15.♗c4 ♘d5 16.♗×d5! ♗×d5 17.f5 com um forte ataque) e combater o centro. Parecia que elas haviam resolvido com sucesso seus problemas de abertura, mas os dois fortes lances de consolidação das brancas 15.♕e1! e 16.♖d1! demonstraram que esse não foi o caso. O único plano lógico das pretas era 16...f6, mas após 17.♗×e4! d×e4 18.e×f6 ♖×f6 19.♖×f6 ♕×f6 20.d×c5 b×c5 21.♖×d8+ ♕×d8 22.♘a4 isso teria levado a um final onde as pretas estariam frente a uma triste luta pelo empate.

Esta perspectiva não atraiu Beliavsky, e ele decidiu manter a tensão com um arriscado ataque de dama. A inocência do lance da dama teria sido demonstrada de forma muito simples através de 17.♕e2, após o que as pretas mais cedo ou mais tarde seriam forçadas a concordar com o final que elas estavam tentado evitar. Além disso, 17.h4!? ♕h5 18.♘e2! parece bom, enfatizando imediatamente a posição insegura da dama preta. Durante a partida eu pensei que 17.♖f3 poderia também reter todas as vantagens da minha posição, mas a série de lances brilhantes encontrada por Beliavsky permitiu-lhe evitar o perigo.

Os lances seguintes de ambos os lados parecem difíceis de explicar, mas variantes concretas mostram que eles foram os melhores. Por exemplo, 18...♘xf6 (ao invés de 18...cxd4!) 19.♖f5 ♕g6 20.♖xd5! ♕g4! 21.h3! ♕xd1 22.♕xd1 ♘xd5 23.♘xd5 ♗xd5 24.e4!, e após d4–d5 os peões passados e unidos dão às brancas a vantagem. 18...♘xc3? é até pior devido a 19.h4!!, quando a variante 19...♕g4 20.bxc3 ♖xf6 21.♖xf6 gxf6 22.♗e2 não prenuncia nada de bom para as pretas.

As pretas dificilmente poderiam ficar satisfeitas com 19...♘xf6 20.♕e7! ♖d7 21.♕e6+ ♖df7 22.♖g3 ♗c8! 23.♖xg5 ♗xe6 24.♖e5, quando elas novamente têm um triste final.

A posição-chave surgiu após 19...♖de8!

Apesar da quantidade de possibilidades táticas, nenhuma delas promete às brancas algo concreto. Por exemplo, 20.♘xe4 dxe4 21.f7+ ♖xf7 22.♗c4 ♗d5 23.♖xf7 ♗xf7, ou 20.h4 ♕g6!, e agora o plausível 21.♘xe4 dxe4 22.f7+ ♖xf7 23.♗c4 tem conseqüências irreparáveis – 23...exf3 24.♕xe8+ ♔h7 25.♗d3 ♕xd3! 26.♖xd3 f2+ 27.♔f1 ♗xg2+. Mas nesse ponto eu ainda estava esperando que o engenhoso 20.♗b5! inclinasse a balança a favor das brancas. Realmente, após 20...♖e6 (o que poderia ser mais natural?) 21.♘xe4 ♖xe4 (após 21...dxe4 22.♖g3! ♕xb5 23.♖xg7+ ♔h8 24.♖xb7 ♖exf6 25.h3 é pouco provável que as pretas possam salvar a partida) 22.♕f2! (22.♕c3 ♖xf6 23.♖xf6 ♕xf6 24.♕c7 não é efetivo devido à brilhante resposta 24...♕f4!) 22...♖xf6 23.♖xf6 ♕xf6 24.♕xf6 gxf6 25.♖c1! ♖e7 (25...♖xd4? perde uma peça após 26.♖c7 ♖d1+ 27.♔f2 ♖d2+ 28.♔g3 ♖xb2 29.a4! a6 30.♗d7) 26.♔f2 jogar o final é uma alegria para as brancas. Mas todas as ilusões foram dissipadas pelo lance de sangue frio 20...♖d8!! Após pensar por quase uma hora, eu me convenci de que não era possível explorar uma vantagem como "peão e lance", e trouxe de volta o meu bispo para d3. O retorno imediato da torre para e8 serviu como o início das negociações de paz.

Outra tentativa das brancas de conquistar uma vantagem tem valor investigativo – 22.♗xe4 dxe4 23.♖e3 ♕xf6 24.d5. Pode parecer que o peão e4 está perdido, mas as pretas teriam disponível um reagrupamento que lhes permitiria manter o balanço: 24...♔h8 25.h3 ♖e7! (o pseudo-ativo 25...♗a6? cria sérias dificuldades para as pretas após 26.♖xe4 ♖xe4 27.♕xe4 ♕f2+ 28.♔h1! ♕xb2 29.d6! ♗c8 30.♕d4!, quando o peão avançado d dá às brancas fundamentos para uma expectativa de vitória) 26.♖×e4 ♖×e4 27.♘×e4 (agora 27.♕×e4 não é efetivo, pois após 27...♕f2+ 28.♔h1 ♕×b2 o peão d fica imóvel) 27...♕×b2 28.♘d6 ♗a6 29.♘f7+!? ♔g8 30.d6 ♕e2!, e as pretas superam o pior. O posicional 26.♖d2 não promete nada – após 26...♖fe8 a fraqueza do peão e4 é balanceada pela fraqueza do peão d5.

A defesa cheia de recursos de Beliavsky trouxe-lhe meio ponto, mas é pouco provável que ele tenha ficado completamente satisfeito. A iniciativa estava agora do meu lado, e o número de partidas restantes foi reduzido em mais um.

Partida 74

Beliavsky - Kasparov

Torneio de Candidatos, Moscou 1983

8ª Partida

Defesa Índia do Rei

1.d4 ♘f6 2.c4 g6 3.♘c3 ♗g7 4.e4 d6 5.f3 0–0 6.♗e3 a6 7.♗d3 c5 8.d×c5 d×c5 9.♗×c5 ♘c6 10.♘ge2? ♘d7! 11.♗f2 ♘de5 12.♘c1 ♗h6! 13.♘d5? e6 14.♗b6 ♕g5! 15.0–0! e×d5 16.f4 ♕h4! 17.f×e5 d4! 18.♘e2 ♗e3+ 19.♔h1 ♘×e5 20.♗c7 ♕e7 21.♗×e5 ♕×e5 22.♕e1 ♗d7 23.♕g3 ♖ae8 24.♘f4 ♗c6 25.♘d5 ♕×g3 26.h×g3?! ♖e5 27.g4 h5 28.♘f6+ ♔g7 29.g×h5 ♖h8 30.g3 ♖e×h5+!? 31.♘×h5+ ♖×h5+ 32.♔g2 f5 33.♖ae1 f×e4 34.♗b1 ♖c5! 35.b3 b5 36.♖×e3 d×e3 37.♖e1 b×c4 38.b×c4 ♖×c4 39.♖×e3 ♖b4! 40.♖b3 e3+ 41.♔f1 ♗b5+ 42.♔e1 a5! 43.♗e4 ♖×b3 44.a×b3 ♔f6 45.♔d1 g5 46.♔c2 ♔e5

As brancas abandonaram.

Não há dúvida de que Beliavsky veio para essa partida com apenas um desejo – vencer. E, em vista da situação do *match*, ele dificilmente poderia contar seriamente com a possibilidade de as pretas jogarem a Defesa Índia do Rei – uma abertura que conduz a complicações e a jogo de duplo gume. Mas a surpresa maior para o meu adversário foi minha adoção de uma linha pouco estudada com um sacrifício de peão, a qual nunca havia ocorrido anteriormente em minhas partidas. Não é freqüente ocorrer que o fator surpresa funcione de forma tão efetiva – até o lance 15 as brancas já tinham usado uma hora e 45 minutos! Entretanto, como acontece com freqüência, uma reflexão demorada não melhora a qualidade dos lances feitos. Assim, ao invés do natural 10.♘ge2?, o bispo deveria ter sido imediatamente retirado para e3, tirando das pretas um tempo importante. Após 10...♘d7!, por outro lado, todas as retiradas do bispo têm os seus defeitos, por exemplo, 11.♗a3 ♘de5 12.♘d5 e6! 13.♗×f8 ♗×f8 14.0–0 e×d5 15.e×d5 ♘b4, e, apesar da aproximada igualdade material, a vantagem está com as pretas em vista da atividade maior das suas peças. Ou 11.♗e3 ♘de5 12.♘c1 ♘b4 13.♘d5 ♘b×d3+ 14.♘×d3 ♘×c4 15.♗c5 e6! 16.♗×f8 ♕×f8 com uma iniciativa muito forte pela qualidade. Em f2 o bispo não precisa se preocupar com ataques da cavalaria preta, mas ele não controla a diagonal h6–c1, o que as pretas exploram imediatamente.

O excessivamente ativo 13.♘d5? teve conseqüências irreparáveis, então as brancas deveriam retirar de forma modesta o seu bispo para e2, conformando-se com uma posição inferior após 13...♕×d1+ 14.♘×d1 ♗e6. A força da iniciativa das pretas é demonstrada graficamente através da seguinte variante: 15.b3? ♘b4 16.0–0 ♘c2 17.♖b1 ♘a3! 18.♖a1 ♗g7 19.♗c5 ♘c6!, ganhando a qualidade. Entretanto, após 15.♘e3 ♘d4 16.♗d1 não significa que os recursos defensivos das brancas estejam exauridos.

O "corajoso" 15.0–0 foi a melhor chance prática: a tentativa de defender tudo em um lance com 15.♘e3, é refutada pelo surpreendente 15...♘d7!, após o qual as brancas podem abandonar. Por sua vez, ambição excessiva – 15...♘×d3? – poderia retirar das pretas os frutos do sucesso na abertura: após 16.f4! ♘×f4 17.♘×f4 ♕e5 18.♕f3 ♕×b2 19.♘b3 as brancas têm uma boa iniciativa pelo peão.

Talvez as brancas devessem ter tentado a sorte jogando com uma peça a menos (16.c×d5 ao invés de 16.f4), mas em um momento tão importante Beliavsky não foi para medidas tão extremas, e 16...♕h4! teve o objetivo de provocar um enfraquecimento na ala do rei das brancas, a fim de que após 17.g3 ♕e7 18.c×d5 as pretas pudessem devolver a peça de forma vantajosa – 18...♘×d3 19.♘×d3 ♕×e4! 20.d×c6 ♕×c6, e a fraqueza gritante da grande diagonal está destinada a se fazer notar.

17...d4! (*veja o diagrama*), cortando o tabuleiro em dois e preparando um posto poderoso para o bispo preto em e3, foi a decisão mais precisa.

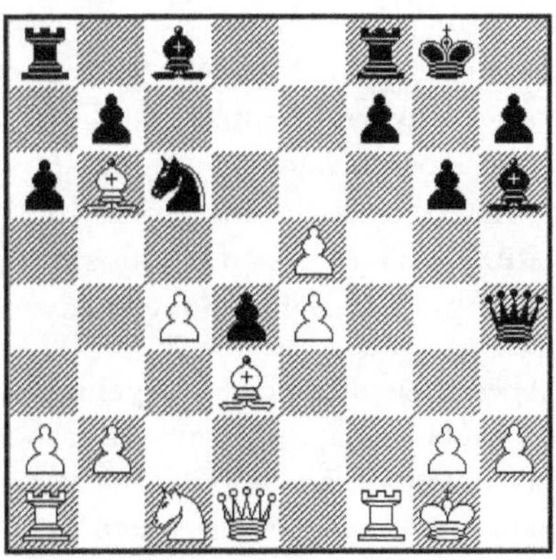

O resultado da partida estava decidido, embora as pretas ainda tivessem que superar algumas dificuldades técnicas. No lance 26 o xeque em f6 provavelmente permitiria às brancas oporem uma resistência mais tenaz. Ao que parece, Beliavsky não fez uso dessa possibilidade, pois ele esperava eliminar em futuro próximo o perigoso bispo em e3, mas ficou claro que mesmo isso não traria alívio. Por exemplo: 27.♘×e3 (ao invés de 27.g4) 27...d×e3 28.♖ae1 ♗×e4, ou 28.♘×e3 (ao invés de 28.♘f6+) 28...d×e3 29.♖ae1 (29.g×h5 ♖×h5+ 30.♔g1 ♖d8 31.♖ad1 ♖d4! 32.♗e2 ♖×d1 33.♖×d1 ♖e5, ganhando um peão e a partida) 29...h×g4 30.♖×e3 f5! 31.g3 (as brancas não podem permitir ...f4) 31...♖fe8 32.♖fe1 g5!, e a ruptura ...f4 é inevitável (33.♖f1 ♔g7). No entanto, pelo bispo de e3 as brancas muito em breve tiveram que entregar a torre...

No lance 30, ao invés do sacrifício de qualidade, 30...♗g5! 31.♘d5 f5! teria vencido mais rapidamente, pois as brancas são incapazes de impedir o surgimento de dois peões passados unidos, por exemplo, 32.e×f5 ♖×d5! 33.c×d5 ♗×d5+ 34.♔g1 ♗e3+ 35.♖f2 ♖×h5, ou 32.♖ae1 ♖he8! etc. O sacrifício de qualidade complicou um pouco a tarefa das pretas, mas a poderosa dupla de peões no centro apoiada pelos dois bispos, estava destinada a decidir a partida a seu favor. Em severo apuro de tempo Beliavsky foi para um contra-sacrifício de qualidade, percebendo que uma defesa passiva estaria destinada a perder. Realmente, as pretas tinham um plano claro para o fortalecimento da sua posição, por exemplo, 36.♖e2 (após 36.a4 b4! a fraqueza do peão b3 é a ruína das brancas) 36...b4! 37.♖ee1 ♗b7 38.♔h2 ♖c7 39.♔g2 ♖e7! 40.♖×e3 d×e3 41.♖e1 ♔f6, e a centralização do rei é decisiva. Por um instante me pareceu que o limitado material remanescente daria chances de empate às brancas, mas o preciso 39...♖b4! forçou-as a entrar em um final perdido de bispos. O golpe conclusivo foi 42...a5!, prevenindo a transferência do rei branco para c3 (43.♔d1 ♗a4), o que, no entanto, também não teria salvado a partida. As brancas abandonaram quando todos os seus recursos estavam exauridos (47.♗d3 e2, ou 47.♗g6 ♔d4).

O destino do *match* estava decidido, mas, conhecendo o espírito de luta de Beliavsky, não havia dúvidas de que ele não se entregaria sem luta, e que batalharia até o fim.

Partida 75

Kasparov - Beliavsky

Torneio de Candidatos, Moscou 1983

9ª Partida

Defesa Benoni

1.d4 ♘f6 2.♘f3 c5 3.d5 d6 4.♘c3 g6 5.e4 ♗g7 6.♗b5+ ♗d7 7.a4 0–0 8.0–0 ♘a6 9.♖e1 ♘b4?! 10.h3! e6 11.♗f4! e5 12.♗g5 ♗c8?! 13.♘d2 h6 14.♗h4 g5 15.♗g3 g4?! 16.h×g4 ♘×g4?! 17.f3 ♘f6 18.♗h4! ♔h8 19.♘e2! ♖g8 20.c3 ♘a6 21.♘g3 ♕f8 22.♘df1 ♘h7 23.♘e3 ♗f6 24.♗×f6+ ♘×f6 25.♘gf5 ♘h5 26.♔f2 ♗×f5 27.♘×f5 ♘f4 28.g3 ♘h3+ 29.♔e2 ♖×g3 30.♘×g3 ♕g7 31.♖g1 ♖g8 32.♕d2

As pretas abandonaram.

A pequena peça de astúcia no segundo lance das brancas forçou as pretas a concordarem com uma variante que não goza de boa reputação, pois permite às brancas muita liberdade na escolha do seu plano. Além disso, em uma situação pouco familiar Beliavsky não posicionou muito bem as suas peças. Por exemplo, no sexto lance teria sido melhor bloquear o xeque com um dos cavalos. A transferência do cavalo (que nessa variante se coloca em c7) para b4 também pode ser criticada, pois ali ele ficou fora de jogo.

No lance 11 as brancas tinham uma possibilidade tentadora de provocar uma troca em massa – 11.d×e6 ♗×e6 12.♗f4 d5 13.e×d5 ♘f×d5 14.♘×d5 ♘×d5 15.♗e5, com um muito provável empate. Mas eu decidi continuar a luta, guiado mais pela exigência da posição do que pela situação do *match*. Após a estabilização do centro, a vantagem das brancas se torna óbvia, mas o lance recomendado pelos comentaristas – 11...♗×b5 teria conduzido a complicações favoráveis às brancas: 12.♘×b5! (12.a×b5 e×d5 13.e×d5 ♕d7 com jogo normal) 12...e×d5 13.♗×d6 d×e4 14.♗×f8 ♕×f8 (14...♕×d1 15.♖a×d1! ♖×f8 16.♘g5 ♘×c2 17.♖e2) 15.♘g5! (15.♘d2? ♖d8) 15...♖e8 16.♘c3, e não é claro o que as pretas teriam pelo sacrifício da qualidade. Ou 12...a6 13.♘×d6 ♘h5 14.♘×b7 ♕b6 15.♗d6! ♕×b7 (15...♖fc8 16.c3) 16.♗×f8 ♖×f8 17.c3, com vantagem material decisiva.

Dificilmente valeu a pena as pretas perderem um tempo na preservação de seu bispo de casas brancas. Em minha opinião, na posição após 12...h6 13.♗×f6 ♗×f6 14.♗×d7 ♕×d7 15.♘d2 ♗e7 elas teriam mais chances de contrajogo do que na partida. As pretas foram forçadas a arriscar tudo com 14...g5, não somente pela situação do *match*, mas também pela posição no tabuleiro – não era possível executar o normal ...f5 (após 14...♕c7 15.♗e2! ♘e8 16.♘c4 f5?! 17.♘b5 ♕d7 18.e×f5 g×f5 19.♗h5 a posição das pretas entra em colapso).

Apesar das dificuldades experimentadas pelas pretas após a abertura, as razões de uma derrota tão rápida podem ser observadas em seu lance 15 e especialmente em seu lance 16. Ao invés do agudo 15...g4?, enfraquecendo a já exposta posição das pretas, 15...h5 era melhor, demandando das brancas grande precisão na eliminação das ameaças do adversário (o mais forte, provavelmente, era 16.♗e2 g4 17.♗h4! g×h3 18.g3, com vantagem). E, finalmente, a última possibilidade de se manter alguma tensão na partida era a captura do peão g4 com o bispo, embora mesmo aqui após 16...♗×g4 17.♗e2 (17.f3? ♘h5!) 17...♗×e2 18.♖×e2 ♘h5 19.♖e3 ♘f4 (19...♕g5 20.♘c4 ♖ad8 21.♘b5) 20.♘e2 a posição das pretas não cause inveja, por exemplo, 20...♘×e2+ 21.♖×e2 f5 22.e×f5 ♘×d5 23.♘c4 etc.

Na partida tudo foi muito mais simples. Com seus fortes lances 18 e 19 as brancas cortaram pela raiz a atividade das pretas na ala do rei, e prepararam a ocupação da casa f5. Em essência, a vitória das brancas se transformou em uma questão de tempo. 21...♗f8 22.♘df1 ♗e7 era ligeiramente mais tenaz, embora, é claro, basicamente não teria mudado as coisas. A posição após 25.♘gf5 mostra o triunfo da estratégia das brancas:

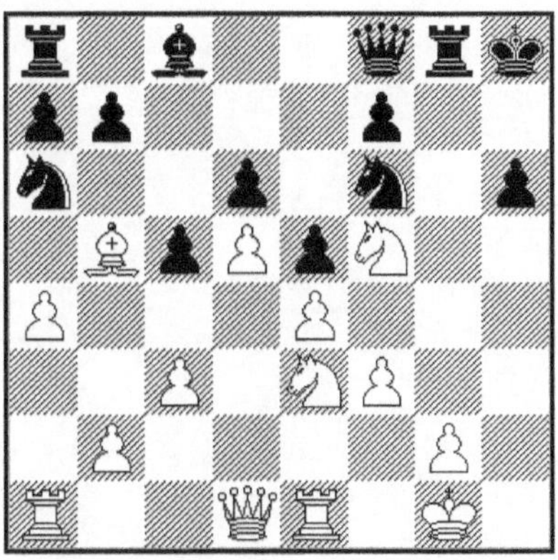

As peças pretas foram completamente empurradas de volta, enquanto as brancas controlam todas as casas chaves. A tentativa final tomada pelas pretas na ala do rei foi um típico gesto de desespero (algo tinha que ser feito em vista da ameaça branca de dobrar as torres na coluna h). No entanto, foi necessário precisão até o fim – é claro, 31.♖g1 e 32.♕d2 não eram os únicos lances, mas eles eram os mais nítidos. À enorme vantagem posicional das brancas foi adicionada uma vantagem material equivalente.

Mal disfarçando seus sentimentos, Beliavsky levantou-se e congratulou-me pela minha vitória.

Assim foi como o meu primeiro *Match* de Candidatos terminou, o qual, nas palavras do árbitro principal V.I. Mikenas, se desenvolveu em uma atmosfera excepcionalmente correta e amistosa.

	1	2	3	4	5	6	7	8	9	Pontos
Beliavsky	½	0	½	1	0	½	½	0	0	3
Kasparov	½	1	½	0	1	½	½	1	1	6

Alexander Beliavsky

O Duelo Continua!

Partida 76
Kasparov - Tal
Spartakiad
Moscou,1983
Defesa Eslava

Outra vez a ultra-aguda Variante Botvinnik! O leitor sem dúvida se lembra de que em um incomum encontro duplo com Timoshchenko e Dorfman eu consegui colocar dúvidas na correção da estratégia de abertura das pretas *(páginas 112 e 115)*.

Os comentários sobre essas partidas concluíram com o pensamento de que, apesar do triste resultado para as pretas, era muito cedo para descartar a variante – nós ainda veríamos vários encontros fascinantes. Mas quando eu me posicionei para minha partida com Mikhail Tal, a última coisa que eu esperava naquele dia era que o duelo da abertura flamejasse com nova força.

1.d4 d5 2.c4 c6 3.♘f3 ♘f6 4.♘c3 e6 5.♗g5

Por um instante ocorreu-me o pensamento de que o ex-Campeão Mundial poderia ter preparado uma melhoria em nossa partida no Torneio Interzonal de Moscou, onde ocorreu uma variante pouco estudada com o sacrifício de um peão – 5...h6 6.♗h4!? d×c4 7.e4 g5 8.♗d3 b5. Mas nessa ocasião Tal preferiu tomar o peão c imediatamente.

5...d×c4 6.e4 b5 7.e5 h6 8.♗h4 g5 9.♘×g5 h×g5 10.♗×g5 ♘bd7 11.e×f6 ♗b7 12.g3 c5 13.d5 ♕b6

As pretas seguem a linha principal da variante, evitando a moda de então 13...♗h6. Onde a surpresa me aguardava?

14.♗g2 0–0–0 15.0–0 b4 16.♘a4 ♕b5 17.a3 ♘b8

Era essa a continuação que tinha conduzido Timoshchenko e Dorfman ao desastre! Em época recente as tentativas sem sucesso das pretas de reabilitar a variante haviam sido associadas com 17...e×d5.

18.a×b4 c×b4

Aqui eu gastei uns 20 minutos para restabelecer na minha memória o curso dos acontecimentos nas partidas anteriores. Tudo parecia em ordem, e assim os próximos quatro lances foram feitos rapidamente e com confiança.

19.♗e3 ♗×d5 20.♗×d5 ♖×d5 21.♕e2 ♘c6 22.♖fc1 ♘e5!

Era essa a novidade de Tal! Tanto Timoshchenko como Dorfman jogaram 22...♘a5, deixando o cavalo para a defesa da ala da dama e criando a possível ameaça de ...♘b3. Mas em a5 o cavalo provou subseqüentemente ficar fora de jogo e se tornar um alvo conveniente para as peças brancas, enquanto que em e5 está posicionado de forma ativa, realizando tanto funções defensivas como de ataque.

Meu próximo lance não veio facilmente. O direto 23.f4 foi rejeitado devido a 23...♘d3 24.♖xc4+ ♕xc4 25.♖c1 ♕xc1+ 26.♗xc1 ♘xc1 27.♕c4+ ♔b7 28.♕xc1 ♗d6, quando, graças à pobre posição do cavalo em a4, as chances das pretas certamente não são piores. Foi mais difícil rejeitar 23.♗xa7, permitindo ao cavalo de a4 se tornar ativo. Mas após 23...♔b7! o bispo teria tido que voltar (24.♘b6 c3!), e perder um tempo em tal posição parecia muito terrível... Então eu segui um caminho familiar, embora também tenha sentido o perigo associado com a posição ativa do cavalo em e5.

23.b3!? c3 24.♘xc3 bxc3 25.♖xc3+ ♔b8

25...♔b7 não teria ameaçado as pretas com sérias dificuldades, mas o final que surgiria após 26.♖xa7+ ♔b8 27.♕xb5+ ♖xb5 28.♔g2 favorece as brancas, em minha opinião. As brancas tinham excelentes chances após 25...♔d8 26.♕xb5 ♖xb5 27.♖xa7, enquanto adicionalmente 26.♖xa7! não é ruim.

26.♕c2

Isso parece arriscado, mas no momento o enfraquecimento da casa f3 não é fatal: 26...♘f3+ 27.♔g2 ♖xh2+ 28.♔xf3 ♖f5+ 29.♔g4, e a posição do rei preto em b8 retira das pretas o espetacular 29...♖f4+.

26.♗xa7+ ♔b7 27.♕e4 teria sido muito mais fraco devido a 27...♕b4! Após o forçado 28.♕c2 (28.♖c4 ♕xb3 29.♖b1 ♘f3+!) 28...♗d6 as brancas são privadas de seu principal recurso tático (b3–b4), e a tentativa de mandar a dama de volta por meio de 29.♖a4 é refutada por 29...♘f3+!! 30.♖xf3 ♕e1+ 31.♔g2 ♖xh2+ 32.♔xh2 ♖h5+ e mate.

26...♗d6 27.♗xa7+ ♔b7 28.b4!

Como nas minhas partidas contra Timoshchenko e Dorfman, este peão desempenha um papel importante no ataque. A ameaça de 29.♖a5, que subitamente surgiu, força as pretas a serem cautelosas.

28...♘c6

As pretas tinham duas outras possibilidades. É verdade, após 28...♖a8 29.♖a5 ♕d7 30.♗b6! as ameaças das brancas são bastante sérias, por exemplo, 30...♗b8 31.♖xa8 ♖d1+ 32.♔g2 ♕d5+ 33.♔h3 ♔xa8 34.♕a4+ ♔b7 35.b5! com ataque decisivo, ou 31...♔xa8 32.♕e4! e o peão passado h mais a posição insegura do rei preto compensam a peça perdida. Os problemas defensivos das pretas teriam sido resolvidos de maneira mais simples através de 28...♖d3!, após o que a ameaça de ...♘f3+ força as brancas a concordarem com uma simplificação – 29.♖xd3 ♕xd3 30.♕xd3 ♘xd3! Com melhor jogo para ambos os lados – 31.♖d1! ♔xa7 32.♖xd3 ♖d8! 33.h4 ♗c7 – um empate é inevitável. Mas nesse ponto as pretas estavam jogando para vencer!

29.♗e3

Aqui Tal pensou por um longo tempo. Em princípio se inclinava por 29...♖c8 (ele até escreveu esse lance em sua planilha), mas no final ele escolheu uma continuação menos ambiciosa, após a qual as brancas garantem um empate.

29...♗e5

Quais possibilidades tinham as brancas no caso de 29...♖c8?

De acordo com Tal, ele temia principalmente o paradoxal 30.f4!?, retirando a casa e5 das peças pretas. Ele pensou que as pretas teriam que jogar 30...♗×b4 31.♖b1 ♗×c3 32.♖×b5+ ♖×b5 33.♕×c3, com uma luta difícil por um empate. Parece-me que as pretas poderiam se decidir por 30...e5!? sem qualquer risco em particular.

Além de 30.f4, as brancas têm várias outras possibilidades: 30.♖c1? ♘×b4; 30.♖ca3?! ♗e5!; 30.♕a2?! ♗×b4 31.♖b1 ♗×c3; 30.♕h7 ♗e5 31.♕×f7+ (31.♖×c6? é ruim devido a 31...♕×c6! 32.♕×f7+ ♖c7 33.♖a7+ ♔b8, e a ameaça de mate na retaguarda força as brancas a capitularem) 31...♖c7 32.♕e8 ♖d8 33.f7 ♗×c3 34.♕×d8 ♘×d8 (34...♗×a1 35.♕×c7+ ou 35.♕g8!?) 35.♖a7+ ♔c8 36.♖×c7+ ♔×c7 37.f8=♕ com um provável empate; 30.♖b1!? ♖c7 (30...♘×b4? 31.♖×b4) 31.♖c5! ♕d3 32.b5! – um ataque feroz! Agora se as pretas forem gulosas – 32...♗×c5?, a retribuição segue imediatamente: 33.b×c6+ ♔×c6 (ou 33...♔c8 34.♕×d3 ♖×d3 35.♗×c5, com um final vencedor) 34.♕a4+ ♔d6 35.♗×c5+ ♖d×c5 (35.♖c×c5 36.♖b6+; 35...♔×c5 36.♕b4+ ♔c6 37.♖c1+ ♔d7 38.♕e7 mate) 36.♖d1 ♕×d1+ (36...♖c1 37.♕a6+!) 37.♕×d1+ ♔e5 38.♕f3 etc. Por isso as pretas precisam escolher entre os vários lances do seu cavalo: 32...♘b8 33.♖×c7+ ♗×c7 34.♕×d3 (34.♕a2?! ♖×b5 35.♕a7+ ♔c8 36.♖c1 ♖b7) 34...♖×d3 35.g4! ♘d7 36.g5 ♘e5 37.♖b4! com empate garantido; 32...♘b4!? 33.♕×d3! ♘×d3! 34.♖×d5 e×d5 35.♖d1 ♘b4 36.g4, e apesar do material limitado, como antes é difícil dar preferência a um dos lados; 32...♘e5!? (nesse caso, ambos os jogadores balançam à beira do abismo) 33.♖×c7+ ♗×c7 34.♕a2 ♔c8! 35.b6! ♘f3+ 36.♔g2 ♕e4! 37.♖c1! ♘h4+ (ou 37...♘×h2+ 38.♔g1 ♘f3+ 39.♔f1 com um empate) 38.♔h3! (38.♔f1? ♕h1+ 39.♔e2 ♕f3+ 40.♔e1 ♘g2+) 35...♕g2+ (ou 38...♕f5+ 39.g4 ♕f3+ 40.♔×h4 ♕×f6+ 41.g5! ♖d4+! 42.♗×d4 ♕f4+ com um empate) 39.♔g4 (o cavalo é imune em vista do mate em dois lances) 39...♕f3+ 40.♔h3, com repetição de lances.

Tudo isso permaneceu nos bastidores, mas o que ocorreu na partida não foi menos interessante.

30.♖×c6 ♗×a1 31.♖c7+ ♔b8! 32.♗a7+

37.♖×f7? teria permitido às pretas provocar uma favorável troca de torres com 32...♖d7!

32...♔a8 33.♗e3

As brancas demonstram a força da sua posição (afinal, as pretas são forçadas a retornar seu rei a b8), e também ganham tempo no relógio, o que não lhes sobrava muito.

33...♔b8 34.♗a7+ ♔a8 35.♗c5 ♔b8 36.♖×f7!

A batalha pela vitória continua! A torre extra das pretas é contraposta pela enorme atividade das peças brancas e o peão f bastante avançado.

36...♗e5!

As pretas perdem imediatamente após

36...♕d3? 37.♗a7+, ou 36...♖hd8? 37.♗d6+! E no caso de 36...♖d7 37.♗d6+! ♔b7 38.♕e4+ ♔a6 39.♕×e6 ♖×f7 40.♕×f7 as brancas muito provavelmente venceriam.

37.♗a7+

No tabuleiro não fui capaz de avaliar as conseqüências de 37.♖e7 ♖hd8 (o ataque das brancas dificilmente pode ser parado depois de 37...♗×f6 38.♖×e6) 38.f7 ♖d1+ 39.♔g2. Análises posteriores mostraram que 39...♕f1+? 40.♔f3 ♕h1+ 41.♔g4 conduz a uma derrota das pretas (41...♖1d3 42.♕×d3), mas que 39...♕c6+! 40.♔h3 ♕f3 permite-lhes criar ameaças perigosas de mate. No caso de 41.♕h7 (a única defesa satisfatória) vem o golpe mortal 41...♗×g3! (as pretas também não podem demorar, pois após 42.♖e8 o peão f não pode ser parado) 42.f×g3 ♖1d5. Isso é tudo? Não: 43.♖b7+! ♔c8 44.♖c7+, e agora são as brancas que dão xeque perpétuo. Fantástico!

Uma posição com um balanço de material incomum, difícil de avaliar, teria surgido após 37.♔g2!? ♖d7! 38.♖×d7 ♕×d7 39.♕e4 ♕d5 40.♕×d5 e×d5 41.f7 ♗g7. A armada de peões brancos parece impressionante, mas o peão d não pode ser desprezado: 42.g4 (de outra forma ...♗f8) 42...♔c7 (42...♗f8? 43.g5) 43.f4 d4. Em minha opinião, o resultado mais provável aqui seria o empate, mas para demonstrar isso é necessária uma análise especial.

37...♔a8 38.♗e3 ♖d7!

Após 38...♔b8 39.♖e7 ♖hd8 40.f7 ♖d1+ 41.♔g2 o fato de o bispo ter se movido de c5 para e3 muda a avaliação da posição a favor das brancas: 41...♕d5+ 42.f3 ♖d3 (não 42...♕b5? 43.♕×d1, enquanto após 42...♖a1 43.♖e8 ♗g7 44.b5! as pretas não têm saída) 43.♖e8 ♗g7 44.♖×d8+! (44.♗f4? ♔b7 45.♕c7+ ♔a6) 44...♕×d8 45.♗f4+ ♔b7 (45...e5 46.♗×e5+! ♗×e5 47.♕×d3 ou 46...♔b7! 47.♗×g7! ♖d2+ 48.♔h3 ♖×c2 49.f8=♕ ♕d7+ 50.g4 ♕c7 51.f4, e as brancas devem vencer) 46.b5! ♕d7 47.♕a4, e através da combinação da ameaça de promoção do peão f com ameaças ao rei, as brancas muito provavelmente devem vencer.

39.♕a2+

Não há nada melhor. No final após 39.♕e4+? ♕d5 40.♕×d5+ ♖×d5 os peões não podem ficar unidos em uma corrente poderosa: 41.g4 ♖×h2 42.♔f1 ♗d4!

39...♔b8 40.♗a7+

Esse último (o quinto!) xeque em a7 é meramente o prelúdio das negociações de paz. Poderia parecer que após 40.♕×e6 ♖d1+ 41.♔g2 ♕f1+ 42.♔f3 ♕h1+ 43.♔g4 (43.♔e2 ♖e1+ 44.♔d2 ♖d8+) 43...♕e4+ 44.♔g5 o rei branco pudesse escapar da perseguição. Mas 44...♖g8+ 45.♖g7 ♗×f6+! 46.♔×f6 (46.♕×f6 ♖d5+ 47.♔h6 ♖h8+) 46...♕×e6+ 47.♔×e6 ♖×g7 dispersa a miragem – é pouco provável que as brancas possam salvar a partida.

40...♔c8

Após o descuidado 40...♔b7? 41.♕×e6 ♖×f7 42.♕×f7+ ♗c7 43.♗c5 somente as brancas têm algumas chances.

41.♕×e6 ♕d5 42.♕a6+ ♕b7

43.♕c4+ ♕c7

Também no caso de 43...♔d8 44.♖×d7+ ♕×d7 (44...♔×d7? 45.♗c5!) 45.♗b6+ ♗c7 (45...♔e8? 46.♕e2!) as pretas muito provavelmente não perderiam, mas 43...♕c7 é mais preciso, pois força 44.♕a6+ com uma repetição de lances.

Empate.

Post Script

As pretas obviamente venceram o debate da abertura, e então nas análises eu tive que encontrar uma melhoria para as brancas. Sem dúvida a posição crítica surge após 22...♘e5! Como o leitor se recordará, a variante 23.♗×a7 ♔b7 24.♗e3 foi rejeitada de forma puramente intuitiva – presentear as pretas com um tempo (mesmo por um peão) parece bastante terrível. Mas uma coisa é jogar uma partida de torneio, quando os temores são às vezes exagerados, e outra muito diferente é analisar em casa, onde em uma atmosfera calma é possível pesar os "prós" e os "contras". Vamos examinar cuidadosamente a posição resultante.

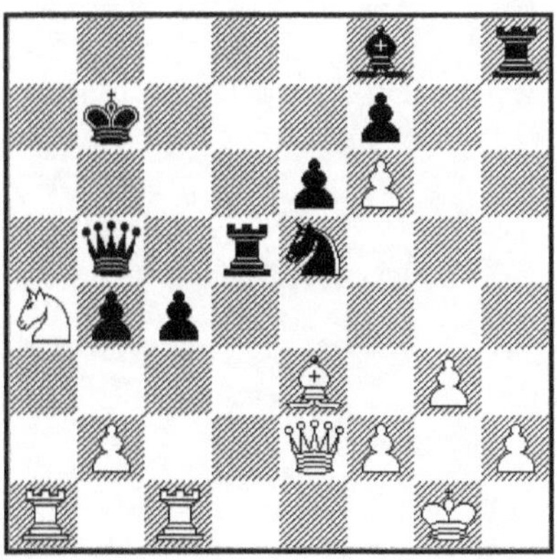

A ameaça de ♘b6 pode se provar mortal, e as pretas então são obrigadas a fazer alguma coisa de imediato. O tempo recebido pode ser usado de maneira mais efetiva numa ação contra o rei branco. Em outros casos o jogo favorece muito mais as brancas, por exemplo, 24...♗h6 25.f4! ♘d3 26.♖d1 ♖a8 27.♘b6 ♖×a1 28.♖×a1 ♖d6 29.♕f3+ ♕c6 30.♕h5, ou 24...♘d3 25.♖×c4! ♕×c4 26.♘b6 ♕e4 27.♘×d5 e×d5 28.♖d1 d4 29.♖×d3 d×e3 30.♖×e3, e a posição aberta do rei preto muito provavelmente torna a sua posição indefensável.

24...♕c6 parece muito atrativo, ameaçando um lance decisivo com a torre (25...♖a5, se não houver nada melhor). As brancas não têm meios satisfatórios de defender sua casa f3 (25.f4? ♖d2! 26.♗×d2 ♘f3+ 27.♔f1 ♖×h2), e então lançam-se ao ataque – 25.♘b6! Agora as pretas têm dez (!) lances possíveis de torre, dos quais vamos considerar os mais lógicos:

25...♖d3 26.♘×c4! ♘f3+ 27.♕×f3 ♕×f3 28.♘a5+ ♔a6 29.♘c6+ ♔b7 (29...♔b5 30.♖a5 mate) 30.♖a7+ etc.

25...♖d2 26.♘×c4! ♘×c4! (26...♘f3+ 27.♕×f3 já foi analisado...) 27.♕×c4 ♖d1+ 28.♖×d1 ♕×c4 29.♖a7+, recuperando a dama e mantendo uma vantagem material decisiva.

25...♖d4 26.♗×d4 ♘f3+ 27.♕×f3 ♕×f3 28.♘×c4 com ataque muito forte e equilíbrio material.

Vamos nos assegurar de que os lances de torre também representam funções defensivas – 25...♖b5. Agora 26.♘×c4 não tem a sua antiga força, pois a casa a5 está controlada, mas as brancas têm um outro caminho de conduzir o ataque – 26.♖a7+! ♔b8 (26...♔×a7? 27.♘×c4+ ♔b7 28.♘×e5) 27.♖a8+ ♔b7 28.♖ca1! ♘f3+ 29.♕×f3 ♕×f3 30.♖1a7+ ♔c6 31.♖c8+ ♔d6 32.♘×c4+ ♔d5 33.♖d7+ ♔e4 34.♘d2+, e a dama está perdida.

E finalmente – 25...♖d6! As brancas têm que demonstrar a máxima capacidade criativa, pois os métodos antigos não funcionam muito bem. No primeiro caso, após 26.♘×c4? ♘f3+ 27.♕×f3 ♕×f3 28.♘a5+ ♔b8 não há xeque em c6, e no segundo o rei preto encontra um abrigo em b5. O caminho para a vitória é uma combinação dos dois métodos! – 26.♖a7+! ♔b8 27.♖a8+ ♔b7 28.♘×c4!! ♘f3+ (o que mais?) 29.♕×f3 ♕×f3 30.♘a5+! ♔×a8 31.♖c8 mate!!

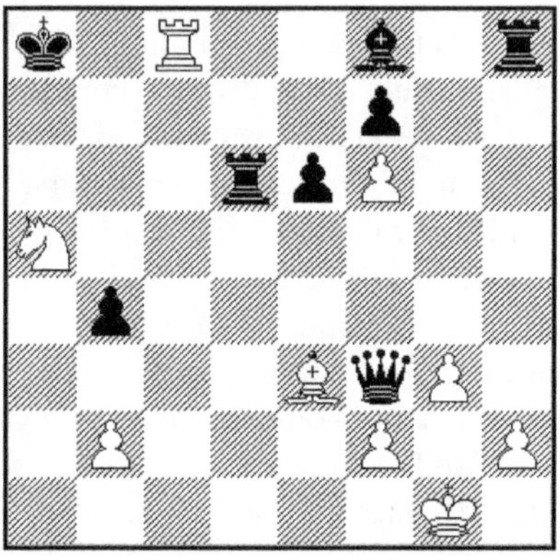

Um mate puro único – um fenômeno muito raro em partidas práticas! É fácil imaginar o meu desapontamento ao encontrar todas essas variantes. Eu só podia lamentar a oportunidade perdida e esperar que um dos meus futuros adversários pudesse seguir o mesmo caminho. Mas... eu não conseguia afastar a sensação de que os recursos das pretas ainda não estavam esgotados, embora uma verificação completa confirmasse meramente a correção da análise acima. Então será que minha intuição havia me decepcionado, e 23.♗×a7 teria conduzido a uma vitória?

Apesar de tudo a resposta é não. As pretas tinham uma resposta terrível disponível, 24...♖d3!, criando problemas muito difíceis para as brancas. A ameaça de ...♕c6 de algum modo tem que ser contornada, mas 25.♘b6 é refutado por meio de 25...♖×e3! 26.♕×e3 ♗c5. Só resta 25.f4, mas então a torre de h8 irrompe como um furacão na posição inimiga – 25...♖×h2!! 26.♔×h2 ♖×e3! 27.♕d1 (27.♕f1 ♘g4+, e mate) 27...♖d3! 28.f×e5 (ou 28.♕e2 ♘f3+ 29.♔g2 ♕d5, com um ataque irresistível) 28...♖×d1 29.♖×d1 ♕×e5, com uma posição totalmente arrasadora.

Essa última variante deixou-me com os sentimentos misturados. É claro, era uma pena que todos os finais espetaculares tenham sido uma miragem, mas por outro lado, era uma coisa boa que essa descoberta sombria tivesse sido feita por mim nas análises. Receber uma surpresa tal como 24...♖d3! durante a partida teria sido muito mais desagradável.

Então a variante temporariamente sepultada está viva! A bola está agora de novo na quadra das brancas.

Do Ridículo... ao Sublime

Esse título incomum caracteriza a situação na qual eu me encontrava no verão de 1983. A completa incerteza que surgira com relação às Semifinais do Torneio de Candidatos forçou-me a reconsiderar meus planos. Era evidente que havia só uma saída para esse estado de "leveza enxadrística" – participar de um torneio internacional. Assim, o convite da Iugoslávia, que chegou na hora certa, foi aceito sem hesitação. O torneio em Niksic, dedicado ao 60° aniversário de Svetozar Gligoric – um jogador fora de série e um líder permanente do xadrez iugoslavo por um período de muitos anos, reuniu um grupo notavelmente forte. E embora do ponto de vista da aritmética enxadrística o torneio não fosse excepcional (Categoria 14, rating médio 2591), em termos de nomes ilustres poderia competir com qualquer evento dos últimos anos. Estava claro para mim que as coisas não seriam fáceis. Minha posição (isto é, o fato de ter o rating mais alto) obrigava-me a jogar pelo primeiro lugar, mas era perfeitamente evidente que quase a metade dos participantes estava pensando no mesmo resultado: Spassky, Tal, Timman, Portisch, Ljubojevic e Andersson. Além do mais, eu estava preocupado com a minha falta de jogo por quatro meses, quando os eventos que cercavam os *matches* da semifinal dificilmente conduziam à melhoria do meu humor. Por outro lado, é verdade, eu queria muito ter a revanche da minha "derrota" em Pasadena.

Num treinamento improvisado de última hora que tive em Moscou com meu treinador A. Nikitin, o curso geral de jogo no torneio foi planejado. Eu tive que me reorganizar na forma – um torneio tem afinal sua natureza específica, a qual difere completamente de um *match*. Foi decidido dar tudo em minhas partidas, e não ter nenhum empate em poucos lances. Por isso em cada partida eu tentei "espremer" da posição tudo o que era possível (é verdade, sem passar dos limites!), procurando a menor chance mesmo em posições objetivamente empatadas. Essa persistência, que anteriormente não era uma característica minha, rapidamente rendeu frutos.

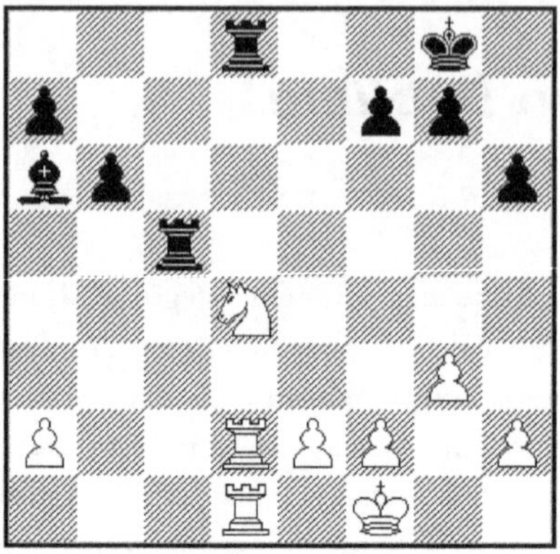

Seirawan - Kasparov

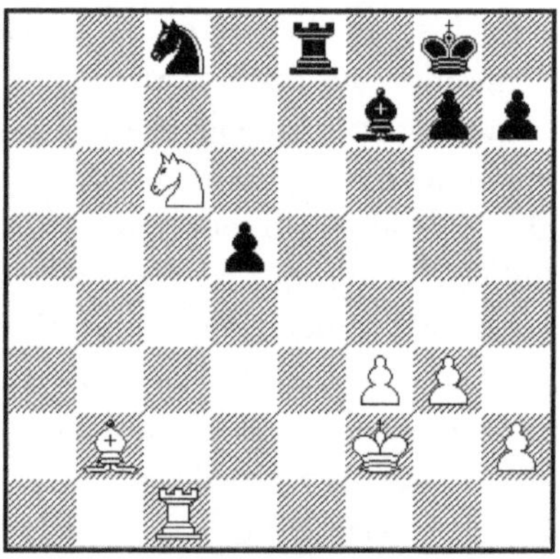

Kasparov - Petrosian

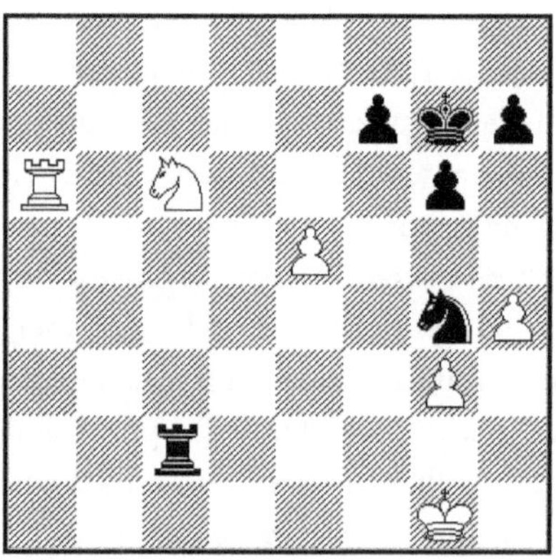

Larsen - Kasparov

Em todas essas partidas a iniciativa estava do meu lado, mas a julgar pelas posições dos diagramas, o resultado mais provável teria sido três empates. É claro, com sorte eu poderia ter esperança de ganhar uma, mas três em três (!) – mesmo o maior otimista não teria se arriscado a predizer tal resultado.

Partida 77

Seirawan - Kasparov

Torneio Internacional
Niksic 1983

27.♘b3

Simplificações sempre parecem ser o caminho mais confiável em busca do santuário do empate, mas talvez o cavalo não devesse ter sido retirado de seu excelente posto em d4. A sugestão de Petrosian de 27.♔e1 seguido por e2–e3 parece boa, embora isso provavelmente seja uma questão de gosto.

27...♖×d2 28.♖×d2 ♖c7 29.♖d8+

É claro, é útil levar o rei do adversário o mais longe possível do centro, mas, em minha opinião, a transferência imediata do rei para d1, seguida de ♘d4 e e2–e3 teria resolvido de forma muito simples os problemas defensivos das brancas.

29...♔h7 30.♔e1 ♗c4!

Agora se torna impossível jogar o cavalo para d4 (pelo menos dentro dos próximos lances). As brancas começam a experimentar certas dificuldades, embora ainda não exista perigo real.

31.♔d2 g6!

O rotineiro 31...♔g6? teria permitido às pretas criarem contrajogo na ala do rei através de 32.e4! ♔f6 33.f4 ♔e7 34.♖g8 g6 35.g4! Mas agora, desde e6, o bispo preto pode prevenir a formação da cadeia de peões móveis, por exemplo, 32.e4 ♔g7 33.f4 h5 34.h3 ♗e6! etc.

32.♘c1

A primeira realização das pretas – o cavalo é temporariamente mandado de volta para uma posição insatisfatória.

32...♔g7 33.a3 ♔f6 34.e3?!

A casa d3 não deveria ter sido enfraquecida sem uma necessidade especial, pois o cavalo branco não pode agora se mover de c1 sem assistência. É verdade que mesmo agora as brancas não estão perdidas, mas necessitam jogar de forma precisa para chegar ao empate, e, acima de tudo, quando estão com pouco tempo. Em tal situação, sem dúvida elas deveriam ter preferido 34.♘d3 ♔e7 35.♖d4, mantendo o *status quo* – as brancas parecem mal, mas não há nada específico que as pretas possam atacar.

34...♔e7 35.♖d4

Evidentemente as brancas não querem conceder a coluna d, mas agora as pretas ganham a oportunidade de forçar a troca de torres, após o que um final de peões torna-se inevitável. Embora no tabuleiro não fosse possível calcular o final resultante até o fim, mesmo assim sem nenhuma grande hesitação joguei

35...♖d7

sentindo que uma chance assim não voltaria a acontecer.

36.♔c3 ♖×d4 37.♔×d4 b5 38.♘d3

O pseudo-ativo 38.a4? meramente colocaria o jogo na mão das pretas, pois após 36...a6! elas obteriam sem dificuldade um peão passado distante. 38.♔c5 também é sem propósito – após 38...a6! 29.♔b6 ♔d6 o peão a6 é imune devido a 40...b4+. No geral essa posição ilustra graficamente a superioridade do bispo sobre o cavalo.

38...♗×d3 39.♔×d3 ♔d6

Aqui Seirawan deu uma olhada para o seu relógio (sua seta ameaçava cair) e pegou seu peão e.

40.e4??

O erro decisivo! 40.♔d4! era essencial, após o que o final de peões caminha para o empate, apesar do fato de que as pretas possam criar um peão passado na ala da dama. Aqui estão algumas variantes ilustrativas (é claro, não são as únicas): 40...f5 (era esse lance que o Grande Mestre americano temia) 41.f4! a5 42.e4 f×e4 43.♔×e4 ♔e6 44.g4, ou 40...g5 41.f4 f6 (41...g×f4 42.g×f4! f5 43.e4) 42.e4 a5 43.h4! g×h4 (43...g4 44.h5!) 44.g×h4 h5 45.e5+ f×e5+ 46.f×e5+ ♔e6 47.♔c5 com um empate.

40...g5!

O mais preciso. Devido à ameaça de ...g4 a resposta das brancas é praticamente forçada.

41.f4 g×f4 42.g×f4 ♔c5

O plano da vitória parece totalmente simples – distrair o rei branco com o peão passado, após o que os peões brancos no centro serão indefensáveis. Mas através de uma defesa hábil, Seirawan consegue tornar as coisas o mais difícil possível para as pretas.

43.♔c3 a5 44.♔d3 h5

É útil avançar o peão h o mais longe possível.

45.h4!

Permanecer imóvel perderia rapidamente: 45.♔c3 h4 46.♔d3 b4! 47.a×b4+ (47.a4 h3!) 47...a×b4 48.f5 f6 49.♔e3 b3 50.♔d3 b2 51.♔c2 ♔d4 etc.

45...b4 46.a4

As brancas são forçadas a concordar com a formação de peão passado protegido, pois 46.a×b4+ a×b4 é totalmente mau.

46...f6 47.f5!

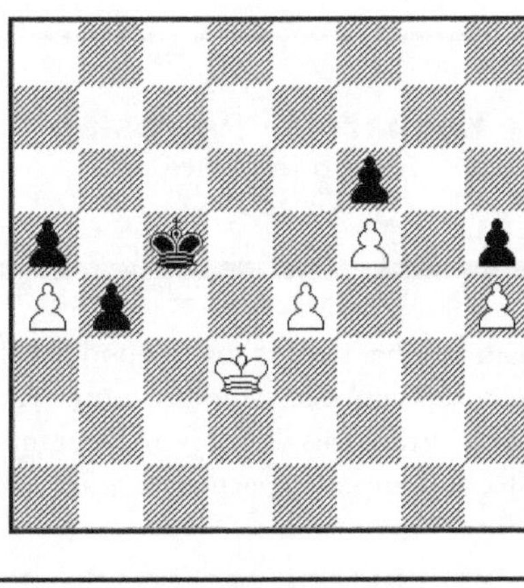

As brancas completaram a construção de um tipo incomum de fortaleza. A única possibilidade de ruptura parece ser o imediato 47...b3, mas então após 48.♔c3 b2 49.♔×b2 ♔d4 50.♔b3 ♔×e4 51.♔c4 ♔×f5 52.♔b5 ♔g4 53.♔×a5 f5 54.♔b4 f4 55.a5 f3 56.a6 f2 57.a7 f1=♕ 58.a8=♕ chega-se a um final de damas com o peão h, que a teoria avalia como empatado. A posição é realmente de um empate? Não, as pretas têm disponível um plano que envolve a criação de uma posição de *zugzwang*. Para isso, da posição do diagrama, elas devem dar o lance ao adversário. Isso se consegue por meio de "oposição à distância".

47...♔c6! 48.♔c4

O rei branco não pode ir para d4 devido a ...♔d6.

48...♔c7! 49.♔d3 ♔d7!

O rei preto descreveu um triângulo, e agora está pronto para a marcha vitoriosa de volta a c5.

50.♔e3

50.♔c4 ♔c6 não teria mudado nada.

50...♔c6 51.♔d3 ♔c5

Aí está. Agora o rei branco é forçado a cair fora.

52.♔e3 b3!

É claro, não 52...♔c4 devido a 53.e5.

53.♔d3 ♔b4 54.e5 ♔a3!

As brancas abandonaram.

Partida 78

Kasparov - Petrosian

Torneio Internacional

Niksic 1983

Em minha partida da segunda rodada com o ex-Campeão Mundial, outra vez os eventos principais se desenvolveram no apuro de tempo. A partida teve um ritmo irregular: manobras lógicas e lentas, então uma vívida escaramuça tática, e por último um final no qual as brancas têm uma leve vantagem graças à colocação mais ativa das suas peças. No entanto, uma vantagem é uma coisa, mas a quantidade limitada de material remanescente faz a vitória improvável. Não obstante...

37.♗a3! h6 38.♖b1

Dando continuidade à restrição de mobilidade das peças pretas, e preparando a ativação da torre.

38...♖e6

Para libertar o cavalo de c8 do cativeiro. Você não concorda que essa situação lembra de alguma forma o final da partida com Seirawan?

39.♘d4 ♖a6 40.♗c5 ♘d6

O último lance antes do controle de tempo e... a primeira imprecisão. Era fundamental tentar desalojar o bispo da sua posição ativa em c5 através de 40...♖a5!

41.♖b8+

Aqui a partida foi suspensa. Para ser honesto, à primeira vista eu estava bastante cético sobre minhas chances de vitória, mas uma breve análise durante o jantar (as partidas continuavam duas horas após o encerramento da rodada) mostrou que tudo não era tão simples. Pode parecer estranho, mas a maior vantagem das brancas resulta dos bispos de cores opostas. Assim, o bispo branco restringe com sucesso a mobilidade do cavalo preto e está pronto para tomar parte no ataque a g7, enquanto o bispo preto é incapaz de encontrar uma forma de usar os seus poderes. Adicionalmente um fator importante é o controle absoluto das brancas sobre a casa d4, a qual serve de base de trânsito para as suas peças menores.

41...♔h7 42.g4!

As brancas tomam o controle de f5, e ao mesmo tempo preparam um escudo para o seu rei.

42...♖a4!

Após avaliar sutilmente a situação, o ex-Campeão Mundial começa a ameaçar a formação das brancas no centro, impedindo-as de executar um reagrupamento favorável. O rotineiro 42...♘c4? teria sido muito mais fraco devido a 43.♖b7 ♔g8 44.♘f5, quando não é claro como se defender da ameaça de ♗d4.

43.♔e3! ♘c4+ 44.♔f4

O ponto crítico. Era aqui que as pretas deveriam ter tentado explorar a colocação insegura das peças menores das brancas e continuar a batalha pela casa d4. Esse objetivo teria sido assistido através de ...♘d6 ou ...♘a3. Após 44...♘d6 as brancas não podem evitar as trocas, mas mesmo na variante 45.♖b6! ♖c4! 56.♖xd6 ♖xc5 47.♖d7 ♔g8 48.h4 as pretas estão frente a uma defesa difícil. 44...♘a3 (com a ameaça adicional de ...♘c2) parece mais promissor, mas aqui também as brancas são capazes de manter uma iniciativa perigosa: 45.♔g3 (45.♖b7? ♘c2!) 45...♖c4 46.♖b7! ♔g8 (46...♖xc5 é ruim devido a 47.♖xf7 ♔g6 48.♖xg7+) 47.♗a7 ♘c2 48.♘f5, e então, por exemplo, 48...♖b4 49.♖c7 ♖c4 50.♖e7 ♖b4 (era ameaçado 51.♘d6, e 50...♔f8 é respondido desagradavelmente por 51.♖b7) 51.h4, e de novo as pretas encaram difíceis problemas na defesa de sua ala do rei.

Mesmo assim, as pretas deveriam ter escolhido um desses dois caminhos (muito provavelmente o primeiro), talvez somente após provocar uma troca de peões através do preliminar 44...h5 (45.h3 hxg4 46.hxg4). Mas, não desejando conduzir uma defesa passiva e prolongada, Petrosian decidiu forçar as coisas.

44...g5+?

Um sério erro estratégico. Não é possível criar ameaças reais contra o rei branco, e o enfraquecimento irreparável das casas na ala do rei prova ser fatal.

45.♔g3

O incauto 45.♔f5? teria justificado a idéia das pretas. Após 45...♖a6! a ameaça de mate teria forçado as brancas a forçarem um empate: 46.♖b7 ♔g8 47.♖b8+ etc.

45...♖a2

Pode parecer que as pretas têm tudo em ordem – as ameaças de ...♘e3 e ...♘d2 parecem desagradáveis. Mas as brancas, explorando a sua superioridade numérica (elas têm, afinal, todas as três peças em jogo), lançam-se ao ataque.

46.♖b7 ♔g6?

As pretas desperdiçam a última chance de complicar a tarefa das brancas através do engenhoso 46...♘e3!, explorando o fato de que o bispo é temporariamente imune (47.♖xf7+? ♔g6). A bem da verdade, mesmo então após 47.♗d6! (defendendo h2) 47...♔g6 48.h4! gxh4+ 49.♔xh4 não é fácil para as pretas defenderem.

47.♘f5 ♖a6

Necessário, já que a tentativa de contra-ataque 47...♘d2 é refutada após 48.♖b6+ ♔h7 49.♖xh6+ ♔g8 pela manobra anteriormente mencionada 50.♗d6! Mas agora o principal problema das brancas é não perder a cabeça em vista da quantidade de continuações tentadoras.

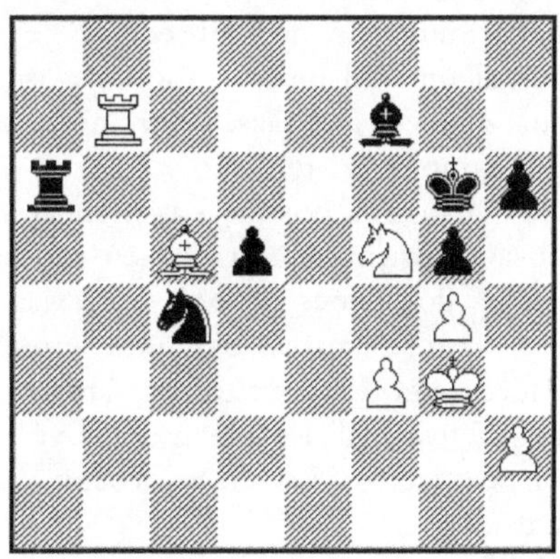

48.h4!

O mais preciso.

48...g×h4+ 49.♘×h4+ ♔g7

Ou 49...♔f6 50.♗d4+ ♔e6 51.♘f5, e o rei preto termina em uma rede de mate.

50.♘f5+ ♔g6 51.♗d4!

Finalmente todas as peças brancas tomam suas posições ideais! As pretas abandonaram. Contra a ameaça de ♘h4+ elas só têm uma defesa, 51...♘d6, mas então, além do prosaico 52.♖d7, as brancas têm o mais elegante 52.♘×d6 ♖×d6 53.f4!, criando uma posição única, onde o mate ou a perda do bispo são inevitáveis.

Partida 79

Larsen - Kasparov

Torneio Internacional
Niksic 1983

Antes do surgimento dessa posição, um número de fatos interessantes ocorreu na partida. Um novo plano de abertura deu-me um bom jogo, e em pouco tempo, após uma manobra desafortunada do cavalo branco, a vantagem das pretas assumiu proporções reais. Mas no momento decisivo eu segui um caminho incorreto, e através de uma hábil defesa Larsen conseguiu igualar. É verdade, mais tarde ele cometeu um par de imprecisões e eu adquiri algumas chances, embora a posição adiada não aparentasse dar nenhuma grande razão para otimismo.

Os defeitos da posição das brancas são óbvios: a posição aberta do seu rei e as fraquezas dos peões de e5 e g3. Mas as pretas têm manifestadamente poucas unidades para explorar esses fatores de forma efetiva. Adicionalmente, através de seu lance secreto Larsen provocou mais uma troca.

41.h5!

Outras continuações eram muito piores: 41.♖b6? ♘e3!, ou 41.e6?! f×e6 42.♘d4 ♖c1+ 43.♔g2 e5 44.♘e6+ ♔f6! 45.♘g5+ ♔f5, e a atividade das peças pretas é perigosa.

41...♔h6!

Sem a ajuda do seu rei as pretas não podem ter esperança de conseguir nada, por exemplo, 41...♘e3 42.h×g6 h×g6 43.e6! f×e6 44.♘d4 ♖g2+ 45.♔h1 e5 46.♘e6+! (46.♘f3 e4 47.♘g5 ♖e2! é mais fraco, quando o peão e4 é tabu devido a ...♖e1+ e ...♘g4+) 46...♔h6 47.♖a4! g5 48.♖e4 ♖e2 49.♔g1 com empate. Após 41...g×f5? 42.♘d4 ♖f2 43.e6 o empate é óbvio novamente.

42.h×g6 h×g6 43.♖a4!

Ao atrair o rei para g5 (43...♘e3? 44.♘d8!), as brancas preparam simplificações posteriores.

43...♔g5 44.♘d4

Agora no caso de 44...♖c1+ 45.♔g2 ♘×e5 46.♘f3+ chega-se a um final de torres empatado. As pretas então tentam ganhar o peão e5 através de medidas mais astutas.

44...♖c3! 45.e6!

Após 42.♔g2 ♘×e5 o resultado objetivo é o empate, mas sem o menor risco as pretas podem tentar "esgotar" as brancas. Defender essa posição é altamente desagradável, e, percebendo isso, Larsen decidiu complicar as coisas, justificadamente esperando conquistar o empate mais rapidamente.

45...♖×g3+ 46.♔h1?

Um erro, equivalente a 34.e3 na partida Seirawan-Kasparov. Uma situação familiar surge novamente – as brancas ainda não estão perdidas, mas só um caminho, longe do óbvio, conduz ao empate. E isso no momento em que o natural 46.♔f1 teria resolvido todos os problemas das brancas: 46...f5 47.e7 ♖e3 48.♘c6 ♘f6 49.♖a8 ♖e6 50.♖f8! f4 (50...♖×c6? 51.♖×f6)

51.♔f2, e as pretas são incapazes de fortalecer a sua posição. Com o rei em h1 as pretas têm a chance de montar um forte ataque com forças limitadas.

46...f5 47.e7 ♖e3 48.♘c6 f4!

Começa o ataque! As brancas já têm que contar com ameaças diretas ao seu rei, por exemplo, 49.♖a8? ♖e1+ 50.♔g2 ♖e2+! 51.♔f1 (51.♔f3 ♖e3+ 52.♔f2 f3+ etc.) 51...f3! 52.e8=♕ ♘h2+ 53.♔g1 f2+. A tentativa artística de explorar a força do peão avançado e também falha em trazer qualquer resultado significativo: 49.♘e5!? ♖xe5 50.♖a5 ♖xa5 51.e8=♕ ♖f5, e é incerto que a dama possa resistir às peças pretas, ou 49.♖a5+? ♔h4 50.♘e5 ♘xe5! 51.e8=♕ ♖e1+ 52.♔g2 f3+ 53.♔f2 ♘d3+.

Esses problemas, que surgiram literalmente do nada, começaram a deixar nervoso até mesmo um lutador tão experiente como Bent Larsen. E o apuro do tempo, que chegava sem se perceber, em nada ajudava a concentração de seus pensamentos. Só se pode especular sobre o que o Grande Mestre dinamarquês estava pensando naquele momento, mas no tabuleiro ele falhou em encontrar o caminho correto.

49.♖a5+?

As brancas associaram esse lance, não com a idéia perdedora do bloqueio na coluna e mostrada acima, mas com outra, um plano de defesa mais interessante. Mas ele também se prova insuficiente. Ao passo que o paradoxal 49.♘d4!! (sugerido após a partida por Timman) teria permitido às brancas empatarem. Pode parecer estranho, mas as peças brancas, que estão espalhadas por todo o tabuleiro, surpreendentemente se coordenariam de forma harmoniosa, por exemplo, 49...♖xe7 50.♘f3+ ♔f5 51.♘h4+, ou 49...♔h4 50.♔g2!, ou 49...♘f6! 50.♖a6! ♖xe7 51.♘e6+ ♔g4 52.♘xf4. Embora essas variantes pareçam simples, na minha opinião um lance como 49.♘d4!! não é fácil de se encontrar.

49...♔h4 50.♖a8

O plano das brancas se torna claro. Em vista do fato de que agora o seu peão f não está defendido, as pretas não podem implementar a idéia de 50...♖e1+, que teria vencido no caso do imediato 49.♖a8. Mas agora o rei preto pode tomar parte no ataque, e assim o cavalo preto é retirado temporariamente.

50...♘f6!

O cavalo não pode ser removido dessa posição insegura – após 51.♖f8 ♔g3! o rei branco está em rede de mate!

51.♔g2 f3+ 52.♔f1 ♔g3 53.♘d4

Uma tentativa desesperada de salvar o rei ao custo do peão e (53...♖xe7? 54.♖a3). Que pena, é muito tarde...

53...♘g4! 54.♘xf3

De outra forma o peão não poderia ser parado (54.e8=♕ ♘h2+ 55.♔g1 f2+).

54...♖xf3+ 55.♔g1 ♘h2! 56.♖f8 ♖c3

As brancas abandonaram.

A continuação 57.♖f1 ♖e3 não requer nenhum comentário.

Partida 80

Kasparov - Portisch

Torneio Internacional

Niksic 1983

Defesa Índia da Dama

1.d4 ♘f6 2.c4 e6 3.♘f3 b6 4.♘c3 ♗b7 5.a3 d5 6.c×d5 ♘×d5

Essa continuação é atualmente a mais popular, mas dificilmente é melhor do que a usual 6...e×d5. As brancas mantêm ambos uma superioridade no centro e maiores possibilidades em sua escolha de plano.

7.e3 ♘×c3

Em tempos recentes Portisch tem constantemente empregado essa variante. Sua partida com Miles do recente Campeonato Europeu por Equipes continuou 7...♗e7 8.♗b5+ c6 9.♘×d5 ♕×d5 10.♗d3 0–0 11.♕c2 h6 12.♗h7+ ♔h8 13.♗e4 ♕d8. Nessa ocasião ele escolhe um caminho diferente, estudado de forma mais intensa.

8.b×c3 ♗e7 9.♗b5+ c6 10.♗d3 c5 11.0–0 ♘c6 12.♗b2

Hoje em dia esse é o plano mais popular. Ele é lógico – as brancas desejam primeiro desenvolver as suas peças em lugares adequados, e só então iniciar um plano ativo no centro, envolvendo acima de tudo o avanço e3–e4.

12...♖c8

Uma sutileza de abertura – as pretas querem que a dama branca se desenvolva não em c2, mas em e2. Além disso, na coluna c a torre de forma alguma está mal posicionada.

13.♕e2 0–0 14.♖ad1

Uma posição padrão, que em tempos recentes tem sido objeto de uma análise detalhada.

14...♕c7

O lance temático. Essa posição foi jogada na partida Polugaevsky-Portisch (Plovdiv, 1983), e em poucos lances os jogadores concordaram com o empate (as brancas jogaram 15.e4). Mas restava uma possibilidade interessante, que não havia sido levada em conta.

15.c4!

Esse lance natural é uma novidade! No caso de 15.e4 ♘a5 o plano das pretas se justifica. Mas agora a posição toma um novo aspecto. As brancas têm dois bispos poderosos, direcionados à indefesa ala do rei do adversário, e um centro móvel de peões. Aqui Portisch pensou por um longo tempo. 15...♗f6 não funciona – 16.d5 ♘e5 (16...♗×b2 17.d×c6, ganhando uma peça) 17.♘×e5 ♗×e5 18.♗×h7+ etc. Agora, como resultado das análises, 15...♘a5 pode ser recomendado como o melhor, embora após 16.d5 as brancas tenham um jogo promissor. Mas o Grande Mestre húngaro resolveu iniciar uma batalha contra o centro de peões colgantes das brancas.

15...c×d4 16.e×d4 ♘a5

17.d5!

As peças brancas estão totalmente prontas para o ataque, e o plano das pretas sofre um fiasco. 17...♘×c4 não funciona: 18.♕e4 g6 19.♗×c4 ♕×c4 20.♕e5 f6 21.♕×e6+ ♖f7 22.♖c1 ♕a6 23.d6, quando existem duas possibilidades: (a) 23...♗d8 24.♖×c8 ♗×c8 25.♕e8+ ♖f8 26.d7 ♗b7 27.♘g5! (ameaçando 28.♘e6) 27...f×g5 28.♕e5 ♖f6 29.♕×f6; (b) 23...♖×c1 24.♖×c1 ♗d8 25.♘g5! f×g5 26.♖c7 ♗×c7 27.♕e8+ ♖f8 28.♕e5, e mate inevitável.

Possivelmente Portisch não viu tudo isso. É mais provável que tenha sentido que as brancas teriam mais do que compensação suficiente pelo peão. E ele escolheu outro caminho.

17...e×d5 18.c×d5 ♗×d5 19.♗×h7+ ♔×h7 20.♖×d5 ♔g8

Um lance lógico. Há que se tomar medidas contra, por exemplo, 21.♕e4+ ♔g8 22.♖h5. Se ao invés disso 20...♕c2, então 21.♖d2 ♕c5 22.♘e5, e novamente a perda de material é inevitável.

Nesse ponto eu mergulhei em pensamento. As peças brancas estão colocadas de forma ideal, mas parece não haver nada concreto. Dá para sentir que é preciso jogar ativamente, mas como? ♘g5 ou ♘e5 são auto-sugestivos, mas não há nada para o cavalo fazer em g5. 21.♘e5 parece bastante bom, mas então o bispo de b2 ficaria cego. Mas o que aconteceria se as brancas o entregassem? Sim, é isso, sacrificar o bispo!

21.♗×g7!!

Um sacrifício posicional de uma peça, e um bastante curioso: ambos os bispos das brancas tomaram parte na operação que desnudou o rei preto!

21...♔×g7 22.♘e5

Incrível – as brancas não têm ameaças diretas, têm uma peça a menos, e no entanto estão posicionadas de forma excelente! Contudo, há uma explicação para isso: o cavalo preto por muito tempo foi pastar em pastagens distantes... Portisch encontra a única possibilidade que não perde imediatamente.

22...♖fd8

22...f5 não funciona – 23.♖d3 ♕c5 24.♘d7, e as brancas recuperam sua peça. No caso de 22...♖h8 elas têm 23.♕g4+ ♔f8 24.♕f5 f6 25.♖e1, e se 25...♘c6, então 26.♘d7+ ♔f7 27.♖×e7+, e mate. 25...♕c1 também falha em salvar a partida após 26.♖dd1. Se ao invés 22...♕c2, então 23.♕g4+ ♔h7 24.♖d3, e após 24...♖c3 25.♕f5+ ♔g8 26.♖g3+ as brancas ganham a dama.

23.♕g4+ ♔f8 24.♕f5 f6 25.♘d7+

As brancas poderiam ter sido tentadas por um belo mate: 25.♘g6+ ♔e8?

26.♕h5 ♖×d5 27.♘e5+, mas após 25...♔g7 não há nada especial (26.♘f4 ♖×d5, forçando 27.♘×d5 ♕c5 28.♘×e7, pois 27.♕g6+ ♔h8 28.♘e6 não funciona – 28...♖g5).

25...♖×d7 26.♖×d7 ♕c5 27.♕h7

Aqui havia uma escolha: 27.♕h7 ou 27.♕h3. Eu decidi jogar a minha dama mais próxima do rei preto, embora esteja convencido de que 27.♕h3 era mais preciso.

27...♖c7 28.♕h8+!

Evitando uma armadilha: 28.♖d3? ♕×f2+!! 29.♔×f2 (29.♖×f2 ♖c1+) 29...♗c5+ 30.♔g3 ♖×h7 com empate.

28...♔f7 29.♖d3 ♘c4 30.♖fd1!

Um lance importante, conectando as torres para ações conjuntas. Portisch está esgotado pela sua defesa difícil, e comete um erro decisivo.

30...♘e5?

30...♗d6, mas então 31.♖d5 e 31...♕×a3 não funciona devido a 32.♖×d6 – as pretas estão praticamente paralisadas.

31.♕h7+ ♔e6

O rei preto é forçado a seguir o caminho de sua última jornada.

32.♕g8+ ♔f5 33.g4+ ♔f4 34.♖d4+ ♔f3 35.♕b3+

As pretas abandonaram.

	1	2	3	4	5	6	7	8	9	10	11	12	13	14	15	Pontos	Lugar
1 - Kasparov	Ж	1	0	1	½	½	½	1	1	1	1	1	1	½	1	11	1º
2 - Larsen	0	Ж	½	½	0	1	½	1	1	½	1	½	½	1	1	9	2º
3 - Spassky	1	½	Ж	½	½	½	½	½	0	½	½	½	1	½	1	8	3º- 4º
4 - Portisch	0	½	½	Ж	½	½	1	½	0	½	½	1	1	1	½	8	3º- 4º
5 - Miles	½	1	½	½	Ж	0	0	½	½	1	½	½	½	1	½	7½	5º- 6º
6 - Andersson	½	0	½	½	1	Ж	½	½	½	½	0	1	1	½	½	7½	5º- 6º
7 - Tal	½	½	½	½	1	½	Ж	½	0	½	½	½	½	½	½	7	7º- 8º
8 - Timman	0	0	½	½	½	½	½	Ж	½	1	1	½	½	½	½	7	7º- 8º
9 - Seirawan	0	0	1	1	½	½	1	½	Ж	0	½	½	0	0	1	6½	9º- 10º
10-Ljubojevic	0	½	½	½	0	½	½	0	1	Ж	½	0	½	1	1	6½	9º- 10º
11-Gligoric	0	0	½	½	½	1	½	0	½	½	Ж	½	½	½	½	6	11º- 12º
12-Petrosian	0	½	½	0	½	0	½	½	½	1	½	Ж	½	½	½	6	11º- 12º
13-Nikolic	0	½	0	0	½	0	½	½	1	½	½	½	Ж	½	½	5½	13º
14-Sax	½	0	½	0	0	½	½	1	0	½	½	½	½	Ж	0	5	14º
15-Ivanovic	0	0	0	0	½	½	½	½	0	0	½	½	½	1	Ж	4½	15º

Notícias, Fatos e Comentários

Semifinal do Torneio de Candidatos

Londres, 1983

Será mostrado nesse relato um amplo panorama da batalha, levando em conta todos os detalhes que influenciaram o jogo. Eu espero que o ponto de vista apresentado por mim permita o leitor entender melhor as mudanças da sorte durante o *match* em questão.

Devo prevenir de imediato que a minha exposição freqüentemente diferirá de forma significativa das reportagens que o *match* recebeu nos periódicos. Sem desejar ofender, ou condenar especialmente o trabalho de comentaristas experientes, eu me permito observar que o ponto de vista de um dos participantes do evento é no entanto de valor maior.

Prólogo

Se alguém quisesse fazer um relato abrangente dos eventos relacionados com o *match*, seria necessário pelo menos uma breve menção aos escândalos que precederam os acontecimentos, os quais se arrastaram por aproximadamente seis meses. Mas agora, quando tanto essas batalhas não enxadrísticas anteriores ao *match*, como o próprio *match* já se tornaram história, seria uma perda de tempo ociosa tentar demonstrar a culpa ou inocência de qualquer um dos lados. Estou certo de que o futuro por si só dará respostas para as questões que com o tempo muito provavelmente perderão sua intensidade. No entanto, o fato principal já é claro nos dias de hoje – o xadrez não saiu perdendo, após sobreviver a um dos períodos mais tensos da sua história! E outra coisa: há algo simbólico no fato de que ambos os Grandes Mestres soviéticos, que foram desclassificados em agosto, no final se tornassem os vencedores dos *matches* da Semifinal *[Em agosto de 1983 os matches de Semifinais de Candidatos Ribli-Smyslov e Kortchnoi-Kasparov deveriam ter sido jogados em Pasadena, EUA. A Federação Soviética não enviou seus representantes, que perderam por W.O. Após protestos, ambos os matches foram realizados em Londres, em dezembro.(N.do T.)]*

Mas antes de entrar nas análises das partidas, eu gostaria de dedicar um tempo ao detalhamento da atmosfera anterior ao *match*. Nós estamos falando aqui sobre a avaliação puramente enxadrística das forças relativas pelos próprios jogadores, pelos *experts*, e é claro, pela imprensa. A esmagadora maioria previu a minha vitória, mas enquanto os enxadristas o fizeram com certas ressalvas, a imprensa ocidental considerava a minha possibilidade de sucesso como sendo perto de noventa por cento! É claro, um exagero assim não refletia a verdadeira relatividade das forças. E o próprio Kortchnoi de maneira alguma se considerava perdido. Além do mais, em entrevistas ele não escondia seus planos ambiciosos. É verdade, não estava claro o que mais havia nisso – a crença no sucesso ou o desejo de causar ao adversário alguma ansiedade.

Também é interessante a descrição dada por Kortchnoi de seu adversário: "Kasparov é um jogador com um único golpe nocauteador. Mas se você puder parar com sucesso seus ataques ferozes e acertar o primeiro golpe, Kasparov pode perder a confiança e se tornar instável". Essas palavras vão nos ajudar a entender um número de situações no *match*, que são difíceis de explicar somente por meios enxadrísticos.

Deve ser dito que eu tenho sido freqüentemente criticado pelo meu fraco manejo de posições simples e de finais. É claro que normalmente eu tenho sido capaz de montar um ataque ou aumentar a tensão em uma posição complicada com aparente facilidade, mas eu dificilmente dei motivos para críticas ao meu jogo em posições de características diferentes. Eu me refiro aos meus resultados práticos, em particular às minhas partidas do recente Torneio de Niksic. No entanto, ao trabalhar a sua estratégia de *match*, Kortchnoi evidentemente partiu da mesma opinião equivocada e esforçou-se acima de tudo em evitar complicações. Talvez ainda o influenciassem suas impressões sobre a nossa partida na Olimpíada de Lucerna? De qualquer modo, Kortchnoi decidiu contar principalmente com a fase conclusiva da partida, onde esperava explorar ao máximo a sua vasta experiência e a minha impulsividade. Além disso, ao dedicar atenção especial à abertura, Kortchnoi conseguiu se preparar de forma excelente para os esquemas que formavam a base de meu repertório usual.

De minha parte eu esperava, ao que me parecia não sem justificativa, obter da abertura o tipo de posição desejado. Mas, consciente da necessidade de ser capaz de batalhar em território inimigo, no treinamento de verão (antes do "*match*" em Pasadena), trabalhei duramente com meus treinadores nos finais de partidas. Os finais jogados por Kortchnoi foram submetidos a uma análise completa, e resultou que freqüentemente eles se desviavam grandemente das leis clássicas – não era uma questão de qualidade do jogo, mas o método de atingir um objetivo. Por exemplo, para realizar uma vantagem posicional Kortchnoi entraria corajosamente em complicações, ele gostava de fazer uso de procedimentos incomuns e assim por diante. Entretanto, com certas reservas, a força do jogo de Kortchnoi em posições de finais de partida não estava em dúvida. Seus resultados eram especialmente impressionantes. No entanto, eu decidi contestar de forma séria o seu "domínio" nesse campo do xadrez.

Esperanças e projeções são uma coisa, mas em 21 de novembro os dois jogadores estavam frente à demonstração da correção de suas concepções em batalha aberta. Eu completei a última sessão de treinamento pré-*match* em meados de novembro. Infelizmente nossa delegação só foi capaz de chegar a Londres no dia 18. Ficou claro que esses dois dias, que ainda por cima foram repletos de problemas com a Organização do evento, foram insuficientes para uma climatização normal. Essa opinião pode parecer uma tentativa de justificar a minha derrota na primeira partida. De forma alguma. O resultado da primeira partida foi parcialmente decidido pelo meu despreparo psicológico para uma luta firme. Uma parte não menor foi desempenhada pelos conflitos tempestuosos pré-*match*, que haviam me mantido sob estresse por seis meses. Talvez por isso, no início do *match* eu tenha encontrado dificuldades em apreciar a realidade do que estava acontecendo...

Mas agora é hora de nos voltarmos diretamente ao próprio *match*. Na manhã do dia 20 de novembro, no sorteio das peças, que teve lugar na residência do Chanceler do Tesouro Britânico, a sorte sorriu para o Grande Mestre soviético – ambos preferíamos jogar com as brancas. "Quem sabe o *match* não possa terminar pela décima-primeira partida", eu pensei. "Nesse caso seria bom ter uma partida 'extra' com as peças brancas". Isso foi de fato o que aconteceu, mas durante muitos dias eu tentei não pensar sobre a possibilidade do *match* não ir até o final...

Assim, em 21 de novembro de 1983, às 16h00, o peão da dama branco foi avançado duas casas. Convém lembrar que em Pasadena o lance 1.d4 trouxe a Kortchnoi a vitória no *match*. Aqui as coisas provaram ser muito mais complicadas...

Partida 81

Kasparov - Kortchnoi

Semifinal do Torneio de Candidatos
1ª Partida - Londres 1983
Defesa Índia da Dama

1.d4 ♘f6 2.c4 e6 3.♘f3 b6

Em anos recentes Kortchnoi tem jogado muito mais freqüentemente 3...♗b4+.

4.♘c3 ♗b7 5.a3

Mas essa posição ocorreu somente em poucas de suas partidas.

5...d5 6.c×d5 ♘×d5 7.e3 g6!?

Na opinião de muitos – uma novidade, e alguns bem intencionados tentaram através disso até justificar o meu despreparo. Realmente, eu nunca havia estudado seriamente 7...g6, mas por que – é difícil dizer. Muito provavelmente, porque eu já tinha problemas suficientes em outras linhas... No entanto eu consegui lembrar algo: as partidas Timman-Short (1982) e Ftacnik-Adorjan (1983). A popularidade de 7...g6 fora afetada provavelmente pelo fato de que as pretas haviam perdido em ambas as partidas, embora na última o resultado não tenha dependido da abertura. Eu também consegui lembrar uma partida que havia sido jogada diante de meus próprios olhos: Torneio Relâmpago em Herceg Novi, 1983 – Tal-Kortchnoi!! A propósito, as pretas venceram.

Pode-se perceber que tais recordações durante a partida não melhoraram o meu estado de espírito.

Após alguma reflexão eu decidi seguir o caminho usual no caso de 7...♗e7, embora eu compreendesse que a transferência do bispo para g7 era vantajosa para as pretas.

8.♗b5+

Timman continuou 8.♘×d5 e após 8...♕×d5 9.♕c2 ♕d8? 10.e4 ♗g7 11.♗g5 ♕d7 12.♗c4 ele conquistou uma vantagem. É mais forte 9...♘d7!? (10.♕×c7 ♖c8 11.♕g3 ♗d6 12.♕g5 e5 com iniciativa pelo peão), ou mesmo 8...e×d5.

8...c6 9.♗d3 ♗g7 10.e4

A partida Tarjan-Adorjan, jogada no outono de 1983, seguiu 10.♘×d5 c×d5 com posição equibibrada.

10...♘×c3 11.b×c3 c5!

Mais enérgico do que 11...0–0 (Ftacnik-Adorjan).

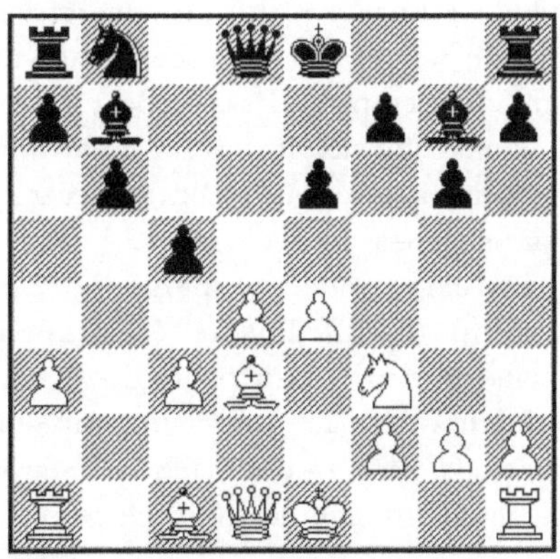

Os bispos fianquetados das pretas estão colocando o centro inimigo sob fogo pesado. A posição alcançada é essencialmente uma versão favorável às pretas da Defesa Grünfeld.

12.♗g5

É agradável desenvolver uma peça ganhando um tempo, mas 12.♗e3 0–0 13.0–0 era mais sólido.

12...♕d6

Também é aceitável 12...♕c7. As pretas não desejam reduzir a pressão em d4, e corretamente presumem que o ganho de outro tempo não traria às brancas nenhuma vantagem.

13.e5

Geralmente esse lance dá às brancas perspectivas otimistas de um ataque ao rei, mas aqui ele foi usado somente para resolver seus problemas defensivos. É claro, as brancas também poderiam ter rocado, mas elas não podem deixar de fazer, mais cedo ou mais tarde, e4–e5.

13...♕d7 14.d×c5?!

Foram feitos vários comentários sobre meu jogo fraco nessa primeira partida. Todos eles foram justificados, à exceção de um, que foi lançado através dos comentaristas mais sérios. O sentido dele era o seguinte: o jovem e inexperiente jogador, ao encontrar uma surpresa na abertura, gastou todo o seu tempo tentando refutar o plano do adversário ao invés de encontrar um caminho para simplificar e empatar. Essa colocação lógica tem apenas um defeito – está muito longe da verdade. É claro que ao enfraquecer seus próprios peões com o lance 14.d×c5, as brancas não podem esperar por uma vantagem. (e dificilmente é apropriado suspeitar que um participante do *Match* de Candidatos seja um incompetente posicional). Mas 14.d×c5 tem um fator a mais, altamente significativo – ele ganha um peão, na recuperação do qual as pretas deverão investir tempo e esforço. E isso, eu pensei, permitiria às brancas desenvolverem normalmente suas peças e igualar. No geral, o curso do meu pensamento de fato coincidiu precisamente com as sugestões racionais subseqüentes dos comentaristas! Infelizmente...

Em outra ocasião eu provavelmente teria continuado 14.0–0 0–0 15.♕e2 c×d4 16.c×d4 ♘c6 17.♕e3 ou 17.♗c4 – a posição é complicada, mas aqui não há perigo ameaçando as brancas.

14...0–0!

É claro que não 14...b×c5 15.♗b5 ♗c6 16.a4, quando são somente as pretas que podem ter alguns problemas.

15.c×b6 a×b6 16.0–0 ♕c7

Atacando imediatamente os peões de c3 e e5, e preparando o desenvolvimento do seu cavalo. O apressado 16...♘c6? teria colocado a iniciativa nas mãos das brancas: 17.♗e4 ♕c7 18.♗f6! – e não é fácil para as pretas restaurarem o balanço material (18...♗×f6 19.e×f6 ♕f4 20.♕b1!). Aqui novamente eu pensei por um longo tempo. De antemão eu havia planejado 17.♖e1, contando com 17...♘c6 18.♗e4 ♖a5 19.♗f6, ou 17...♕×c3 18.♗e7 ♖e8 19.♗b4. Mas em uma análise mais próxima eu descobri que as pretas tinham a possibilidade de um interessante sacrifício de qualidade em duas variantes – 17...♘d7! 18.♗e7 ♘×e5 19.♗×f8 ♘×f3+ 20.g×f3 ♖×f8, ou, provavelmente até mais forte, 18...♗×f3! 19.g×f3 (♕×f3? ♘×e5 20.♖×e5 ♗×e5 21.♗×f8 ♖×f8, ganhando um peão) 19...♗×e5 20.♗×f8 ♖×f8. Apesar de ter uma qualidade a mais, as brancas estão frente a problemas defensivos extremamente difíceis, enquanto as pretas podem fortalecer a sua posição virtualmente sem o menor risco. Então eu decidi mudar radicalmente o caráter da partida. As brancas imediatamente entregam seu importante peão e5, e tentam explorar a atividade de suas peças e o fato de que as pretas estão levemente atrasadas em desenvolvimento.

17.♗b5!

Um detalhe de não menos importância – nesse ponto as brancas já tinham usado mais do que duas horas em seu relógio, enquanto os primeiros 15 lances de Kortchnoi foram feitos por ele em somente quatro (!) minutos. É verdade, em seu próximo lance as pretas gastaram cerca de 50 minutos.

17...♗×e5

Explorando o fato de que as peças brancas estão indefesas, as pretas podem se permitir este lance (18.♘×e5? ♕×e5 19.♗h6 ♕×b5 20.♕d4 e5). O preparatório 17...♘c6 teria permitido às brancas transporem para um final – 18.♕d6 (é mais fraco 18.♗×c6 ♗×c6 19.♗f6 ♗b5!) 18...♗×e5 19.♕×c7 ♗×c7 20.♖fd1, no qual a vantagem das pretas é somente simbólica.

18.♗h6

Na verdade, oferecendo sacrificar a dama após 18...♖d8 19.♘×e5 ♖×d1 20.♖a×d1. Nesse caso a grande atividade das peças brancas dá a elas fundamentos para esperar ser capaz de evitar dificuldades, por exemplo, 20...f6 21.♘d7! (o imprudente 21.♗c4? é refutado através de 21...f×e5 22.♗×e6+ ♔h8 23.♗g5 ♔g7 24.♖d8 h6! 25.♖g8+ ♔h7 26.♗f6 ♘c6) 21...♘×d7 22.♖×d7 ♕c5 23.♖g7+! ♔h8 24.♖×b7 ♕×b5 25.♗g7+ ♔g8 26.♗×f6. No entanto, acho que a posição resultante favorece as pretas. Após 20...♘c6 21.♘g4 ♖d8! (21...♕e7?? 22.♖d7!) 22.♘f6+ ♔h8, ou mesmo 20...♗c6 21.a4 f6 as pretas podem neutralizar gradualmente as ameaças do adversário e teriam tido boas chances de realizar a sua vantagem material. Embora não seja claro se, na atmosfera nervosa do *match*, elas teriam conseguido desenvolver completamente esse plano. Mas como as coisas teriam se desenvolvido no caso de 18...♖d8 podemos apenas imaginar, já que na partida seguiu

18...♗g7?!

Um momento altamente crucial. Kortchnoi tenta evitar todas as obscuridades e decidir o resultado por meios puramente técnicos. Eu acho que aqui a pedra angular da estratégia do *match* de Kortchnoi se revela – evitar complicações de todas as formas, mesmo que elas sejam objetivamente favoráveis. Ele seguiu rigorosamente essa regra nas oito primeiras partidas, até que a situação do *match* o forçou a mudar abruptamente a característica de jogo.

19.♗×g7 ♔×g7

Os bispos de casas pretas desapareceram do tabuleiro, e as brancas ganharam a oportunidade de criar contrajogo nas enfraquecidas casas pretas.

20.♕d4+ ♔g8

A alternativa era 20...f6, mas isso teria enfraquecido ligeiramente a posição das pretas, perspectiva que não seduziu Kortchnoi.

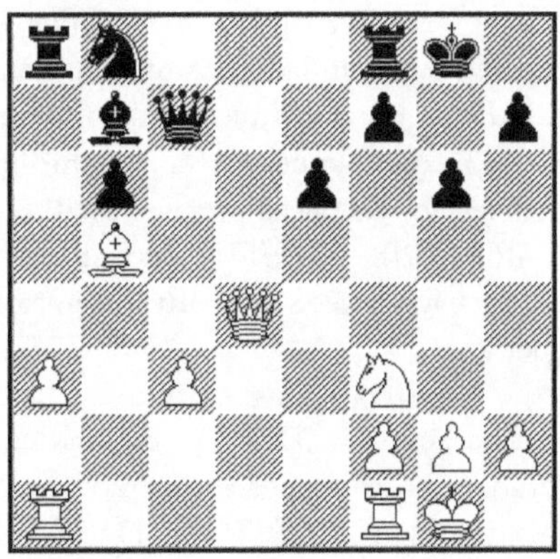

21.♘g5?

A escolha incorreta da rota do cavalo branco justifica completamente o fato de as pretas terem evitado complicações três lances antes. Apesar de tudo, as brancas deveriam ter jogado pela centralização – 21.♘e5!, embora essa continuação enérgica envolva o sacrifício de uma peça. As ameaças desagradáveis de ♘g4 e ♘c4 forçam as pretas a aceitarem o desafio: 21...♖d8 22.♕h4! ♖d5 23.♘g4 ♖×b5. À primeira vista parece que as pretas podem evitar o perigo e permanecer com vantagem material – 24.♘f6+ ♔f8 25.♕h6+ (25.♘×h7+ ♔g7) 25...♔e7 26.♘g8+ ♔d7 27.♖ad1+ ♗d5 28.♕f8 ♔c6! 29.♕e8+ ♕d7 etc. Isso, infelizmente, também foi como pareceu para mim... Mas eu não percebi uma resposta forte que muda imediatamente a avaliação da posição – 24.♖ad1! As brancas incluem outra peça no ataque, e bloqueiam o caminho do rei preto para a ala da dama. Já que 24...♘c6 (ou 24...♘a6) é ruim devido a 25.♖d7!, as pretas são obrigadas a bloquear a coluna d. Vamos primeiro verificar 24...♗d5 25.c4 ♕×c4 26.♖×d5! (se isso parece muito apavorante, as brancas também podem forçar o empate através de um xeque perpétuo – 26.♕d8+ ♔g7 27.♕f6+) 26...e×d5 27.♕d8+ ♔g7 28.♕f6+ ♔f8 29.♖e1 ♕e4 30.♕h8+ ♔e7 31.♖×e4+ d×e4 32.h4, e a iniciativa está completamente do lado das brancas. Então 24...♖d5! é correto, mas aqui também o peão c3 tem sucesso em demolir a coordenação das peças pretas: 25.c4! ♖d6! 26.♘f6+ ♔f8 27.♕f4! ♖c6 29.♕h6+ ♔e7 29.♘g8+ ♔e8 30.♘f6+ com xeque perpétuo.

A tentativa das pretas de se desembaraçarem através da tática é refutada com elegância: 25...♖×d1? 26.♖×d1 ♘c6 27.♖d7! ♖×a3 28.♘f6+ ♔g7 29.♕×h7+ ♔×f6 30.♕h8+ e 31.♖×c7, ou 27...♖d8 28.♘f6+ ♔g7 29.♕×h7+ (é mais fraco 29.♘e8+? ♔f8 30.♘×c7 ♖×d7) 29...♔×f6 30.♕×f7+ ♔g5 31.h4+ etc. Assim o corajoso 21.♘e5! teria dado às brancas ao menos chances iguais. Após perder essa possibilidade elas colocam completamente a iniciativa nas mãos do adversário.

21...h6! 22.♘e4 ♗×e4

Com a eliminação desse cavalo, desaparecem todas as esperanças de ataque das brancas.

23.♕×e4 ♘a6

Simples e bom. Após 23...♘d7 as brancas poderiam se salvar através do ataque duplo 24.♗×d7 ♕×d7 25.♕e3, enquanto agora elas têm uma escolha desagradável entre o mal menor.

24.♕e3?!

O cavalo preto claramente tem melhores perspectivas do que o bispo branco, e então as peças menores têm que ser trocadas. No tabuleiro eu não dei importância a 24.♗×a6 ♖×a6 25.♕e3 ♖fa8! Realmente, a variante 26.♕×h6 ♖×a3 27.♖×a3 ♖×a3 28.h4 ♕×c3 29.h5 ♖a1 30.h×g6 ♖×f1+ 31.♔×f1 ♕d3+ 32.♔g1 ♕b1+ 33.♔h2 ♕×g6 dá às pretas excelentes chances de vitória no final de damas. Mas o passivo 25.♕b4 ♖c8 26.♖fc1 teria deixado as brancas com chances de salvar a partida. Ao jogar 24.♕e3, eu contava com 24...h5 25.♗×a6 ♖×a6 26.♖fb1 ♖fa8 27.♖b3, mas a forte resposta das pretas dissipou essa esperança.

24...♕c5!

Uma surpresa desagradável. Resulta que não somente o cavalo pode ocupar c5. As brancas são forçadas a trocar as damas (24.♕e2? ♘c7) e entrar em um final não promissor, onde a troca dos seus dois peões fracos pelo peão b6 não será a maneira de resolver seus problemas defensivos.

25.♕×c5 ♘×c5 26.♖fb1 ♖fd8 27.♗f1 ♖d6 28.♖b4 ♔f8 29.a4?!

Provavelmente eu devia ter ido para simplificações – 29.♖ab1 ♖×a3 30.♖×b6 ♖×b6 31.♖×b6 ♖×c3, mas tendo pouco tempo não foi fácil decidir dar tal passo de entrega. Entretanto, defender a posição com todas as peças é até mais difícil.

29...♖a5!

Eliminando a ameaça de a4–a5 e fixando a fraqueza de a4.

30.g3 ♔e7 31.♔g2 f5

Assegurando e4 para o cavalo.

32.♗b5 ♖d2?!

Muito apressado. As pretas deveriam começar a jogar ativamente após primeiro ter transferido seu rei para c7. Elas também têm um bom plano envolvendo o avanço de seus peões na ala do rei.

33.♖d4?

Em sério apuro de tempo as brancas perdem uma chance salvadora – 33.♗c6! (lances passivos tais como 33.♖f1? permitem às pretas reverterem para o plano correto – 33...♔d6! e ...♔c7) 33...♘d3 (33...♔d6? 34.♖×b6 ♔c7 35.♖b5) 34.♖×b6 (mas não 34.♖d4? devido a 34...♖×f2+ 35.♔g1 ♖d2 36.♗b5 ♘e5!) 34...♘×f2 35.♖b5!, e o peão a garante às brancas contrajogo suficiente.

33...♖×d4 34.c×d4 ♘×a4!

Um simples golpe tático, que leva a partida para um final de torres facilmente ganho.

35.♖×a4 ♖×b5 36.♖a7+ ♔d6

O mais simples. O excessivamente cauteloso 36...♔f6?! teria deixado as brancas com algumas chances: 37.h4! ♖d5 38.♖b7.

37.♖h7 h5 38.♖g7 ♖d5 39.♖×g6 b5

Aqui as cortinas poderiam ter sido baixadas, mas as brancas continuam a sua resistência por inércia.

40.♔f3 b4 41.♔e3 b3 42.♔d2 ♖×d4+ 43.♔c3 b2 44.♔×b2 ♖d2+ 45.♔c3 ♖×f2 46.h4 f4 47.♖g5 ♖f3+ 48.♔d4 ♖×g3 49.♖×h5 ♖e3 50.♖h6 ♔e7 51.h5 e5+ 52.♔d5 f3

As brancas abandonaram.

O resultado dessa partida e, mais importante, o curso dela, deixaram-me deprimido. É verdade, faltavam ainda onze partidas à frente, mas agora o valor de cada lance aumentara imensamente, pois cada erro poderia ser fatal. E jogadores de xadrez sabem que um receio excessivo de cometer erros conduz a um inevitável rebaixamento da qualidade do seu jogo. Uma estatística desencorajadora também foi lembrada – em todos os doze *matches* de Candidatos que Kortchnoi tinha vencido (e no total, a propósito, ele tinha jogado 15, não incluindo os dois *matches* pelo Campeonato do Mundo), após abrir a contagem ele não havia perdido a liderança nenhuma vez. Mas, como Evgeny Vladimirov, um dos meus segundos, corretamente observou: "Há uma primeira vez para tudo". O que fazer, algumas vezes é preciso se consolar com tais pensamentos filosóficos...

Seja como for, após a primeira partida muito da minha estratégia do *match* teve que ser revisada. Mas reagrupar sob o fogo do adversário pode se provar ruinoso, e então em primeira instância era necessário ganhar tempo, ou seja, escapar do ataque do adversário nas próximas partidas. E nas quais Kortchnoi, inspirado pela sua vitória, sem nenhuma dúvida, tentaria construir o seu sucesso. E realmente, também na segunda partida passei por maus bocados.

Após onze lances bem conhecidos, jogados em alta velocidade por ambos os lados:

Partida 82

Kortchnoi - Kasparov

Semifinal do Torneio de Candidatos

2ª Partida - Londres 1983

Gambito da Dama

1.d4 d5 2.c4 e6 3.♘c3 c5 4.c×d5 e×d5 5.♘f3 ♘c6 6.g3 ♘f6 7.♗g2 ♗e7 8.0–0 0–0 9.♗g5 c×d4 10.♘×d4 h6 11.♗e3 ♖e8

As brancas inesperadamente jogaram

12.a3!?

À primeira vista, isso é uma perda de tempo injustificada, mas um estudo cuidadoso das sutilezas da linha principal ajuda a entender o ponto do modesto lance do peão da torre. Assim após 12.♕a4 ♗d7 13.♖ad1 ♘b4 14.♕b3 a5! a posição infeliz da dama permite às pretas obterem contrajogo suficiente, por exemplo 15.♖d2 a4 16.♕d1 a3 17.♕b1 ♗f8 18.b×a3 ♖×a3 19.♕b2 ♕a8 (Beliavsky-Kasparov, 2ª partida do *match*, 1983) ou 15.a4 ♖c8 16.♘c2 b5!? 17.♘×b4 b×a4 18.♘×a4 ♗×b4 19.♘b6? ♖×e3! 20.♕×e3 ♗c5 (Kortchnoi-Kasparov, Torneio Relâmpago em Harceg Novi, 1983). Por isso, as brancas preparam antecipadamente um posto nada usual, porém seguro, para a sua dama em a2, de onde ela exercerá pressão sobre o peão d5.

12...♗e6

Após prolongada reflexão eu decidi não testar a qualidade da inovação em variantes críticas tais como 12...♗g4 13.♕b3 ♘a5 14.♕a2 ♘c4 15.♘×d5 ♘×e3 16.f×e3, mas simplesmente proporcionar apoio seguro para o meu peão central. Eu poderia pensar mais tarde em termos de um contrajogo ativo.

13.♕b3 ♕d7 14.♘×e6

Não é claro se as brancas devem apressar essa troca, mas de qualquer forma agora não precisam mais se preocupar com o bispo preto em h3 a qualquer momento.

14...f×e6 15.♖ad1

Pode parecer que a abertura tenha sido favorável às brancas – elas têm os dois bispos, o centro das pretas é inseguro, e ainda elas têm que ficar de olho nas suas fraquezas na ala do rei. Mas na verdade, se as pretas puderem preparar a resposta a e2–e4, elas serão capazes de se sentir relativamente seguras.

15...♗d6!

Removendo a desagradável oposição da dama e da torre, e preparando um bem sucedido reagrupamento.

16.♗c1

Agora o peão e está pronto para avançar.

16...♔h8

Estancando a ameaça de 17.e4, o que seria respondido através de 17...d4 18.♘b5 e5. Então as brancas têm que esperar por um momento mais conveniente para começar a jogar ativamente.

17.♕a4

A partir daqui a dama pode atravessar para a ala do rei. Ainda mais, a possibilidade de fianquetar o segundo bispo (b2–b4 e ♗b2) não pode ser desprezada.

17...♕e7

De modo que após 18.♕h4 ♗e5 as brancas não possam romper o centro do adversário com 19.e4 (19...♗×c3 20.b×c3 ♘×e4).

18.e3

Agora no caso de ...♗e5 o cavalo branco tem uma boa retirada a e2.

18...a6 19.♕h4

A tentadora transferência do cavalo para f4 dificilmente teria dado alguma coisa às brancas – 19.♘e2 ♖ac8 20.♘f4 ♘e5! seguido por ...♖c4, quando as pretas têm controle suficiente do centro para encarar o futuro com confiança.

19...♖ac8

O ponto crítico da partida. É a hora das brancas tentarem alguma coisa, e é natural que a arena dessa atividade recaia sobre a ala do rei. Também é óbvio que a posição das pretas somente pode ser rompida através de uma ofensiva de peões. Mas com qual peão devem as brancas começar?

20.e4?!

Na minha opinião, 20.f4! era muito mais resoluto, preparando o avanço do peão g e deixando aberta a possibilidade de jogar e3–e4 em um momento mais apropriado. Mas nesse caso, apesar da vantagem definitiva das brancas, a partida teria se tornado de duplo gume, e complicações claramente não estavam nos planos de Kortchnoi. Então ele escolheu uma continuação que estabiliza a posição e previne que as peças menores das pretas se tornem ativas, embora o peão passado protegido que as pretas obtêm em d4 mais que compensa qualquer inconveniência temporária.

20...d4 21.♘e2 e5 22.♗h3

Obviamente planejando as trocas seguintes. Um jogo mais complicado teria resultado de 22.♗d2!?, planejando transferir o cavalo a d3. É verdade, nesse caso também as pretas obteriam contrajogo suficiente na ala da dama: 22...b5! 23.♘c1 b4 24.a4 ♘a5 25.♘d3 ♘b3 etc.

22...♖c7 23.♗g5 ♔g8 24.♗×f6 ♕×f6 25.♕×f6

Eu acho que a troca das damas deveria ter sido evitada (25.♕h5), mas as brancas são consistentes...

25...g×f6 26.♘c1 ♘a5!

Em essência ganhando a batalha pela coluna c.

27.♘d3 ♘b3 28.♗f5

As peças menores das brancas tomaram posições inexpugnáveis, mas e daí? O efeito desejado poderia ser alcançado se elas pudessem trocar de lugar, mas tal reagrupamento só poderia ocorrer com a total conivência das pretas.

28...a5 29.♔g2

As brancas não se dão conta de que os bons tempos já tinham passado para elas. A predominância das pretas na ala da dama é óbvia, e então as brancas deveriam criar tensão no outo lado do tabuleiro – 29.f4.

29...♔g7 30.♔h3

Aonde ele vai?

30...♖ee7!

É claro, não imediatamente 30...♖c2?? devido a 31.♗d7 e 32.♗a4. Mas agora as pretas estão prontas para invadir a posição do inimigo. Sentindo o perigo, Kortchnoi toma a decisão correta de voltar o cavalo de b3, que bloqueia toda a ala da dama das brancas.

31.♘c1!

Ao fazer esse lance forte, Kortchnoi ofereceu o empate, o qual após alguma reflexão eu aceitei. É verdade, após a partida meus segundos sugeriram que a simples retirada do cavalo para c5 daria às pretas boas possibilidades. Teria algumas chances de vitória, é claro, mas também teria um risco envolvido!... Entretanto, feliz por ter neutralizado com sucesso a novidade do meu adversário, eu considerei que minha missão nessa partida havia sido totalmente cumprida. Em alguma medida eu até superestimei o resultado, achando que agora as coisas correriam melhor para mim. Mas para o desejado ponto de inflexão do *match* ainda tinha um longo caminho...

Partida 83
Kasparov - Kortchnoi
Semifinal do Torneio de Candidatos
3ª Partida - Londres 1983
Defesa Índia da Dama

1.d4 ♘f6 2.c4 e6 3.♘f3 b6 4.♘c3 ♗b7 5.a3 d5 6.c×d5 ♘×d5 7.♕a4+ ♘d7 8.♘×d5 e×d5 9.♗f4 c6 10.g3 ♗e7 11.♗h3 0–0 12.♖c1 ♗f6 13.0–0 ♖e8 14.♖×c6 ♗×c6 15.♕×c6 ♘f8 16.e3 ♘e6 17.♗d6 ♗e7 18.♗×e7

Empate.

Na terceira partida eu consegui finalmente lançar uma surpresa para o meu adversário – 7.♕a4+!?, um lance que mal havia sido jogado anteriormente. Mas o manejo original das brancas na abertura não trouxe nenhum dividendo em especial, e a forte resposta 12...♗f6! (12...♘f6?! 13.♘e5 c5 14.♘c6) enfatizou a natureza artificial da posição das brancas.

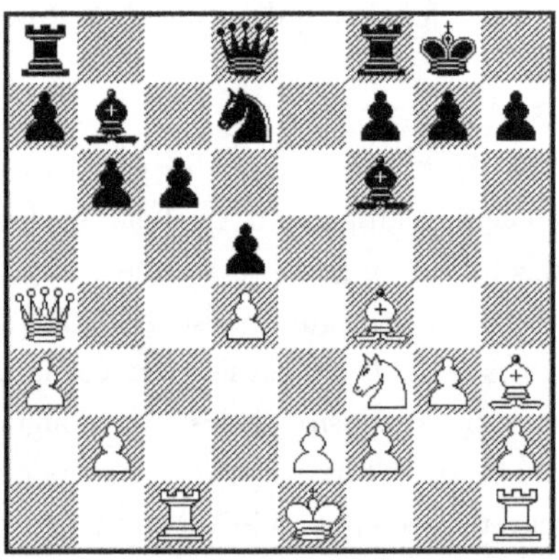

Esse bom lance posicional (tomando o controle da importante casa e5) também tem um ponto tático – o plausível 13.♖×c6 é estancado pelo belo 13...♘c5!! 14.d×c5 ♕e8. As brancas também dificilmente podem se satisfazer com 14.♖×c5 b×c5 15.d×c5 ♗c8! (15...♗×b2? 16.♕b4) 16.♗×c8 ♕×c8 17.b4 ♕h3 etc.

Para criar utilidade aos bispos, que estavam socando o ar, as brancas decidiram um lance depois sacrificar a qualidade, mas foram incapazes de explorar a fraqueza do peão d5 e o pequeno congestionamento entre as peças pretas. Talvez devessem ter preferido 16.♗e5! ♗×e5 (após 16...♘g6?! 17.♗×f6 ♕×f6 18.♕×f6 g×f6 19.e3 e são somente as pretas que arriscam alguma coisa) 17.♘×e5 ♘g6! 18.f4! ♘×e5 19.f×e5, embora ainda aqui elas possam contar somente com a plena compensação pela qualidade perdida.

Evitar a troca de bispos através de 18.♗e5 teria favorecido as pretas – 18...♗f8 seguido de ...♖c8, quando a atividade das brancas é apenas temporária. E 18.♗×e6!? f×e6 19.♗c7 teria permitido às pretas resolverem todas as dificuldades sem problemas: 19...♕c8 20.♘e5 ♗f6 21.♖c1 ♗×e5 22.d×e5 ♖e7 etc.

A posição final é de equilíbrio dinâmico, por exemplo, 18...♖×e7 19.♘e5 ♖c7 20.♕b5 ♕d6 21.♗g2 ♖d8 22.h4! (prevenindo ...♘g5–e4), e a fraqueza do peão d5 restringe de maneira severa as peças pretas. Entretanto, se estivessem querendo muito, as pretas poderiam ter tentado realizar sua vantagem material mínima, ou pelo menos deixado as brancas um pouco ansiosas. Mas aqui a situação da segunda partida se repetiu: agora Kortchnoi, após ter resolvido com sucesso os novos problemas de abertura, considerou que tinha cumprido a sua missão, e aceitou a minha oferta de empate.

Eu tive algumas dificuldades na quarta partida. Após jogar pela primeira vez a linha principal da Abertura Catalã, fui incapaz de encontrar um plano efetivo de contrajogo, e terminei em uma posição restringida.

Partida 84
Kortchnoi - Kasparov
Semifinal do Torneio de Candidatos
4ª Partida - Londres 1983
Abertura Catalã

1.d4 d5 2.c4 e6 3.♘f3 ♘f6 4.g3 ♗e7 5.♗g2 0–0 6.0–0 d×c4 7.♕c2 a6 8.♕×c4 b5 9.♕c2 ♗b7 10.♗d2 ♗e4 11.♕c1 ♘c6 12.♗e3 ♘b4 13.♘bd2 ♗b7 14.♗g5 ♖c8 15.a3 ♘bd5 16.♘b3 h6

17.♘a5!?

O simples 17.♗d2, mantendo a tensão, também é bom. A vantagem das brancas é indiscutível – a fraqueza das pretas nas casas c5 e a5 são muito sensíveis.

17...♗a8 18.♘c6 ♗×c6 19.♗×f6 ♗b7

No caso de 19...♗×f6 20.♕×c6 ♕d6 21.♖ac1 ♘e7 22.♕c5! o enfraquecimento das pretas na ala da dama é novamente fonte de constante preocupação.

20.♗×e7 ♕×e7

Após as trocas, a posição das pretas começa a ficar um pouco menos limitada, mas elas podem igualar através do avanço de seu peão c atrasado. Agora o elementar 21.b4 teria cortado pela raiz qualquer possibilidade do avanço libertador ...c5. As pretas poderiam ter tentado obter contra-chances através do sacrifício de peão 21...a5!? (a avaliação da posição após 21...♘b6 ♘e5 não deixa dúvida), mas tanto após 22.b×a5 ♖a8 23.♕d2 ♖a7 24.♖fb1, ou 22...c5 23.♕b2! ♗a6 24.♖fc1 elas não têm razões para otimismo. No entanto, aqui seguiu:

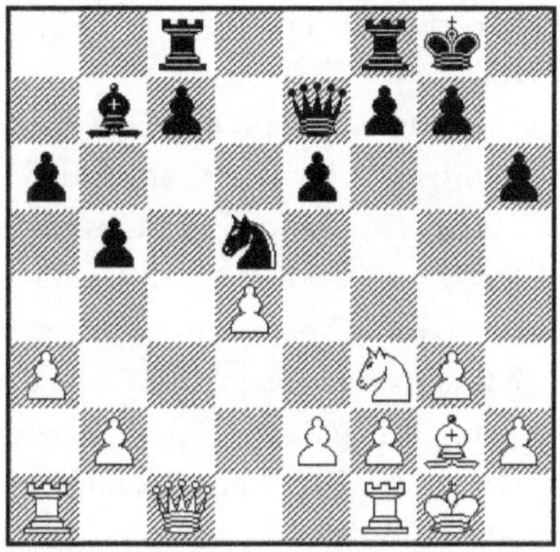

21.♕c5?

Um lance que é difícil de explicar. Mas se assumirmos que Kortchnoi tinha o objetivo de evitar até a menor complicação as coisas voltam aos seus lugares. Além disso, o jogo entra em sua fase final – a fase da partida na qual Kortchnoi depositava suas maiores esperanças. Uma explicação assim pode parecer inventada, mas eu não sei como justificar de outra forma a rejeição por um Grande Mestre de alta categoria do óbvio 21.b4.

21...♕×c5 22.d×c5 ♘e7!

Torna-se claro que, após libertarem-se (com a ajuda do adversário!) do defeito de sua estrutura de peões, as pretas podem encarar o futuro com confiança.

23.a4

Tentando criar alvos para ataque.

23...b4

As pretas começam a jogar para tomar a iniciativa. A maneira mais simples de empatar era através de 23...b×a4 24.♖×a4 ♖b8, quando as fraquezas de a6 e b2 se compensam.

24.♘d4 ♗×g2 25.♔×g2 ♖fd8 26.♖fd1

Após 26.♘b3?! ♖d5 27.♖fd1 ♖cd8 as pretas teriam tomado a coluna d.

26...♖d5

Parece que isso apenas transpõe, mas com sua brilhante resposta as brancas mudam o curso da luta.

27.♘c2! ♖b8?!

Algo confusas, as pretas são incapazes de encontrar a resposta apropriada, e decidem ir para a defesa. Obviamente 27...♖×c5? 28.♘×b4 a5 29.♘d3 era vantajoso para as brancas, mas o paradoxal 27...♖e5! teria capacitado as pretas a evitar todas as dificuldades, por exemplo, 28.♘×b4 ♖×e2 29.♘×a6 (29.♖d7 ♖×b2) 29...♖×b2 30.♖db1 (no caso de 30.♖d7?! ♘d5 e somente as pretas podem esperar por uma vantagem) 30...♖×b1 31.♖×b1 ♘c6! (após 31...♘d5? 32.♖b8! o peão a é muito perigoso) 32.♖b7 ♖a8 com empate iminente.

28.♖×d5 ♘×d5 29.♘d4! ♘e7 30.♖d1 ♔f8

Conclusivamente cedendo a iniciativa ao adversário, mas na quinta hora de jogo eu não quis tentar a sorte na variante 30...♖d8 31.♖d3 e5. No final de peões após 32.♘f5 ♖×d3 33.♘×e6+ ♔f8 34.♘g6+ f×g6 35.e×d3 as pretas teriam conquistado o empate sem problemas – 35...♔e7 36.♔f3 ♔e6 37.♔e4 g5! 38.a6 c6. Mas eu tive medo de que, ao manter os cavalos, as brancas fossem capazes de explorar as fraquezas dos peões das pretas: 32.♘c2 ♖×d3 33.e×d3 ♘c6 34.♘e3 com a ameaça de ♘d5. Mas de fato, continuando a variante, fica claro que as pretas não têm nada a temer – 34...♘e7 35.♔f3 f5 36.g4 g6, ou 35.♘c4 ♘c6 etc.

31.♘b3! ♘c6 32.f4 ♔e7 33.♔f3

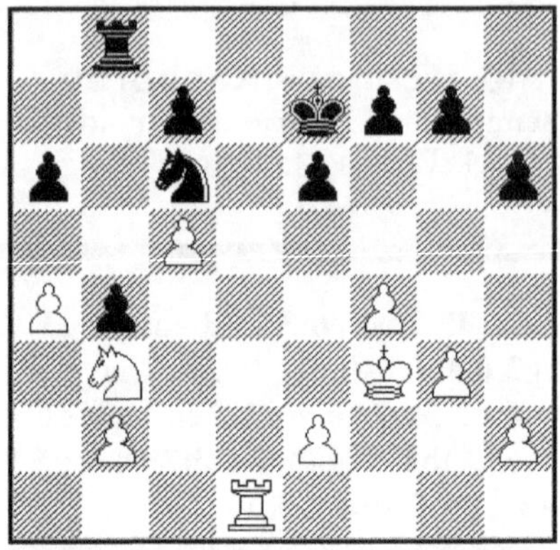

A posição favorece as brancas. Sua principal vantagem é a possibilidade de atravessar o seu rei para a ala da dama, onde ele terá um posto ideal em c4. Essa transferência é mais efetiva em um final de cavalos, no qual o peão de b4 se torna praticamente indefensável. Então as pretas são forçadas a evitar a troca de torres, e assim concedem a única coluna aberta. Sua única chance é tentar distrair a atenção do adversário através de operações na ala do rei.

33...g6!

O abrupto 33...g5? teria dado às brancas a oportunidade de trocar os cavalos em uma versão favorável – 34.♘d4! ♘×d4 35.♖×d4 g×f4 36.g×f4, e a nova fraqueza em h6 torna a posição das pretas difícil (36...a5 37.c6! ♖d8 38.♖×d8 ♔×d8 39.♔g4).

34.♖d2

As brancas não têm pressa, e só para garantir melhoram a posição da sua torre.

34...f6!

A principal ligação no plano das pretas é o avanço ...e5, o que as capacitará a ativar o rei e retirar das brancas a ameaça constante de ♘d4.

35.♔e4

Restringir diretamente o jogo – 35.g4 e5 36.f5? teria permitido à torre preta entrar no jogo após 36...g×f5 37.g×f5 ♖g8. A continuação mais flexível era 35.g4 e5 36.e3, mantendo a tensão no centro. Mas agora, explorando a posição avançada do rei branco, as pretas têm sucesso em ativar grandemente as suas forças.

35...f5+! 36.♔d3 e5!

Agora após 37.♔c4 ♔e6 ou 37.f×e5 ♘×e5+ 38.♔c2 g5 as brancas não conseguem nada. Então Kortchnoi decide iniciar uma escaramuça no centro, mas as pretas podem ficar contentes com a mudança dos acontecimentos – a fraqueza de seu peão b4 não é mais sentida.

37.e4 ♔e6 38.♔e3 e×f4+ 39.g×f4 g5!

As conquistas das pretas são evidentes – suas peças ganharam espaço considerável. Percebendo que nenhum traço de sua vantagem permanece, Kortchnoi troca os cavalos.

40.♘d4+

Tanto 40.f×g5 h×g5 41.♖d5 ♖h8 42.♖×f5 ♖×h2 como 40.e×f5+ ♔×f5 41.f×g5 h×g5 42.♖d5+ ♔g4 teria sido perigoso somente para as brancas.

40...♘×d4 41.♖×d4

Aqui a partida foi adiada e eu selei

41...g×f4+. É mais forte 41...f×e4!, após o que são as brancas que têm que exercer uma certa cautela: 42.♔×e4 ♖f8! 43.f×g5 h×g5 44.♔e3 ♖h8 etc. Após 41...g×f4+ as brancas têm uma vantagem simbólica, mas o empate é conquistado sem dificuldades: 42.♔×f4 f×e4 43.♔×e4 ♖g8! etc. Antes do reinício Kortchnoi ofereceu o empate, que foi aceito.

Um terço do *match* estava encerrado. Kortchnoi liderava por 2½-1½ e ainda tinha a iniciativa. Medidas radicais eram necessárias para mudar a característica da luta, que me era desfavorável. Primeiramente, eu tinha que retomar completamente os meus sentidos, acostumar-me totalmente ao regime de trabalho, e também tentar considerar cuidadosamente meus próximos passos no *match*. Em vista da seriedade da situação, foi decidido fazer uso do único adiamento permitido pelo regulamento. O curso subseqüente dos fatos confirmou como esse passo foi dado na hora certa...

Entretanto, na quinta partida não se desenvolveu uma luta em particular.

Partida 85

Kasparov - Kortchnoi

Semifinal do Torneio de Candidatos

5ª Partida - Londres 1983

Abertura Catalã

1.d4 ♘f6 2.c4 e6 3.g3

A Abertura Catalã... Por muitos anos essa abertura serviu Kortchnoi com fidelidade, embora em tempos recentes ele a tenha empregado muito mais raramente. Mas eu havia empregado essa abertura somente uma vez, em minha partida com Andersson em Niksic (e ali eu joguei sabendo quase com certeza o sistema de defesa que Ulf escolheria), e Kortchnoi muito provavelmente não considerou seriamente a possibilidade dela aparecer em meu repertório para o *match*.

3...d5 4.♗g2 d×c4 5.♘f3 c5

Devo mencionar que também com as peças pretas Kortchnoi conquistou bons resultados na Abertura Catalã. Seus planos têm usualmente envolvido segurar o peão de c4 (5...a6 ou mesmo 5...b5), mas devido ao estado do *match* Kortchnoi decidiu não tentar a sorte nas complicações resultantes.

6.0–0 ♘bd7?!

Kortchnoi é fiel a si mesmo e não deseja seguir a linha teórica principal após o normal 6...♘c6. Agora as brancas sem dificuldade obtêm uma clara vantagem.

7.♘a3 ♘b6 8.♘×c4 ♘×c4 9.♕a4+ ♗d7 10.♕×c4 b5

As pretas são obrigadas a recorrer a esse lance enfraquecedor, pois de outra forma seria difícil defender contra a ameaça de ♘e5.

11.♕c2

O lance 11.♕d3 teria dado às pretas um tempo para estabilizar a posição – 11...c4 12.♕c2 ♗c6.

11...♖c8 12.d×c5

O mais simples, mas manter a tensão através de 12.♖d1 ou 12.♗g5 também parece bom.

12...♗×c5 13.♕b3 0–0

Não é possível fazer frente ao bispo fianquetado do adversário – 13...♗c6? 14.♘e5 ♗×g2 15.♕×b5+.

14.♘e5 ♕b6 15.♗g5

A posição das brancas parece boa após 15.♘d3 ♗e7?! 16.♗e3 ♕eb8 17.♖ac1, mas se as pretas não se apegarem ao seu bispo podem ter sucesso em resolver todos os seus problemas: 15...♗c6! 16.♗×c6 ♕×c6 17.♘×c5 ♕×c5 18.♗e3 ♕h5.

15...♖fd8

As brancas não podem extrair nenhum ganho direto do enfraquecimento da ala do rei das pretas (16.♗×f6?!). Elas podem obter uma vantagem somente pela exploração da força dos dois bispos e das fraquezas da ala da dama das pretas.

16.♕f3 ♗e7 17.♘×d7 ♖×d7

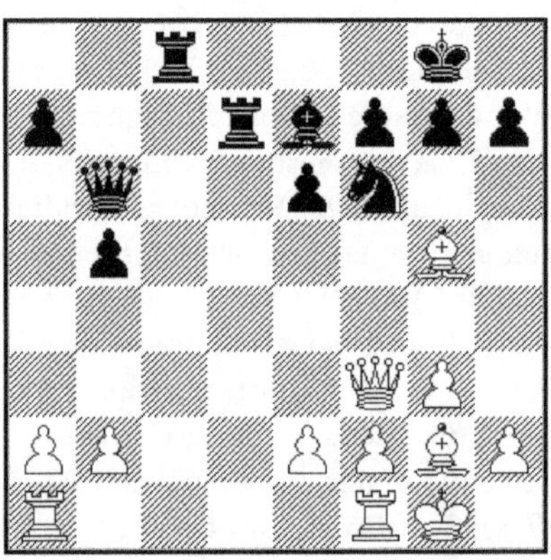

18.♖ac1?!

Um destacado exemplo do tema da "torre errada"! Enquanto a torre de a1 tinha a função de defender a ala da dama, a torre de f1 permanecia sem emprego. Era correto 18.♖fc1!, e se 18...♖cd8 19.e4!, restringindo a mobilidade do cavalo preto. A atividade temporária das peças pretas teria se evaporado em seguida (por exemplo, 19...♖d3 20.♕e2 h6 21.♗e3 ♕b8 22.♖d1 ♖×d1+ 23.♖×d1), e fatores estratégicos ganhariam força (conforme comentário anterior), condenando as pretas a uma defesa difícil e não promissora.

18...♖cd8! 19.♕c6?!

Com isso as brancas perdem o resto da sua vantagem. Após 19.♕b3 ♘d5 20.♗d2!? elas poderiam ter tentado explorar a vantagem do par de bispos.

19...♕a5! 20.a3

De outra forma as brancas se arriscariam a perder um peão (20.e4?! b4).

20...b4 21.♗f4 ♘d5

O mais simples. Simplificações se tornam inevitáveis e então os jogadores concordaram com o empate.

Após o curto empate na quinta partida alguém poderia ter a impressão de que as coisas estavam indo muito mal para mim no *match*. "O adiamento não ajudou Kasparov" foi o comentário maldoso de um jornal inglês. É claro, outro fraco desperdício das peças brancas não podia deixar de influenciar a opinião dos observadores sobre o resultado do *match*. Pela primeira vez opiniões confiantes começaram a aparecer nas páginas da imprensa ocidental, prevendo a vitória de Kortchnoi. Por exemplo, no *New York Times* o Grande Mestre inglês Stean deu uma descrição verbal detalhada das cinco primeiras partidas do *match*, do que se concluía que a vantagem conquistada por Kortchnoi, que havia obtido sucesso em impor seu estilo de jogo, teria uma natureza irreversível. Mas a prática mostrou que, em *matches* desse nível, é melhor não se apressar em fazer prognósticos. Não deve ser desconsiderado o fato de que Kortchnoi não conseguiu aumentar sua liderança, e uma liderança por um ponto não dá, por si só, nenhuma garantia quando ainda há sete partidas pela frente. E além disso, a abertura da quinta partida forçaria meu adversário a imaginar que na sétima, nona e décima primeira partidas as coisas poderiam não ser nada fáceis para ele (é claro, imaginando que a qualidade do meu jogo melhorasse), mas um lutador experiente em *matches* como Kortchnoi não podia deixar de sentir que isso estivesse próximo de acontecer. Então não é surpreendente que ele tivesse pressa em desferir um segundo golpe, o qual, de acordo com os seus cálculos, estaria destinado a esmagar a minha resistência.

A manhã do dia 4 de dezembro, o dia da sexta partida, começou para mim com uma inesperada chamada telefônica: "Moscou na linha..." A conversa que então tive com o ex-Campeão Mundial Botvinnik pode ser considerada (é claro, com uma leve condição) como o ponto de partida da mudança que ocorreria no *match*. Mikhail Moiseevich literalmente bombardeou-me com perguntas. "Você se lembra do que aconteceu cinqüenta anos atrás?". Estando só meio acordado, não foi fácil encontrar a resposta, mas consegui destrinchar. "Em 1933 você jogou um *match* com Flohr". "E como foi a contagem?" – prontamente seguiu uma outra pergunta. Eu tive que pesquisar minha memória. "Eu acho que você perdeu a primeira e a sexta partidas, mas então teve a revanche na nona e na décima" foi minha resposta. "Bem, agora veja como é favorável a posição na qual você está. Você ainda não perdeu a sexta partida!" – Botvinnik concluiu inesperadamente. Após uma curta pausa ele continuou: "Mas no geral, tudo está em ordem. Um pouco de autodisciplina e você deve ganhar o *match*". Diga o que quiser, mas uma conversa assim pode estimular somente emoções positivas. Em um momento difícil foi gratificante saber que o meu mentor enxadrístico não tinha dúvidas sobre o sucesso no final do *match*. Mas é até mais gratificante ser capaz de escrever essas linhas, sabendo que eu não frustrei a expectativa de ninguém.

Mas eu acho que nem o meu mais comprometido admirador, nem o mais pessimista torcedor de Kortchnoi, poderiam ter previsto o curso dos acontecimentos subseqüentes. O grau de infelicidade que acompanhou meu adversário durante a segunda metade do *match* foi simplesmente muito grande. No entanto, o início da sexta partida se desenvolveu favoravelmente a Kortchnoi.

Partida 86

Kortchnoi - Kasparov

Semifinal do Torneio de Candidatos

6ª Partida - Londres 1983

Gambito da Dama

1.d4 d5 2.c4 e6 3.♘f3 c5 4.c×d5 e×d5 5.g3 ♘c6 6.♗g2 ♘f6 7.0–0 ♗e7 8.♗e3!?

Essa continuação raramente foi jogada antes, e a partida em pouco tempo progrediu para um curso pouco estudado.

8...c4 9.♘e5 0–0 10.b3

Através de 10.♘c3 as brancas poderiam ter transposto para uma posição bem conhecida, mas Kortchnoi tinha outras idéias.

10...c×b3 11.♕×b3

As brancas tentam extrair o ganho máximo do atraso do desenvolvimento do seu cavalo da dama. Uma dessas vantagens é demonstrada pela variante 11...♘a5 12.♕a4 a6 13.♗d2! ♘c4! 14.♘×c4 b5

15.♕a5 b×c4. A posição resultante pode ser encontrada em livros de aberturas, onde é classificada como de igualdade. Mas será que é isso mesmo após 16.♕×d8 ♖×d8 17.♗a5! ♖d7 18.♘c3 ♗b7 19.♖ab1 ?

11...♕b6!?

Isso parece estranho – as pretas vão para a troca de damas, com uma piora catastrófica de sua estrutura de peões. Mas após 12.♕×b6 a×b6 elas obtêm conta-jogo ativo o que compensa completamente os defeitos na sua formação de peões, por exemplo, 13.♖c1 ♘b4 14.♘c3 ♗e6 15.a3 ♘c6 16.♘b5 ♖fc8 etc.

12.♖c1!

As brancas exploram com sucesso a ausência de seu cavalo de c3. As pretas são forçadas a trocar as damas em b3, assim ativando a torre em a1.

12...♕×b3 13.a×b3 ♘b4! 14.♘a3

Dessa forma as brancas previnem temporariamente o desenvolvimento do bispo c8 (devido a ♖c7), mas a posição desajeitada do cavalo em a3 previne-as de utilizar o tempo conquistado. As pretas teriam sido colocadas em problemas difíceis por meio do natural 14.♘c3. Assim 14...♗e6? é completamente mau devido a 15.♘b5 a6 16.♘c7 ♖ac8 17.♘×e6 f×e6 18.♗h3, enquanto após 14...♗f5 15.g4! ♗×g4 16.♘×g4 ♘×g4 17.♘×d5 ♘×d5 18.♗×d5 ♘×e3 19.f×e3 ♗g5 20.♔f2 ♖fe8 21.♖c3 ♖e7 22.e4 as pretas enfrentam uma luta depressiva pelo empate. No caso de 14...a6 15.♘a4! ♗f5 16.♖c7 ♗d6 17.♖×b7 ♘c2 as complicações resultantes também favorecem as brancas (18.♖c1 ♖ac8 19.♘b6 ♘×e3 20.♘×c8 ♗×c8 21.♖b6! ♘f5 22.e3, com a ameaça desagradável de ♗h3). Ainda assim, com 14...♖d8! as pretas provavelmente poderiam superar as suas dificuldades, por exemplo, 15.♘b5 (15.♘a4 ♗f5!) 15...a6 16.♖c7 ♔f8! 17.♗d2! ♘c6! 18.♘×c6 b×c6 19.♘c3 (19.♖×c6? ♗d7) 19...♗d7 20.♗f4 ♘e8 21.♖b7 ♘d6 22.♖b6 (22.♗×d6 ♗×d6 23.♖b6 ♔e7 24.♖b×a6 ♖×a6 25.♖×a6 ♖b8) 22...♘b5! 23.♘×b5 a×b5 – e as brancas não conseguem nada.

14...a6! 15.♗d2 ♖b8

Mais um lance (16...♗f5) e a iniciativa passa às pretas, então as brancas têm que fazer alguma coisa.

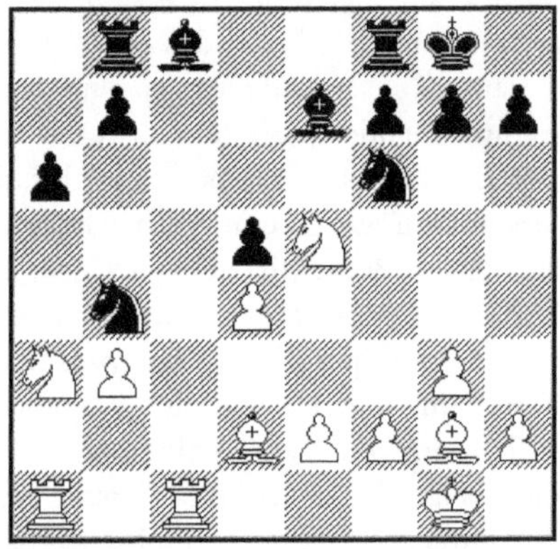

16.♗×b4!

O início de um original plano estratégico o qual não fui capaz de entender imediatamente. As brancas trocam o seu bispo, avaliando de forma correta que dele não poderiam esperar nenhum benefício em particular, enquanto o cavalo preto em b4 está repleto de importantes funções defensivas e de ataque.

16...♗×b4 17.♘d3

Em c5 esse cavalo restringirá a ala da dama das pretas.

17...♗d6?!

Deixando de lado o preconceito e capturando em a3, as pretas teriam igualado facilmente: 17...♗×a3 18.♖×a3 ♗f5 19.b4 (19.♘c5 a5! e ...b6) 19...♖bc8 20.♖ac3 ♖×c3 21.♖×c3 ♖c8! (21...♗×d3?! 22.e×d3 ♖b8 23.♖c7 com leve vantagem das brancas) 22.♖×c8+ (22.♘c5 b6 23.♘a4 ♖×c3 24.♘×c3 ♗e6 25.♘a4 ♘d7) 22...♗×c8 23.♘f4 ♗e6 com um empate iminente. Mas a essa altura para mim não era claro por qual motivo deveria me separar do bispo ativo.

18.♘c2 ♗g4?!

Uma fútil perda de tempo. O lugar para esse bispo é em e6; após 18...♗e6 19.♘e3 ♖fc8 20.b4! as pretas teriam tido dois tempos extras em comparação com a partida.

19.♔f1 ♗f5?!

Através de 19...♖fc8 20.♘e3 ♗e6 as pretas teriam ganhado um tempo. Após jogar 19...♗f5 eu propus o empate, mas recebi uma recusa muito razoável – os últimos três lances das pretas não falam a seu favor. E além do mais, objetivamente, a iniciativa agora estava firmemente com as brancas.

20.♘c5 ♖fc8

A dupla troca 20...♗×c5 21.d×c5 ♗×c2 22.♖×c2 teria condenado as pretas a uma triste defesa.

21.♘e3 ♗e6 22.b4 ♔f8 23.♖c2 ♔e7

Não 23...b6? devido a 24.♘×e6+ f×e6 25.♖×c8+ ♖×c8 26.♗h3! ♔f7 27.♖×a6.

24.♔e1 h5

Um lance útil. No futuro as pretas podem esperar criar algum jogo na ala do rei através de ...h4, enquanto no caso de ♔d1 as brancas constantemente têm que contar com a possibilidade de ...♘g4. Como antes, 24...b6? favorece as brancas – 25.♘×a6 ♖×c2 26.♘×c2 ♖a8 27.b5 ♗d7 28.♖b1.

25.♖b2 ♖c7!

Em c7 a torre defende o peão b e coloca o cavalo de c5 sob ataque (no caso de b4–b5), enquanto a outra torre pode ser movimentada ao longo da oitava fileira para a parte mais quente do campo de batalha.

26.♘d3!

As brancas completaram toda a sua preparação, e agora basta elas jogarem b4–b5 e a posição das pretas entra em colapso.

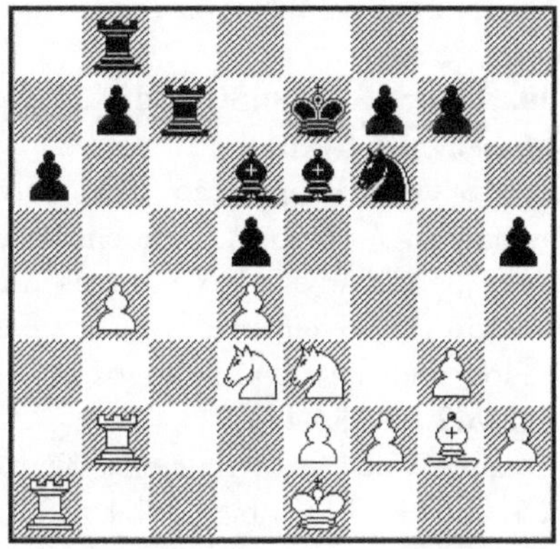

26...♖a8!

Agora b4–b5 perde a sua força, pois o peão a simplesmente avança. Parece tentador 27.♖ba2, mas então as pretas podem também defender com sucesso: 27...♖d8! 28.♖a5?! ♖c3!, e o peão d5 é tabu (29.♘×d5+? ♗×d5 30.♗×d5 ♖×d3), enquanto está agendado o sacrifício de qualidade em d3. Muito provavelmente as brancas deveriam ter se conformado com o fato de que a conquista de qualquer ganho imediato era impossível, e embarcado em uma nova fase de manobras. Mas Kortchnoi estava com pressa...

27.b5?!

É claro, meu adversário considerou os riscos desse passo, mas ele não poderia privar-se do prazer de ganhar um peão.

27...a5 28.b6 ♖c6 29.♖b5

Uma posição engraçada teria surgido após 29.♖a4!? ♖a6 30.♖b5 ♖c×b6 31.♖a×a5. As dificuldades das pretas sobre a defesa de seus peões de d5 e b7 estão superadas através do inesperado 31...♘e4!

29...a4 30.♘×d5+?!

Ainda não era muito tarde para as brancas pensarem melhor – a simplificação após 30.♘b4 ♗×b4 31.♖×b4 a3 32.♖b3 a2 33.♖b2 ♔d6 34.♖b×a2 ♖×a2 35.♖×a2 ♖×b6 ou 30.♘c5 ♗×c5 31.d×c5 ♘d7 32.♘×d5+ ♗×d5 33.♗×d5 ♖×c5 34.♗×b7

♖×b5 35.♗×a8 ♘×b6 teria conduzido ao empate.

30...♘×d5 31.♗×d5 ♗×d5 32.♖×d5 ♖×b6 33.♖×h5 ♖b3!

O engano da operação desenvolvida pelas brancas é óbvio. A torre em h5 está fora de jogo, a atividade das peças pretas aumentou sensivelmente, e os peões passados unidos a e b são perigosos.

34.♔d2 b5 35.h4

O lance 35.e4? não funciona: 35...♖c8 36.e5 ♗b4+ 37.♘×b4 ♖×b4 38.♔d3 ♖cc4, vencendo.

35...♖c8 36.g4?

No caso de 36.♖g5! g6 37.h5 o jogo seria de duplo gume. A qualidade dos lances começa a ser afetada pela mútua falta de tempo.

36...a3

Também é bom 36...♖c4.

37.f4 ♖cc3?!

Era preferível 37...♖c4. Após 38.♖d5? ♔e6 39.e4 ♖cc3 40.♘c5+ ♗×c5 41.♖×c5 ♖h3! as pretas têm um ataque decisivo. Os peões pretos dificilmente podem ser parados no caso de 38.♔e3 ♖c2 39.♖h8 b4 40.♖a8 ♖bc3, enquanto 38.♖h8 também não ajuda devido a 38...b4!

38.♖d5 ♔e6 39.♖h5 b4?

Um sério erro, permitindo que a torre em h5 volte ao jogo. Através do sacrifício da qualidade, as pretas teriam criado problemas insolúveis ao seu adversário: 39...♖×d3+! 40.e×d3 ♗×f4+ 41.♔e2 ♖b2+ 42.♔f3 ♗d6 43.♖h8 (43.♔e4 a2!) 43...♔d5 44.♔e3 ♖g2!

40.♖a5 ♖×d3+

O mesmo sacrifício, mas longe de ter o mesmo efeito. Nada seria conseguido através do outro sacrifício de qualidade – 40...♖b2+ 41.♘×b2 a×b2 42.♖b1 ♗×f4 + 43.e3 ♗×e3+ 44.♔e2 ♗c1 (44...♗×d4 45.♖×b2 ♖e3+ 46.♔d2 ♖g3 47.♖b1 ♗c3+ 48.♔c2 ♖×g4 49.h5) 45.♖b5 b3 46.h5 com provável empate.

41.e×d3

Aqui a partida foi suspensa. Em princípio parecia que as pretas ainda tinham chances de vitória, mas após uma análise detalhada ficou claro que a posição é de equilíbrio dinâmico. Como contrapartida aos peões passados das pretas, as brancas podem criar jogo contra o rei inimigo.

41...♗×f4+ 42.♔e2 ♖c3

O lance 42...♖b2+ seguido da transferência do bispo para c3 é muito lento, enquanto que o "sutil" 42...♗c7? permite às brancas lançarem um contra-ataque – 43...♖a6+ ♔d5 44.♖c1!

43.g5?!

Em nossas análises não consideramos seriamente esse lance. Aqui há um empate direto através de 43.♔f3 ♗c1 (43...♖c1 44.♖1×a3! ou 43...♗d6 44.♔e4 b3 45.♖5×a3 b2? 46.d5+!) 44.♔e4 ♔d6 45.♖a6+ ♔d7 (45...♔c7 46.d5 ♔b7 47.d6!) 46.d5 b3 47.♖a7+ ♔d6 (47...♔c8 48.♖7×a3) 48.♖a6+ etc. Mas no reinício da partida Kortchnoi sempre gostava de tentar assustar seu adversário com um lance não esperado...

43...♗c1 44.h5 b3 45.♖1×a3 ♗×a3 46.♖×a3 b2 47.♖a6+ ♔f5 48.♖b6

O peão não pode ser salvo – 48.♖a5+? ♔f4! 49.♖b5 ♖c2+.

48...♖c2+ 49.♔e3 ♔×g5

Nesse final agudo, que demanda cálculos precisos de ambos os lados, as brancas correm riscos consideravelmente maiores.

50.d5

O mais enérgico. As brancas são salvas por milagre no caso de 50.♖b5+ f5 51.d5 ♔×h5 52.d6 ♖c5 53.♖×b2 ♖d5 54.♖b6 g5 55.d4 ♔g4 56.♖c6 (56.♔d3? ♔f3), quando 56...♔g3 é estancado através de 57.♖c5!

50...♔×h5 51.♔d4

Não 51.d6? ♖c6!

51...g5 52.♖b8! g4 53.d6

Aqui eu mergulhei em pensamentos. O lance 53...♖c8 sugere-se de imediato, mas após 54.♖×b2 (54.♖×c8? b1=♕ 55.d7 ♕b6+ 56.♔c3 ♕a5+ 57.♔c4 ♕a4+) 54...g3 55.♔e3! as brancas obtêm sucesso em eliminar o perigo – 55...♔g4 56.♖b4+ ♔h3 57.♖b5! ♔h2 (57...♖d8 58.♔f3) 58.♖h5+.

53...♖c6 54.♔e5

A idéia das pretas era 54.♔d5 ♖c8! 55.♖×b2? g3 56.d7 (56.♔e4 ♔g4) 56...♖d8 57.♔d6 f5 58.♔e7 ♖×d7+ 59.♔×d7 f4, quando os peões não podem ser parados. Mas no entanto 55.♖×c8!! teria salvado as brancas: 55...b1=♕ 56.d7 ♕×d3+ 57.♔c6 ♕c4+ 58.♔d6 etc.

Essa última variante precisa ser algo corrigida, pois o jogo das pretas pode ser melhorado – 56...♕b5+! 57.♔d6 ♕b6+ 58.♔e7 ♕e6+ 59.♔d8 g3. Pode parecer que as pretas estejam próximas do sucesso, mas aqui também as brancas são capazes de salvar a partida – 60.♔c7 ♕e7 (60...g2? 61.♖h8+ e 62.d8=♕) 61.♖e8 ♕c5+ 62.♔b7 ♕d5+ 63.♔c7 f5 64.d8=♕ ♕×d8+ 65.♖×d8 f4 66.♖g8! (66.♖f8? g2) 66...♔h4 67.♖f8! ♔g4 68.d4 f3 69.d5 f2 70.d6 etc. A partida termina em xeque perpétuo com um incomum balanço de material no caso de 60...♕e5+ 61.♔c6 g2 62.d8=♕ ♕e6+ (62...g1=♕?? ♕h8+) 63.♔b7 g1=♕ 64.♕h8+ ♕h6 65.♕e5+ ♕gg5 66.♕e2+! (as brancas perdem após 66.♕h2+? ♔g6 67.♖g8+ ♔h7 ou 67.♖c6+ f6) 66...♔h4 (66...♕g4 67.♖c5+) 67.♕h2+ ♔g4 68.♕g2+ (68.♖c4+? ♔f3) 68...♔h5 69.♕e2+ etc. A tentativa de prender o rei branco em d8 – 59...♕e5 (ao invés de 59...g3) é refutada pelo inesperado 60.d4!, quando as pretas não podem conseguir nada (60...♕×d4 61.♔e7).

54...♖c5+ 55.♔f6?!

É mais simples 55.♔d4, forçando 55...♖c8 com a variante de empate dada acima.

55...g3 56.♖×b2 ♖d5 57.♔×f7 ♖×d6 58.♖d2 ♔g4 59.d4

O lance 59.♔e7? é mau devido a 59...♖d4 60.♔e6 ♔f4.

59...♔f5!

Essa rota engenhosa para o rei coloca novos problemas para as brancas. O lance 59...♔f4 teria dado às brancas um empate simples: 60.♔e7 ♖g6 61.♖g2! ♔e4 62.♔f7 ♖g4 63.♔f6.

60.♔e7 ♖d5 61.♖d3!

O único lance! O lance 61.♖g2? teria perdido por 61...♔f4 62.♖d2 ♔e4 63.♖g2 ♔f3 64.♖d2 g2.

61...♔f4 62.♔e6 ♖g5

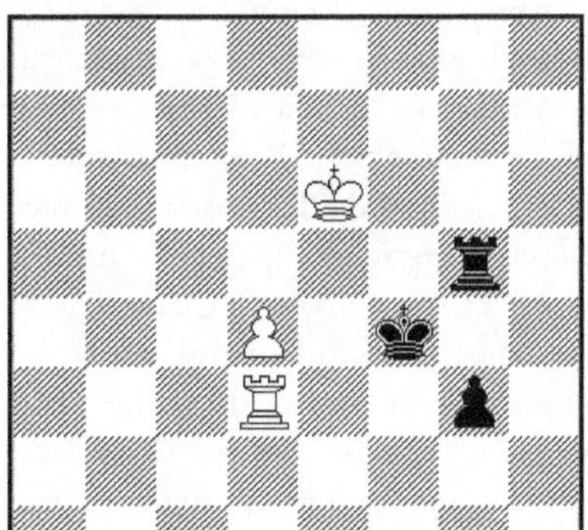

63.d5?

O erro decisivo, na hora em que o

empate não estava longe – 63.♖d1! (63...g2 64.♖g1 ♔e4 65.d5 ♖g6+ 66.♔f7, ou 63...♖g6+ 64.♔f7 ♖d6 65.♔e7 *[As brancas têm que demonstrar certa cautela após 63...♔e4!? 64.d5 ♖g6+ (64...♖e5+ 65.♔d6 g2 66.♖e1+ ♔d4 67.♖d1+) 65.♔e7! (65.♔f7? ♖d6 66.♖g1 ♔f3 67.♖d1 g2 68.♔e7 ♖×d5) 65...♔e5 66.d6 ♖g7+ 67.♔f8 ♖d7 68.♖d3! ♔f4 69.♖d4+ com empate inevitável (69...♔e3 70.♖g4 ♔f3 71.♖g6 g2 72.♖f6+ ♔e2 73.♖g6, ou 69...♔f3 70.♖d3+ ♔g4 71.♔e8 g2 72.♖d1)]*). Ao jogar 63.d5? as brancas estavam esperando dar um xeque intermediário – 63...g2 64.♖d4+! ♔e3 65.♖d1 com empate, mas as pretas se anteciparam.

63...♖g6+! 64.♔e7 g2 65.♖d1 ♔e5!

Agora o resultado da partida é claro.

66.d6 ♖e6+ 67.♔d7 ♖×d6+ 68.♖×d6 g1=♕ 69.♖e6+ ♔f5 70.♖d6 ♕a7+ 71.♔d8 ♔e5 72.♖g6 ♕a5+ 73.♔d7 ♕a4+ 74.♔e7 ♕h4+ 75.♔f8 ♕d8+ 76.♔f7 ♔f5 77.♖h6 ♕d7 78.♔f8 ♔g5

As brancas abandonaram.

Assim a contagem do *match* estava igualada, e eu não estaria errado, se dissesse que isso foi uma surpresa para ambos os jogadores. Mas enquanto na tarde de 5 de dezembro eu recebi uma surpresa agradável, para Kortchnoi tal mudança dos acontecimentos deu a ele sérios motivos para preocupação. Primeiramente, sua liderança, adquirida de maneira tão fácil no início, havia agora desaparecido. Junto com isso, a iniciativa psicológica, que Kortchnoi havia mantido na primeira metade do *match*, também havia derretido. Mas o fato principal era que um lutador tão experiente como Kortchnoi não poderia deixar de perceber que seu adversário estava gradualmente ganhando confiança, e não estava longe o instante no qual estaria operando a toda força.

Mas mesmo assim, eu não considero a sexta partida como a decisiva do *match*. Afinal eu apenas consegui igualar a contagem, o que, estritamente falando, não poderia ser chamado de tomar a iniciativa. Não seria fora de lugar lembrar que, no *match* semifinal do Torneio de Candidatos anterior, o meu atual adversário foi arrasado na décima segunda e última partida, mas no entanto conseguiu vencer o *match* nas partidas adicionais. Realmente, quando um jogador está atrás, ele tem como meta em primeira instância igualar a contagem, e ao conseguir esse objetivo ele freqüentemente relaxa de forma involuntária, embora toda a batalha ainda esteja à frente. Dessa forma foi somente na sétima partida que pôde ser respondida a pergunta de quão importante foram as insignificantes mudanças que tomaram forma no curso dessa amarga luta entre duas personalidades. Era o destino... No entanto, não vamos nos adiantar...

Eu acho que Kortchnoi cometeu um erro ao não utilizar seu adiamento após a derrota na sexta partida. A sétima partida estava marcada para ser jogada no dia seguinte, menos de vinte e quatro horas depois, e as suas recordações da catástrofe durante a continuação da partida suspensa ainda deviam estar frescas...

Partida 87

Kasparov - Kortchnoi

Semifinal do Torneio de Candidatos

7ª Partida - Londres 1983

Abertura Catalã

1.d4 ♘f6 2.c4 e6 3.g3 d5 4.♗g2 d×c4 5.♘f3

Teria sido ingênuo esperar que Kortchnoi fosse repetir sua duvidosa experiência da quinta partida, e de fato ele não chegou para esse encontro de mãos vazias.

5...♗d7!?

Como eu soube mais tarde, Miguel Najdorf, o efusivo Grande Mestre argentino, tentou convencer a todos na sala de imprensa que ele havia jogado isso cinqüenta anos antes. O que é muito provável, mas de qualquer forma esse lance não constava na *Encyclopaedia of Chess Openings*.

6.♕c2

Ao encontrar essa surpresa, as brancas escolhem a continuação mais tranqüila, recuperando de imediato o peão do gambito. Em algum lugar do meu subconsciente, provavelmente ocorreu-me o pensamento: "A contagem está igual. Porque assumir um risco desnecessário?!" Partida muito mais complicada teria resultado de continuações críticas – 6.♘e5 ou 6.0–0.

6...c5 7.0–0

A única esperança de obter uma vantagem era através de 7.♕×c4, o que transporia para uma posição da partida seguinte do *match*, a oitava.

7...♗c6 8.♕×c4 ♘bd7

As pretas obviamente podem ficar felizes com o resultado da abertura. Suas peças menores controlam o centro, e a posição avançada da dama branca dará a elas tempos extras para desenvolvimento.

9.♗g5 ♖c8

Era mais simples 9...c×d4, pois agora, através da exploração da tensão do peão, as brancas criam uma certa desarmonia na posição do adversário.

10.♗×f6!

Aqui essa troca do bispo pelo cavalo é completamente justificada. E se torna claro de maneira inesperada que cada uma das três possíveis recapturas tem seus defeitos. Assim, após 10...♕×f6 11.♘c3 as pretas não podem justificar a pobre posição de sua dama, por exemplo, 11...c×d4 12.♘×d4 ♘b6 13.♗×c6+ b×c6 14.♕d3 ♖d8 15.e3 e5 (15...c5 16.♕b5+) 16.♕e4, ou 11...♘b6 12.♕d3 ♖d8 13.♘e4 (13.♖fd1!?). O mais flexível, por estranho que pareça, era a captura com o peão, o que conduz a uma posição complicada, na qual os dois bispos das pretas compensam totalmente os defeitos da sua estrutura de peões. Kortchnoi hesitou por uns trinta minutos, mas no final prevaleceram considerações de segurança, e ele embarcou no caminho da simplificação.

10...♘×f6?! 11.d×c5 ♗×f3

É uma pena, é claro, separar-se desse bispo forte, mas de outra forma as pretas não podem recuperar o peão sem o detrimento da sua posição, por exemplo, 11...♕d5 12.♕×d5 ♘×d5 13.♘d4 (13.♖c1 ♗d7!) 13...♗×c5 14.♘×c6 ♖×c6 (14...♗×c6 15.♘d2, com óbvia vantagem posicional) 13.♘c3 e as pretas não podem evitar a perda de material.

12.♗×f3 ♗×c5

As pretas só precisam rocar, e elas podem se sentir completamente seguras. É possível que nesse ponto Kortchnoi estivesse esperando que as negociações de paz começassem logo, mas ocorre que mesmo tal posição aparentemente sem vida esconde várias sutilezas.

13.♕b5+ ♕d7 14.♘c3!

Ao trazer o seu cavalo para o jogo com um ganho de tempo, as brancas em essência completam seu desenvolvimento, enquanto as pretas ainda encaram o problema de defender sua ala da dama.

14...♕×b5

As próprias pretas são forçadas a contribuir com a ativação do cavalo branco, pois elas são incapazes de rocar. Após 14...0–0?! 15.♕×b7! ♕×b7 16.♗×b7 ♖b8 17.♗a6! o peão b2 é imune devido a 17...♖×b2 18.♘a4 ♖c2 19.♗d3.

15.♘×b5 ♔e7

Após a troca das damas o rei preto tomou uma posição confortável no centro do tabuleiro, e à primeira vista não parece existir nenhum perigo, isto é, 16.♗×b7 ♖b8 17.♖ac1 ♗×f2+, ou 16.♖ac1 ♘d5! 17.♗×d5 e×d5 18.♖fd1 ♔e6 etc. Mas o tempo que as brancas têm à disposição pode ser usado de forma muito mais efetiva.

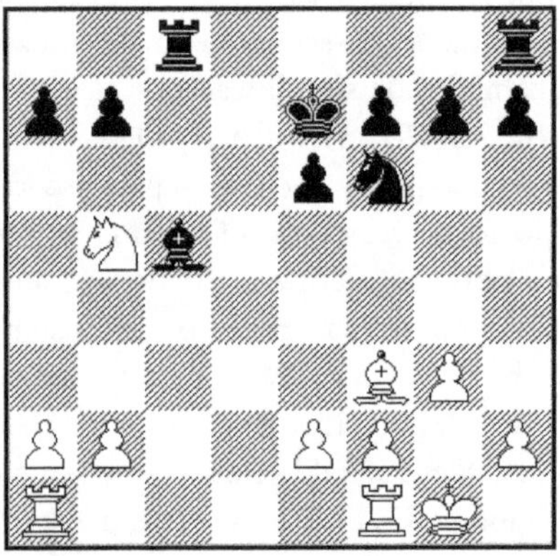

16.b4!!

A rigor, um ponto de exclamação seria o suficiente, mas pela originalidade dessa decisão um segundo deve ser colocado.

16...♗×b4

De outra forma o peão está perdido sem nenhuma compensação.

17.♘×a7 ♖c7?

Incomodadas pela inesperada mudança dos acontecimentos, as pretas fazem um lance de segunda categoria que na verdade prova ser o erro decisivo! Era essencial 17...♖a8, embora mesmo nesse caso as pretas encarassem uma defesa cansativa, tanto após 18.♘b5 ♖hb8 19.♖fb1 ♗a5 20.♖b3! ou 18.♖fb1!? ♖×a7 19.♖×b4 ♖b8 20.a4.

18.♖fc1!

Não é com freqüência que encontramos um caso onde peças espalhadas se coordenem uma à outra com tanto sucesso.

18...♖d7

É de se perguntar se as pretas deveriam ter evitado a troca de um par de torres. Especialmente porque de toda forma o peão de b7 não pode ser salvo.

19.♖ab1 ♗d2 20.♖c2

Cinco lances incompletos se passaram, e a posição mudou para além do reconhecível – a ala da dama das pretas está devastada, e as suas peças são bastante incapazes de coordenar suas ações. Teoricamente a partida está decidida, mas no seu caminho para a vitória as brancas terão que superar a feroz resistência de um adversário que absolutamente não deseja perder uma segunda partida em seguida.

20...♖hd8 21.♗×b7

As torres pretas estão tropeçando nas próprias pernas, e portanto não há sentido para as brancas irem para simplificações.

21...♔f8 22.♘c6

Então é isso – 22...♖e8 23.♘e5 ♖dd8 24.♖c7 com uma vitória fácil? Não, as pretas conseguem se segurar parcialmente.

22...♖c7! 23.♖bb2! ♖d6!

Novamente o único lance. Após o natural 23...♖dd7 as pretas teriam perdido mais material – 24.♘e5! ♖e7 25.♗c6! ♗a5 26.♖b5! ♖a7 27.♖b8+ ♘e8 28.♗×e8 ♖×e8 29.♖×e8+ ♔×e8 30.♖c8+ ♗d8 31.♖×d8+ etc. Agora o principal para as brancas é não ter pressa para desembaraçar o curioso emaranhado de peças. Assim, por exemplo, 24.♖×d2 ♖×b7! dá às pretas algumas chances de empate. Então as brancas usam seus sentinelas no território inimigo (♗b7, ♘c6) como um trampolim para o avanço rápido do seu peão passado.

24.a4! ♗e1

Uma tentativa desesperada de distrair a atenção das brancas da ala da dama, mesmo por só um instante. A rigor, a ameaça de ...♘g4 poderia ser ignorada, pois após 25.a5 ♘g4 26.a6! ♗×f2+ 27.♔g2, ao que parece, as brancas vencem, mas eu decidi firmemente não dar às pretas a menor contra-chance.

25.♖b1 ♘d5!

As pretas tentam complicar a partida, esperando pescar em águas turvas. Mas a manobra seguinte das brancas em essência coloca um ponto final em todas as esperanças das pretas.

26.♗a8

As brancas não têm pressa e, só pra garantir, ganham tempo no relógio através da repetição de jogadas.

26...♖c8 27.♗b7 ♖c7

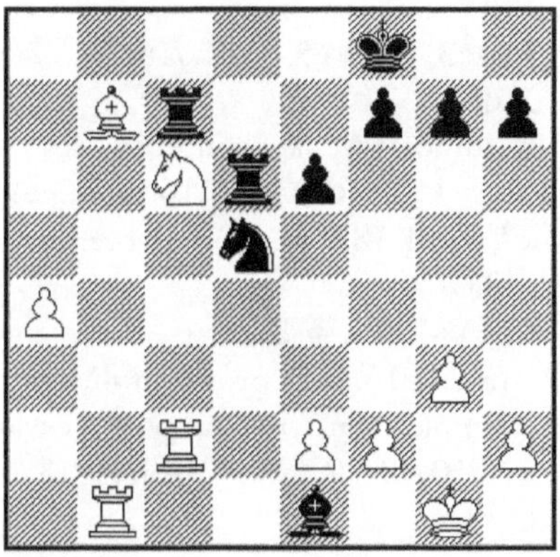

28.♖c4!

O mais preciso! As peças brancas novamente adquirem a coordenação que haviam perdido por um instante, e agora nada pode impedir o peão a de dar a palavra final.

28...♘e7 29.♘e5! ♗a5

Agora uma simples combinação – 30.♖×c7 ♗×c7 31.a5! ♗×a5 32.♘c4 ♗c7 33.♘×d6 ♗×d6 – teria conduzido a um final tecnicamente ganho. Mas as brancas, não se preocupando com ganho material, pavimentam o caminho para o seu peão a com consistência cruel.

30.♖b5 ♘g6

A última chance – vai que os olhos das brancas acabam se ofuscando?!

31.♘c6!

Tudo reverte ao estado anterior! Agora as pretas não têm sequer uma sombra de contrajogo.

31...♖d1+ 32.♔g2 ♗e1 33.a5 ♘e7 34.a6 ♘×c6

As pretas finalmente conseguem trocar o cavalo que lhes causou tantos problemas, mas o peão a já está avançado muito longe...

35.♖×c6 ♖×c6 36.♗×c6 ♖a1

A presença de bispos de cores opostas freqüentemente favorece o lado que se defende, mas aqui as brancas estão virtualmente jogando com uma peça a mais – o bispo em e1, que não participou de toda a partida, apresenta um espetáculo patético!

37.♖b8+ ♔e7 38.♖b7+ ♔d6

De outra forma após 38...♔f6 39.a7 e 40.♖d7 elas têm que entregar uma torre inteira.

39.♗b5 ♗c3 40.♖×f7

Aqui já era hora de parar, mas as pretas desejam beber o copo amargo da derrota até o fim.

40...♗f6 41.♖d7+ ♔c5 42.♗d3 h6 43.♖b7 ♖a3 44.a7 ♔d5 45.f3 ♔d6 46.♖b6+

As pretas abandonaram: se 46...♔c5, então 47.♖a6 – e após tudo isso o corajoso peão atinge sua querida meta!

Assim, literalmente em menos de vinte e quatro horas os papéis no *match* haviam sido trocados – o jogador que vinha por baixo se tornou líder, e o líder recente estava agora diante do problema de restaurar o balanço. Estava claro que a hora da virada havia chegado...

Duas derrotas seguidas são o bastante para desequilibrar qualquer um, mesmo o mais experiente lutador de *matches*. Portanto, não é surpreendente que nessa situação Kortchnoi tenha usado seu único adiamento. A situação alterada obrigava-o a partir para o ataque, mas, por outro lado, a hora para correr riscos imprudentes não havia ainda chegado. Como o curso da oitava partida mostra, Kortchnoi permaneceu fiel à estratégia que havia escolhido originalmente.

Partida 88

Kortchnoi - Kasparov

Semifinal do Torneio de Candidatos
8ª Partida - Londres 1983
Abertura Catalã

1.d4 d5 2.c4 e6 3.♘f3 ♘f6 4.g3

Mudando as cores, os dois adversários jogam novamente a Abertura Catalã, e por certo momento a luta teve tema semelhante ao da partida anterior.

4...d×c4 5.♗g2 c5 6.♕a4+ ♗d7 7.♕×c4 ♗c6 8.d×c5!

As brancas não podem manter seu peão extra, é claro, mas para retomá-lo as pretas precisam fazer certas concessões posicionais, (lembre-se do comentário sobre 11...♗×f3 na sétima partida).

8...♘bd7 9.♗e3 ♗d5!

A teoria recomenda 9...♘d5 10.♗d4 ♕a5+, mas após 11.♘bd2 ♘×c5 12.0–0 parece não haver um caminho para as pretas completarem o seu desenvolvimento.

10.♕a4 ♗c6 11.♕c4

Não é fácil para a dama encontrar uma boa casa, por exemplo, 11.♕c2 (11.♕a3 ♘g4! 12.♗d4 e5) 11...♗e4! 12.♕c1 ♕a5+ 13.♘c3 ♗c6 14.0–0 ♗×c5 15.♗×c5 ♕×c5, com absoluta igualdade.

11...♗d5 12.♕b4!

Talvez a única possibilidade de complicar as coisas.

12...♕c8

Uma situação similar surgiu na sétima partida (conforme o comentário a 10...♗×f6). Entre as duas alternativas – 12...a5!? e 12...♕c8 – as pretas escolheram a mais segura, mas a menos promissora, dessa forma concordando com uma defesa passiva. Na verdade, ao fazer isso elas forçam as simplificações, enquanto após 12...a5!? a posição teria permanecido indefinida. Para ser justo, deve ser apontado que as complicações – 13.♕a4 ♗c6 14.♕c2 ♘g4! (14...♗e4?! 15.♕c1, e não há xeque em a5!) 15.♗d4 e5 16.h3 e×d4 17.h×g4 ♘×c5 – não parecem particularmente perigosas para as pretas (18.♖×h7? d3).

13.♘c3 ♗×c5 14.♗×c5 ♕×c5 15.♘×d5!

Um importante lance intermediário. No final após 15.♕×c5 ♘×c5 16.♘×d5 ♘×d5 17.♖c1 ♖c8! 18.0–0 ♔e7 as brancas não têm nada.

15...♘×d5 16.♕d2

A cravada 16.♕a4 prova ser ilusória. As pretas simplesmente rocam, pois o cavalo é tabu: 16...0–0! 17.♕×d7? ♕b4+ 18.♘d2 ♖fd8.

16...♖c8

Prosseguir no caminho das simplificações pode trazer à frente muitas dificuldades para as pretas – 16...♕b4? 17.♕×b4 ♘×b4 18.♘d4! 0–0–0 (18...e5 19.a3) 19.a3 ♘d5 20.♗×d5 e×d5 21.♘f5, ganhando um peão.

17.0–0 0–0

A posição se tornou clara: graças ao seu bispo de longo alcance as brancas mantêm uma leve vantagem, embora a simetria da cadeia de peões permita às pretas contarem com a igualdade, jogando com precisão na defesa, é claro. No entanto, as brancas também têm ao seu lado uma leve vantagem psicológica – em um *match* é especialmente desagradável jogar uma posição onde o empate é o limite dos sonhos do jogador.

18.♖ac1 ♕b6 19.♕d4

A transferência do cavalo para d3 teria

deixado a partida mais complicada – 19.♖fd1 ♖fd8 20.♘e1!? ♘7f6 21.♘d3. A posição seria de uma natureza menos específica, e todo o tempo as pretas deveriam estar alertas, olhando as possíveis ativações das peças do adversário. Ao trocar as damas, as brancas esperam exercer pressão desagradável na ala da dama. Pela última vez no *match* Kortchnoi deposita suas esperanças no final da partida.

19...♖fd8

Aqui não há como as pretas evitarem a troca – após 19...♕a6?! 20.e4 ♘5f6 21.a3 a poderosa posição centralizada da dama das brancas dá a elas uma vantagem óbvia.

20.♖fd1 ♕×d4

O profilático 20...a6 parecia tentador, retirando a casa b5 do cavalo branco no futuro, mas então após 21.♕×b6 ♘×b6 22.♘e5! (com a idéia de ♘d3–c5) a fraqueza dos peões a6 e b7 se prova apreciável. Por exemplo, 22...♖×c1 23.♖×c1 ♖c8 28.♖×c8+ ♘×c8 25.♘d7!, com as ameaças de ♘c5 e e2–e4–e5.

21.♘×d4 ♘7b6

Esse cavalo deve controlar a casa c8. Após o rotineiro 21...♘7f6? as brancas exploram as fraquezas da oitava fileira, invadindo a posição do adversário – 22.♘b5 ♖×c1 (22...a6? 23.♖×c8 ♖×c8 24.♘d6 ♖c7 25.e4 e 26.♘×b7, ganhando um peão) 23.♖×c1 a6 24.♘d6! b5 25.a3!, com a ameaça desagradável de ♖c6.

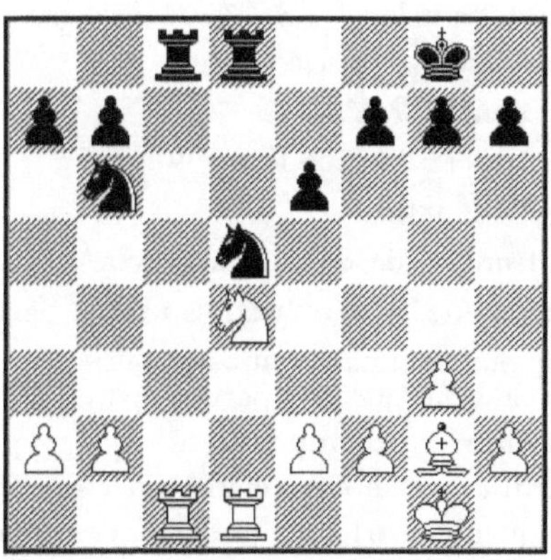

22.♘b3?!

Ao criar a ameaça de ♘c5, Kortchnoi tem como objetivo enfatizar os defeitos do lance 21 das pretas. Ele também arma uma pequena armadilha – 22...♘c4? 23.♖×c4 ♖×c4 24.e4. Mas agora as pretas são capazes de provocar a troca de todas as torres em uma versão favorável. As pretas teriam tido problemas maiores após o enérgico 22.♖×c8! (22.♘b5?! ♖×c1! 23.♖×c1 a6) 22...♖×c8 23.♘b5, quando não é muito fácil defender os peões da ala da dama. Assim 23...a6? perde de uma forma já conhecida: 24.♘d6 ♖c7 25.e4 e 26.♘×b7.

Por isso as pretas não podem deixar de criar uma casa de fuga para o seu rei – 23...g6 (23...♔f8 dificilmente faça alguma diferença essencial; talvez somente o fato de que após 24.e4 as escolhas das pretas sejam reduzidas – 24...♘e7? não é possível devido a 25.♘×a7 ♖a8 26.♘b5, quando o peão a2 é imune). Agora após 24.e4, para onde o cavalo deve se retirar?

24...♘b4 é auto-sugestivo, mas após 25.♘×a7 ♖a8 26.♖d6! (26.a3 ♖×a7 27.a×b4 ♖a2) 26...♘c4 27.♖d4 ♖×a7 28.♖×c4 ♘×a2 29.♗f1 a triste posição do cavalo das pretas deixa-as à beira da derrota.

24...♘e7 é mais cauteloso, mas aqui também através do sutil 25.b3!, restringindo a mobilidade do cavalo em b6, as brancas conquistam uma vantagem apreciável, isto é, 25...a6 26.♘d6 ♖c7 (26...♖d8? 27.e5!) 27.a4, e não é fácil para as pretas encontrarem com sucesso um reagrupamento.

24...♘c7! é correto, perseguindo o cavalo em b5 – a peça mais perigosa das brancas. Agora 25.♘×a7 conduz a simplificações de empate: 25...♖a8 26.♖d6 ♘c4 27.♖d7 ♖×a7 28.♖×c7 ♘×b2. Então as brancas atacam outro peão – 25.♘d6, quando um final com novo balanço de forças surge quase que à força: 25...♖d8 26.e5 ♘e8! (é mais fraco 26...♘c4 em vista de 27.♖c1 ♘×e5 28.♘×f7! ♘×f7 29.♖×c7 ♖d1+ 30.♗f1 com boas chances de vitória) 27.♗×b7 ♘c4 28.♖c1! ♘e×d6 29.e×d6 ♘×d6 30.♗f3. Aqui para conquistar o empate as pretas terão que superar algumas dificuldades.

Essa análise mostra que o controle da coluna c não traz nenhuma vantagem. Com base nisso, a solução correta para a posição no lance 21 pode ser encontrada – 21...♖×c1! 22.♖×c1 ♘7b6. Agora 23.♘b5, como já mencionado, não consegue nada devido a 23...a6, enquanto 23.♘b3 conduz à posição da partida. Entretanto, após 23.a3!? as brancas mantêm alguma pressão (isto é, 23...♖c8 24.♖×c8 ♘×c8 25.e4 ♘de7 26.e5). Assim, o manejo dessa posição aparentemente simples apresenta dificuldades consideráveis.

22...♖×c1! 23.♖×c1 ♖c8 24.♖×c8+

A tentativa de evitar a troca imediata – 24.♖c5!? – não teria conseguido nada contra o jogo correto das pretas; 24...♔f8 25.a4! ♖×c5! (o lance 25...♔e7 é mais fraco devido a 26.♗×d5! e×d5 27.♖b5! ♘×a4 28.♖×b7+ ♔f6 29.♘d4, quando aumentam as dificuldades das pretas) 26.♘×c5 ♘c4 27.b3 ♘d2! 28.♗×d5 e×d5 29.b4 b6 30.♘d7+ ♔e7 31.♘e5 a6! com empate.

24...♘×c8 25.♗×d5

No final resultante de peças menores o poder de longo alcance do bispo não pode ser explorado, e então Kortchnoi parte para essa nova troca, dando às pretas um peão isolado. Na variante 25.♘c5 ♘d6 26.e4 ♘b4 27.e5 ♘c4 a atividade da cavalaria garante as pretas contra todas as dificuldades.

25...e×d5 26.♘c5 ♘d6

O problema principal das pretas é evitar o máximo possível a criação de novas fraquezas na sua posição.

27.♔g2 ♔f8 28.♔f3 ♔e7 29.♔f4 f6 30.h4

As brancas por sua vez tentam criar alvos para ataque na ala do rei.

30...g6 31.g4 b6 32.♘a6 ♘e4!

A ameaça de atividade das brancas força as pretas a tomar contra-medidas.

33.f3

Após 33.♔e3 ♔d6 o cavalo em a6 estaria fora de jogo.

33...♘c5 34.♘c7 d4?!

A transição para um final de peões teria dado um empate direto: 34...♘e6+ 35.♘×e6 ♔×e6 36.♔e3 ♔e5! 37.f4+ ♔d6 38.♔d4 f5! 39.g5 ♔e6.

35.♘d5+?!

Curto de tempo, e para se sentir mais seguro, Kortchnoi precipita-se em bloquear o peão d4. Na verdade, o avanço ...d3 não é perigoso para as brancas. Ainda mais, após 35.b4! d3! 36.♔e3 d×e2 37.♔×e2 ♘d7 (37...♘e6 38.♘d5+) 38.♔e3 elas teriam novamente adquirido algumas chances de vitória.

35...♔e6 36.♘b4 a5

Assegurando um posto excelente para o rei em d5.

37.♘d3 ♔d5 38.g5!

Agora são as brancas que devem exercer certa cautela – 38.♔g3? ♔c4 as teria colocado em posição crítica.

38...f5 39.♔g3

Agora 39...♔c4 leva a 40.♘e5+.

39...♘×d3

Empate de comum acordo. As cadeias de peões formaram uma barreira impenetrável para ambos os reis.

Eu acho que essa partida aparentemente comum desempenhou um papel significativo no resultado final do *match*. Enquanto Kortchnoi podia ter considerado acidental seu fracasso na sétima partida, esse empate em final melhor na oitava mostrou de forma clara a ele como não era promissora a continuação da estratégia de simplificação no *match*. E na nona partida Kortchnoi entrou em complicações no meio-jogo. Mas dessa vez a vantagem psicológica estava do meu lado, e além disso, provavelmente me restava mais força.

Partida 89
Kasparov - Kortchnoi
Semifinal do Torneio de Candidatos
9ª Partida - Londres 1983
Abertura Catalã

1.d4 ♘f6 2.c4 e6 3.g3 d5 4.♗g2 d×c4 5.♘f3 ♘bd7 6.0–0 ♖b8?!

Kortchnoi permanece fiel à sua tática de abertura. Desejando distrair seu adversário de caminhos bem trilhados, nessa ocasião ele escolheu uma continuação menos estudada que desfruta de reputação duvidosa. Mas Kortchnoi teve azar – esse plano era bem conhecido por mim.

7.a4 b6

Reputações são uma coisa, mas até então as pretas conseguiram conquistar resultados práticos satisfatórios nessa variante. Mas em uma de nossas sessões de treinamento, em uma partida-treino contra Vladimirov, fui capaz de colocar dúvidas na configuração de abertura das pretas.

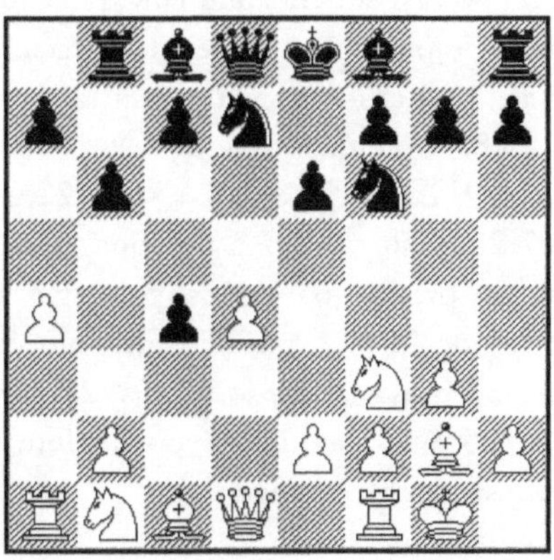

8.♘fd2!

Um lance paradoxo, que permite às brancas desenvolverem suas forças da melhor forma possível. Os cavalos em c4 e c3 ocuparão posições ideais – enquanto controlam o centro, não interferem com as outras peças. Após a troca inevitável dos bispos de casas brancas as fraquezas da ala da dama das pretas se tornarão apreciáveis.

8...e5?!

O "normal" 8...♗b7 9.♗×b7 ♖×b7 10.♘×c4 c5 11.♘c3 ♗e7 12.d5 e×d5 13.♘×d5 muito provavelmente deixou as pretas assustadas pela total ausência de perspectivas. Então Kortchnoi arma uma velada armadilha posicional.

9.♘×c4!

Parece tentador 9.d5, esperando por 9...♗a6 10.♘c3 ♗d6 11.♘b5 0–0 12.♘×c4 ♗×b5 13.a×b5. Mas após o inesperado 9...a5! a idéia de Kortchnoi seria totalmente justificada, isto é, 10.♘c3 (10.♘×c4 ♗a6) 10...♗a6 11.♘b5 ♗×b5 12.a×b5 ♗d6 13.♘×c4 0–0, e após se livrarem de suas fraquezas, as pretas podem encarar o futuro com confiança.

9...e×d4 10.♕×d4 ♗c5 11.♕d3 0–0 12.♘c3 ♗b7

As pretas não podem ficar sem esse lance. Afinal, elas precisam desenvolver a ala da dama de alguma forma, e 12...♗a6 é totalmente ruim devido a 13.♘b5.

13.♗×b7 ♖×b7 14.♕f3!

Um importante lance intermediário, interferindo com a coordenação das peças pretas. O rotineiro 14.♗f4 teria permitido às pretas escaparem do pior através de 14...♗b4! 15.♕f3 ♘c5.

14...♕a8 15.♗f4

O resultado da abertura é desfavorável às pretas, e no futuro imediato não é claro como elas poderão superar a desarmonia total em suas fileiras. Mas eu acho que essa avaliação não permita a alguém declarar:

"as pretas jogaram a abertura de forma terrivelmente má" (essa foi a avaliação categórica do jogo de Kortchnoi na nona partida feita por certos comentaristas). Na realidade, as pretas assumiram um grande risco estratégico na abertura, que não se justificou devido a uma série de lances fortes do adversário. (um dos quais foi uma novidade!). Bem, essas coisas acontecem... e, a propósito, convém lembrar que Kortchnoi freqüentemente obtinha posições ruins quando se deparava com novidades, mesmo nos mais favoráveis sistemas de abertura. Mas então seu jogo não era julgado tão severamente...

15...a6

As pretas poderiam ter tentado entregar um peão para se libertarem da pressão desagradável das peças brancas: 15...♖bb8 16.♗×c7 (as brancas não podem ganhar o peão como gostariam – 16.♕×a8 ♖×a8 17.♗×c7? ♖fc8 18.♗d6 ♗×f2+) 16...♕×f3 17.e×f3 ♖bc8 18.♗d6 ♖fd8! Nesse final elas enfrentariam uma longa batalha pelo empate. Entretanto, se as brancas se recusarem a trocar as vantagens de sua posição por um peão a mais dobrado, elas podem continuar tranqüilamente 16.♕×a8 ♖×a8 17.♖ad1 com superioridade considerável, por exemplo, 17...c6 18.e4 ♖fd8 19.♗c7! ♖dc8 20.♗d6. Kortchnoi planeja um reagrupamento diferente das suas peças, mas a torre preta permanece fora de jogo.

16.e4!

As brancas podem explorar a grande mobilidade das suas peças somente através de jogo enérgico.

16...♖a7 17.♘d5

As brancas de forma consistente desenvolvem o seu plano, tendo como objetivo a absoluta predominância no centro. Não era menos promissor 17.♔g2, renovando a ameaça de e4–e5, por exemplo 17...♖e8 (17...♖d8 18.♖ad1) 18.e5 ♕×f3+ 19.♔×f3 ♘h5 20.♖ad1 ♘×f4 21.g×f4 com vantagem óbvia.

17...b5?!

Essa decisão impulsiva piora sensivelmente a posição das pretas. Teria sido muito perigoso seguir para ganhar um peão através de 17...♘×d5 18.e×d5 ♘f6 19.♖ad1 ♖d8 20.♗g5! ♖×d5 21.♗×f6 ♖×d1 22.♕×d1 g×f6 23.♖e1!, quando as pretas estão em enormes dificuldades, por exemplo, 23...c6 24.b4! ♗×b4 25.♘×b6 ♕f8 26.♕g4+ ♔h8 27.♖e4! com um ataque que dificilmente poderá ser parado. Provavelmente 17...♕c6 seria comparativamente um caminho melhor para as pretas, concordando com a variante 18.b3 ♘×d5 19.e×d5 ♕f6 20.♖ac1, onde elas estão frente a uma difícil defesa passiva.

18.♘a5!

É claro, existe um longo caminho para o centro, mas aqui o cavalo ocupa uma posição forte e inexpugnável (18...♗b6 19.♘c6!), enquanto após 18.♘e5? as pretas teriam tido a chance de facilitar sua posição através de trocas: 18...♘×e5 19.♗×e5 ♘×d5 20.e×d5 ♗d6! (20...♖e8? 21.♗×g7! ♔×g7 22.♕c3+) 21.♗d4 ♖b7 etc.

18...b×a4?!

As pretas se encaminham para uma derrota rápida. Era essencial atacar as forças brancas no centro através de 18...♖e8! É verdade que 19.♘×c7 ♕×e4 20.♕×e4 ♖×e4 21.a×b5 ♖×f4? 22.g×f4 ♖×c7 23.b×a6 conduz a um final perdido para as pretas (os peões passados das brancas decidem a partida), mas no final com um peão a menos após 21...a×b5 22.♘×b5 ♖a8 elas teriam ainda oferecido uma resistência obstinada.

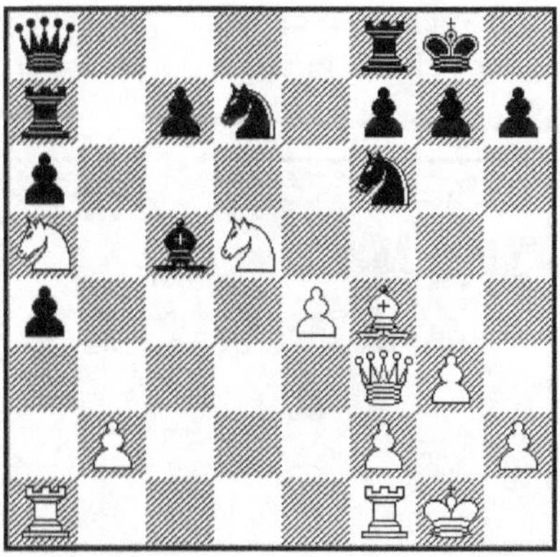

19.♖fc1!

Expondo todos os defeitos da posição das pretas. Suas peças, em particular seu bispo, são completamente incapazes de encontrar posições normais. Assim 19...♗d6 é ruim devido a 20.♘c6 ♗×f4 21.♘×f4! ♖b7 22.e5 ♘e8 23.♖×a4, com absoluta dominação das brancas em todo o tabuleiro.

19...♗d4 20.♖×a4 ♗×b2?

Somente a eliminação anterior do cavalo em d5 (20...♘×d5 21.e×d5 ♗×b2) permitiria qualquer resistência. Entretanto, também então o ataque combinado de todas as peças das brancas estaria próximo de lhes dar a vitória. Após 22.♖c2 a seguinte variante era possível: 22...♘b6 (22...♗e5 23.♘c6! ♗×f4 24.♘×a7) 23.♖b4 ♗f6 24.♘c6 ♖b7 25.d6! c×d6 26.♕b3! ♗d8 27.♘×d8 ♕×d8 28.♖b2, ou 22...♗f6 23.♗e3! (23.♗×c7? ♗e5!) 23...♘b6 24.♖g4! h5! (24...♔h8 25.♖c6 ♕d8 26.d6) 25.♖e4 (25.♖f4? ♘×d5!) 25...♕×d5 26.♖c5 ♕d7 27.♘c6 ♖aa8 28.♗d4!, e as peças pretas amarradas são incapazes de socorrer seu rei (28...♗×d4 29.♖×d4 ♕e6 30.♖e5, ou 28...♖fe8 29.♖×e8+ ♖×e8 30.♗×f6 g×f6 31.♕×f6 etc.). A posição após 28.♗d4! é um exemplo impressionante de ultra-centralização.

21.♘e7+!

Ainda vivo, esse cavalo causa às pretas problemas consideráveis.

21...♔h8 22.♖c2

Agora a perda de material, sem a menor compensação, é inevitável para as pretas.

22...♕e8

As coisas não mudariam essencialmente através de 22...♘e5 23.♗×e5 ♗×e5 24.♘ac6 ♕e8 25.♖a5! ♗d6 26.e5 ♗×e7 27.♘×a7 (27.e×f6? ♗×f6 28.♘×a7 ♕e1+) 27...♘d7 28.♘c6 etc.

23.♖×b2 ♕×e7 24.♘c6 ♕c5 25.♘×a7

A mísera carreira da torre preta, forçada a se movimentar no quadradinho a8–b8–b7–a7, chegou ao fim. O restante é questão de técnica elementar.

25...♕×a7 26.e5 ♘g8 27.♗e3 ♕a8 28.♕×a8 ♖×a8 29.f4 ♘e7 30.♖d2!

As pretas abandonaram.

Essa partida confirma a correção da descrição anterior ao *match* que Kortchnoi fez de mim (conforme "Prólogo"). Essa derrota arassadora tem associação com um golpe direto de um boxeador para um nocaute, mas a comparação com o boxe termina aí, pois no xadrez o resultado de todo um *match* não pode ser decidido somente por um golpe nocauteador. Apesar da situação desesperada, Kortchnoi ainda encontrou forças para continuar a luta, e a décima partida veio a ser a luta mais dura do *match*.

Partida 90

Kortchnoi - Kasparov

Semifinal do Torneio de Candidatos

10ª Partida - Londres 1983

Gambito da Dama

1.d4 d5 2.c4 e6 3.♘f3 ♘f6 4.♗g5

Nessa ocasião Kortchnoi evita qualquer discussão adicional na Abertura Catalã.

4...♗e7 5.♘c3 h6 6.♗h4 0–0 7.e3 b6

A Variante Tartakower-Makogonov-Bondarevsky. A posição resultante é bem conhecida por Kortchnoi, que aqui já tentou vários métodos de jogo.

8.♕b3

Mas parece que Kortchnoi nunca jogou isso anteriormente.

8...♗b7 9.♗×f6 ♗×f6 10.c×d5 e×d5 11.♖d1 ♖e8

Agora após o usual 12.♗d3 as pretas podem escolher entre 12...c6 seguido de ...♘d7–f8–e6, e planos mais ativos: 12...♘c6!? 13.0–0 (13.♕×d5 ♗×d4 conduz a simplificações de empate) 13...♘a5 14.♕c2 c5, ou 12...c5!? 13.d×c5 ♘d7 – como Beliavsky jogou contra mim no Campeonato da URSS em 1978. Mas Kortchnoi preparou uma pequena surpresa.

12.a3!?

Ao fazer esse lance útil, as brancas deixam a coluna d livre, assim atrapalhando o contrajogo das pretas com ...c5.

12...c6 13.♗d3 ♘d7 14.0–0 g6

As pretas não têm pressa com a manobra ...♘f8–e6, pois pretendem responder a 15.e4 com 15...c5!, por exemplo, 16.e×d5 c×d4 17.♘e4 ♘c5! 18.♘×c5 ♗×d5 etc.

15.♖fe1 ♘f8

E agora após 16.e4 ♘e6 17.e5 o bispo preto pode se posicionar em g7.

16.♗b1 ♘e6 17.♗a2!

O surgimento do bispo branco na diagonal a2–g8 força as pretas a contar constantemente com a ameaça de e3–e4.

17...♕c7!

Para reforçar d5 com ...♖ad8.

18.♕a4

Renovando a ameaça de e3–e4 (19.e4 ♖ad8 20.e×d5 c×d5 21.♗×d5).

18...♖ad8

Agora no caso de 19.e4 as pretas responderão 19...♕b8. Convencido de que o rompimento central não promete nada real, Kortchnoi inicia o jogo na ala da dama.

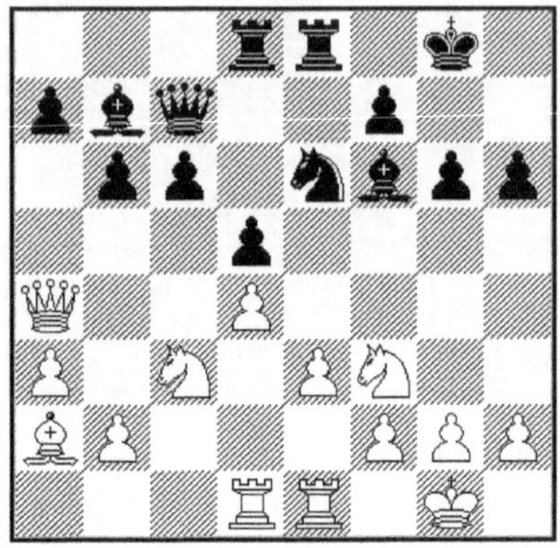

19.b4 ♕b8 20.♕c2 ♕c7!

Prevenindo b4–b5.

21.♗b3 ♗g7?!

As pretas perdem um momento favorável para o avanço libertador do seu peão c: 21...c5! 22.d×c5 b×c5 23.♘×d5 ♗×d5 24.♗×d5 c×b4. No futuro imediato, não será possível jogo ativo.

22.♕a2!

A bateria dama+bispo torna os lances de ruptura e3–e4 e b4–b5 particularmente perigosos.

22...a6

Aqui o avanço do peão central teria custado caro às pretas: 22...c5? 23.♘×d5 ♗×d5 24.♗×d5 c×d4 25.e×d4 ♘×d4! 26.♖×e8+! ♖×e8 27.♘×d4 ♗×d4 28.♕b1!, e as brancas ganham um peão e excelentes chances de vitória (28...♕f4 29.♕×g6+ ♔f8 30.♕c2).

23.♖c1 ♕b8 24.♘a4

Explorando o enfraquecimento da casa b6, as brancas têm como objetivo transferir o seu cavalo para d3, onde estará colocado de forma ideal, controlando e5 e c5.

24...♕a7! 25.♘c3

Se 25.♘b2, então 25...c5!

25...♕b8 26.♖b1

Muito provavelmente preparando a3–a4 e b4–b5.

26...♕d6

Novamente tendo em vista ...c5, por exemplo, 27.♘a4 c5! 28.d×c5 b×c5 29.b×c5 ♘×c5 30.♘×c5 ♕×c5 31.♗a4 ♖e7.

27.♖bd1?!

Incapaz de encontrar um plano claro, Kortchnoi começa a jogar para "segurar" a posição. Em vista da ausência de tempo no seu relógio, ele tinha como objetivo alcançar o adiamento sem mudar a posição. E é possível que o preciso 27.♖ed1! o tivesse capacitado a conseguir isso.

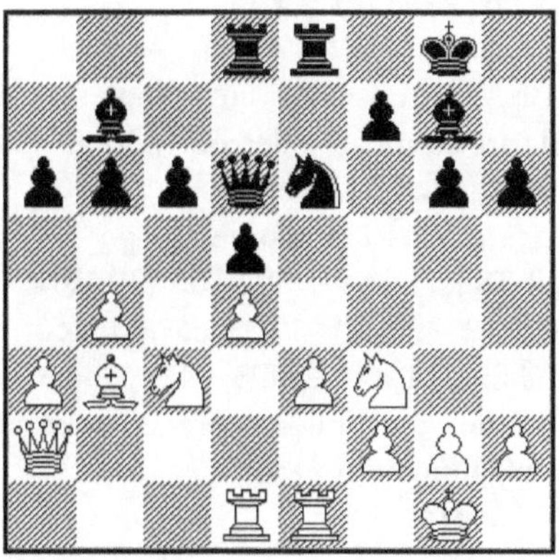

27...a5!

Para minha surpresa os comentaristas avaliaram esse lance com "?!", classificando-o como uma tentativa de provocar complicações na quinta hora de jogo. Na minha opinião, o lance é bem fundamentado posicionalmente. O peão isolado em a5 não causa às pretas menos problemas do que o peão de a3 causa às brancas, e após a abertura da coluna b o bispo branco se encontrará na casa errada.

28.b×a5

No caso de 28.b5 eu pretendia continuar 28...c5! 29.d×c5 ♕×c5 30.♘×d5 a4 31.♗c4 ♖c8 32.♗f1 ♘c7! 33.♘×c7 ♖×c7, com compensação suficiente pelo peão sacrificado.

28...b×a5

Na ala da dama as pretas adquiriram boas perspectivas: ...♗a6, ...♖b8 dobrando as torres na coluna b, assim como ...♗f8, forçando as brancas ou a enfraquecer sua casa b4, ou retroceder outra peça para defender seu peão a3. Encorajado pelas circunstâncias, Kortchnoi por fim decide pela ruptura no centro.

29.e4 a4?!?

A rigor, esse lance merece apenas um ponto de interrogação, mas fatores relevantes extra-tabuleiro forçam a avaliação com um sinal "!?" suplementar. O ponto é que pelo peão as pretas ganharam compensação na forma de ...oito minutos (esse foi o tempo que Kortchnoi pensou em sua resposta) – mais da metade do tempo que tinha no seu relógio! O lance 29...d×e4 era evidentemente correto, quando as chances das pretas por certo não são piores. Vamos considerar ambas possíveis capturas.

Após 30.♖×e4?! c5! o bispo de longo alcance das pretas varre com fogo a posição do adversário. 31.♗×e6. Agora 31...♗×e4 conduz a um jogo indefinido: 32.♗×f7+ ♔h7 33.♗×e8 ♗×f3 34.g×f3 ♖×e8 35.♘e4 ♕f8! (35...♕f4? 36.♕e2) 36.♔g2! c×d4 37.♖b1. As conseqüências de 31...f×e6 também não são claras: 32.d×c5 ♕×d1+ 33.♘×d1 ♖×d1+ 34.♖e1 ♗×f3 35.♖×d1 ♗×d1 36.♕d2! ♗a4! 37.♕×a5 ♖b8 etc. É mais forte 31...♖×e6 32.♖×e6 f×e6, quando a posição das brancas é instável (33.♖e1 ♔h7 34.♖×e6 ♕f4). É interessante 31.d5 (ao invés de 31.♗×e6): 31...♗×c3 32.d×e6 ♕×d1+ 33.♖e1! (após 33.♗×d1 ♖×d1+ 34.♖e1 ♖×e1+! 35.♘×e1 ♖×e6 as pretas têm uma ligeira vantagem) 33...♗×f3! 34.e×f7+ ♔g7 35.f×e8=♕ ♖×e8 36.♖×d1 ♗×d1 37.f3! (37.h3? perde por 37...♖e1+

38.♔h2 ♗e5+ 39.g3 ♗f3) 37...♖e1+ 38.♔f2 ♖e2+ com empate. Mas o simples 31...♘d4 dá às pretas as melhores chances.

30.♘×e4 ♕f4. Agora otimismo excessivo conduz as brancas a dificuldades: 31.♖e3?! c5! (31...♘×d4? 32.♘×d4 ♗×d4 33.g3! ♕f5 34.♖×d4 ♖×d4 35.♗×f7+! ♕×f7 36.♘f6+ ♔f8 37.♖×e8+ ♔g7 38.♕e2!) 32.g3 ♕f5, ou 31.♘c5?! ♘×c5 32.d×c5 ♖×e1+ 33.♖×e1 ♗c8, e graças ao seu par de bispos as pretas têm a vantagem. Dessa forma as brancas precisam remediar a situação – 31.d5! c×d5 32.♗×d5 ♗×d5 33.♖×d5 ♘d4!? 34.♘×d4 ♗×d4! 35.♖×d4 ♖×d4 36.♘f6+, com simplificações conduzindo ao empate.

30.♗×a4!

É mais fraco 30.♘×a4?: 30...d×e4 31.♖×e4 c5! 32.d5 (32.♗×e6 f×e6) 32...♘d4.

30...d×e4 31.♘×e4

Não 31.♖×e4? ♘×d4 32.♘×d4 ♗×d4.

31...♕f4 32.d5!

Apesar de estarem em apuro de tempo, as brancas colocam-se à altura dos acontecimentos. Após 32.♕d2? as pretas evitariam todos os perigos: 32...♕×d2 33.♖×d2 ♔f8! (33...♘×d4? 34.♘×d4 ♗×d4 35.♖×d4 ♖×d4 36.♘f6+ ♔f8 37.♖×e8+ ♔g7 38.♖e4) 34.♘c5 (34.d5?! ♖×d5! 35.♖×d5 c×d5 36.♗×e8? d×e4) 34...♘×c5 35.♖×e8+ ♖×e8 36.d×c5 ♖a8.

32...♘d4!?

Parece que 32...♖×d5 33.♖×d5 c×d5 é favorável para as pretas: 34.♗×e8 d×e4 35.♘d2 ♗c3! 36.♖e3 ♗d4. Mas o intermediário 34.♘f6+! coloca tudo em seu lugar, por exemplo 34...♗×f6 35.♗×e8 ♗c3 36.♖e3 d4 37.♗×f7+ ♔g7 (37...♕×f7 38.♖×e6 ♗e4 39.♘e5) 38.♕×e6 d×e3 39.♕×g6+ ♔f8 40.♕g8+ ♔e7 41.♕e8+ ♔f6 42.f×e3 vencendo. Assim as pretas tentam "agitar" a posição.

33.♘×d4 ♖×e4 34.♗×c6?

A seqüência 34.d×c6? ♖×e1+ 35.♖×e1 ♕×d4 36.c×b7 ♕×a4 é ruim para as brancas, mas 34.♘×c6! teria refutado o descuidado 29º lance das pretas. É pouco provável que elas tenham algo melhor do que 34...♗×c6 35.♗×c6 ♖b8, com fracas esperanças de salvar a partida.

34...♗×d4 35.♗×b7

As brancas têm dois peões a mais, mas a colocação superior das peças pretas e o fato de que é a vez delas jogarem permite-lher criar contrajogo.

35...♖b8

A variante 35...♖×e1+ 36.♖×e1 ♖b8 é respondida por 37.g3! ♕f3 38.♕d2! ♗c5 39.♗c6 ♗×a3 40.♕×h6.

36.♖×e4

Em tais posições um simples engano pode até conduzir à derrota – 36.g3? ♕f3!

36...♕×e4 37.♕b1

Até menos era prometido por 37.♕b3 ♕e2 38.♖f1 ♕e7! 39.♕d3 (39.♖b1 ♕e2 40.♕f3? ♖×b7!) 39...♗c5 40.♗c6 ♖b2 41.♕f3 (41.a4 ♖×f2!) 41...♗×a3, e a atividade das peças pretas compensa completamente o peão.

37...♕f4

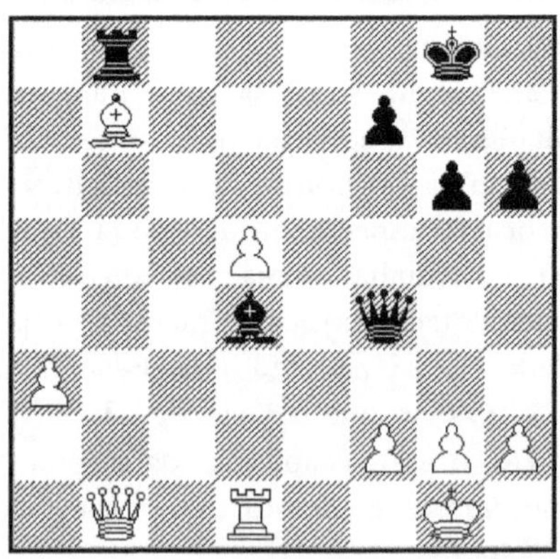

Aqui as brancas têm a interessante possibilidade de 38.♕c2!?, encontrado na sala de imprensa por um dos Grandes Mestres. O efeito da cilada elementar

(38...♖×b7? 39.♕c8+) foi tão forte que os comentaristas se limitaram à variante 38...♔g7? 39.♖b1, e declararam 38.♕c2 ser a continuação virtualmente vencedora. Mas a posição merece uma análise mais completa.

Então se 38.♕c2 ♗e5! 39.g3 ♕f3 40.♖d3 (40.♗c6 ♖b2 41.d6 ♕×a3! 42.♕e4 ♕c5! conduzindo a um empate, enquanto no caso de 40.♖e1 ♕×a3! 41.♗c6 ♕d6 as brancas têm uma vantagem apenas simbólica – a situação é quase idêntica à da 15ª partida do *match* em Merano) 40...♕e4 41.♗a6 (após 41.♗c6 ♕e1+ 42.♔g2 ♖b1 o ataque das pretas é perigoso) 41...♖b2 (aqui 41...♕e1+ 42.♔g2 ♖b1 não é efetivo devido a 43.♖e3!) 42.♕d1 (42.♕c8+? ♔g7 43.♖e3 ♕b1+ 44.♔g2 ♗d4 45.♖e2 ♖×e2 46.♗×e2 ♕e1, ou 44.♗f1 ♗d4 45.♖f3 ♕e1) 42...♖e2! 43.f3! ♗d4+! (43...♖e1+? 44.♔g2 ♖e2+ 45.♔f1) 44.♔h1 ♖e1+ 45.♔g2 ♖e2+ 46.♔h3 ♕f5+ 47.g4 ♕e5 48.f4 ♖e3+ (48...♕e4?! 49.♖g3 ♖f2 50.d6!) 49.♖×e3 ♕×e3+ 50.♔g2 ♕f2+ 51.♔h1 ♕×f4 com provável empate.

43.♔f1 (ao invés de 43.f3!) 43...♖a2 44.♕f3 ♖a1+ 45.♔g2 ♕e1 46.♖e3 favorece as brancas, mas isso encaminha para a réplica fantástica 43...♗d4!!

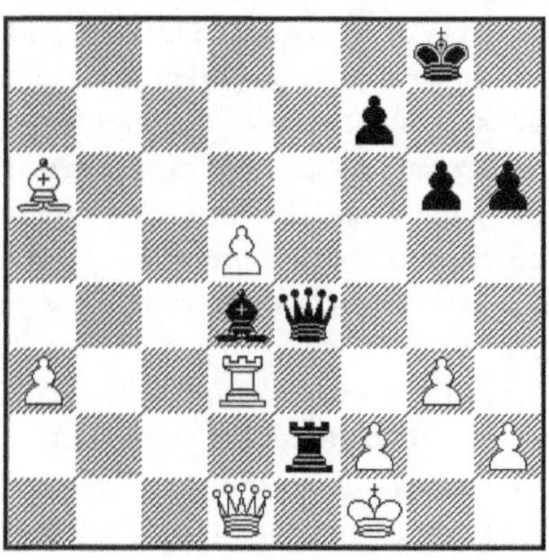

A seguinte variante me atrai: 44.♖×d4 ♕f3 45.♕×e2? ♕h1 mate. As pretas têm melhor final após 45.♖f4 ♖×f2+ 46.♔e1 ♕h1+ 47.♔×f2 ♕×d1, enquanto no caso de 44.♖e3 ♖×f2+ 45.♔×f2 ♗×e3+ 46.♔f1 ♗c5! a posição aberta do rei das brancas causa-lhes problemas consideráveis.

Assim, dado o jogo correto para as pretas, 38.♕c2 também não teria dado a vitória às brancas. É verdade, pode ser assumido que no tabuleiro as pretas poderiam não ser capazes de encontrar tudo isso...

38.d6 ♕×d6!

É claro, as pretas preferem esse peão ao de f2.

39.g3

Elas não podem ficar sem fazer uma casa de fuga para o seu rei.

39...♖×b7!

Era tentador 39...♕c5 (39...♕d7? 40.♔g2 ♖×b7 41.♖×d4), mas após 40.♕e4 (40.♖d2? ♖×b7!, ou 40.♖f1? ♕a7!) 40...♗×f2+ 41.♔g2 as pretas novamente teriam tido dificuldades. Então elas forçam o empate.

40.♕×b7 ♗×f2+ 41.♔×f2 ♕×d1 42.♕a8+

Aqui Kortchnoi ofereceu o empate. A contagem chegou a 6-4, e a luta pelo *match* estava concluída em essência. Obter um empate com as brancas na décima primeira partida não parecia ser muito difícil, mas eu queria concluir o *match* não com uma "vitória e ponto final" mas com um ponto de exclamação! A situação obrigava Kortchnoi a complicar as coisas, e quando as pretas correm riscos consideráveis, o sucesso das brancas requer principalmente que elas joguem de forma corajosa (deixando de lado preconceitos tais como "a tradição da última partida" e "magnanimidade de cavalheiros").

O Plano que Trouxe a Vitória

Partida 91
Kasparov - Kortchnoi
Semifinal do Torneio de Candidatos
11ª Partida - Londres 1983
Defesa Benoni Moderna

1.d4 ♘f6 2.c4 e6 3.g3 c5

Kortchnoi, obrigado a jogar para vencer, desvia das tranqüilas posições da Catalã, e leva o jogo por linhas "Indianas".

4.d5 e×d5 5.c×d5 b5

Kortchnoi já tinha jogado isso uma vez (contra Portisch na Olimpíada de Lucerna), e por isso em princípio o lance não foi inesperado para mim. Com 5...d6 as pretas teriam transposto para uma Benoni Moderna normal, que significaria jogar muito "contra si mesmo", pois Kortchnoi venceu muitas vezes com as brancas contra esse posicionamento, através do fianqueto de seu bispo de casas brancas. É verdade, na mesma Olimpíada ele perdeu uma partida – para mim, mas isso não significa ter sido o resultado da abertura... Aqui ele deseja em primeiro lugar obter uma posição menos estudada.

6.♗g2 d6 7.b4!

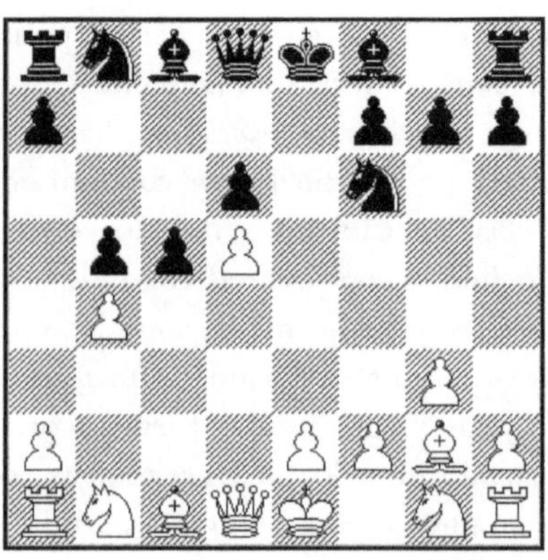

Um lance que talvez tenha sido psicologicamente surpreendente. A contagem no *match* permitia-me jogar de forma tranqüila (digamos, 4.♘f3), mas eu estava jogando pela vitória e pretendia fazer os lances que considerava os melhores. De forma que esse sétimo lance tem um embasamento posicional bastante lógico: revelar o mais rápido possível a fraqueza da posição das pretas – sua casa c6. Após a saída do peão c5 de seu posto, o cavalo branco será capaz de ir em frente por uma rota altamente promissora: ♘g1–f3–d4–c6.

É claro, há também um defeito no lance – ele sacrifica um peão. Após 7...c×b4 8.a3 b×a3 9.♘×a3 surge uma variante incomum do Gambito Benko, mas uma favorável às brancas de forma óbvia: a posição das pretas tem muitas fraquezas. Embora na partida fonte "oficial" (Sosonko-Timman, Tilburg, 1982) as brancas tenham sido incapazes de explorar todas as vantagens da sua posição, eu acho que as peças brancas poderiam ter sido desenvolvidas de forma mais habilidosa. Casualmente, longe do meu conhecimento, essa posição ocorreu pela primeira vez na partida Zaichik-Vladimirov em 1981, um ano antes da partida mencionada. Vladimirov jogou 9...♗d7 e resolveu com sucesso seus problemas de abertura. Mas, eu repito, em algum lugar o jogo das brancas certamente pode ser melhorado. Em geral, posições complicadas desse tipo me atraem. Um déficit material mínimo é plenamente compensado por grande vantagem posicional. E ainda mais, as brancas têm a iniciativa.

Kortchnoi evitou essas variantes e fez um lance novo altamente interessante.

7...♘a6!?

As pretas não ganham um peão, mas por outro lado desenvolvem suas peças com um ganho de tempo. Seu cavalo ocupará uma posição satisfatória e, até certo ponto, permanente em c5. Deve ser dito que as pretas agora estão levemente à frente em desenvolvimento, e que as brancas têm algumas casas fracas na ala da dama, isto é, c3 e c4.

8.b×c5 ♘×c5

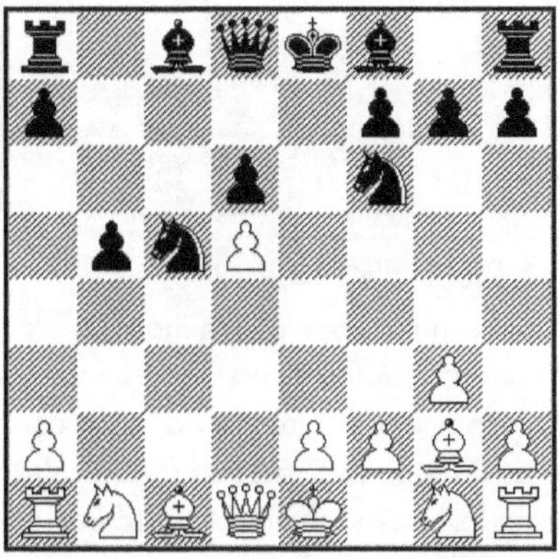

Essa posição pode ser caracterizada da seguinte forma: as pretas, como se diz, estão posicionadas de maneira mais dinâmica, mas se as brancas puderem desenvolver bem as suas peças, fatores estratégicos de longo prazo ganharão força então.

9.♘f3 g6

O lance correto. A melhor chance desse bispo fazer carreira é através da operação na grande diagonal.

10.0–0

Isso é natural, mas talvez o imediato 10.♘d4 fosse preferível.

10...♗g7 11.♘d4 0–0?!

Enquanto os méritos do roque das brancas estão abertos a discussão, o lance análogo das pretas é uma séria imprecisão. Agora as brancas desenvolvem seu plano sem obstáculos. 11...♗b7 era essencial, criando ameaças concretas contra o centro das brancas e impedindo o adversário da ocupação de c6. As pretas deveriam ter usado a boa colocação das suas peças para atacar o peão d5 – o cerne da posição, e para prevenir que as brancas aliviassem a situação na diagonal a1–h8. Mas agora, com a ajuda de algumas pequenas nuanças táticas, as brancas resolvem completamente suas dificuldades temporárias.

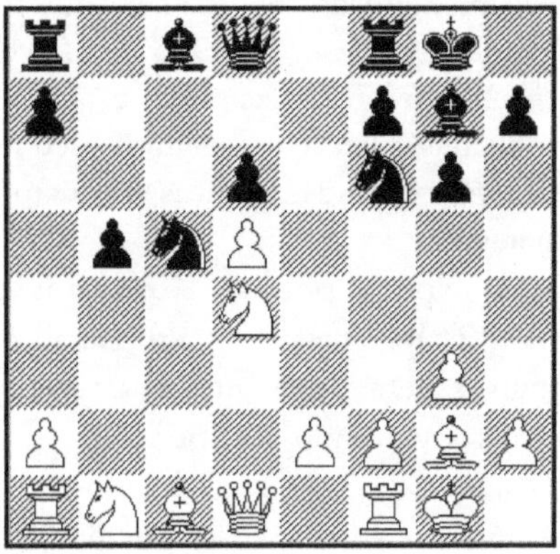

12.♘c3!

Aqui Kortchnoi pensou por um longo tempo. De forma bastante inesperada, ele tinha alguns problemas muito sérios a resolver. O lance 12...b4 parece o mais natural. Então 13.♘c6 (a propósito, por isso 11...♗b7 era melhor, ao invés de 11...0–0).

Agora 13...♕b6 é respondido de maneira muito forte por 14.♖b1, não somente removendo a torre do "raio X" do bispo, mas também ganhando o peão b. Então as pretas devem jogar 13...♕d7, quando 14.♘×b4 não é possível devido a 14...♘fe4, ganhando a qualidade. Eu acho que até nesse caso as brancas têm bom jogo, mas 14.♘b5! é até mais forte. Agora não há meios de as pretas explorarem a situação indefesa da torre em a1. Após, digamos, 14...♘×d5 15.♕×d5 ♗×a1 um dos cavalos brancos inesperadamente "arma o laço": 16.♘×d6! ♘e6 17.♘×c8! ♕×d5 18.♘8e7+ ♔g7 19.♘×d5 – e as pretas podem abandonar. Uma bela variante simples: afinal, os cavalos brancos em essência controlam quase todo o tabuleiro! Uma alternativa é 14...♘fe4 15.♘bd4, o que conduz a uma posição interessante com dois arranjos de cavalos emparelhados. Mas os cavalos brancos estão operando mais efetivamente, especialmente o de c6 – ele amarra a torre e a dama das pretas. No caso de 15...♘c3 16.♕c2 ♗a6 17.♖e1 as pretas estão frente a problemas difíceis a respeito do seu peão b4, e a vantagem das brancas tem natureza permanente.

Isso explica porque Kortchnoi não jogou 12...b4, mas fez um lance mais contido, esperando manter a ameaça por ora e desenvolvendo suas peças.

12...a6

Aqui fui eu que pensei por um longo tempo, por uns vinte e cinco minutos. É claro que a posição das brancas é altamente promissora, mas, infelizmente, o imediato 13.a4 não funciona devido a 13...b4 14.♘c6 ♕d7, quando a casa muito importante b5 não está disponível para o cavalo. O lance 13.♖b1 parece ser o mais lógico, preparando o avanço do peão a, o que faz parte do plano das brancas. Mas as pretas têm a forte resposta 13...♖e8!, após o que a ameaça de ...♘fe4 é desagradável (a fraqueza da casa c3 e o posicionamento inseguro dos cavalos se tornam fatores relevantes). As pretas obtêm algum contrajogo, e embora isso não seja nada terrível, pareceu que as brancas não teriam a vantagem da abertura por muito tempo.

Então, após longa consideração, eu cheguei à conclusão de que tinha que neutralizar o jogo das pretas na grande diagonal, e de alguma forma eliminar o estado "pendurado" dos cavalos. Foi assim que nasceu o plano que me trouxe a vitória completa no *match*.

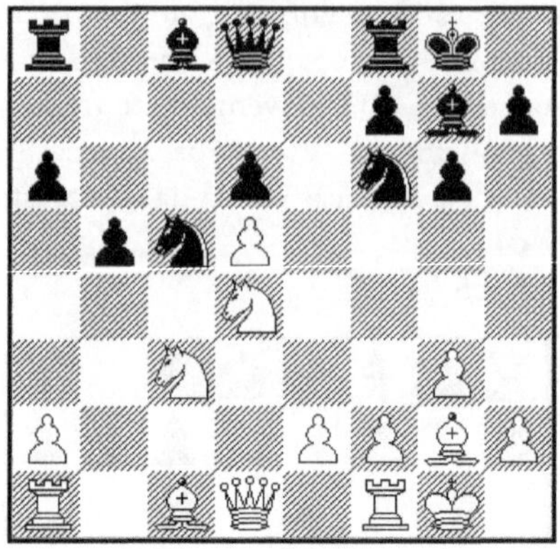

13.♘c6! ♕c7 14.♗e3

Existe uma certa ironia no fato de que fosse através desse plano que eu vencesse o *match*. Após a transferência do bispo para d4, o contrajogo das pretas é radicalmente eliminado, e elas então estão frente a uma questão diferente: elas seriam capazes de se segurar? Eu não corria qualquer risco de perder, a não ser que deixasse alguma coisa no ar. É claro, em tal posição é um absurdo pensar sobre o perigo de perder, mas no entanto a situação do *match* obrigava-me a jogar solidamente. Felizmente, essa foi uma das raras ocasiões onde o desejável e o necessário coincidiram, ou seja, o lance planejado é o mais forte na posição em questão. Em breve, como eu já disse, as vantagens estratégicas permanentes das brancas começarão a prevalecer, especialmente o cavalo em c6. Em perspectiva há um peão nessa casa, pois as pretas não serão capazes de tolerar tal cavalo por muito tempo. E um peão em c6, apoiado por um bispo em g2, é uma força formidável.

14...♗b7 15.♗d4

Agora as brancas estão completamente preparadas para a2–a4, enquanto as pretas estão restritas em sua escolha. A troca do bispo de casas pretas (15...♘fd7 16.♗×g7 ♔×g7) não consegue nada (17.♕d4+ e 18.a4).

15...♖fe8

Kortchnoi espera criar algum contrajogo no centro. Aqui eu poderia ter escolhido o ultra-simples 16.e3, mas o lance jogado é no entanto o mais correto.

16.a4! b×a4

Forçado. A seqüência 16...♗×c6 17.d×c6 b4 caminha para o simples 18.♗×f6 ♗×f6 19.♘d5. Se ao invés 18...b×c3, então 19.♗×g7 ♔×g7 20.♕d4+, e então as brancas nem tomam o peão imediatamente, mas jogam 21.♖a2. O peão c3 cairá da mesma forma, enquanto o peão c6 decidirá a partida. Dessa forma as pretas são obrigadas a quebrar seus peões da ala da dama. Nem merece consideração 16...♘×a4 17.♘×a4 b×a4 18.♖×a4. As pretas não podem tomar o peão d – 18...♘×d5 19.♗×d5 ♗×c6 20.♖c4.

Agora, em uma situação altamente favorável, as brancas entregam o seu bispo de casas pretas. A estrutura de peões da ala da dama das pretas está completamente quebrada, e o peão d5 se torna passado. Para o bispo preto de g7, em breve todas as peças se moverão fora da perigosa diagonal, e então ele simplesmente não terá nada a fazer ali.

17.♗×c5 d×c5 18.♕×a4

As brancas também poderiam tomar com a torre, mas o lance jogado é mais correto. Ele cria a séria ameaça de ♘a5, e abre mais possibilidades de manobras.

18...♘d7 19.♕b3

Um lance que pode ser, talvez, criticado. Esse foi provavelmente o único ponto em toda a partida no qual eu "lembrei" que o empate era equivalente à vitória. Mas esse lance "sólido" força as pretas a tomarem em c6 (de outra forma 20.d6), e o jogo passa a ter uma natureza totalmente simples. Em geral, o 19º lance das brancas aumentou suas chances de vitória no *match*, mas reduziu suas chances de vitória na partida.

Era mais correto 19.♕a3, quando as brancas completam cem por cento do desenvolvimento do seu plano. As pretas não podem tomar em c6 devido à perda de seu peão c5, e no mínimo as brancas ganham um tempo. As pretas teriam sido forçadas a jogar 19...♗f8, mas quando lances como esses têm que ser feitos, a posição é clara. As brancas então colocam suas torres em b1 e d1 com uma posição estrategicamente vencedora.

19...♗×c6 20.d×c6 ♘b6 21.♖ab1

As brancas fizeram "seus" lances e novamente Kortchnoi pensou por um longo tempo. Ele imaginou que 21...c4 era melhor aqui, mas então as brancas podem imediatamente forçar o empate através de 22.♕×b6. No entanto, eu planejava continuar 22.♕a3.

21...♖ab8 22.♕a3 c4

As pretas poderiam ter jogado 22...♗d4, tentando deixar c4 disponível para o seu cavalo. Então no caso de 23.e3 elas poderiam continuar 23...♘c4, para responder a 24.♕×a6 com 24...♘×e3.. Mas as brancas teriam a possibilidade de concluir a partida à força: 24.♘d5 ♘×a3 25.♘×c7 ♘×b1 26.♘×e8 ♘d2 27.♘d6! ♘×f1 28.c7, ou 26...♖×e8 27.e×d4 ♘c3 28.d5.

23.♖fc1 ♗×c3

Desespero! As pretas tinham esperanças de ativar sua torre após 24.♖×c3 ♖×e2 25.♕×a6 ♕e5, embora eu estivesse seguro de que mesmo aqui as brancas venceriam. Eu continuei jogando "em direção ao centro", com jogo na ala do rei em perspectiva em vista da posição inepta do cavalo preto.

24.♕×c3 ♖×e2

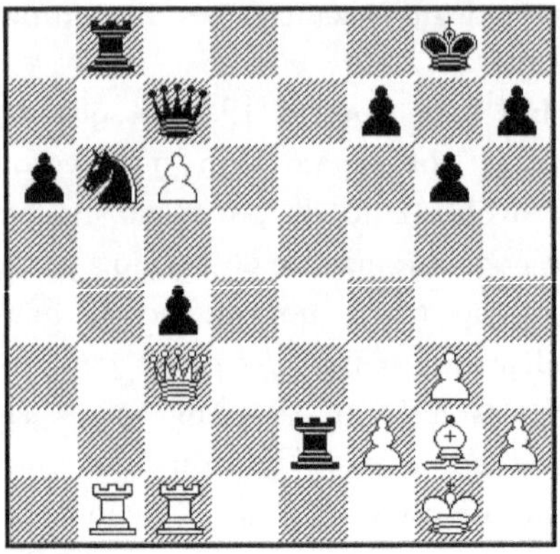

25.♕d4!

A dama está centralizada, e agora surgem ameaças específicas, digamos, 26.♖d1 e 27.♕d6 ou 27.♖×b6. Por isso as pretas estavam destinadas a jogar 25...♖e5, assim de algum modo cobrindo o cavalo. Mas então as brancas começariam a explorar a sua "superioridade numérica" no centro e na ala do rei: 25.♖e1! ♖b5 26.♖bd1, e, na seqüência, 27.g4 e 28.♕f6 com a ameaça de ♖e7 ou o avanço do peão h.

Os peões pretos da ala da dama somente teoricamente dão a elas vantagem material. Ao contrário, suas forças estão completamente desunidas por causa do peão branco em c6. Na aproximação do apuro de tempo, Kortchnoi faz um lance impulsivo.

25...a5

As pretas ainda esperam por alguma coisa.

26.♖b5

As brancas preparam o ganho do cavalo.

26...a4 27.♗f3

O mais simples, embora 27.♖cb1 também fosse possível.

27...♖ee8 28.♕c5!

Aqui as pretas simplesmente não têm nada para movimentar!

28...♕e7 29.c7 ♕×c5 30.♖×c5 ♖bc8 31.♗b7 ♘d7 32.♖5×c4

A perda de material adicional é inevitável, e então Kortchnoi abandonou.

É surpreendente, mas essa vitória deu motivos para críticos bem intencionados acusarem-me de maximalismo da juventude, zelo excessivo e assim por diante...

Assim, em 16 de dezembro de 1983, com essa vitória na Semifinal do Torneio de Candidatos, concluiu-se um importante estágio em minha carreira, no curso do qual ganhei muita experiência no tabuleiro e fora dele.

Victor Kortchnoi, 2001

	1	2	3	4	5	6	7	8	9	10	11	Pontos
Kasparov	0	½	½	½	½	1	1	½	1	½	1	7
Kortchnoi	1	½	½	½	½	0	0	½	0	½	0	4

O Teste do Tempo

Final do Torneio de Candidatos, Vilnius, 1984

Vilnius, o Salão Branco no Museu de Arte... Foi aqui que em 10 de março teve início a Final do Torneio de Candidatos, entre dois Candidatos que absolutamente não tinham nada de semelhante. Sem entrar em detalhes, podemos meramente recordar o leitor que durante o *match* um deles comemorou seu 63° aniversário, enquanto imediatamente depois o outro comemorou seu 21°. Entretanto, eles tinham uma característica em comum. Antes do início do ciclo de Candidatos, quando nossas perspectivas começavam a ser discutidas, freqüentemente se ouvia: "Que chance ele tem nessa idade?!" É verdade, a essa questão cada um atribuiu o seu próprio significado... Assim, Smyslov teve que demonstrar que ele ainda tinha força suficiente para uma batalha feroz e obstinada, enquanto eu tive que encontrar algumas outras qualidades para compensar a ausência da experiência necessária.

Interzonal, Quartas-de-Final, Semifinal – a superação com sucesso desses estágios foi para nós uma espécie de vitória sobre o tempo. A idade de qualificação estabelecida para os Candidatos foi estendida simultaneamente em ambas direções, mas no final a corda esticada do tempo estava destinada a se romper!

Durante nossa preparação para o *match* com Vasily Smyslov, eu e o meu grupo de treinadores tivemos que resolver alguns problemas difíceis. Em primeiro lugar a experiência dos *matches* com Beliavsky e Kortchnoi tinha que ser estudada a fundo, a fim de excluir os erros anteriores. Então as partidas do ex-Campeão Mundial tinham que ser cuidadosamente analisadas, e determinados os pontos vulneráveis do meu futuro adversário. Não poderia também ficar sem uma preparação extensa e de alta qualidade nas aberturas: em um encontro de tal nível, especialmente com um jogador tão harmonioso como Smyslov, muito poderia ser resolvido através do manejo bem sucedido da abertura. Freqüentemente um *match* entre dois jogadores de alto nível se torna um campo de testes para certos sistemas de abertura. Na sucessão das partidas os dois jogadores tentam demonstrar, acima de tudo, a correção de seus conceitos criativos. Fica claro que a vitória em tal duelo teórico pode resultar essencialmente em sucesso no *match* como um todo. Em tais situações adquire significado especial o trabalho harmonioso da equipe de segundos durante o curso do *match*, pois checagens constantes e melhorias dos sistemas que estão sendo empregados são necessárias. Nos *matches* precedentes, eu e os meus segundos tivemos que resolver esse problema com as peças brancas (com Beliavsky uma linha incomum do Gambito da Dama ocorreu em quatro partidas, enquanto com Kortchnoi a discussão prosseguiu em quatro partidas com Abertura Catalã). Mas no *match* contra Smyslov batalhas cruciais foram travadas em ambas as frentes: com as brancas na Defesa Cambridge-Springs, e com as pretas na Defesa Tarrasch. E foi através das minhas vitórias nesses dois micro-*matches* (com quatro partidas cada um) que a minha vitória geral foi construída. Então eu começarei a minha descrição do *Match* Final com uma das posições críticas da abertura.

Na segunda, oitava, décima e décima-segunda partidas (com Smyslov jogando com as brancas) os dois adversários fizeram os primeiros doze movimentos ao toque:

1.d4 d5 2.♘f3 c5 3.c4 e6 4.c×d5 e×d5 5.g3 ♘f6 6.♗g2 ♗e7 7.0–0 0–0 8.♘c3 ♘c6 9.♗g5 c×d4 10.♘×d4 h6 11.♗e3 ♖e8 12.a3 ♗e6

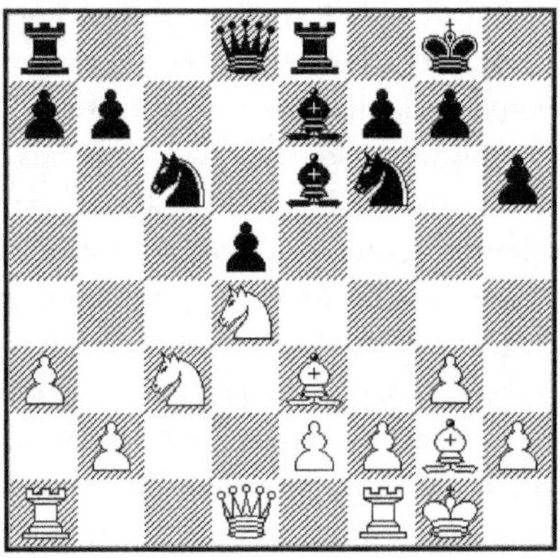

Como o leitor provavelmente se recorda, 12.a3!? foi primeiramente empregado por Kortchnoi na segunda partida do nosso *match* em Londres. Então eu consegui demonstrar a viabilidade da posição das pretas após 12...♗e6 13.♕b3 ♕d7 14.♘×e6 f×e6 15.♖ad1 ♗d6! 16.♗c1 ♔h8. Mas na segunda partida do *match* em Vilnius uma surpresa incomum me aguardava!

13.♔h1!?

Essa perda de tempo aparentemente sem sentido tem um sólido embasamento posicional. Após a provável toca em e6 não será fácil para as brancas encontrarem emprego para o seu bispo de casas pretas. Por isso elas preparam em tempo um lugar para ele em g1. Assim o plano estratégico das brancas é ♘×e6, f2–f4, ♗g1 e então em um momento conveniente e2–e4 ou f4–f5, abrindo a posição para explorar a vantagem do par de bispos.

13...♕d7?!

Isso permite às brancas desenvolverem sua idéia. A resposta crítica será mostrada na oitava partida.

14.♘×e6 f×e6 15.f4!

Uma importante sutileza tática é 15...d4? 16.♘e4!

15...♖ed8!

As pretas encontram o caminho para desenvolver as suas torres com maior sucesso. Após o plausível 15...♖ad8? a torre em e8 teria permanecido fora.

16.♗g1 ♖ac8 17.♕a4 ♔h8

Útil profilaxia.

18.♖ad1

As brancas completaram a sua mobilização e estão prontas para atacar as defesas do adversário através de e2–e4. As pretas devem ter sabedoria e a máxima perspicácia, pois elas serão constantemente obrigadas a balançar à beira do abismo.

18...♕e8 19.e4 d4!

Essa nuança – 20.♗×d4? é impossível devido a 20...b5!, ganhando uma peça – salva as pretas no momento.

20.♘e2

Após 20.e5 d×c3 21.e×f6 ♗×f6 22.b×c3 ♕e7! as fraquezas dos peões das brancas dão às pretas contrajogo satisfatório.

20...♗c5 21.♕b5

Amarrando as peças pretas e prevenindo o posterior avanço do peão d, o que teria sido preocupante para as brancas. Por exemplo, 21.b4? d3! 22.♘c1 ♗×g1 23.♔×g1 d2 24.♘b3 ♘g4! 25.♖×d2 (25.b5 ♕h5 26.h3 ♘e3) 25...♖×d2 ♘×d2 ♕d8!

21...♗b6 22.h3!

Um lance muito forte, retirando das pretas sua chance principal – a transferência do seu cavalo a e3. Como foi sugerido por alguns comentaristas, 22.e5 ♘g4 23.♗f3 ♘e3 24.♗×e3 d×e3 25.♖d6 não é convincente. Na minha opinião, após 25...♖×d6 26.e×d6 ♖d8 27.♖d1 e5! 28.♗×c6 b×c6 29.♕×e5 ♕g6 as pretas conquistam excelente contrajogo.

22...e5!

Agora e4–e5 não pode ser permitido.

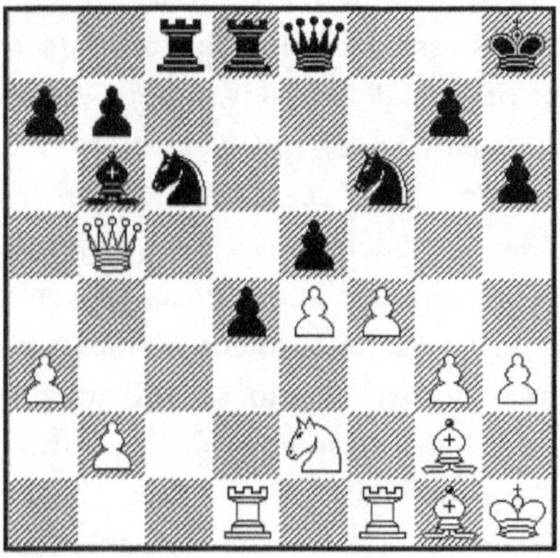

23.f×e5?!

Na pressa em extrair algum ganho concreto da posição, as brancas aliviam a situação no centro, e de maneira errada. Teria sido mais promissor intensificar a pressão através de 23.♗h2! e g3–g4, quando as pretas teriam tido problemas muito mais difíceis para resolver.

23...♘×e5 24.♕×e8+

Após 24.♘×d4 ♕×b5 25.♘×b5 ♖×d1! 26.♖×d1 ♖c2 a atividade das peças pretas é compensação bastante suficiente pelo peão (por exemplo, 27.♗×b6 a×b6 28.b4 ♘h5!).

24...♖×e8 25.♘×d4 ♘c4 26.e5!

De toda forma as brancas não podem manter a sua vantagem material, e no vivo jogo de peças que agora se inicia, a iniciativa estará ao seu lado, graças ao seu par de bispos.

26...♖×e5 27.♗×b7

O intermediário 27.♖c1 não funciona devido a 27...♘e4! 28.♔h2 ♘ed2 29.♖fd1 ♖d8.

27...♖c7 28.♖c1! ♘×b2!

Após 28...♖×b7? 29.♖×c4 ♖e4 30.♖fc1 as brancas teriam tido todas as chances de realização do seu peão extra.

29.♖×c7 ♗×c7 30.♘c6 ♖e2!

As pretas são salvas pela ativação máxima das suas peças. O lance 30...♖b5? é respondido fortemente por 31.♗c8!, e se 31...♘e4, então 32.♖f8+ ♔h7 33.♔g2!, com uma posição difícil para as pretas (33...♘×g3? falha devido a 34.♗h2 ♖g5 35.h4).

31.♘d4

Em vista de 31.♘×a7 ♘h5! ou 31.♖f2 ♘e4! o cavalo tem que voltar.

31...♖e5 32.♘f5!

Um novo recurso: explorando a natureza algo espalhada das peças pretas, Smyslov tenta criar um ataque ao rei com um mínimo de forças.

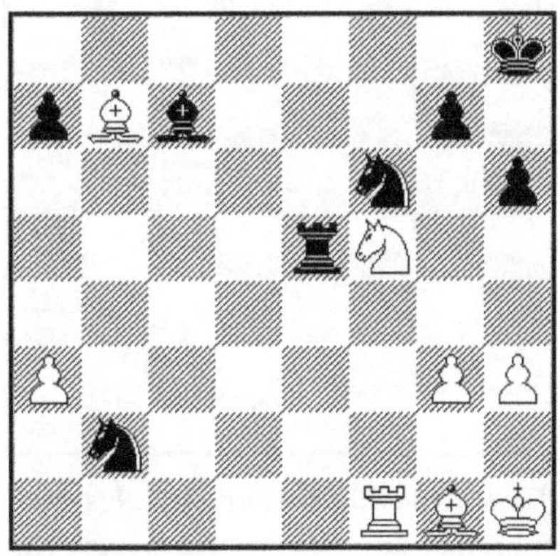

32...♗b6!

Trocando a peça potencialmente mais perigosa das brancas.

33.♘×h6 ♖a5! 34.♗×b6

As brancas não podem de maneira vantajosa evitar essa troca: 34.♗h2 ♘d3! (34...♖×a3? 35.♘f7+ ♔g8 36.♘e5!) 35.♘f5 ♖×a3, e as pretas não têm nada a temer.

34...a×b6 35.♘f5 ♖×a3 36.♔h2 ♘c4 37.g4

Apesar do material limitado, a posição insegura do rei preto obriga-o a ser cauteloso.

37...♖a7!

Um importante recurso defensivo. Fica claro que não é fácil para o bispo branco encontrar uma boa casa de retirada, por exemplo, ♗g2 ♖a2!, com a ameaça de ...g6 (39.g5? ♘d5). As pretas teriam sido condenadas à passividade após 37...♘e3 38.♘×e3 ♖×e3 39.g5 ♘h7 40.h4.

38.♗h1 ♘e5 39.g5?!

O cavalo preto não poderia ter sido presenteado com esse excelente posto em h5. As brancas teriam tido uma posição um pouco mais agradável após 39.♖e1 ♖a5 40.♖e2.

39...♘h5 40.♖e1 ♖a5

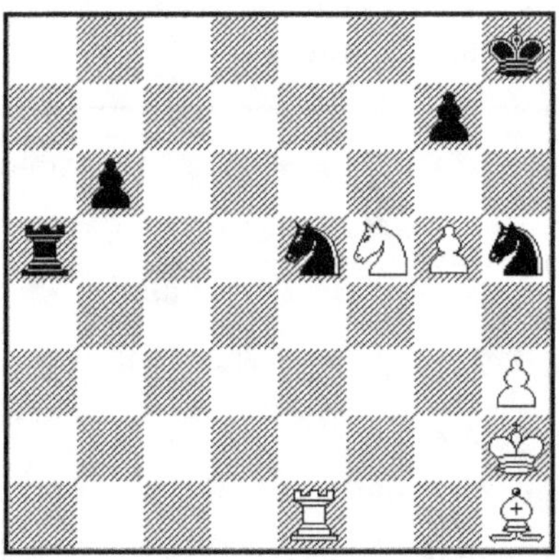

Aqui a partida foi adiada. Nas análises inesperadamente ficou claro que agora eram as brancas que deveriam ter cuidado, por exemplo, 41.♘e7?! ♘d3! 42.♖d1 ♖a2+ 43.♔g1 ♘df4 (43...♘hf4 44.♘g6+), quando elas são salvas somente pelo sacrifício de uma peça – 44.♖d8+ ♔h7 45.♗e4+ g6 46.♗×g6+! ♘×g6 47.♘×g6 ♔×g6 48.♖d6+ ♔×g5 49.♖×b6 etc. Mas os comentaristas, provavelmente hipnotizados pelo curso anterior dos acontecimentos, julgaram a posição favorável às brancas. Smyslov avaliou a situação de forma mais sóbria – após 25 minutos de reflexão ele selou o lance mais forte, **41.♘d6!**, e na manhã seguinte ofereceu o empate. Foi aceito, em vista de 41...♔h7 42.♘b7! ♖b5 43.♘d6.

Para mim essa foi talvez a partida mais difícil do *match*. Por outro lado, a condução da defesa com sucesso aumentou minha confiança em minhas próprias forças.

Após essa partida se tornou claro que a idéia original de Smyslov poderia colocar as pretas em novos problemas na Defesa Tarrasch. O verdadeiro mérito de 13.♔h1!? poderia, é claro, ser determinado somente em testes posteriores. No entanto, comentaristas prontamente colocaram dois pontos de exclamação no movimento do rei, indo ao êxtase com ele, e informaram aos entusiastas do xadrez sobre o nascimento da "novidade do ano". Como a discussão teórica subseqüente no *match* demonstrou, tais conclusões não podem ser adiantadas de forma tão afobada. E além disso, a idéia de que os lances 12.a3 e 13.♔h1 pudessem refutar a Defesa Tarrasch dificilmente está de acordo com o senso comum no xadrez...

Na oitava partida, em resposta a 13.♔h1 seguiu:

13...♗g4!

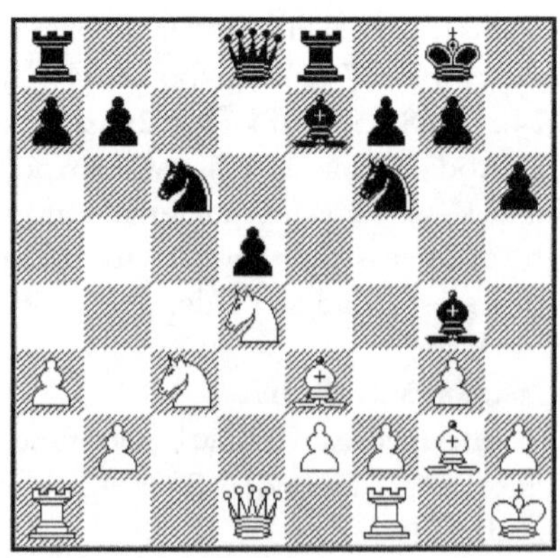

O bispo preto de maneira alguma é obrigado a aguardar passivamente o seu destino, e a perda de tempo (o segundo lance com o bispo) é compensada pela posição não totalmente feliz do rei em h1. Smyslov pensou por cerca de meia hora, mas mesmo assim não se decidiu por fazer uma das continuações cruciais 14.♕b3 ou 14.h3.

14.f3

As brancas são consistentes – seu bispo de casas pretas novamente irá a g1, mas aqui esse reagrupamento não é tão efetivo como antes.

14...♗h5 15.♗g1

A ameaça era 15.♗×a3.

15...♕d7!

O desenvolvimento do bispo branco na posição ativa de h3 precisa ser prevenido.

16.♕a4

A seqüência 16.♘×c6 b×c6 17.e4 é estancada de forma muito simples através de 17...♕b7.

16...♗c5!

Em b6 o bispo cobrirá a ala da dama das pretas, e simultaneamente exercerá pressão no ponto chave d4.

17.♖ad1 ♗b6 18.♖fe1

No caso de qualquer possível operação no centro, as brancas se antecipam na defesa de seu peão e2, mas talvez 18.♖d2 tivesse sido preferível.

18...♗g6!

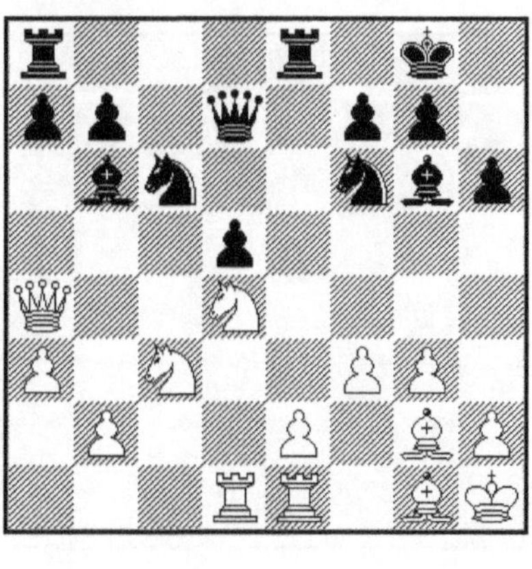

Agora, quando esse bispo também já entrou no jogo, torna-se óbvio que as dificuldades de abertura das pretas ficaram para trás. Além do mais, graças às suas peças menores ativas, elas têm a perspectiva de uma iniciativa.

19.♕b5

A decisão correta: as brancas pretendem forçar o adversário a aliviar a pressão no centro através de ♘a4. A variante 19.♘×c6?! b×c6 20.e4 ♗×g1 21.♔×g1 ♕b7! dificilmente poderia tê-las satisfeito (22.e×d5 ♖×e1+ 23.♖×e1 ♕b6+! 24.♔h1 ♘×d5 25.♘×d5 c×d5 etc.)

19...♖ad8 20.e3?!

Na minha opinião, as brancas deveriam ter executado consistentemente o seu plano com 20.♘a4. Eu pretendia continuar com 20...♗×d4 21.♗×d4 ♗c2 22.♗×f6 (forçado: 22.♘c5? ♘×d4!, ou 22.♖d2? a6! 23.♘c5 a×b5 24.♘×d7 ♘×d7) 22...♗×d1 23.♗×d8 (o intermediário 23.♘c5? caminha para a resposta arrasadora 23...♗×e2!!, quando as pretas surgem da escaramuça resultante com vantagem material decisiva, isto é, 24.♖×e2 ♕f5 25.♖×e8+ ♖×e8 23.♗c3 d4 27.♗d2 b6!) 23...♗×a4 24.♕×a4 ♕×d8 com uma leve iniciativa (25.f4 d4! 26.♗×c6? b×c6 27.♕×c6 d3 28.e4 d2 29.♖d1 ♖e6 30.♕c3 ♖d6). Nesse caso, a partida muito provavelmente teria terminado empatada.

Um lance como 20.e3 poderia ter atraído Nimzovitsch, mas mesmo em nome da "super-proteção" de d4 o bispo de casas pretas não deveria ser condenado à inatividade. Além disso, o reforço excessivo de um ponto inevitavelmente conduz ao enfraquecimento do controle sobre outros. O triste destino dos bispos brancos nessa posição faz um contraste impressionante com o da segunda partida.

20...♕d6

As pretas não têm nenhuma razão para

entrarem em simplificações.

21.♘ce2 ♘e5!

Passando por cima das poderosas posições centrais do adversário. Se esse cavalo puder se estabelecer em c4, a vantagem das pretas se tornará apreciável.

22.♕b3 ♗a5! 23.♘c3

Essa volta é forçada, pois no caso de 23.♖f1 as pretas têm o altamente desagradável 23...♘c4.

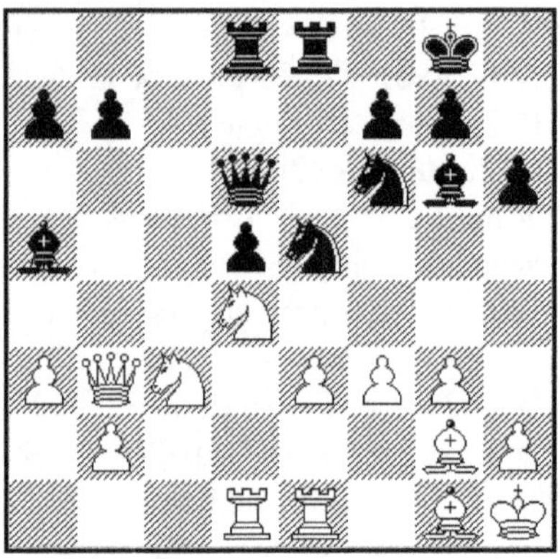

23...♘d3?!

Aqui as pretas desviaram do caminho correto. Suas peças estão colocadas de forma ideal, e portanto elas deveriam ter pensado em ganhar espaço na ala da dama usando os seus peões – 23...a6! seguido por ...b5. Então o cavalo preto poderia ter se estabelecido confortavelmente em c4. Ao mesmo tempo não é aparente como as brancas podem explorar a oposição da dama e da torre na coluna d. Eu acho que após esse desenvolvimento dos acontecimentos a vantagem das pretas poderia ter se tornado apreciável.

24.♖e2 ♘c5 25.♕a2 ♗×c3 26.b×c3

O estrago na cadeia de peões das brancas é inevitável: 26.♘b5 ♕a6 37.♘×c3 ♘a4! Menos claro é 27...♗d3 28.♖f2! ♗c4 29.♕b1, quando 29...♖×e3? não é possível devido a 30.♖fd2.

26...♕a6

Esse lance merece críticas, mas eu não acho que a alternativa sugerida 26...♗d3 27.♖ed2 ♗c4 seja algo melhor. Ao lado das virtudes óbvias, a transferência do bispo para c4 também tem alguns defeitos significativos: enfraquece o controle das pretas de f5, e, mais importante – em c4 o bispo previne as pretas de usarem a coluna c para jogo ativo.

27.♖ed2 ♘a4?!

Mas aqui eu acho que o jogo das pretas pode ser melhorado através do preliminar 27...♖c8, por exemplo, 28.♗h3 ♖c7 29.♗f1 ♕a5 30.c4 ♘a4! 31.♘b5 ♖c5 32.e4 ♖×b5 33.c×b5 ♘c3 etc.

Agora após 27...♘a4?! 28.♕b3 ♖c8 29.♘b5! (29.♗f1?! ♕a5 30.♕b4 ♕×b4 31.c×b4 a6! com um final muito melhor) a posição teria se tornado completamente indefinida.

Com uma liderança no *match* por dois pontos a essa altura, não me senti disposto a correr riscos e ofereci o empate. Smyslov não estava gostando de sua posição – ele aceitou a oferta sem hesitação.

Na décima partida foi Smyslov que encontrou uma nova idéia para as brancas. Novamente o ex-Campeão Mundial não desejou engajar-se em uma discussão crítica, e se contentou com uma micro-melhoria.

15.♘×c6 (os 14 primeiros lances como na oitava partida) **15...b×c6 16.♘a4**

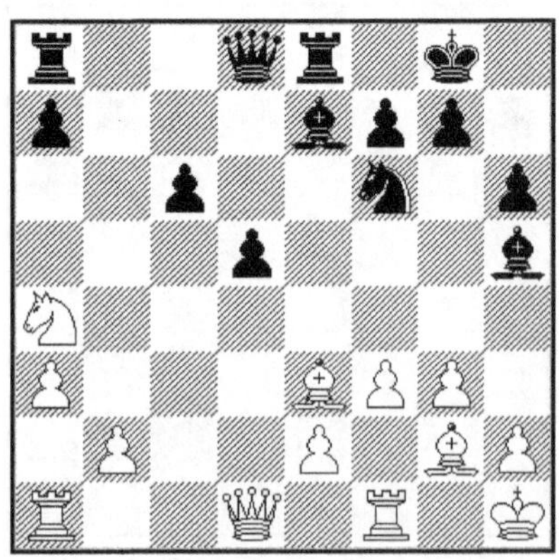

O plano das brancas é simples: tomar o controle de d4 e c5, e então, explorando o afastamento do bispo de casas brancas das pretas de sua ala da dama, iniciar a pressão sobre c6. O contrajogo das pretas obviamente deve ser baseado na exploração das colunas semi-abertas b e e.

16...♕c8!

Em e6 a dama estará colocada de forma excelente: simultaneamente atacará o peão de e2, defenderá a fraqueza de c6, e impedirá a ativação do bispo de g2.

17.♗d4 ♕e6 18.♖c1 ♘d7 19.♖c3 ♗f6?!

Aqui a troca dos bispos de casas pretas favorece as brancas. Era preferível 19...♗g6.

20.e3! ♗g6 21.♔g1?!

O lema de um lance assim é "só para garantir". É claro, em algum instante no final poderia existir o risco de um xeque desagradável na última fileira, mas no momento a posição é de meio-jogo, e é difícil dizer onde o rei estará melhor – em h1 ou g1. Ainda mais, as pretas foram presenteadas com um tempo que elas rapidamente usarão de forma proveitosa. Era mais forte 21.♗×f6 ♕×f6 22.♕d4! (22.♕d2?! ♘b6!) 22...♕×d4 23.e×d4, quando a fraqueza de c6 se torna apreciável.

21...♗e7!

As pretas têm a oportunidade de reparar o seu erro. A propósito, agora é ameaçado ...c5 (eis outro defeito de ♔g1).

22.♕d2 ♖ab8

As pretas objetivam em primeiro lugar um contrajogo ativo: junto com a possibilidade de provocar simplificações favoráveis através de ...c5, elas também têm a ameaça desagradável de ...♘b6. É claro que o peão a7 é intocável: 23.♗×a7? ♖a8 24.♘c5 ♕d6! 25.♘×d7 ♖×a7 26.♘c5 ♗f6 27.♖cc1 ♕e5, com vantagem para as pretas.

23.♖e1

Defendendo o peão e e pretendendo trazer o bispo de g2 para o jogo. Também merece consideração 23.b4!? ♘b6 24.♘b2.

23...a5!

É importante prevenir o restritivo b2–b4, e a fraqueza de a5 é ilusória (após 24.♖cc1 as brancas da mesma forma não podem tomar com a dama em a5 devido a ...♖a8).

24.♗f1

A troca das peças menores em c5 favorece as pretas – 24.♘c5?! ♗×c5 25.♗×c5 ♘×c5 26.♖×c5 a4!, e as fraquezas de b2 e e3 são no mínimo tão sensíveis quanto aquelas em c6 e a4.

24...h5

As pretas demonstram a estabilidade de sua posição e escondem que, no momento conveniente, podem organizar contrajogo contra o rei branco.

25.♖ec1

25...♘e5?!

Um lance fraco, que vai contra todo o jogo precedente das pretas. É verdade que no caso de 25...c5 as brancas poderiam sacrificar a qualidade: 26.♘×c5 ♘×c5 27.♖×c5!? ♗×c5 28.♖×c5, com bom jogo em vista das fraquezas de a5 e d5. Mas o simples 25...♖ec8 teria mantido a posição em equilíbrio dinâmico. Todas as peças das brancas ocupam posições excelentes, mas elas não são capazes de transformar esse fator em algo real (25.♘c5?! ♘xc5 26.♗xc5 ♗xc5 27.♖xc5 ♕f6!). Além disso, as brancas têm que considerar...h4, enfraquecendo a posição do seu rei. Por sua vez, as peças pretas também estão amarradas na defesa do seu peão c6 e da casa c5.

26.♗xe5?!

Com pouco tempo, Smyslov decide simplificar a partida, mas após a troca do seu bispo de casas pretas as fraquezas em b2 e e3 são sentidas de imediato. A seqüência 26.♔f2 ♗f6 27.♘c5 ♕f5! não era clara, mas 26.♗e2 teria deixado as brancas com melhores chances, embora na possível variante 26...♗d6! 27.f4 ♘c4 28.♗xc4 dxc4 29.♖xc4 ♗e4 30.♘c5 ♗xc5 31.♖xc5 ♗d5 o contrajogo das pretas pelas casas brancas não possa ser subestimado.

26...♕xe5 27.♖xc6 ♗f6 28.♖6c5?

Essa tentativa no apuro de tempo de provocar simplificações em massa o mais rápido possível coloca as brancas em uma posição perigosa. Através de 28.♔f2 ♖b3 (28...d4? 29.e4 com a ameaça de ♖1c5) 29.♖6c3 (29.♖c8?! ♔h7! 30.♖xe8 ♕xe8 31.♘c3 ♕b8! com uma iniciativa perigosa) 29...♖xc3 30.♘xc3 d4 31.exd4 ♕xd4+ 32.♕xd4 ♗xd4+ 33.♔g2 ♖b8 34.h4 (o mais simples) as brancas poderiam ter conquistado o empate.

28...♕xe3+ 29.♕xe3 ♖xe3 30.♖xd5 ♖xf3 31.♗e2

As brancas não têm tempo para tomar o peão a: 31.♖xa5? ♗d4+ 32.♔g2 (32.♔h1 ♖xf1+!, e mate) 32...♖f2+ etc.

31...♖e3

A variante 31...♖f5 32.♖xf5 ♗xf5 33.♗xh5 ♗d7 34.♘c5? ♗d4+! parece tentadora, mas após 34.♖c4! não é aparente como a posição pendurada das peças brancas pode ser explorada.

32.♗xh5 ♗xh5 33.♖xh5 g5!

Agora não é fácil para as brancas coordenarem suas peças, e a única questão é como as pretas podem explorar efetivamente sua superioridade temporária em força.

34.♘c3! ♖d8!

O lance 34...♖xb2 é desfavorável devido a 35.♘d5 ♗d4 36.♖xg5+ ♔f8 37.♔h1!

35.♖c2 ♔g7 36.♔g2 ♔g6 37.g4 ♖d4 38.h3

As brancas têm que concordar com o encarceramento da sua torre, pois a posição após 38.♖h3 ♖xg4+ 39.♖g3 ♖gxg3+ 40.hxg3 ♗e5 41.♘e2 ♔f5 45.♔f2 ♖b3 certamente não pode satisfazê-las.

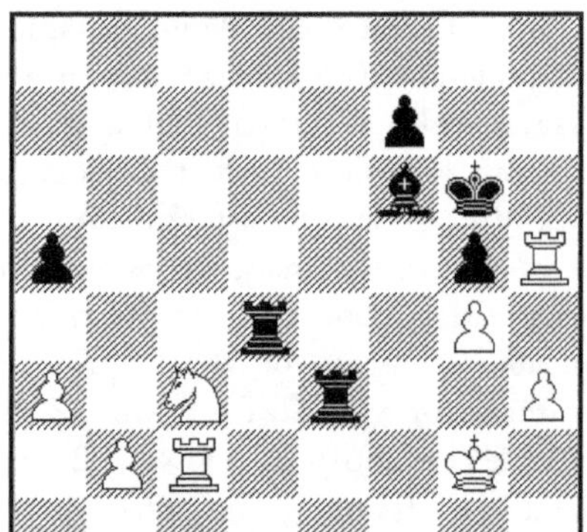

Aqui as pretas poderiam não somente ter restaurado a igualdade material, mas até entrado em um final de torres com um peão a mais – 38...♖c4. Por exemplo: 39.♖f2 ♗xc3 40.bxc3 ♖cxc3 41.h4 ♖g3+ 42.♔f1 gxh4 43.♖xh4 (43.♖xa5 ♖c1+ 44.♔e2 ♖xg4 ou 44...h3 dificilmente é melhor) 43...♖c1+! 44.♔e2 ♖xa3 com excelentes chances de vitória. No entanto 39.a4! salvaria as brancas: 39.♗xc3 40.bxc3 ♖cxc3 41.♖xc3 ♖xc3 42.h4 f6 43.hxg5 fxg5 44.♖h8 ♖c4 45.♔g3 ♖xa4 46.♖a8 ♔f6 47.♖f8+ etc. Mas encontrar um lance tão incomum como 39.a4! estando no apuro de tempo não é uma coisa fácil.

As pretas poderiam também ter tentado fortalecer a sua posição – 38...♖dd3 39.♘e2 a4! (40.h4? ♖e4!). É óbvio que em ambos os casos as brancas teriam que encarar uma luta deprimente por um empate. Mas ao invés disso seguiu... uma oferta de empate, que as brancas imediatamente aceitaram. Estranho? É claro. Mas mesmo hoje eu sou incapaz de dar qualquer razão sensata para a minha omissão em continuar jogando.

A décima segunda partida foi a última de luta no *match*. Smyslov estava cheio de vontade de abrir seu marcador. Após os tradicionais doze primeiros lances, seguiu

13.♘×e6

O ex-Campeão Mundial desviou de sua novidade patenteada 13.♔h1 – um ponto importante ao qual os comentaristas mal prestaram atenção.

13...f×e6 14.♕a4 ♖c8 15.♖ad1 ♔h8 16.♔h1

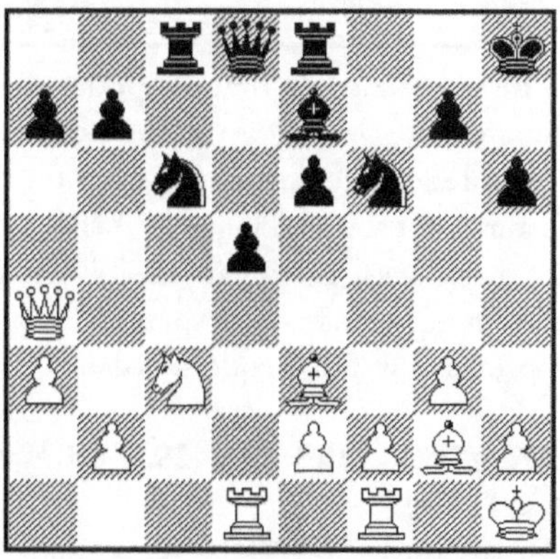

Resta às brancas jogarem f2–f4 e ♗g1, e a colocação das peças será igual à da segunda partida após 18 lances. Um sucesso da sua estratégia de abertura? Mas em contraste com a segunda partida, as peças pretas estão mais bem colocadas para criar contrajogo.

16...a6 17.f4 ♘a5!

Desde c4 o cavalo não somente atacará os peões a3 e b2, mas sob circunstâncias favoráveis (isto é, após a troca dos bispos de casas pretas) estará pronto também para invadir e3, por exemplo, 18.♗g1? ♘c4 19.♕b3 ♗c5! Então as brancas têm que se apressar.

18.f5

Outro lance, e a defesa das pretas no centro entrará em colapso, então o tempo é precioso para elas.

18...b5!

Não 18...♘c4? 19.♗c1, quando as pretas não podem evitar a ruptura do seu centro. A tentativa de prevenir a abertura da posição também falha – 18...♖c4? 19.♕c2 e5 20.♕d2! d4 21.♗×h6 g×h6 (21...d×c3 22.♕g5) 22.♕×h6+ ♔g8 23.g4!, e é pouco provável que o ataque das brancas possa ser parado.

19.♕h4

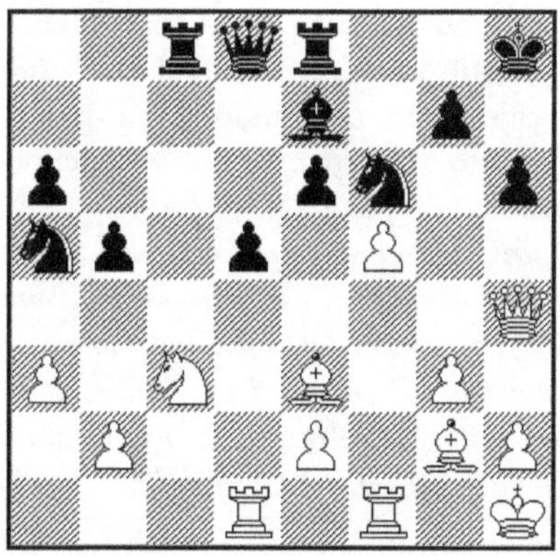

Parece que a retribuição pela conduta frívola das peças pretas, que abandonaram seu rei à própria sorte, é inevitável. Por exemplo: 19...♘c4? 20.♗×h6! ♘h7 21.♕h5 g×h6 22.f×e6 ♘e3 23.♖f7 com mate em poucos lances. Mas na realidade tudo é mais complicado: usando o princípio de Capablanca "a força mínima na defesa", as pretas rapidamente obtêm sucesso em criar ameaças efetivas.

19...♘g8! 20.♕h3

Provavelmente jogado por motivos

genéricos: o sacrifício em h6 poderia funcionar em algum momento, e, além disso, em h3 a dama está colocada de maneira mais confortável. Mas poderiam ter sido criados os maiores problemas às pretas após 20.♕g4, quando, de acordo com uma análise de Kupreichik, a partida deveria ter terminado empatada: 20...♘c4 21.♗c1 ♗g5! 22.f×e6 ♗×c1 23.♖×d5 ♕b6 24.♖d7 ♗g5 25.♖×g7! ♔×g7 (25...♕×e6 conduz a um final perdido após 26.♖ff7! ♘f6 27.♕×e6 ♖×e6 28.♗h3 ♖ce8 29.♗×e6 ♖×e6 30.h4 ♗c1 31.♖g6 ♗×b2 32.♖f×f6 ♖×f6 33.♖×f6 ♗×c3 34.♖×h6+ ♔g7 35.♖×a6, ou 30...♘e5 31.h×g5 ♘×f7 32.♖×f7 h×g5 33.♔g2) 26.♖f7+ ♔h8 27.♕f5 ♘f6 28.♗e4 ♖c7! 29.♖×f6 ♗×f6 30.♕×f6+ ♖g7 31.♕×h6+ ♔g8 32.♗h7+! ♖×h7 33.♕g6+ ♔f8 34.♕f6+ com xeque perpétuo. Uma bela variante, na qual ataque e defesa equilibram um ao outro. Eu acho que tal final poderia ter sido uma conclusão justa para um confronto entre duas concepções profundas de planos estratégicos.

Infelizmente a variante acima, que se ajusta tão bem ao comentário, tem um defeito altamente significativo – o impetuoso ataque das brancas pode ser refutado pelo intermediário 25...♘e5!, por exemplo, 26.♕f5 ♔×g7 27.♕×e5+ ♗f6, ou 26.♖×g8+ ♔×g8 27.♕f5 ♖f8! 28.♕×e5 ♖×f1+ 29.♗×f1 ♕f2 30.♗h3 ♗e3. Portanto não há uma razão em particular para se criticar o lance feito por Smyslov na partida...

20...♘c4 21.♗c1 ♗g5 22.f×e6 ♗×c1 23.♖×c1

Após o intermediário 23.♖×d5? as brancas teriam entrado em grandes dificuldades: 23...♕b6 24.♖×c1 ♘×b2 etc.

23...♘e3 24.♘×d5!

A única forma de manter a sua pálida iniciativa. Pela qualidade as brancas terão dois peões e a perspectiva de criar um ataque nas casas brancas. É claro, a posição após 24.♖g1 ♘f6 não as atrai.

24...♘×f1

A variante 24...♖×c1? 25.♖×c1 ♘×d5 perde por 26.♖d1 ♘gf6 (26...♘e3 27.♖×d8 ♖×d8 28.♔g1) 27.♗×d5 ♘×d5 28.e4.

25.♖×f1 ♖f8 26.♘f4?!

O desejo de Smyslov de evitar trocas é explicável (a situação no *match*), mas a torre em f1 não tem futuro. Então ele deveria ter jogado 26.♗e4, quando as brancas têm compensação suficiente pela qualidade.

26...♘e7 27.♕g4?

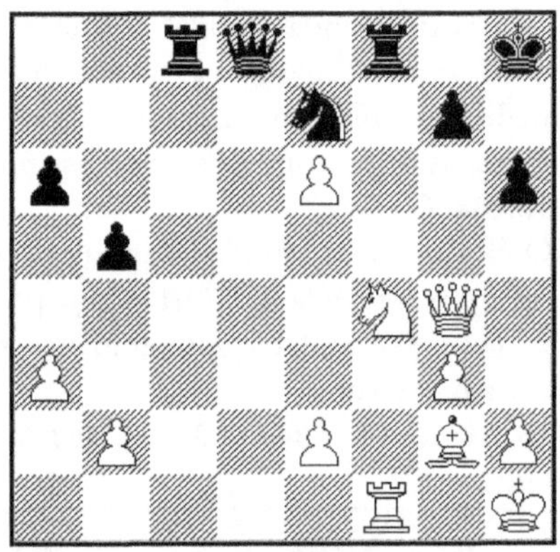

Um erro sério. As brancas poderiam ter esperança de contrajogo somente através da manutenção do cavalo forte em f4. Para esse fim era essencial jogar 27.♕h5 e h2–h4. Smyslov espera jogar h2–h4–h5 sem perder tempo, mas a inesperada resposta das pretas por fim pende a balança a seu favor.

27...g5! 28.♕h3 ♖f6! 29.♘d3 ♖×f1+ 30.♗×f1 ♔g7

O incauto 30...♕f8 teria dado às brancas uma oportunidade excelente – 31.♘e5 e ♘f7.

31.♕g4 ♕d5+ 32.e4

O cavalo em d3 perde o seu apoio, mas 32.♗g2 falha devido a 32...♖c1+! e mate.

32...♕d4 33.h4 ♖f8 34.♗e2 ♕e3 35.♔g2

O lance 35.h×g5 teria perdido imediatamente devido a 35...h5!

35...♘g6 36.h5?!

Era mais tenaz 36.h×g5.

36...♘e7 37.b4 ♔h7!

Uma posição surpreendente de *zugzwang*! Não há nada que as brancas possam mover: 38.e5 ♔h8 etc.

38.♔h2 ♖d8 39.e5 ♖×d3 40.♗×d3+ ♕×d3

As brancas abandonaram.

Enquanto antes do *match* um duelo teórico na Defesa Tarrasch pudesse ser previsto, a adoção freqüente de Smyslov da Defesa Cambridge-Springs foi uma surpresa. Afinal, atravessando toda a carreira de mais de quarenta anos do ex-Campeão Mundial, essa variante do Gambito da Dama só ocorrera um punhado de vezes, e o único exemplo recente que eu posso recordar é sua partida contra Ribli no Interzonal de Las Palmas, 1982. Eu havia enfrentado duas vezes a Cambridge-Springs: em minhas partidas com Averbakh (Campeonato por Equipes da URSS, 1982) e Rodriguez (Torneio Interzonal, 1982). Ambas terminaram a meu favor, mas na segunda as pretas não tiveram motivos para reclamar da abertura.

1.d4 d5 2.♘f3 ♘f6 3.c4 c6 4.♘c3 e6 5.♗g5 ♘bd7 6.e3 ♕a5

A posição inicial da variante, criada pelo norte-americano Pillsbury. O auge da popularidade da defesa ocorreu no final da década de 1920 e na de 1930, quando a Cambridge-Springs foi testada nos *matches* pelo Campeonato Mundial Alekhine-Capablanca, Alekhine-Bogoljubov e Alekhine-Euwe. Apesar das suas numerosas e extensivas análises, não há uma avaliação clara da variante. A propósito, nos anos do pós-guerra a Cambridge-Springs tem aparecido raramente em torneios.

7.c×d5!

O ponto de exclamação registra nem tanto a força desse lance, mas especialmente a natureza crucial dele. É mais comum 7.♘d2 "com uma pequena mas persistente vantagem". Entretanto, essa avaliação tradicional não é confirmada pela prática e, em particular, ambas as partidas do *match* nas quais eu joguei 7.♘d2 terminaram rapidamente de forma pacífica. 7...♗b4 8.♕c2 0–0 9.a3 d×c4! 10.♗×f6 ♘×f6 11.♘×c4 ♗×c3+ 12.♕×c3 ♕×c3+ 13.b×c3 c5 14.♗e2 – empate (sétima partida), e 9.♗e2 e5 10.♗×f6 ♘×f6 11.d×e5 ♘e4 12.c×d5 ♘×c3 13.b×c3 ♗×c3 14.♖c1 ♗×e5 15.d×c6 b×c6 – empate (13ª partida; entretanto o resultado desta última partida do *match* não está ligado com a abertura).

7...♘×d5 8.♕d2 ♗b4

Aqui, como é bem conhecido, as pretas podem forçar o ganho de um peão – 8...♘7b6 9.♗d3 ♘×c3 10.b×c3 ♘d5 11.0–0 (11.♖c1 ♘×c3 12.0–0 ♗b4) 11...♕×c3 12.♕e2, permitindo às brancas uma prolongada iniciativa em troca. Uma decisão assim não atrai Smyslov, que por si mesmo busca o rápido desenvolvimento das suas forças.

9.♖c1 0–0

Assim foi como a terceira partida se desenvolveu.

10.♗d3

Esse lance natural não é nem mesmo considerado em guias de aberturas. A *Encyclopaedia of Chess Openings – ECO* cita uma longa variante começando com 10.e4, dando às brancas uma vantagem mínima no final.

10...e5!

Um típico lance de ruptura, que liberta o jogo das pretas.

11.0–0

As brancas entram em uma posição com um peão central isolado, esperando na seqüência explorar a maior atividade das suas peças.

11...e×d4 12.e×d4 f6

O posicionamento plausível 12...♘7f6 13.♖fe1 ♗e6 encontra a forte resposta 14.a3!, forçando a troca em c3 (14...♗d6? 15.♘×d5) em situação mais favorável às brancas do que a ocorrida na partida.

13.♗h4 ♖d8

Se as pretas conseguirem levar a cabo o posicionamento planejado (...♘f8, ...♗e6–f7), terão tudo em ordem, como também é o caso na variante 14.♕c2 ♘f8 15.♘×d5 c×d5 16.♗g3 ♗d6.

14.a3! ♗×c3

As pretas não podem ficar satisfeitas com 14...♗d6 15.♘×d5 ♕×d2 16.♘×f6+ ♘×f6 17.♘×d2 ♗f4 18.♖cd1 ♖×d4 19.♘f3.

15.b×c3 ♘f8

Também é perigoso 15...♕×a3 16.c4.

16.♗g3 ♗e6

No caso de 16...♗g4 eu pretendia continuar 17.c4! ♕×d2 18.♘×d2 ♘e7 19.♘b3. Após 19...♘e6 as brancas têm a possibilidade de um promissor sacrifício de peão: 20.d5! (20.f3? ♘×d4 21.♘×d4 ♖×d4 22.♖cd1 ♖ad8) 20...c×d5 21.♖fe1, e não é aparente como as pretas podem tirar suas peças penduradas do ataque de forma indolor, por exemplo, 21...♔f7 22.f3 ♗f5 23.c×d5! ♗×d3 (23...♖×d5 24.♗c4) 24.d×e6+ ♔f8 25.♘c5 com uma grande vantagem, ou 22...♗h5 23.c×d5 ♘×d5 24.♗c4 com grandes problemas.

17.♖fe1 ♗f7 18.c4

Era tentador manter as damas – 18.♕b2, mas então as pretas teriam mantido o seu ponto forte em d5 com 18...b5! Ainda assim, 19.c4 b×c4 20.♖×c4 teria deixado as brancas com a iniciativa. O lance na partida conduz a uma posição complicada, onde as brancas têm melhores chances, graças ao seu par de bispos e o centro de peões.

18...♕×d2 19.♘×d2 ♘b6 20.♘b3 ♘a4!

Os comentaristas injustamente condenaram esse lance, mas no momento o cavalo está bem colocado na borda do tabuleiro: ele controla c5 e se tiver a oportunidade está pronto para invadir b2. Ao mesmo tempo, a pressão recomendada no peão d4 (20...♘e6) teria permitido às pretas conquistar uma vantagem clara por meio de 21.c5! ♘d5 (21...♘a4 22.♗d6) 22.♘a5! O golpe tático 21...♘×d4? encontra uma bela refutação: 22.♘×d4 ♖×d4 23.♖cd1 ♖ad8 24.♗c7! ♖8d7 25.c×b6 a×b6 (25...♖×d3 26.b×a7) 26.♗c2! ♖×d1 27.♖×d1 ♖×c7 28.♖d8+, vencendo (é melhor, claro, sacrificar a qualidade – 24...♖×d3 25.♗×d8 ♖×d1 etc).

21.♗f1 ♖d7?

Mas esse é um erro grave. Somente jogando 21...b6! as pretas podem justificar o seu lance anterior. As brancas teriam tido que se envolver em um gradual fortalecimento da sua posição (f2–f3, ♗f2, h2–h4, g2–g3 etc.), ao passo que agora elas podem abrir o jogo de forma vantajosa.

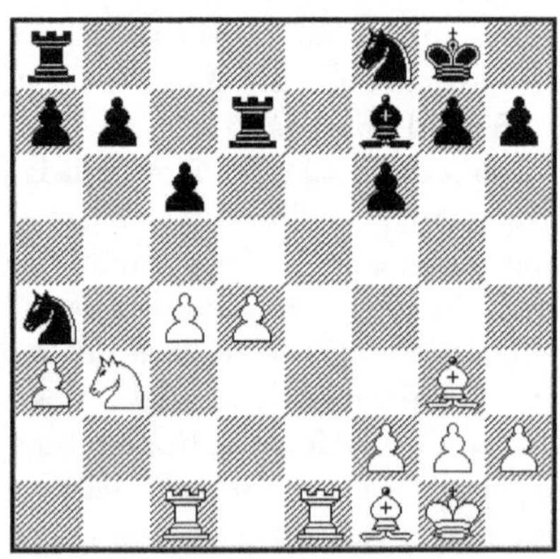

22.♘a5!

Da borda do tabuleiro o cavalo branco exerce pressão desagradável na posição do adversário. A troca dos peões de d4 e b7

(22...♖×d4 23.♘×b7) favorece as brancas – seu cavalo obtém um excelente posto em d6. Agora a ameaça é 23.♖b1, e 22...♖c8 parece ser bem respondido com 23.c5, por exemplo, 23...♘e6 24.♖b1 b6 (24...♘×d4 25.♘×b7 ♘c3 26.♖b2 ♘f5 27.♘d6!) 25.♘×c6 ♘c3 (25...♖×c6 26.♗b5) 26.♘×a7! ♖×a7 27.c×b6 ♖b7 28.♗a6 ♘d8 29.♗×b7 ♘×b7 30.♖b2 com chances de vitória. Entretanto, 23...♗d5 teria deixado as pretas com uma posição perfeitamente defensável. A tentativa de Smyslov de complicar as coisas agrava as dificuldades das pretas.

22...♘e6?! 23.d5 ♘d4 24.d×c6!

Eliminando as esperanças de contrajogo das pretas no caso de 24.♖cd1 c5 25.♖b1 b5!

24...♘×c6

Provavelmente 24...b×c6 25.c5 era o mal menor.

25.♘×c6 b×c6 26.c5

A vantagem das brancas se torna ameaçadora: elas têm dois bispos muito ativos, e, mais importante, o cavalo das pretas, de forma sem esperanças, está cortado das suas demais forças.

26...♖e8 27.♖×e8+ ♗×e8 28.♗d6

O afobado 28.♖c4?, na esperança de 28...♘b2 29.♖b4 ♖d2 (29...♘d3 30.♖b8 ♔f7 31.♗d6) 30.♖b8 ♔f7 31.♖b7+, poderia ter feito as brancas perderem grande parte da vantagem: 28...♖d1! 29.♖×a4 ♗g6 30.♖×a7 ♗d3 31.h3 ♖×f1+ 32.♔h2 h5, e são magras as chances de vitória.

28...♗f7

Na opinião dos comentaristas, o erro decisivo. Mas a transferência do bispo preto para d5 é a única chance de fortalecer as suas defesas, enquanto que a ocupação da coluna b (28...♖b7 foi recomendado) era ruim devido a 29.g3!, com um ataque ao peão c6 combinado com uma rápida invasão na coluna e, por exemplo, 29...♗f7 (29...♖b2 30.♖c4, pegando o cavalo) 30.♗g2 ♗e8 31.♖e1 ♔f7 32.♗f1! ♗d7 33.♗a6, ou 29...♘b2 30.♖e1 ♗g6 31.♗g2. A avaliação dos comentaristas, é claro, foi influenciada pelo fato de que as brancas acabaram usando a coluna b para uma invasão imediata. Mas tivessem as pretas perdido após 28...♖b7 29.g3!, eu não tenho dúvida de que a transferência do bispo para d5 teria sido recomendada como a melhor defesa! O ponto principal é que os defeitos orgânicos na posição das pretas já não podem ser eliminados através de lances individuais.

29.♖b1 ♗d5?

Embora a posição no tabuleiro seja uma de final de jogo, o avanço do rei das pretas ao centro torna-se altamente desagradável para elas, pois as ações harmoniosas das peças brancas criam ameaças de mate. Elas poderiam ter oposto uma resistência tenaz através do profilático 29...h5! (30.♗d3 ♖d8).

30.♖b8+ ♔f7 31.♖f8+ ♔e6

As brancas ganham à força após 31...♔g6 32.♗d3+ ♔h6 33.♗f4+ ♔h5 (33...g5 34.♖×f6+ ♔g7 35.♗e5) 34.♗f5 ♖f7 (34...♗e6 35.g4+) 35.g4+ ♔h4 36.♗g3+ ♔g5 37.h4+ ♔h6 38.♖g8! g5 39.♗d6 ♖g7 40.♖f8 ♗f7 41.♗e7.

32.g3

A partida teria sido concluída mais rapidamente com 32.♗a6 (32...♖×d6 33.c×d6 ♔×d6 34.♖a8 ♔c7 35.♖×a7+ ♔b6 36.♖a8 c5 37.♖d8).

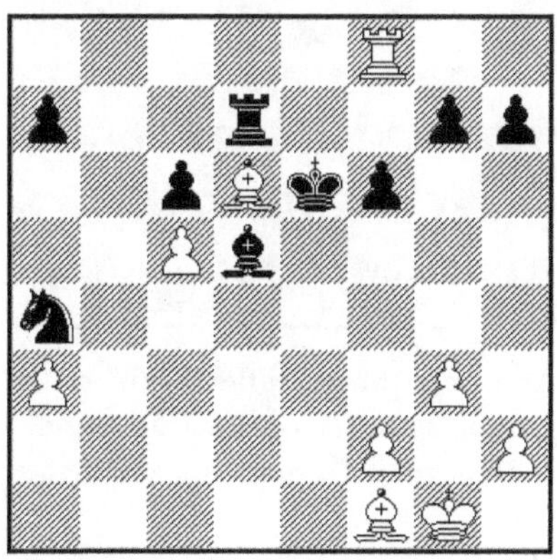

32...g6

Isso facilita a tarefa das brancas. Entretanto, mesmo após o comparativamente melhor 32...f5 (32...♗e4 33.f3! ♗c2 34.♗c4+ ♔f5 35.♗a6! ♔g6 36.h4! h5 37.g4 h×g4 38.f×g4 f5 39.♗c8 ♖f7 40.h5+ ♔f6 41.g5+) 33.♗a6 ♖f7 34.♖e8+ ♔f6 (34...♔d7 35.♖h8) 35.♗e5+ ♔g6 36.♗d4 as pretas estão totalmente impotentes.

33.♗a6 ♖×d6 34.c×d6 ♔×d6 35.♖×f6+ ♔e5 36.♖f8 c5 37.♖e8+ ♔d4 38.♖d8 ♔e5 39.f4+ ♔e4 40.♗f1 ♗b3 41.♔f2

Aqui Smyslov, sem tirar a mão do seu cavalo, colocou-o em c3, mas percebendo o mate em um lance, ele lentamente moveu a peça para trás. Então o ex-Campeão Mundial jogou

41...♘b2

sorriu, e... parou os relógios (42.♖b8 c4 43.♗×c4).

Uma tentativa de melhorar o jogo das pretas foi feita na nona partida, no lance nove:

9...e5?!

Após não muita reflexão fui capaz de encontrar uma continuação que em essência refuta a prematura atividade das pretas.

10.a3!

Fica claro que contra o avanço planejado do peão e – 10...♗×c3 11.b×c3 e4 – as brancas têm a forte resposta 12.c4! É claro, as pretas podem ganhar um peão com 11...♕×a3, mas após 12.e4 ♘5b6 13.♗d3 a iniciativa das brancas mais que supera sua mínima desvantagem material.

10...♗d6

À primeira vista a posição das pretas parece sólida: 11.♘×d5 ♕×d2+ 12.♔×d2 c×d5 13.d×e5 (13.♗b5 f6) 13...♘×e5 14.♘×e5 ♗×e5 15.♗b5+ ♗d7 16.♖c5 ♗×b5 17.♖×b5 f6! 18.♗h4 (18.♖×d5 ♗×b2) 18...0–0–0 etc. Mas as brancas têm uma possibilidade incomum de aliviar a tensão no centro para sua vantagem.

11.d×e5 ♘×e5 12.♘×e5 ♗×e5 13.b4! ♗×c3

O lance 13...♕×a3? teria sido equivalente ao suicídio: 14.♘×d5 c×d5 15.♗b5+ ♔f8 16.0–0 ♗e6 17.f4 ♗d6 18.f5 ♗×b4 19.♕f2.

14.♕×c3!

Transpondo para um final significativamente superior. Complicações interessantes teriam surgido após 14.♖×c3 ♘×b4 15.e4 (não 15.♖c5? ♘d3+!). Após 15...♘a6 (15...♘a2? 16.♖c2 ♕×d2+ 17.♔×d2 ♗e6 18.♗c4, e o cavalo não pode escapar) 16.♗×a6 b×a6 17.♖×c6 ♕×d2+ 18.♔×d2 as pretas estão frente a uma luta deprimente pelo empate. Ao mesmo tempo 17.0–0 (na esperança de 17...0–0? 18.♗f6!) não consegue nada devido ao intermediário 17...h6! (18.♕d6? h×g5 19.♕×c6+ ♔e7 20.♖c5 ♕b6, ou 20.e5 ♖h6). As brancas teriam conquistado uma forte iniciativa após 15...f6 16.♗×f6 g×f6 17.a×b4 ♕×b4 18.♗c4 (quando 18...♕b1+ 19.♖c1 ♕×e4+ não é possível devido a 20.♔d1! com um ataque irresistível). Entretanto não é claro o quão real seria a vantagem das brancas, se as pretas simplesmente retirassem a sua dama – 14...♕b6 (15.♖c1 h6 16.♗h4 ♗f5).

14...♘×c3 15.b×a5 ♘e4 16.♗f4

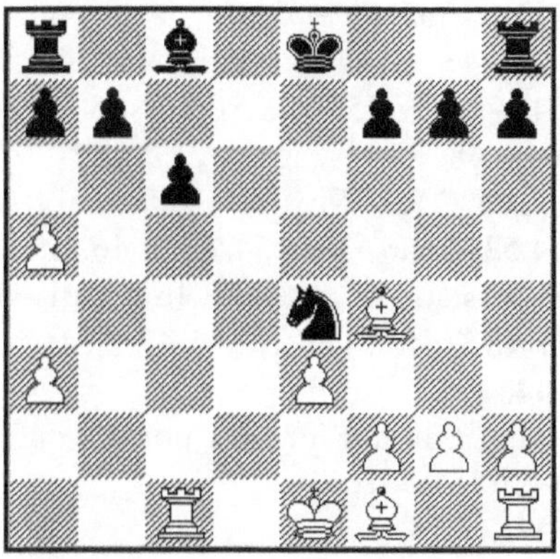

As vantagens da posição das brancas são óbvias: elas têm o par de bispos e a maioria de peões no centro, e, além disso, seu peão dobrado na coluna a é mais um fator positivo do que um defeito. Graças à sua formação de peões as brancas podem iniciar um ataque frontal ao peão b7, a defesa do qual é difícil para as pretas, pois a casa b8 é controlada pelo bispo de casas pretas.

16...0–0 17.f3 ♘f6 18.e4 ♖e8

A tentativa de jogar o liberador ...b6 termina em fracasso: 18...♗d7 19.♔f2 b6 20.♗a6! ♗c8 (20...c5 21.♗b7 ♖ad8 22.♗c7 ♖de8 23.♗d6) 21.♗e2 ♗d7 (21...c5 22.♗c7! ♘d7 23.♖hd1, e simplesmente não há nada que as pretas possam mover) 22.♖hd1 b5 23.♗g5! com grande vantagem.

19.♔f2 a6

As pretas removeram a ameaça de a5–a6, a qual necessitava sua atenção constante, de uma vez por todas, mas agora elas estão condenadas a uma espera passiva.

20.♗e2

Era tentador tentar retardar o desenvolvimento das pretas na ala da dama através de 20.♖b1 ♖e7 21.♗d6, mas então as pretas teriam conquistado chances de empate através do sacrifício de qualidade 21...♖×e4!

20...♗e6 21.♖b1 ♖e7 22.♖hd1 ♖ae8 23.♖b2!

O início de um plano estratégico de longo prazo. As brancas precisam dobrar as torres, a fim de que após uma troca elas continuem controlando a coluna d. As pretas serão forçadas a buscar a troca da segunda torre também, mas durante esse tempo as brancas avançarão os seus peões na ala do rei o máximo possível, de modo que no final resultante de dois bispos contra bispo e cavalo elas serão capazes de explorar de maneira efetiva a sua vantagem numérica nessa parte do tabuleiro. As brancas conseguiram desenvolver o seu plano e conquistar a vitória, mas eu não posso me aventurar a afirmar que a posição inicial esteja ganha mesmo contra a melhor defesa das pretas. Seja como for, durante a partida houve momentos onde as pretas poderiam ter feito a tarefa do seu adversário mais difícil. Mas na prática a defesa com sucesso de uma posição assim dificilmente é possível.

23...♗c8 24.♖bd2 ♖d7 25.♖×d7 ♘×d7 26.g4! ♘c5?!

As pretas deveriam ter incluído ...h6, reduzindo assim a força da falange de peões brancos através da troca de um par de peões (após h2–h4 e g4–g5).

27.♗e3 ♘d7

No caso de 27...♘e6 28.f4 ♖d8 as brancas teriam conquistado dominação absoluta: 29.f5 ♖×d1 30.♗×d1 ♘c7 31.a4! ♘e8 32.♗b3 ♘f6 33.♔f3 ♘d7 34.♔f4 ♔f8 35.e5. É mais fácil sugerir a seguinte variante do que decidir por ela: 27...♘b3 28.♗b6 c5 (29.♗c4? ♗e6 30.♗×e6 f×e6 31.♖d7 ♖c8!).

28.g5! ♘e5

O lance 28...♖e5 não teria sido perigoso em vista de 29.f4! (29...♖×e4? 30.♗g4 ♖e7 31.♗c5).

29.♗d4!

Cuidado é fundamental – o afobado 29.♔g3? teria permitido às pretas ativarem as suas peças através de 29...♗e6 e então ...♘c4 ou ...♗c4.

29...♘g6 30.♔g3 ♘f8 31.h4 ♖d8 32.f4 ♗e6 33.♗c3!

Mais preciso do que 33.f5 ♗b3 34.♖d2 c5! 35.♗c3 ♖×d2 36.♗×d2 ♘d7 37.♔f4 f6!

33...♖×d1 34.♗×d1 ♘d7

O avanço f4–f5 não pode ser impedido (34...g6 35.♗c2).

35.f5 ♗c4 36.h5!

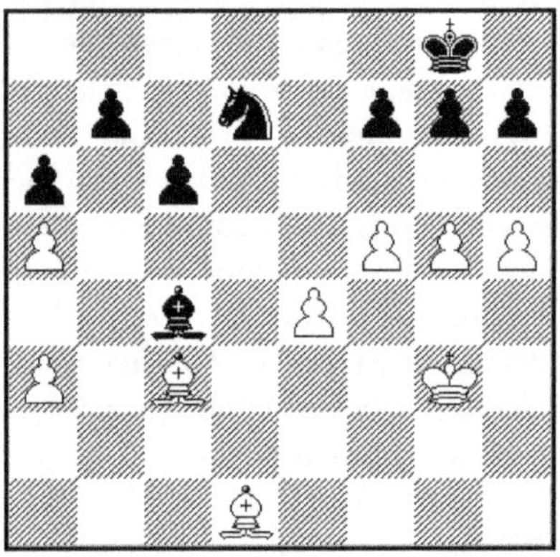

36...h6

Se 36...f6 as brancas têm o decisivo 37.h6, criando um par de peões passados unidos, mas após o lance da partida (e isso não podia ser evitado) as pretas adquirem outra fraqueza – o peão em h6.

37.g×h6 g×h6 38.e5 ♘c5 39.♔f4 ♗d5 40.♗c2 f6

Apreciando que em qualquer caso as brancas encontrariam um caminho para realizar a sua enorme vantagem posicional, Smyslov fixa de imediato a posição do peão, esperando montar uma "fortaleza". Mas ao ser testada, a fortaleza se revela um castelo de cartas...

41.e6 ♔g7 42.♗b4

A variante 42.♗d4 ♘b3 43.e7 ♔f7 44.♗×f6 também é boa.

42...♘b3 43.♔e3 c5

Ou 43...♗c4 44.♗c3 ♗d5 45.♗e4! ♗c4 (45...♘c5 46.♗×d5 c×d5 47.♔d4 ♘e4 48.♗b4 ♘g3 49.♔×d5 ♘×f5 50.♔c5 ♘g3 51.♔b6 ♘×h5 52.♔×b7 ♘f4 53.♔×a6 ♘×e6 54.♔b6) 46.♗f3, e as pretas estão em *zugzwang*: 46...♘c1 47.e7 ♗f7 48.♗d1, ou 46...♗b5 47.♗e2!

44.♗c3

Aqui Smyslov pensou por 53 minutos em seu lance secreto.

44...♔f8

Também é sem esperança 44...♘c1 45.♗a4, ou 44...c4 45.♗e4 ♗c6 46.♗×c6 b×c6 47.♔e4 (de novo *zugzwang*).

As pretas abandonaram sem retomar a partida. As brancas ganham tanto através de 45.♗×b3 ♗×b3 46.♗×f6, ou de 45.♗e4 ♗×e4 46.♔×e4 ♔e7 47.♔d5.

Tanto a terceira como a nona partidas ilustram bem a vantagem do par de bispos em uma posição aberta.

E agora outras duas partidas do *match*.

1.d4 d5 2.♘f3 ♘f6 3.c4 e6 4.♘c3 ♗e7

Assim foi como a quarta partida começou. O caminho de Tarrasch não é o único...

5.♗f4

Na sexta partida após 5.♗g5 h6 6.♗h4 0–0 7.♖c1 eu empreguei a sugestão de Emanuel Lasker 7...♘e4. Uma batalha de verdade não se sucedeu: 8.♗×e7 ♕×e7 9.e3 c6 10.♗d3 ♘×c3 11.♖×c3 d×c4 12.♗×c4 ♘d7 13.0–0 b6 14.♗d3 c5, e as pretas conquistaram o empate sem dificuldade.

5...0–0 6.e3 c5 7.d×c5 ♗×c5 8.♗e2

Um jogo assim não deveria dar nenhuma vantagem, mas coisas estranhas acontecem! Na partida Karlsson-Balashov (1983) após 8...♘c6 9.0–0 d×c4 10.♗×c4 ♕×d1 11.♖f×d1 b6 12.♘b5 ♗b7 13.♗d6 as pretas no entanto entraram em dificuldades.

8...d×c4 9.♗×c4 a6! 10.♕e2 b5 11.♗d3 ♗b7 12.0–0 ♘bd7 13.e4?! ♘h5! 14.♗d2 ♕c7 15.g3 ♖ad8 16.♗e3?!

Como todos os comentaristas notaram, a tentativa de Smyslov de tomar a iniciativa através de 13.e4 levou ao resultado contrário. Mas talvez também deva ser repreendido esse "arrependimento" prematuro, isto é, 16.♗e3 (16.b4!?).

16...♗×e3 17.♕×e3 ♕c5! 18.♖fe1 ♘hf6 19.a3 ♘g4! 20.♕×c5 ♘×c5 21.♗c2

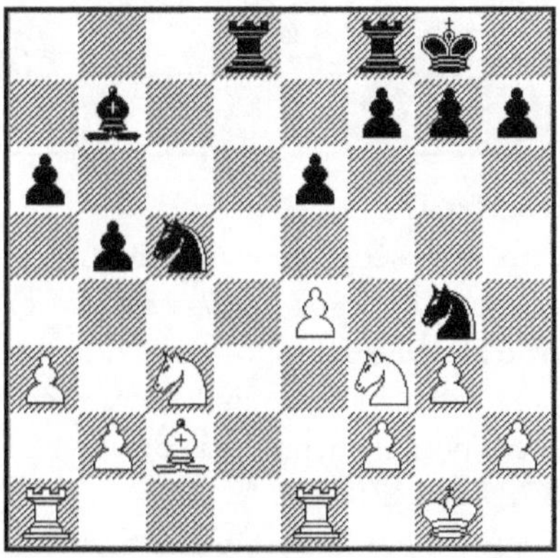

21...f5!

As peças das pretas estão tão bem colocadas que, ao invés do rotineiro 21...♘d3, essa tentativa não esperada de criar um ataque também é possível. A propósito, 21...♘d3 teria permitido às brancas se defenderem: 22.♗×d3 ♖×d3 23.h3! ♘f6 24.♘e5 ♖d2 25.♖ab1 ♖fd8 26.f3! ♔f8 27.♖bd1 etc.

22.♘g5!

Se 22...h6?, então 23.♘×e6 ♘×e6 24.♗b3 – Smyslov busca salvação na tática!

22...f4?

"Que sinal deve ser atribuído ao último lance das pretas...?" – perguntou o Grande Mestre Makarichev. Sem dúvida, um ponto de interrogação! Ao assegurar para si a casa e5, as pretas simultaneamente "matam" seu bispo em b7 e o cavalo em c5. Era correto 22...♖d2! 23.♖e2! (23.♘×e6? ♘×e6! 24.♗b3 ♘×f2 25.♗×e6+ ♔h8, mas não 23...♖×c2? 24.♘×c5 f×e4 25.♘×b7 ♖f×f2 26.♘×e4, e as pretas têm só um xeque perpétuo) 23...♖×e2 24.♘×e2 f×e4 25.♘f4 ♗d5! (defendendo contra ♘×e6 seguido por ♗b3) 26.f3! (26.b4 h6! 27.♘g×e6 ♘×e6 28.♘×d5 ♘d4) 26...♘e5 27.♗×e4 (27.f×e4 ♗c4 com vantagem das pretas) 27...h6! 28.♘×d5 h×g5 29.♘e7+ (29.♘c7 ♖c8 30.♘×e6 ♘×e6 31.♗d5 ♔f7 32.♖e1 ♔f6 33.♗×e6 ♖e8!) 29...♔f7 30.♘c6 ♘×c6 31.♗×c6 ♖c8 32.♗e4 (32.♖c1 ♖×c6 33.b4 ♔f6 34.b×c5 ♔e5) 32...♘×e4 33.f×e4 ♔f6! 34.♖f1+ ♔e5 35.♖f7 g6 – as pretas têm boas chances de vencer esse final.

23.♖ad1 ♖×d1 24.♗×d1?

Nas complicações após 24.♖×d1 f×g3 25.h×g3! ♘×f2 (25...h6 26.♘h3 g5 é perigoso devido a 27.b4 ♖f3 28.♘e2 ♗×e4 29.b×c5 ♗×c2 30.♖d8+) 26.♖d6 as brancas poderiam ter mantido o equilíbrio: 26...h6 27.♘×e6 (27.b4? h×g5 28.b×c5 ♘h3+ 29.♔g2 g4 30.♗d1 ♖c8! 31.♗×g4 ♘g5 favorece as pretas) 27...♘×e6 28.♗b3! (28.♖×e6? ♘h3+ 29.♔h2 ♖f2+! 30.♔×h3 ♗c8 31.♗b3 ♔f7) 28...♘h3+ 29.♔g2 ♘g5 30.♗×e6+ ♘×e6 31.♖×e6 etc.

24...♘e5 25.g×f4 ♘ed3 26.b4?

Era mais tenaz 26.♖e3 ♘×f4 27.b4 h6 28.♘f3. As esperanças das brancas em um contrajogo após 26...♘×e1 27.b×c5 provam ser em vão.

26...h6! 27.b×c5 h×g5 28.♖e3 ♘×f4

Em vista da ameaça de 29...♖c8, a posição das brancas é muito difícil.

29.a4 b4 30.♘e2

Ou 30.♘a2 ♖d8! 31.♗g4 ♖d2 32.♘×b4 (32.♘c1 ♗c6 33.♘b3 ♖c2) 32...a5 33.c6 ♗c8 – e tudo está acabado!

30...♖c8 31.♗b3 ♖×c5 32.♘×f4 g×f4 33.♗×e6+ ♔f8 34.♖e1 ♖e5 35.♗b3 (35.♗f5 g6) **♖×e4 36.♖d1 ♔e7 37.♔f1 a5 38.♖c1 ♔f6 39.h3 g5 40.♖c7 ♖e7 41.♖c5 ♖e5**

A tarefa das pretas após 42.♖c7 ♗f3 também é fácil, e então aqui Smyslov terminou sua resistência.

Na décima-primeira partida o ex-Campeão Mundial empregou a Defesa Chigorin.

1.d4 d5 2.♘f3 ♘c6 3.c4 ♗g4

Comentando uma partida com Gligoric em seu livro "*125 Partidas Selecionadas*", Smyslov escreveu que essa defesa "merece grande consideração, especialmente se as pretas têm por objetivo um jogo ativo de peças". Por isso, eu contei com a possibilidade da ocorrência da Defesa Chigorin no *match*, mas eu não a analisei em detalhes. Porque? Tigran Petrosian certa vez brincou: "Se o seu adversário quer jogar a Defesa Holandesa você não deve impedi-lo!". Existe uma grande quantidade de aberturas para as quais essa piada se justifica, e a Defesa Chigorin é uma delas...

Eu imagino que Vasily Vasilievich tenha aproximadamente a mesma opinião, e que sua escolha seja explicada exclusivamente pela situação no *match*. Nessa partida o jogo ativo de peças era mais importante para ele do que o par de bispos e o predomínio central das brancas!

4.c×d5 ♗×f3 5.g×f3 ♕×d5 6.e3 e5 7.♘c3 ♗b4 8.♗d2 ♗×c3 9.b×c3 ♕d6 10.♖b1 b6 11.f4!? e×f4 12.e4 ♘ge7 13.♕f3 0–0 14.♗×f4 ♕a3 15.♗e2! f5!

Após 15...♕×a2 16.0–0 as pretas teriam que contar não apenas com "a vantagem do par de bispos e o centro móvel de peões" do adversário, mas também com ameaças concretas: ♗×c7, ♖a1, d4–d5.

16.0–0

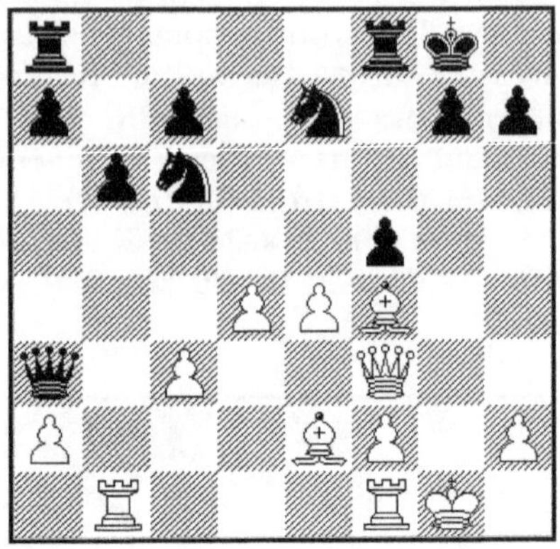

16...f×e4?

Um erro sério, num momento em que 16...♘g6! 17.♗×c7 ♕e7 18.e×f5 ♕×c7 19.♕d5+ ♔h8 20.f×g6 ♘e7! teria levado a uma situação indefinida, com contra-chances perfeitamente boas para as pretas!

17.♕×e4 ♕×c3

Agora as brancas estão sem ambos o seu centro e um peão, mas a diferença de forças entre os bispos e os cavalos é tão grande que a posição estará ganha dentro de poucos lances.

18.♗e3!

A ameaça é ♖c1 (em alguns casos, d4–d5), e a retirada do bispo desta casa indefesa meramente intensifica essas ameaças. Eu não consigo entender porque um certo Grande Mestre venerável recomendou aqui 18.♖fd1?!, e porque mais tarde um outro repetiu o que ele disse palavra por palavra...

18...♕a3 19.♗d3!! ♕d6

Todos os outros lances também perdiam: 19...g6 20.♗c4+ ♔g7 21.d5, 19...♘f5 20.♕e6+, ou 19...♖f5 20.♖b5! (o mais simples) 20...♖×b5 21.♗×b5 ♕d6 22.♖c1.

20.♕×h7+ ♔f7

É claro, se essa posição for considerada "viável", então até que é possível discutir sobre o 18° lance das brancas. Mas certamente há vários caminhos para a vitória, por exemplo, 21.♗c4+ ♔e8 22.♖fe1 – "é terrível olhar para a posição das pretas" (M.Tal).

21.♖b5!

O mais enérgico.

21...♘×d4! 22.♕e4?

Mas isso é um erro. Infelizmente, nem 22...♘×b5 (23.♗c4+ ♔f6 24.♕h4+ etc.) nem 22...c5 (23.♗×d4 e 24.♗c4+) são forçados. A seqüência 22.♗×d4 ♕×d4 23.♖g5! teria vencido, por exemplo 23...♔e6 (23...♖h8 24.♗c4+!) 24.♕h3+ ♔d6 (24...♔f6 25.♖f5+!) 25.♗e2! ♘d5 26.♖×d5+.

22...♖ad8!

Eu não vi essa resposta. Bem, então, após perder um tempo (23.♖g5 ♖h8) é hora de forçar o empate.

23.♗×d4 ♕×d4 24.♖f5+ ♘×f5 25.♕×f5+ ♔g8 26.♕h7

Empate.

Sim, eu nem sempre consegui ganhar as posições ganhas, mas no geral acho que este *match* foi minha mais alta conquista criativa. Eu não tive sequer uma posição realmente ruim, e mesmo na segunda partida, onde estive em dificuldades, Smyslov não tinha um ganho forçado. Eu acho que o ex-Campeão Mundial não jogou pior do que nos seus *matches* contra Hübner e Ribli (especialmente no início do *match*), e se a contagem de 4½-8½ foi tão desfavorável a ele, foi principalmente por culpa do seu adversário.

Eu fiquei muito feliz por ter conseguido evitar perder uma única partida. Afinal, o *match* seguinte, o mais importante, seria jogado não somente por seis vitórias, mas também por seis derrotas!

	1	2	3	4	5	6	7	8	9	10	11	12	13	Pontos
Kasparov	½	½	1	1	½	½	½	½	1	½	½	1	½	8½
Smyslov	½	½	0	0	½	½	½	½	0	½	½	0	½	4½

Detalhes Biográficos

Garry Kimovich Kasparov nasceu no dia 13 de abril de 1963, em Baku, a capital do Azerbaijão, ex-URSS. Tendo começado a jogar xadrez aos cinco anos de idade, aos sete Garry era um garoto-prodígio do xadrez. Aos nove, já tinha vencido uma semifinal do Campeonato Relâmpago para adultos em Baku. Em 1976, contando apenas 12 anos de idade, ele obteve sua primeira grande vitória graças ao seu incansável trabalho, quando venceu o Campeonato Soviético Juvenil. Tornou-se o mais jovem jogador na história dessa competição a obter tal título.

Em 1979 ele celebrou seu 16º aniversário e pela primeira vez participou de um torneio internacional adulto. Obteve nesse ano seu título de Grande Mestre Internacional.

Em 1980 ele venceu o Campeonato Mundial Juvenil.

Aos 21, Garry Kasparov era o mais jovem jogador na história do xadrez a competir num *match* final do Campeonato Mundial.

Em 9 de novembro de 1985 Garry tornou-se o mais jovem Campeão Mundial de Xadrez, quando derrotou Anatoly Karpov. Isso o tornou o 13º Campeão Mundial e o primeiro ranqueado no mundo.

Em janeiro de 1990, Kasparov assinalou duas marcas históricas no xadrez. Primeira, ele superou o melhor *rating* alcançado por Bobby Fischer, 2785 pontos, e depois quebrou a mágica barreira dos 2800 pontos. Ele foi o primeiro jogador na história do xadrez a conseguir tal feito.

Em 1999, após vencer os três maiores eventos daquele ano, ele assinalou nova marca histórica ao atingir o nível de 2850 pontos de rating ELO. Kasparov é o único jogador que já atingiu tal pontuação. Manteve-se como nº 1 do *ranking* mundial por um inacreditável período de mais de 20 anos (1984 a 2006).

De dezembro de 1981 a fevereiro de 1991, Kasparov fez história por não perder sequer um torneio oficial. Esse foi o período no qual ele criou a reputação de invencibilidade.

Índice de Oponentes

(partidas indicadas pelo número da página em que se encontram)

Índice de Aberturas

(os números referem-se às partidas)

Referências

Este livro contém artigos e comentários que foram primeiramente publicados nos seguintes periódicos:

Meu Primeiro Encontro com um Grande Mestre
Shakhmaty (Riga), 1978, nº8.

Daugavpils, 1978
Kasparov-I.Ivanov - *Shakhmaty v SSSR*, 1979, nº3.
Vencedor do Prêmio Informador - *Shakhmaty (Riga)*, 1980, nº20.

Moscou, 1979
Em busca da verdade... - *Shakhmaty (Riga)*, 1979, nº23.
Kasparov-Butnorius - *Shakhmaty v SSSR*, 1979, nº10.

Minsk, 1979
A nova "Descoberta da América" - *Shakhmaty (Riga)*, 1980, nº7.
Kasparov-Georgadze - *Shakhmaty v SSSR*, 1980, nº2.
Tseshkovsky-Kasparov - *Shakhmaty v SSSR*, 1980, nº3.

Skara, 1980
Kasparov-Pribyl - *Shakhmatnoe Obozrenye*, 1980, nº4.
Kasparov-Vukic - *Shakhmaty v SSSR*, 1980, nº4.
Spiridonov-Kasparov - *Shakhmaty v SSSR*, 1980, nº6.

Baku, 1980
Kasparov-Zaitsev, Kasparov-Csom - *Shakhmaty v SSSR*, 1980, nº8.
Atravessando a Barricada de Peões - *Shakhmaty Byulleten*, 1980, nº8.
Como se deve jogar na última rodada? - *Shakhmaty (Riga)*, 1980, nº15.

Dortmund, 1980
O Preço do Ataque - *64 - Shakhmatnoe Obozrenye*, 1980, nº20.
Tempone-Kasparov - *Shakhmaty v SSSR*, 1981, nº1.

Malta, 1980
Kasparov-Marjanovic - *64 - Shakhmatnoe Obozrenye*, 1981, nº1.
Kasparov-Ligterink, Kasparov-Speelman - *64 - Shakhmatnoe Obozrenye*, 1981, nº3.
Giardelli-Kasparov - *Shakhmaty v SSSR*, 1981, nº3.

Momentos Memoráveis em Fevereiro
Shakhmaty *(Baku)*, 1981, nº1-3; *Shakhmaty v SSSR*, 1981, nº6; *64 - Shakhmatnoe Obozrenye*, 1981, nº7.

Sortudo ou Azarado?
Shakhmaty (Baku), 1981, nº4,5,7; *Shakhmaty (Riga)*, 1981, nº7; *Shakhmaty v SSSR*, 1981, nº16.

Através do Prisma da Análise
Shakhmaty (Baku), 1981 nº8,9; *Shakhmaty v SSSR*, 1981, nº10.

Graz, 1981
Shakh*maty (Baku),* 1981, nº13; *Shakhmaty v SSS*R, 1981, nº12; *64 - Shakhmatnoe Obozrenye,* 1981, nº19.

Duas Semanas em Tilburg
Shakhmaty (Baku), 1981, nº16,18.

Quando o Fotochart Não é Necessário...
Shakhmaty (Baku), 1982, nº1,2,4,5,6.

Super Torneio em Bugojno
Shakhmaty (Baku), 1982, nº13,14,15; *Shakhmaty v SSSR,* 1982, nº10; *64 - Shakhmatnoe Obozrenye*, 1982, nº14.

Post Script Para Um Prólogo
Shakhmaty (Baku), 1982, nº19,20; *Shakhmaty v SSSR,* 1982, nº12; *64 - Shakhmatnoe Obozrenye*, 1982, nº20.

E de Novo os Mais Fortes!
Shakhmaty (Baku), 1982, nº23,24; 1983, nº1; *Shakhmaty v SSSR,* 1983, nº4; *64 - Shakhmatnoe Obozrenye,* 1982, nº24.

Expectativas e Surpresas
Shakhmaty (Baku), 1983, nº9,11,12.

O Duelo Continua!
Shakhmaty (Baku), 1983, nº17.

Do Ridículo... ao Sublime
Shakhmaty (Baku), 1983, nº21; *64 - Shakhmatnoe Obozrenye,* 1983, nº20.

Notícias, Fatos e Comentários
Shakhmaty (Baku), 1984, nº2,3,4,5; *64 - Shakhmatnoe Obozrenye,* 1984, nº3.

O Teste do Tempo
Shakhmaty (Baku), 1984, nº11,12,13.